ISBN 978-0-428-42445-9
PIBN 11214925

FB &c Ltd, Dalton House, 60 Windsor Avenue, London, SW19 2RR.
Company number 08720141. Registered in England and Wales.

For support please visit www.forgottenbooks.com

~~PARSONS~~

Contents

11. Hessische landwirthschaftliche V

Verein der Provinz Starkenburg.

Rechenschafts-Bericht.1842/4

13. Reichensperger,P.F. Die greie

Agrarverfassung. 1856

14. Rodet,D.L. Simple exposition

de la question des sucres. 1843

15. Stolle,E. Studien üb.d.Hebung d.

Landeskultur im König.Belgien.1850

16. Anleitung zu einer ein fachen

Methode der Erdunterfuchung für.

den praktischen Landwirth. n.d.

Großer Nuzen aus dem Mist-Dampf,

oder:

Anleitung, jede Juchart Aker, Matten, Weide, oder Reben schon allein mit dem Dampf von einem einzigen Fuder frischem Mist besser zu düngen, als mit 20 Wägen voll veriährtem; und sofort allen rohen Boden, durch einige Arbeitstage in Gartenerde umzuwandeln.

Von

L. L. Waibel.

Preis: 4 gr. sächs. od. 15 kr. rhein.

St. Gallen, 1836.
Gedrukt bei Wartmann und Scheitlin.

Großer Nuzen

aus dem

Mist-Dampf,

oder:

Anleitung, jede Juchart Aker, Matten, Weide, oder Reben schon allein mit dem Dampf von einem einzigen Fuder frischem Mist besser zu düngen, als mit 20 Wägen voll veriährtem; und sofort allen rohen Boden, durch einige Arbeitstage in Gartenerde umzuwandeln.

Von

J. J. Waibel.

Preis 3 Bazen.

St. Gallen, 1836.
Gedrukt bei Wartmann und Scheitlin.

12 f

Statt den Mist in grosen Haufen aufzuthürmen, wovon der Gährungsdampf nuzlos in die Luft verfliegt, verlange ich, daß man den täglich aus dem Stalle fördernden frischen Mist, in nicht größern Haufen, als ein einspänniges, oder höchstens zweispänniges Fuder Mist bildet, sogleich mit 5 bis 6 Fuß hoch Erde zu allen Seiten überdeke, damit der Dampf des bald in Gährung gerathenden Mistes in diesen Grundhäufen sich auflösen (erstiken) müße, also nicht heraus könne, wodurch gewöhnliche, bekannte Mistbeet-Erde der Gärtner gebildet wird, welche den Gärtnern eben so gute Dienste zum düngen leistet wie der Mist selbst.

Aber noch weit günstigern Erfolg wird man erhalten, wenn diesen Erdhäufen gebrannter, jedoch an der Luft schon ganz wieder zerfallener, verwitterter oder verfrorner Kalk (welcher alles äzende und zum mauern taugliche muß verloren haben) oder zu Staub geschlagener Mörtel von alten Mauern, oder auch sogenannte Kalkasche aus Kalköfen, diesen Erdhäufen (nicht dem Mist) so beimengt, daß über jede Lage Erde ein wenig Kalkstaub oder Mauerschutt mit der Schaufel aufgestreut wird. —

In diesem Fall, wird der Kalk in dergleichen Erdhäufen, vom Spätjahr bis zum Frühjahr, oder vom Frühjahr bis zum Spätjahr, so stark salpeterhaftig werden, wie Grund der 10 bis 20 Jahre lang unter einem Stalle gelegen, und in diesem Verhältniß dann auch düngen, oder vegetationsfähig sein; wenn der Haufe, mit der Schaufel an Ort und Stelle wo er gebildet wurde, wieder auseinander geworfen wird, so wird man erstaunen, wie reich und lange anhaltend da die Vegetationskraft sich auszeichnen wird; sollte aber dieser Erdhaufe nur zum überstreuen von anderm Pflanzboden] oder von Matten, Weiden und Reben verwendet werden, so wird, weil dieses eine kleinere Menge Salpeter auf den Quadratfuß bringt, die Ueberstreuung nur Düngkraft ausüben, wie ausgestreute Holzasche; auf Kleeäkern aber doch noch viel]günstiger wirken, als Gips.

Jedermann weiß, daß wenn salpeterhaltiger Grund, von unter einem alten Stall her, auf eine Matte gestreut wird, die Stelle sich wohl 10 Jahre lang durch schöneres Gras auszeichnet, während ein anderes Stük Matte, nur mit Mist gedüngt, kaum 2 Jahre anhält.

Die sprechendste Probe von dieser Erfindung auf die Viehzucht wird die sein: eine oder mehrere Kühe einen ganzen Sommer durch mit begipstem Klee zu füttern und aus deren Milch den Butter zieyen, auf der andern Seite aber eben so viel Kühe nur mit besalpetertem Klee zu füttern, und Milch und Butter davon, zur Vergleichung besonders aufzuschreiben, hernach auch die Gewichtszunahme am Fleisch und dessen Qualität vergleichen.

Wie Mistdampf und Kalk aufeinander wirken, um Salpeter zu erzeugen, wird begreiflich, da man aus Erfahrung weiß, daß die Salpetersieder denselben aus dem Grund von alten Ställen auslaugen, aber in keiner Stallerde wird Salpeter vorgefunden, wenn nicht Kalkmörtel durchs abfallen von den Stallmauern, oder im Schutt oder durch Zufall sonst dahin kam. Der Mörtel an den Wänden der Stallmauern wird zwar erst nach 10 bis 20 Jahren mit Salpeterduft beschlagen, weil der Kalk dort nicht in lokerer Staubform, wie in meinen Erdhäufen, und mit gespannter Luft wie da, zum salpetrigwerden gezwungen wird; — der Stikstoffgas im Mistdampf verwandelt den Kalk in Kalksalpeter und dieser ist das, von den alten Chemisten sogeheißene „allbefruchtende Luftsalz“. — Je länger nun die Erdhäufen (mit Kalk und Mist beschikt) beisammen gelassen werden, je stärker wird die Salpeterausbildung vor sich gehen, und sie geht auch ohne Unterbrechung so weit, daß wenn man einmal salpetriggewordenen Kalkmörtel von abgebrochenen Mauern als Sand zum Mörtel an neue Mauern verwendet, diese bald Salpeterfraß zeigen werden; wie schädlich solcher Salpeterfraß den Gebäuden ist, weiß Jedermann; diese Entstehungserklärung kann und wird Vielen ein Wink sein, um sich vor Schaden in neuen Häusern zu hüten.

Je mehr Kalk in einen solchen Erdhaufen gethan wird, je stärker salpeterhaltig kann derselbe werden, doch möchte es nicht räthlich sein, mehr als ein Salzfaß voll auf einen Haufen von 20 Fuder Erde zu verwenden, weil der Stikstoffgas aus dem wenigen Mist vielleicht kaum so viel in Kalksalpeter zu verwandeln vermag, oder die Pflanzen in so übermäßig vielem Dungsalz übergeilen möchten; übrigens wird eine Art von Boden und Pflanzen mehr Salpeter erfordern als andere, um den günstigsten Maßstab zu erreichen, deßwegen muß diese Ausmittelung den Untersuchungen eines Jeden überlassen werden, und dann kömmt es darauf an, wie viel Kalk man hat; auf alle Fälle ist es klüger, nur ein viertels- oder halbes Faß voll Kalk auf jeden Haufen zu verwenden, als gar keinen; genaue Verhältnisse auszumitteln, überlasse ich jedem Landwirthe selbst.

Wollte man Salpeter zum Auslaugen, für den Handel bestimmt, erzeugen, so dürfte man auch 2 Faß voll Kalk zu einem Haufen nehmen, eben so auch zum weit ausstreuen auf Grasboden ꝛc., wenn man viel Kalk hätte; aber dann müßen diese Haufen viel länger auf einander gelassen werden.

Da man Anno 1746 bei der grossen Pest in Marseille 46,000 Leichname in eine alte Kasematte geworfen und jeden mit einem Faß voll Kalk überdekt, fand es sich bei dem Ausbruch der ersten französischen Revolution, daß alle Körper, mit dem Kalk, in eine gesammte Salpetermasse übergegangen waren, aus welchen viele 1000 Zentner Salpeter zur Schießpulverfabrikation sind verfertiget worden. Also ist dieses ein Beweis, daß der Kalk unter mehrern Umständen sich in Salpeter verwandeln könne.

Zum Landbau wird der Salpeter nicht aus den ihn enthaltenden Erdhäufen ausgelaugt, sondern darinn gelassen; es würde genügen, wenn man den gleichen Boden nur alle 10 Jahre wieder salpeterhaltig machen würde, da es aber gewöhnlich ist, daß man die Aeker alle drei Jahre mistet, so wird man vielleicht dieses Verfahren auch bei dem düngen mit Salpetererde beibehalten wollen, oder müßen, denn wenn man zum Beispiel eine Wiese oder Weide ein erstesmal mit salpeterhaltiger Erde gedüngt hat, und diese dadurch von selbst hohen Klee und anderes äusserst nahrhaftes Gras erzeugt haben wird, so muß man den Abgang des Düngsalzes im Boden mit der gleichen Art Düngsalz wieder ersezen, weil sonst bei Anwendung von einer andern, schlechtern Düngart, die erst entstandene schönere Vegetation wieder absterben müßte.

Dem gleichen Grundsaz muß man es auch zuschreiben.

daß ein Riedtboden in fortdauernder Nässe erhalten, viel mehr saures Riedtgras (als Streue) liefert, als wenn das Riedt troken gelegt wird, denn in diesem Falle kränkeln die vom Wasser lebenden Pflanzen, oder sterben gar ab, während ohne Umbruch und Entsaurung des Bodens daselbst, auch Futter-Pflanzen nicht aufkommen können.

Bei diesem Anlaß habe ich noch den Rath einzuschalten, man möge nach Trokenlegung eines Riedts, durch Gräben eröffnen, die ausgeworfene Erde (in gänzlicher Ermanglung von Mist, für darunter zu legen) wie vorhin gesagt, ebenfalls an Haufen schlagen, und mit Kalk in größerer Menge vermischen, damit die Säure des Bodens vom Kalk zersezt werde.

Wenn in der eint oder andern Gegend Turbenmoose und Riedter wären, deren Unterlage aus Schnekenhäuslein und Schaalthierresten bestünde, so macht man mit beimischendem ¼ Leim, Baksteine, die im Winter im Stubenofen bei gewöhnlichem Feuer schon im erstenmal zu äzendem Kalk gebrannt werden, was große Ersparniß erweken kann.

Die Erdhaufen werden im Spätjahr auf den Brachäkern angelegt, und diese Haufen im Frühjahr mit der Schaufel wieder verebnet; in den andern Jahrszeiten sucht man anderwärts Grund zum Erdhäufen machen aufzufinden, sei es durch Gräben öffnen, ausstoken von erhebenen Heken oder Straßenborden und so weiters — aber es wäre sehr unklug, wenn man die Erde wollte zu dem Mist führen, lieber führe man den Mist dahin, wo die Erde ist, zum Beispiel auf einen Aker, sonst müßte man 20 Wägen voll Grund herbeiführen und 20 wieder fort, was 40 Fahrten gäbe, statt einer einzigen, wenn man sogleich den Mist wegführt.

Wo möglich, nämlich wenn Wasser in der Nähe wäre, sollte man, bei dem Bau der Erdhäufen, jede Lage gut begießen und antätschen (schlagen), damit der Mistdampf fester verschlossen werde; — in Ermanglung von nahem Wasser schlägt man den Gesammthaufen nach dem ersten starken Regen fest, übrigens wird sich an den meisten Orten, in dem Graben, welcher sich durchs Anwerfen der Erde bilden wird, vielleicht Regenwasser ansammeln, mit welchem zuweilen die Erdhäufen können begossen und die entstandenen Rizen durchs nachherige festschlagen wieder verschlossen werden. Doch soll man auch da am Geling und Gewinn von dieser Behandlung nicht zweifeln, wenn an andern Orten in den Graben kein Wasser zu diesem Behuf sich ansammeln sollte, der Nuzen wird dennoch noch reich genug ausfallen; als Erfinder und Bekanntmacher wollte ich mit Obigem nur zeigen, daß ich vielerlei Proben damit angestellt habe: — da wo die gute Akergrumme tief geht, oder wo schwerer Boden ist, kann man nach Belieben die Gräben zu den Erdhaufen 10 bis 12 Fuß in der Runde herum und 1 bis 2 Fuß tief herausstechen; da wo aber kiesiger Boden ist, da darf man nur wenige Zoll tief, und muß in diesem Fall zu jedem Erdhaufen einen größern Umfang abscharren. Bei so gestalter Läge aber würde ich rathen, blauen Letten, Lehm oder andern schweren Boden in Menge herbei zu führen, und diese Erdmassen vorerst zu den Salpeterhaufen verwenden, um eine Bodenverbesserung zugleich zu erzielen, was dann für immer bleibt.

Viele werden sagen: „das alles giebt uns zu viele Arbeit“; ich gebe ihnen darauf zur Antwort: ich glaube jeder solle das, was am meisten abträgt, am besten besorgen; wenn nun ein Landmann mit jedem einfachen Tagewerk und jedem einspännigen Wagen voll Mist den Geld- und Düngwerth von noch 20 Fuder Mist dazu verdienen kann, und er in Ermanglung von guter Akergrumme zum Verdeken des Mistes, einen andern bequemen Tag zum anderwärtigen Erdegraben, und einen dritten zum Führen derselben verwendet, so sind das 3 Tage verwendet, um auf immer einen Aker in die fruchtbarste Erdemischung zu versezen. Wen diese Mühe reut, der bleibt selbst daran Schuld, wenn seine Aeker unergiebig verbleiben und sein Vermögen nicht zunimmt.

Wenn man einem Bauer einen wissenschaftlichen Rath über Düngungsarten geben will, so glaubt er Alles mit dem Sprichwort darnieder schlagen zu können: „Mist ist über List“; aber das kann gegen meine gegenwärtige Erfindung nicht angewendet werden, denn salpeterhaltige Erde wirkt wohl 10 mal besser als der beste Mist.

Waschet Euern Schnupf- und Rauchtabak auch so aus, wie Ihr Euern Mist durch Regen, Schnee, Dachtraufe, Mistjauche und Eure Besprizungen auswaschen lasset, Ihr Behaupter vom „Mist ist über List,“ dann werdet Ihr's mit den Händen greifen können, wie wenig Euer Mist zuweilen leistet, und was er bei sorgsamerer Behandlung leisten würde; — unter meinen Erdhäufen wird kein Mist ausgewaschen; wenn Regen und Schnee auch etwas, oberflächlich, an den Erdhäufen anschießenden Salpeter wegwaschen, so versiegt er im Graben daneben in die Erde, wo er keineswegs verloren geht, sondern wie Salpeterfraß an den Gebäuden wächst, und den Wurzeln zu gute kömmt, die dort sprossen sollen.

Ich will annehmen, ein Aker mit so schwerer Erde daß 10 bis 12 Stük Vieh am Pflug ziehen müßen, was doch ziemlich kostspielig ist, würde mit 10 bis 20 solcher Salpeterhäufen beschikt, und in jeden würde 1 Faß Kalk verwendet; vom Herbst bis zur Zeit wo man, im April, Erdäpfel sezt, wird der Salpeterfraß darin so überhand genommen haben, daß die vorher so zähe Erde dann wie Asche geworden. Glaubet Ihr an anderer Arbeit mehr verdienen zu können?

Der Mehrertrag der ersten Erdäpfelerndte wird das Doppelte des ganzen Umwandlungsprozesses bezahlen, der Aker bedarf in Zukunft, und für immer, jedesmal nur 2 Stük Vieh zum pflügen, ist für mehrere Jahre bestens gedüngt, und giebt 10 mal mehr Erdäpfel als vorher.

Um jedem Irrthum oder Vergeß vorzubeugen, wiederhole ich schließlich, daß, da die salpetererzeugende Luft den Hauptwerth vom Mist bildet, so ist es unumgänglich nothwendig, daß man zu dieser Salpeterstoffluft eben so Sorge trage, daß sie nicht verfliege, wie zum Gährungsdampf vom Branntweingut, da der Mist an und für sich selbsten ebenfalls nur ein Trasch, oder beinahe werthloser Rükstand ist, wie das abdestillirte Branntweingut; wenn also der Mist nicht mit wenigstens 5 bis 6 Fuß Erde überdekt wird, so mag der Mistdampf durchdringen, und dann geht soviel vom Werth verloren, wie wenn der Gährungsdampf von eingebeizten Kirschen entweichen kann. — Die Kompostbäufen geben nicht den Zins vom Kapital der vollkommenen Dampfgewinnung zur Salpetererzeugung.

Mehr Mist als höchstens einen zweispännigen Wagen voll unter jeden Erdhaufen zu bringen, würde den Gährungsdampf so heftig aufwärts treiben, daß, um keinen zu verlieren, man ebenfalls wieder mehr Erde zusezen müßte, was wegen der Mühwalt, die Erde höher zu werfen, die Sache zu beschwerlich machen dürfte.

Nach dem Auseinanderwerfen der Erdhäufen wird

man den Mist nicht nur wieder finden, sondern am besten erhalten wieder antreffen; also darf man ihn dort auch wieder weg- und etwa in Reben führen, denn es ist sehr überflüssig, daß man ihn auf einem solchen Aker lasse, dessen ganzer Grund schon eben so gut wie der beste Mist selber ist; es genügt daß er blos mit Mistdampf und salpetrigem Luftsalz durchdrungen seie.

Wenn ein Landmann jährlich 50 — 52 Wägen voll Mist aus seinem Stalle fördert, und überdekt jeden mit 20 Fuder Grund, so giebt das 1040 Fuder Salpetererde und 52 Wägen Mist; mit so viel kann man doch schon was ausrichten?

Da in Folge dieser Erfindung der Kalkverbrauch sehr zunehmen wird, so möchte es vielen Gemeinden dienen, eigene Kalkbrennereien zu errichten, um den Kalk im kostenden Preis den Bürgern zukommen zu lassen, was viel wohlfeller wäre als der von den Ziegelbrennern gekaufte.

Wenn solche Erdhäufen über den Sommer stehen bleiben, oder angelegt werden, so pflanze und säe man Mehrerlei in dieselben, um einen Begriff zu bekommen, was ganze Aeker, solchergestalt behandelt, abwerfen dürften, denn die Wärme von innen und außen, und das Luftsalz dabei, giebt eine Vegetation wie man in Europa noch keine gesehen; die Mistbeete der Gärtner enthalten keinen Salpeter, sondern sollen nur den Wachsthum der Pflanzen schneller treiben; die Kraft oder die Würze der Pflanze erzeugt sich erst durch die freie Luft und die in der Erde befindliche Salpetertheile; die Tabaksblätter aus stark besalpeterter Erde werden beim rauchen gewiß nicht mehr knellern. —

Hiemit glaube ich so genügende logische Gründe für meine Erfindung entwikelt zu haben, daß alle Nachdenkenden Ueberzeugung davon erlangen dürften; Andere werden vorerst Versuche mit einzelnen Häufen machen, bevor sie allen Mist auf diese neue Art behandeln; es wird vielleicht auch noch eine dritte Klasse geben, die Jenen 2 Engländern gleicht, welche in Folge einer Wette, die auf das gewöhnliche Mißtrauen gegen alles Neue gegründet worden war, auf dem Pontneuf in Paris, wo am meisten Leute wandeln, mehrere Stunden lang einen großen Korb voll gute Louisd'or für 2 Sols das Stük feilboten; man kaufte ihnen nicht eines ab, obschon sie selbe der gaffenden Menge noch aufdringend anrühmten und es endlich noch sagten, es geschehe in Folge einer Wette; Niemand wollte an die mögliche Wahrheit von etwas so Außergewöhnlichem glauben. Doch hoffe ich, daß wenn man die Mistdampfbenuzung geprüft haben wird, der vorgeschlagne Seidenbau in der Schweiz dann ebenfalls Zutrauen finden und dadurch meine Dahingebung, um im Vaterland etwas ausgezeichnet Gutes auf die Bahn zu bringen, endlich doch gelingen wird.

Ueber den

thierischen Dünger,

seine Vermehrung

und

vollkommnere Gewinnung

vermittelst

Einstreuen mit Erde

in die Viehstallungen,

beschrieben und anempfohlen

von

Albrecht Block,

Besitzer des Gutes Schierau, Königl. Preuß. Amtsrath, Ritter des rothen Adler-Ordens 4ter Klasse und Mitglied mehrerer landwirthschaftlichen Gesellschaften.

Breslau,
bei Wilhelm Gottlieb Korn.

1835.

Ueber den thierischen Dünger, seine Vermehrung und vollkommnere Gewinnung vermittelst Einstreuen mit Erde in die Viehstallungen.

Sämmtliche Futter- und Einstreu-Mittel, die wir in unsern Wirthschaften an die Viehzucht verwenden, erhalten wir bei richtiger Anwendung derselben und bei einer vollständigen Ernährung, gehörigen Pflege und richtigen Auswahl der nutzbaren Thiere, von denselben durchschnittlich nur um die Hälfte vermittelst Zuwachs der Thiere, Milch, Wolle und des Gewinns an Fleisch und Talg bezahlt, wohingegen die andere Hälfte durch den zu gewinnenden Dünger vergütet werden muß.

Wäre es denkbar, daß ein Landwirth das Mittel erfände, einen ausdauernd reichen Ertrag von seinen Aeckern, auch ohne thierischen Dünger und ohne besondere Kosten zu gewinnen, dann würde dieser, (so lange er der Einzige ist, der dieses Mittel besitzt) durch den Verkauf seiner Futter- und Einstreu-Mittel gewiß den höchsten Reinertrag von seinen Aeckern erzielen, da er die Futter- und Einstreu-Mittel um 50 pro Cent höher absetzen oder verwerthen könne. Jedoch ist dies nicht denkbar, und wäre es auch der Fall, daß ein im Allgemeinen anzuwendendes Mittel erfunden würde, welches den thierischen Dünger ganz entbehrlich machte, dann würden die Futter- und Einstreu-Mittel wenig Abnahme finden, auch die andern verkäuflichen ländlichen Produkte in ihren Preisen um eben so viel herunter sinken, als solche uns weniger zu produciren kosten, mithin würde dieses Mittel auf den baaren Rein-Ertrag vom Ackerbau, wenigstens für den Producenten, wenig vortheilhaft wirken und von Nutzen sein.

Da wir nun aber im Allgemeinen nur vermittelst des thierischen Düngers bei einer guten Kultur des Ackers und einem den anzubauenden Feldfrüchten richtig anzuweisenden Standorte, den höchsten Ertrag vom Ackerbau erhalten, und die unentbehrlichsten Bedürfnisse des Lebens im größten Maße zum allgemeinen Besten zu erzielen im Stande sind, so kann auch das Bestreben des Landwirths, hinlänglichen kräftigen thierischen Dünger für seinen Acker zu gewinnen, nie groß genug sein.

Der Mangel an hinlänglichen Einstreu-Mitteln auf die Lagerstätte der Thiere in ihren Stallungen, welche die Extremente und besonders den Urin gänzlich auffangen, ist meistens die Ursache eines großen Düngerverlustes oder überhaupt des zu wenigen Düngers, den wir von unsern Nutzthieren, selbst bei einer reichen Ernährung erhalten.

Vermittelst des Gebrauches der Erde als Einstreu, und zwar abwechselnd mit Stroh oder anderem trockenen Streumitteln, sind wir aber im Stande:

„den thierischen Dünger in den Stallungen, nämlich „Exkremente und Urin, auf das vollkommenste ohne Verlust aufzufangen und zu gewinnen, Aecker und Wiesen „damit zu bereichern, den Thieren einen gesunden Aufenthalt in ihren Stallungen zu verschaffen, selbst wenn der „Dünger in denselben mehrere Monate verbleibt, so wie „dem Mangel an Dünger vorzubeugen, welchen zu Zeiten „geringe Stroh-Erndten, besonders an Orten, wo es an „andern Einstreu-Mitteln gebricht, unausbleiblich nach „sich ziehen."

Die hierüber gemachten Erfahrungen öffentlich mitzutheilen, die Behandlungs-Art beim Gebrauch der Erde als Einstreu, welche ich am zweckmäßigsten fand, zu beschreiben, und überhaupt die Anwendung der Erde zum beschriebenen Zwecke allen Landwirthen auf das Angelegentlichste zu empfehlen, ist die Veranlassung nachstehender Zeilen.

Schon vor 30 Jahren machte ich einen Versuch, den Rind- und Schaafvieh-Dünger bei Mangel an Streustroh durch Einstreuen mit Erde zu vermehren, und zwar bei einem Gute, welches ich in einem düngerarmen Zustande, nebst einer im Verhältniß seiner Fläche sehr geringen Erndte, käuflich übernommen hatte

Bei diesem Gute hatte ich Gelegenheit, aus einer nahegelegenen Brettschneidemühle Sägespäne zu kaufen, und zwar die zweispännige Fuhre zu 4 Sgl., wobei ich so viel aufladen lassen konnte, als auf einen Wagen mit Aufsetzebrettern und Flechten nur zu bringen war. Ich ließ daher einen möglichst großen Vorrath von Sägespänen, so wie Erde, aus neu angelegten

Feld= und Wiesengräben entnommen, in großen Haufen vor die Stallungen anfahren, und bediente mich nun dieser Einstreu=Mittel abwechselnd für Rind= und Schaafvieh. Andere Einstreumittel, als Wald= oder Teichstreu, waren nicht vorhanden. Die Schaafurschen (von Schaafen abgefressenes Stroh) mußten größtentheils wegen Mangel an Stroh zu Heckſel verwendet werden, und nur ein geringer Theil davon blieb übrig, um nach jedesmaligem Erdeinstreuen etwas kurzgehacktes Stroh über die in die Stallung gebrachte Erde streuen zu können, damit das Vieh rein vom Schmutze erhalten werden konnte. Diese Anwendung genannter Streumittel setzte ich ein ganzes Jahr bis zur nächsten Erndte fort, und gewann dadurch vielen guten kräftigen Dünger, worauf die angebauten Früchte vortrefflich gediehen, mit Ausnahme der Wasserrüben, welche der Erdfloh nicht zu Kräften kommen ließ, indem, wie spätere Erfahrung mich belehrte, die Sägespäne Ursache der starken Vermehrung des Erdflohes waren. Im nächsten Jahre wollte ich den Gebrauch der Sägespäne ganz unterlassen, und mich nur des Einstreuens der Erde und des Strohes bedienen, denn Erde stand mir so viel als ich nur wünschen konnte, vermittelst Anlegung neuer, so wie durch Erweiterung alter Gräben und Teiche zu Gebote; jedoch in diesem Jahre nahmen die Kriegsunruhen ihren Anfang, wozu noch kam, daß meine damalige Stellung mich mit der Direction entfernter großer Güter vollauf beschäftigte, und mir nur wenige Zeit übrig blieb, auf meinem Gute thätig zu wirken, und so kam es, daß das Einstreuen mit Erde ganz unterlassen wurde, zumal auch reiche Stroherndten in den folgenden Jahren dasselbe nicht mehr so dringend nothwendig machten.

Die geringen Stroherndten der Jahre 1833 und 1834 aber nöthigten mich wiederum meine Zuflucht zu dem Erdein=

streuen zu nehmen, um mein Vieh bei einer kräftigen, saftigen Stallfutterung reinlich zu erhalten, so wie besonders die Aecker in ihrem Düngungszustande nicht zurückkommen zu lassen. Ueber die Behandlungsart beim Einstreuen mit Erde, habe ich nun wiederum mehrere Versuche gemacht; ich werde aber hier nur jener Methode erwähnen, welche ich für die zweckmäßigste halte, und die ich auch, selbst bei den reichsten Stroherndten, beizubehalten gedenke.

Zwischen der Frühjahrssaat und Erndte, so wie im Herbste nach beendeter Ackerbestellung, und zu allen Zeiten, wenn Zugvieh und Arbeiter mir zu diesem Geschäft zu Gebote stehen, wird die Erde von Graben, Rändern, Dämmen und dergl. in möglichst großem Vorrath in hohe Haufen ohnweit der Stallungen in welchen man sie anzuwenden gedenkt, angefahren. Diejenige Erde, welche zur Einstreu über Winter bestimmt ist, wird, bevor der harte Frost die Erde starrend macht, mit Pferdedünger überdeckt und auf diese Art vor dem Frost geschützt, um dieselbe zu allen Zeiten als Einstreu gebrauchen zu können. Kann man die Erde in einem möglichst trocknen Zustande in die Vorraths-Haufen bringen, dann ist solches um so besser, indem sie dann als Einstreu im Stalle eine größere Masse von Düngerfeuchtigkeit aufzunehmen oder einzusaugen vermag.

Ein Cubik-Fuß Erde, wenn solche noch circa 12 bis 15 Procent Feuchtigkeit bei sich hat (dem Gewichte nach berechnet), nimmt in der Stallung unter dem Viehe, dem Volumen nach berechnet, noch $\frac{1}{8}$ Cub.-Fuß Feuchtigkeit an. Dieß ist ohngefähr der Fall bei den meisten Erdarten, selbst bei ganz sandiger Erde. Trockener, torfartiger, poröser Boden nimmt noch mehr Feuchtigkeit in sich auf.

Bei Mangel an Streustroh, wo man täglich pro Stück Groß-Rindvieh nur 3, höchstens 4 Pfd. Streustroh geben kann, ist es vortheilhaft, 1¼ bis 1½ Cub.-Fuß Erde noch nebenbei einzustreuen, welches nicht nur einen kräftigen Dünger, sondern auch dem Thiere eine trockene Lagerstätte giebt.

Ein nothwendiges Erforderniß zur Erlangung guten Düngers ist aber, daß die Stallung hinlänglichen Raum hat, damit der Dünger wenigstens 4 Wochen lang unter dem Viehe liegen bleiben kann; kann man denselben eine noch längere Zeit im Stalle lassen, so ist dies um so besser, als der Dünger im Stalle, auf welchem die Thiere tagtäglich stehen, in seiner Güte nie verliert, sondern durch die Länge der Zeit nur gewinnt. Eben so nothwendig ist es aber auch, daß der Dünger im Stalle wöchentlich zweimal aufgerissen und auf die Krippen zu gezogen wird, weil sich derselbe sonst hinter dem Viehe, wo der meiste Dünger hinfällt und daher mehr eingestreut werden muß, zu hoch anhäufen würde.

Kann man bei saftreicher Futterung mehr Streustroh, z. B. 6 bis 8 Pfd. pro Stück Großvieh, nebst 1¼ bis 1½ Cub.-Fuß Erde täglich anwenden, dann ist solches um so besser, indem auch diese Einstreumasse vom Dünger oder den Abfällen der Thiere völlig gesättiget wird; jedoch ist es bei Mangel an Erde schon eine große Hülfe und von vielem Nutzen, wenn bei starker Stroh-Einstreu nebenbei auch nur ½ Cub.-Fuß Erde pro Stück Großvieh verwendet wird.

Der jährliche Gewinn an gutem Dünger, oder das plus, welches das Einstreuen mit Erde in vorbeschriebener Art bewirkt, ist mindestens auf 8 bis 10 Fuhren à 40 Cub.-Fuß pro Stück

Groß-Rindvieh bei Stallfutterung zu veranschlagen. In Fällen aber, wo den Thieren, bei einer nur wenig Feuchtigkeit enthaltenden Fütterung, überaus reich mit Stroh eingestreut wird, ist natürlich auch die Vermehrung des Düngers, welche das Erdeinstreuen bewirkt, von geringerer Bedeutung; weil die Erde den strohigen lockern Dünger mehr zusammen drückt, — ihn kompacter macht — mithin auch dann derselbe ein geringeres Volumen einnimmt, aber dennoch in der Güte vermittelst der Erde ungemein gewinnt.

Die eingestreute Erde und das Stroh faßt und verschluckt alle und jede Feuchtigkeit, die vom Thiere kömmt; der Anbringung von Jauche- oder Gillenbehältern ist man überhoben, denn die Einstreumittel fangen alles auf, und sind ohnstreitig die besten Gillenbehälter. Der Dünger, welcher auf diese Art im Stalle entsteht, erhitzt sich nicht unter den Thieren, und vermindert sich nicht in seiner Güte und seinem Volumen; die Thiere stehen immer reinlich und eine weit gesundere Luft herrscht in den Stallungen, indem bei gehörigem Einstreuen die Lagerstätte jeden Tropfen Feuchtigkeit in sich aufnimmt und verschließt, so daß es hierbei möglich wird, dem Ackerbau alle Excremente der Thiere zu Gute kommen zu lassen. Wird ein derartiger Dünger aus der Stallung auf die Dungstätte gebracht, so kann derselbe, wenn es Verhältnisse nöthig machen, auch eine längere Zeit darin gelassen werden, ohne einen bedeutenden Verlust zu erleiden, da die Beimischung der Erde das Brennen und Verkohlen des Düngers eine längere Zeit aufhält, welches ebenfalls nur erwünscht sein kann, indem sich nicht immer die Gelegenheit darbietet, den Dünger zu allen Zeiten, so wie solcher aus den Stallungen gebracht wird, dem Acker einzuverleiben.

Bei der ersten Einrichtung hat man, wie bei allem Neuen, mit Schwierigkeiten zu kämpfen. Das Hereinschaffen der Erde in die Stallungen ist eine neue ungewöhnliche Arbeit; die Dienstboten, welche dieselbe verrichten sollen, haben mancherlei Einwendungen, z. B. sie würden diese Arbeit nicht bestreiten, das Vieh würde sich durch die Erde noch mehr beschmutzen, die Thiere würden Klauenkrankheiten bekommen und dergl. mehr, allein hierauf hat man nicht zu achten, man sorge nur dafür, daß die Arbeit gut gemacht und nach dem jedesmaligen Erdeinstreuen immer etwas Stroh oder sonstiges trockenes Streumaterial auf die Erde gestreut wird, wozu auch der mehr trockene Pferdedünger in dem Zustande, wie solcher aus der Stallung gebracht wird, sich vorzüglich eignet. Der Pferdedünger ist überdies in der Regel weit schlechter als der Rindviehdünger, wird derselbe aber, wie gesagt, noch in die Rindviehstallungen als Einstreu verwendet, so erhält er dieselbe Güte als der Rindviehdünger. Daß dieses Erdeinstreuen mehr Arbeit macht, als das gewöhnliche Einstreuen mit Stroh ꝛc. hat allerdings seine Richtigkeit, hält man aber zur Verpflegung und Futterung des Viehes die gehörige Anzahl Dienstboten, dann wird man auch in den meisten Fällen mit diesen das Erdeinstreuen bestreiten können, und wäre dies wegen etwaiger anderer Arbeiten nicht gut möglich, nun so ist es von keinem großen Belange, wenn auch ein oder einige andere Hülfsarbeiter täglich eine Stunde zu dieser Arbeit noch nebenbei gegeben werden, da dieser Kosten-Aufwand, in Verhältniß des Dünger-Gewinns, nur von einem geringen Betrage ist. Die meiste Dünger-Arbeit in den Stallungen macht das Austragen desselben, wenn nämlich die Stallungen nicht so gebaut sind, daß der Dünger gleich in denselben auf den Wagen geladen werden kann, sondern herausgetragen werden muß; in diesem

Falle sind freilich die gewöhnlichen Dienstboten, welche man zur Verpflegung des Viehes hält, nicht gut im Stande diese Arbeit mit zu bestreiten.

Als ich im vorigen Jahre wiederum aufs Neue anfing, Erde als Einstreu in die Rindviehstallungen zu gebrauchen, ließ ich anfänglich wöchentlich nur einmal, nachdem zuvor der Dünger vorn auf die Krippen zu gezogen worden war, stark mit Erde einstreuen und zwar pro Kuh oder Ochse 10 bis 12 Cub.=Fuß. Auf diese Erde wurde der in der verflossenen Woche entstandene Pferdedünger gebreitet. Die übrigen 6 Tage in der Woche wurde dem Viehe wie gewöhnlich mit kurzgehacktem Streustroh eingestreut. Nach Verlauf von 6 Tagen fand es sich immer, daß Erde und Einstreu=Stroh von der Düngerfeuchtigkeit völlig gesättiget waren, mithin es am 7. Tage wieder nöthig wurde, das Erdeinstreuen zu wiederholen. Nach einem Monat war diese Methode des Einstreuens gut eingerichtet, das Vieh stand trocken, konnte mit weniger Streustroh reinlicher gehalten werden als früher, und die Dienstboten, welche mit der Verpflegung des Viehes beauftragt waren, fanden nun statt Widerrede, ihren Wohlgefallen daran, da der mehr trockene reinlichere Stand der Thiere ihnen die Abwartung und Verpflegung derselben erleichterte.

Späterhin änderte ich die Sache in so fern ab, daß, statt einmal wöchentlich, nun tagtäglich mit Erde eingestreut wurde und zwar pro Stück Groß=Rindvieh 1½ Cub.=Fuß, das übrige Verfahren blieb dasselbe. Diese Abänderung geschah deßhalb, weil ich bei dem Dünger=Austragen aus den Stallungen fand, daß die eingestreute Erde, welche viel Lehm enthielt, von der thierischen Feuchtigkeit zwar völlig gesättiget und durchdrungen, aber durch das Treten und Lagern der Thiere etwas zusammengeballt war, wodurch eine gleiche Vertheilung des Düngers auf dem Acker erschwert wurde. Wird hingegen die Erde täglich eingestreut, wie es jetzt geschieht, dann kömmt dieselbe weniger dicht zu liegen, wodurch eine gleichere Mischung mit dem Streustroh bewirkt und das Zusammenballen der Erde vermieden wird. Das Hereinschaffen der Erde in die Stallungen ließ ich anfänglich nur um die Sache in Gang zu bringen, durch Lohnarbeiter verrichten, jetzt aber, wo es keinem Dienstboten mehr einfällt Schwierigkeiten zu machen, wird das Hereinschaffen und Einstreuen der Erde täglich von denselben Dienstboten, welchen die Verpflegung des Viehes obliegt, verrichtet, jedoch mit Ausschluß des Sonntags, wo keine Erde eingestreut wird, dafür aber des Sonnabends eine doppelte Portion eingestreut werden muß. Die zum Einstreuen vorräthige Erde liegt in hohen Haufen dicht vor den Stallungen und wird mit Brettradwern, deren Kasten reichlich 1½ Cub.-Fuß faßt, in dieselben geschafft. Diese Arbeit geschieht immer des Nachmittags, während das Vieh zur Tränke getrieben und nachher so-lange im Viehhofe gelassen wird, bis das Erdeinstreuen vollendet ist, welches ohngefähr eine Stunde dauert. Regel ist es, daß die Erde nicht in Klumpen angewendet, sondern zuvor in möglichst kleine Theile gebracht und recht streubar gemacht wird, um solche auf der Lagerstätte der Thiere immer dahin, wo es am nöthigsten ist, streuen und aufs gleichmäßigste vertheilen zu können.

Wird Stroh allein eingestreut, dann faßt dasselbe bei einer kräftigen saftigen Futterung, die von den Thieren abfallende Feuchtigkeit, auch bei starker Einstreu, nie völlig auf; bei weniger Streu ist solches ganz unmöglich; die Thiere stehen und liegen dann in ihrem Schmutze, daher denn auch hier Abzüge und Gillenbehälter durchaus nöthig sind, um die Thiere nicht ganz im Nassen stehen zu lassen, so wie um den zu sammelnden Abfluß doch auf irgend eine Art als Düngungsmittel wenigstens einigermaßen nützen zu können.

Die Düngung mit Gille, nämlich solche in Fässern oder dazu eingerichtete Kasten mit den Wagen auf Aecker oder Wiesen zu schaffen, ist eine schwierige und wenig lohnende Arbeit, indem die damit fruchtbar zu machende Fläche in der Regel von geringem Umfange ist, weil von der Gille gewöhnlich, bevor solche sich sammelt und sie genutzt werden kann, zu viel verloren geht.

Durch das Einstreuen mit Erde ist man aber, wie schon gesagt, im Stande, auch bei wenigem Streustroh oder andern Einstreumitteln, Reinlichkeit in den Ställen zu erhalten und, was von der größten Wichtigkeit ist, auch die thierischen Abfälle sämmtlich ohne Verlust aufzufangen, vielen kräftigen Dünger zu gewinnen und die Aecker in einem weit reichlicheren Maaße damit zu befruchten.

Nur mit Hülfe der Erde als Einstreumittel ist es mir gelungen, auch dieses Jahr den vierten Theil meiner Feldfläche kräftig zu düngen, welches aber bei der vorjährigen geringen Stroh- und Heu-Erndte, wo das Stroh größtentheils zu Häckfel verwendet werden mußte, ohne das Einstreuen der Erde nicht möglich gewesen wäre. Alle auf diesem Dünger angebauten Früchte haben eine vorzüglich reichliche Erndte gegeben, und an der Nachhaltigkeit desselben ist, wie frühere Erfahrung mich belehrt hat, ebenfalls nicht zu zweifeln.

Welche wichtige Rolle der Dünger bei der Landwirthschaft spielt, ist allen Landwirthen bekannt, vieles Andere in unserm Fache, was nützlich und empfehlenswerth ist, wird oft bekrittelt und lange Jahre bezweifelt, ehe solches Eingang oder allgemeine Anwendung findet und wirklich als gut anerkannt wird; jedoch über die gute Wirkung des thierischen Düngers ist kein Zweifel, denn auch der kleinste und ärmste Ackersmann erkennt seinen Werth, so wie der rationelle Landwirth in seiner Praxis gewiß die Bestätigung finden wird, daß der Rein=Ertrag von einer bestimmten Ackerfläche größtentheils von dem Düngungszustande desselben abhängt, so daß oft ein Ackerstück oder ganzes Gut von geringem Umfange, bei kräftiger Düngung mehr rentirt, als ein weit größeres bei gleicher Güte des Bodens, aber bei einem düngerarmen Zustande.

Zur Gewinnung vielen guten kräftigen Düngers ist natürlich auch eine vollkommen kräftige Ernährung der Thiere nöthig, aber eben so unerläßlich ist auch eine hinlänglich vollkommene Einstreu, um die Excremente der Thiere vollständig zu fassen, weil ohne Einstreu, die wenig Volumen enthaltenden Excremente auf dem Acker, wie die Erfahrung uns lehrt, nie ihre vollkommene Wirkung leisten; die Fläche, welche damit gedüngt werden kann, ist zu geringfügig, und es ist mithin die Einstreu ein unerläßlich nothwendiges Mittel zu jenem Hauptzwecke, den wir Landwirthe alle zu erreichen wünschen, nämlich: vielen guten Dünger und durch denselben einen reichen Ertrag von unsern Aeckern zu erhalten.

Ob nun zwar die Erde als Einstreu= und Auffange=Mittel der Excremente beim Rindvieh sich am besten eignet, da solches weit saftreicher als das Schaafvieh ernährt wird, auch überhaupt er=

steres weit mehr Flüssigkeiten zu sich nimmt und daher im Verhältniß seines Futterbedarfs und seines Körpergewichts dreimal mehr urinirt als das Schaaf, so ist es dennoch zweckgemäß auch letzteren dann und wann Erde aber in einem weit geringerem Verhältnisse, in die Stallung zu streuen, so daß z. B. 30 Schaafen bei Stallfutterung, ohngefähr so viel als einer Kuh eingestreut wird, wonach man von 10 Schaafen, vermittelst der Erde, jährlich ohngefähr 2½ bis 3 Fuhren Dünger mehr gewinnen kann. Das Einstreuen mit Erde in die Schaafstallungen hat noch nebenbei den Nutzen, daß dieselbe das Erhitzen des Düngers aufhält, denselben weniger ausdunsten läßt, und eine weit gesundere Luft in den Stallungen erhält.

Nur wenige Wirthschaften wird es geben, wo nicht die Gelegenheit vorhanden sein sollte, durch Anlegung neuer zweckmäßiger Gräben auf Feldern, Wiesen und an Fahrwegen, desgleichen durch Erneuerung oder Erweiterung alter Gräben, oder durch Anlegung von Schlammfängen und Wassersammlungen in Niederungen, um den Aeckern einen Abfluß zu verschaffen, so wie durch das Abstechen alter nicht mehr nöthiger Teichdämme und dergleichen, sich die benöthigte Erde zum Einstreuen zu verschaffen und dadurch den zu gewinnenden Dünger zu vermehren und zu verbessern. Bei kleinen Ackerbesitzungen von 5 bis 6 Morgen, wo es an Gelegenheit fehlt, die Erde zur Einstreu anderweitig zu erlangen, ist die beschriebene Methode des Erdeinstreuens dennoch dann ausführbar, wenn das Ackerland nicht schroffen Kies oder Sand, sondern nur sogenannte todte Erde (Erde welche verschlossen lag und in keiner Kultur stand,) ein bis zwei Fuß tief zur Unterlage hat. In diesem Falle wird die obere gute pflugbare Erde von einer Fläche, welche so groß sein muß, als die benöthigte Erde erfordert, vermittelst Pflug und Schaufel ab und zur Seite geräumt, und dann die Unterlage zum Einstreuen ausgegraben. Angenommen, die Erd-Unterlage würde einen Fuß tief ausgegraben, der tägliche Bedarf der Einstreu wäre für eine Kuh, und zwar 1½ Cub.-Fuß, so würden 548 Cub.-Fuß Erde ausgegraben werden müssen; 4 Cub.-Fuß Erde im compacten Zustande, geben 5 Cub.-Fuß trockene Erde, wie solche zur Einstreu verwendet wird, mithin betrüge dann die Fläche, von welcher die Unterlage entnommen wird, 438 Quad.-Fuß oder höchstens 4½ Quad.-Ruth., welches der 120. Theil von 6 Morgen ist. Dieses wäre der jährliche Bedarf bei der Haltung einer Kuh. Um aber nun jene Fläche von 4½ Quad.-Ruth., von welcher die Unterlage zur Einstreu genommen ist, nicht unbrauchbar liegen zu lassen, wird die abgeräumte gute Erde, wenn zuvor der Untergrund vermittelst Pflug oder Spaten gelockert worden, wieder an ihren alten Standort, nämlich auf die gelockerte Unterlage gebracht, wodurch diese kleine Fläche wiederum Anbaufähig gemacht ist. Auch diese Arbeit bezahlt der Acker durch seinen höhern Ertrag noch reichlich. Der kleine Ackerbesitzer, welcher diese Melioration bei seinem Acker unternimmt und die Arbeit mit eigner Hand verrichtet, gewinnt hiedurch eine Gelegenheit, ein gutes Tagelohn auf seinem eigenen Grundstück zu erwerben, so wie auch mehr Selbständigkeit sich zu verschaffen.

Bei bindenden stark thonhaltendem Boden, ist sandige Erde, und bei leichtem sandigen Boden, so wie bei allen Aeckern, denen es an Bindung und Feuchtigkeit anhaltender Eigenschaft gebricht, ist wiederum lehmige Erde und selbst Lehm, natürlich aber in trockenem und zerkleinertem Zustande, als Einstreu am vortheilhaftesten.

Das Graben und Anfahren der Erde, so wie dieselbe in die Stallungen zu bringen und selbst der mehrere Dünger, der aus den Stallungen geschafft und auf das Feld gebracht werden muß, macht zwar, wie schon einmal gesagt, mehr Arbeit und Kosten, jedoch sind alle diese Auslagen, im Vergleich des dadurch hervorzubringenden Nutzens, geringfügig zu nennen, wie aus nachträglicher Kosten-Berechnung sich ergeben wird.

Viele thätige und eifrige Landwirthe unter uns scheuen keine Kosten, um ihre Aecker durch anzukaufende Düngungsmittel in der Fruchtbarkeit zu erhöhen; große Summen Geldes für Seifensieder-Asche und Kalk werden jährlich verwendet, beides, nämlich Kalk und Asche, werden oft mehrere Meilen weit herbeigeholt, welches die Anschaffungskosten noch vermehrt und zuweilen so bedeutend macht, daß nur in einzelnen Fällen der Ackerbau, durch seinen, vermittelst der kostspieligen Düngung hervorgebrachten höhern Ertrag, die Auslagen deckt; wogegen die Verbesserung und Vermehrung des thierischen Düngers durch Einstreuen mit Erde in die Stallungen, einen weit geringeren Kostenaufwand erheischt und, wenn auch nicht unter allen Verhältnissen, doch in den meisten Wirthschaften, die Kalk- und Asche-Düngung nicht nur ersetzt, sondern noch reichere Erndten hervorbringt, weit nachhaltender ist und uns zugleich in unserer Wirthschaft selbständiger macht.

In Ansehung der benöthigten Handarbeiten und Fuhren nebst deren Kosten, welche das Graben und Herbeischaffen der Erde verursacht, füge ich folgende aus der Erfahrung genommene Berechnung bei:

B. Benöthigte Fuhren und deren Kosten.

1) Bei 100 Ruthen Entfernung leistet ein zweispänniges Tagewerk mit Pferden im Durchschnitt kurzer und langer Tage . . . . 22 Fuhren, à 25 C.-F.
2) = 200 Ruthen Entfernung . . 16 = = = = =
3) = 300 = = = = = = . . 12 = = = = =
4) = 400 = = = = = = . . 10 = = = = =
5) = 500 = = = = = = . . 8 = = = = =
6) = 600 = = = = = = . . 7 = = = = =
7) = 700 = = = = = = . . 6 = = = = =
8) = 800 = = = = = = . . $5\frac{1}{2}$ = = = = =
9) = 900 = = = = = = . . $4\frac{3}{4}$ = = = = =
10) = 1000 = = = = = = . . $4\frac{1}{2}$ = = = = =

Bei dieser Berechnung ist bei denen an einem Tage zu leistenden Fuhren nach der Erfahrung angenommen, daß das Pferd im Durchschnitt kurzer und langer Tage 5 Meilen Weges oder 10,000 Ruthen täglich im Wagen gespannt, und zwar die Hälfte des Weges beladen und die andere Hälfte desselben ledig, gehen kann; so wie daß bei jeder Fuhre die Versäumniß beim Umspannen am Wechselwagen eine Viertelstunde beträgt.

Wird das zweispännige Tagewerk incl. des Fuhrmanns mit 25 sgl., und werden die Handarbeiten, welche das Graben, Auf- und Abladen einer Fuhre von 25 C.-F., so wie solche in die Stallung zu schaffen, laut vorstehender Berechnung zu 11 Pf. veranschlagt, dann betragen die sämmtlichen Kosten für eine Fuhre Erde bis in die Stallung zu schaffen, und zwar nach der verschiedenen Entfernung der anzufahrenden Erde:

Betrag der Handarbeiten und Fuhren nebst deren Kosten.	Handarbeiter Lohn.			Fuhrkosten.			Summari-Betrag.		
	Rthl.	Sgl.	Pf.	Rthl.	Sgl.	Pf.	Rthl.	Sgl.	Pf.
Bei 100 Ruth. Entfernung	—	—	11	—	1	$1\frac{7}{11}$	—	2	$\frac{7}{11}$
= 200 = = =	—	—	11	—	1	$6\frac{3}{4}$	—	2	$5\frac{3}{4}$
= 300 = = =	—	—	11	—	2	1	—	3	—
= 400 = = =	—	—	11	—	2	6	—	3	5
= 500 = = =	—	—	11	—	3	$1\frac{1}{2}$	—	4	$\frac{1}{2}$
= 600 = = =	—	—	11	—	3	$6\frac{6}{7}$	—	4	$5\frac{6}{7}$
= 700 = = =	—	—	11	—	4	2	—	5	1
= 800 = = =	—	—	11	—	4	$6\frac{6}{11}$	—	5	$5\frac{6}{11}$
= 900 = = =	—	—	11	—	5	$3\frac{3}{14}$	—	6	$2\frac{3}{14}$
= 1000 = = =	—	—	11	—	5	$6\frac{2}{3}$	—	6	$5\frac{2}{3}$
Die sämmtlichen Kosten, welche das Erdeinstreuen für 30 Stück großes Rindvieh und 500 Stck. Schaafe in einem Jahre verursacht, nämlich bei 1022 Fuhren, betragen vorstehender Berechnung zufolge nach der verschiedenen Entfernung der Erde vom Wirthschaftshofe:									
Bei 100 Ruth. Entfernung	30	9	6	38	21	4	69	—	10
= 200 = = =	30	9	6	53	6	10	83	16	4
= 300 = = =	30	9	6	70	29	2	101	8	8
= 400 = = =	30	9	6	85	5	—	115	14	6
= 500 = = =	30	9	6	106	13	9	136	23	3
= 600 = = =	30	9	6	121	20	—	151	29	6
= 700 = = =	30	9	6	141	28	—	172	7	6
= 800 = = =	30	9	6	154	25	5	185	4	11
= 900 = = =	30	9	6	179	8	11	209	18	5
= 1000 = = =	30	9	6	189	7	9	219	17	3

Bei dieser Berechnung wurden die weitläuftigen Brüche theils voll gerechnet, theils weggelassen, weshalb bei dem summarischen Betrage der Fuhrkosten von jenen 1022 Fuhren einige Abweichungen vorkommen, die jedoch im Ganzen nicht von Bedeutung sind.

Ferner wird berechnet:

Die Erde in jenem lockern Zustande, wie solche sich zur Zeit ihres Verbrauches als Einstreu befindet, vermindert ihr Volumen im Stalle durch das Lagern der Thiere, so wie durch die in sich aufgefangene Feuchtigkeit gewöhnlich um 20 Procent. Die Vermehrung des Stall-Düngers, welche jene in Rechnung gebrachten 1022 Fuhren Erde à 25 Cub.-Fuß bewirken, besteht daher in 20,440 Cub.-Fuß, oder zu Ladungen gerechnet, die zweispännige Fuhre zu 35 Cub.-Fuß in 584 Fuhren. Der Dünger, welchem Erde in vorbeschriebener Art beigemischt ist, hat wegen der bedeutend mehr enthaltenden Feuchtigkeit, so wie durch die eigne Schwere der Erde ein weit größeres Gewicht als gewöhnlicher Dünger ohne Erde, weshalb die zweispännige Fuhre nur zu 35 Cub.-Fuß berechnet werden kann.

Wenn nun vorstehend berechnete 584 Fuhren Dünger zu produciren 30 Rthlr. 9 Sgr. 6 Pf. Handarbeits-Kosten, und die Erde hierzu, bei 100 Ruthen Entfernung anzufahren 38 Rthl. 21 Sgr. 4 Pf. Fuhrkosten verursachen, so betragen die Productions-Kosten einer zweispännigen Fuhre Dünger à 35 Cub.-Fuß nach der verschiedenen Entfernung der Erde vom Wirthschaftshofe, von wo aus sie herbeizuschaffen ist:

Productions-Kosten.	Rthl.	Sgr.	Pf.	Rthl.	Sgr.	Pf.	Rthl.	Sgr.	Pf.
bei 100 Ruth. Entfernung	—	1	7	—	2	—	—	3	7
= 200 = =	—	1	7	—	2	9	—	4	4
= 300 = =	—	1	7	—	3	8	—	5	3
= 400 =	—	1	7	—	4	5	—	6	—
= 500 =	—	1	7	—	5	6	—	7	1
= 600 =	—	1	7	—	6	3	—	7	10
= 700 = =	—	1	7	—	7	4	—	8	11
= 800 = =	—	1	7	—	7	11	—	9	6
= 900 = =	—	1	7	—	9	3	—	10	10
= 1000 = =	—	1	7	—	9	9	—	11	4

Vermittelst einer kräftigen vollständigen Ernährung der Thiere und einer ihnen im richtigen Verhältniß gegebenen Einstreu mit Stroh und Erde, entsteht ein überaus kräftiger Dünger, welcher alle Abfälle von den Thieren in sich faßt, und wovon 12 Fuhren à 35 Cub.-Fuß hinreichen, einen Preußischen Morgen Ackerland kräftig zu düngen. Dieser Dünger wirkt um deswillen besser auf den Acker als gewöhnlicher Dünger, weil er sich nicht so schnell verflüchtiget, sondern anhaltender ist.

In Ansehung der Productionskosten des zu einem Morgen erforderlichen Düngers, ist die Berechnung folgende:

Berechnung

der Productions-Kosten, des durch das Einstreuen mit Erde gewonnenen und auf einen Preußischen Morgen erforderlichen Düngers.

Wird wie schon gesagt, die Mistdüngung pro Morgen mit 12 Fuhren à 35 Cub.-Fuß veranschlagt, so betragen die Kosten derselben nach der verschiedenen Entfernung des Ortes, von welchem die Erde zur Einstreu herbeizuschaffen ist:	Arbeiter-Lohn.			Fuhrkosten.			Summarischer Betrag.		
	Rthl.	Sgr.	Pf.	Rthl.	Sgr.	Pf.	Rthl.	Sgr.	Pf.
bei 100 Ruth. Entfernung kostet d. Düng. v. 12 Fuhren	—	19	—	—	24	—	1	13	—
„ 200 „ „ „ „	—	19	—	1	3	—	1	22	—
„ 300 „ „ „ „	—	19	—	1	14	—	2	3	—
„ 400 „ „ „ „	—	19	—	1	23	—	2	12	—
„ 500 „ „ „ „	—	19	—	2	6	—	2	25	—
„ 600 „ „ „ „	—	19	—	2	15	—	3	4	—
„ 700 „ „ „ „	—	19	—	2	28	—	3	17	—
„ 800 „ „ „ „	—	19	—	3	5	—	3	24	—
„ 900 „ „ „ „	—	19	—	3	21	—	4	10	—
„ 1000 „ „ „ „	—	19	—	3	27	—	4	16	—

Auch in dieser Berechnung finden, wegen Ausgleichung weitläufiger Brüche, kleine Abweichungen statt, welche sich doch bei den Total-Summen ziemlich wieder ausgleichen.

Ebenso ist zu bemerken, daß bei dieser Berechnung die Dünger-Fuhren, nämlich: den Dünger auf das Feld zu fahren, so wie die Kosten, den Dünger aus den Stallungen zu schaffen und solchen auf die Wagen zu laden, nicht mit veranschlagt sind, welche Arbeiten übrigens jeder Landwirth gewiß gern unternimmt, da er des Düngers bei seiner Wirthschaft nie zu viel haben kann, und seinen Werth zu schätzen weiß.

Die nähere oder weitere Entfernung des Ortes, an welchem die Erde gegraben, auf den Wagen geladen und in den Wirthschaftshof gefahren wird, hat keinen bedeutenden Einfluß auf das höhere oder niedere Arbeitslohn, welches das Ausgraben und Aufladen der Erde erfordert, wohl aber auf die Fuhrkosten, wie vorstehende Berechnung nachweiset.

Der Werth des thierischen Düngers, welcher aus Futter und Einstreumitteln entsteht, läßt sich auf zweierlei Wegen ermitteln, nämlich einmal nach seinen Productions-Kosten, und zweitens nach dem höheren Ertrage oder dem Nutzen, welcher durch denselben beim Ackerbau hervorgebracht werden kann.

In den bestgeführten Wirthschaften, wo ein richtiges Verhältniß zwischen Ackerbau, den erzeugten Futter- und Einstreu-Mitteln und der Viehzucht statt findet, kommt eine Fuhre guter kräftiger Dünger zu 40 Cub.-Fuß, gewöhnlich auf 1 Scheffel 6 Metzen bis 1 Scheffel 8 Metzen Roggenwerth zu stehen, nämlich unter der Bedingung, daß sämmtliche an die Viehzucht verwendeten Futter- und Einstreu-Mittel, nach ihrem wahren Werthe veranschlagt und der Viehzucht zur Last geschrieben werden; denn in nur sehr seltenen Fällen, z. B. bei hohen Zuchtvieh-Verkäufen oder bei hoher Anwehr der Milch findet der Fall zuweilen statt, daß die Viehzucht die Futter- und Einstreumittel durch ihren Ertrag an Milch, Wolle, Zuwachs der Thiere, Fleisch, Talg und dergl. völlig bezahlt und den Dünger unentgeldlich liefert. Eine specielle Berechnung hierüber würde hier zu weitläuftig sein, ich enthalte mich derselben, berufe mich aber auf den 3ten Band meiner Mittheilungen, wo solche §. 115 Seite 403 zu finden ist. Im Allgemeinen kommen aber die Productionskosten des Düngers, wenigstens allen denen Landwirthen, die im Verhältniß ihrer eingeerndeten Futter- und Einstreumittel zu viel Vieh halten, solches nicht vollständig nähren, und den Glauben haben, durch eine unverhältnißmäßige große Stückzahl Nutzvieh eine größere Nutzung hervorzubringen, weit höher und oft auf das Doppelte zu stehen, weil nur das vollständig genährte Thier eine reiche Nutzung giebt, und die consumirten Futter- und Einstreumittel seinem Ernährer vermittelst des Düngers und seiner übrigen Nutzung ganz bezahlt. In Wirthschaften, wo starke Schlempe-Futterung vermittelst Brandtwein-Brennereien statt findet, oder überhaupt Mastung betrieben wird, kann die Erde als Hülfsmittel zur Einstreu nicht genug empfohlen werden; denn nur zu oft wird man finden, daß bei dergleichen kräftigen saftigen Futterungen es an Streumitteln gebricht, und ein großer Theil des kräftigsten Düngers nutzlos verloren geht, obgleich es eine starke kräftige Futterung oder Mastung hauptsächlich ist, durch welche die Einstreumittel am höchsten verwerthet werden können.

Da wir nun den jährlich zu gewinnenden Dünger durch das Einstreuen der Erde in die Stallungen pro Stück Groß-

Rindvieh um 8 bis 10, und bei 10 Stück Schaafen um $2\frac{1}{2}$ bis 3 Fuhren vermehren können, und zwar allein durch zweckmäßig angebrachte Arbeit, und durch die Erde, welche jene düngenden Theile unter den Thieren auffängt, die sonst größtentheils nutzlos verloren gehen, und da uns das hervorgebrachte Plus an Dünger, selbst bei einer 500 Ruthen weiten Entfernung des Ortes, von wo aus die Erde zur Einstreu herbeigeschafft wird pro Fuhre nur auf 7 bis 8 Sgl. zu stehen kommt, so halte ich die Anwendung der Erde als Einstreu in beschriebener Art für eine so einträgliche Melioration, die wohl nur selten bei der Landwirthschaft auf irgend einem andern Wege zu erreichen ist, ja selbst dann noch, wenn auch Verhältnisse obwalten sollten, welche die Productionskosten des Düngers um das Doppelte erhöhten.

Der baaren Auslagen, welche diese Melioration erfordert, sind eigentlich wenige, denn sie bestehen nur in der Löhnung der Handarbeiter, welche das Graben, Auf- und Abladen, so wie das Hereinschaffen der Erde in die Stallungen nöthig macht, wogegen aber die Fuhrkosten, wenn wir solche gehörig veranschlagen, wie dies bei vorstehenden Berechnungen geschehen ist, den bei weiten größten Theil der Kosten ausmachen; jedoch dürfen wir nicht zu berücksichtigen vergessen, daß diese Fuhren in den Zwischenzeiten, wo die Feldarbeiten ruhen, verrichtet werden können, solche keine unmittelbaren Geldauslagen erheischen, sondern noch Gelegenheit geben einen Theil der Unterhaltungskosten des Zugviehes zu erwerben, da der Ackerbau durch seinen, vermittelst der starken Düngung hervorgebrachten höhern Ertrag, sämmtliche Kosten reichlich vergütet.

In Wirthschaften, wo die Rindvieh-Stallungen so beengt und niedrig sind, daß der Dünger aus denselben täglich ausgetragen werden muß, kann das Einstreuen mit Erde natürlich auch nicht von solch großem Nutzen sein, denn nur durch das längere Liegen in der Stallung, wo das Streustroh und die Erde durch das Lagern der Thiere und ihrer Abfälle täglich immer mehr düngende Stoffe anzieht und gewinnt, kann der meiste und beste Dünger gewonnen werden. Bei Stallungen hingegen, denen es nicht an hinlänglicher Höhe fehlt, wo die Krippen, wenn der Dünger sich anhäuft, erhöht werden können, und wo die Erde mit Wagen in die Stallung hinein und der Dünger herausgefahren werden kann, wird nicht nur die Gewinnung eines guten kräftigen Düngers, sondern auch alle dabei vorkommenden Arbeiten ungemein erleichtert; daher ich jenen Landwirthen, welche den neuen Aufbau einer Stallung beabsichtigen — letztere Bauart dringend empfehlen möchte.

Daß es übrigens Verhältnisse geben kann, wo die beschriebene Methode des Erdeinstreuens nicht anwendbar ist, gebe ich gerne zu, doch bin ich der Meinung, daß solche wenigstens in den meisten Wirthschaften, selbst bei ganz kleinen Ackerwirthschaften nicht nur ausführbar, sondern auch für den Eigenthümer des Grundstücks und dem allgemeinen Wohl von großem Nutzen werden kann.

Der thierische Urin, von welchem der größte Theil in unsern Wirthschaften nutzlos verloren geht, spielt bei der guten Wirkung eines kräftigen Düngers gewiß keine unbedeutende Rolle, denn er giebt, wie viele comparative Versuche lehren, den Einstreumitteln, welche ihn auffangen, die Eigenschaft, Feuchtigkeit und Fruchtbarkeit in einem hohen Grade aus der Atmosphäre an sich zu ziehen, und solche der Erde und diese wiederum den Pflanzen mitzutheilen. Wird z. B. strohiger Dünger, welcher von Urin gesättiget ist, auf das Feld gebreitet, dann trocknet zwar derselbe bei Wind und Sonnenschein, nimmt aber, so wie Sonne und Wind auf ihn nicht mehr wirkt, sogleich Feuchtigkeit wieder an. Jeder aufmerksame Beobachter wird das Gesagte bestätiget finden, wenn er seinen im Felde ausgebreiteten Dünger, z. B. bei einer dem Acker oberflächlich gegebenen Düngung, im Tage bei heißen Sonnenschein — so wie des Abends oder des Morgens, ehe durch Sonne und Luft die angezogene Feuchtigkeit wieder verdunstet, untersucht. Daß nun aber diese vom Dünger, vermittelst des Urins angezogene Feuchtigkeit etwas ganz anderes als einfaches Wasser ist, glaube ich aus den beobachteten Wirkungen bei der Erde und den Pflanzen, die solche trägt und jene fruchtbringende Feuchtigkeit empfängt, mit Zuverläßigkeit behaupten zu können. Die Eigenschaft, Feuchtigkeit an sich zu ziehen und wiederum der Erde mitzutheilen, welche nemlich das Einstreumittel durch den Urin erhält, ist eine lange Zeit ausdauernd, nur nach und nach, besonders bei öfterm Wechsel zwischen trocken und naß, schwindet solche allmählig.

Von der Feuchtigkeits-Anziehung, welche der Urin bei den Einstreumitteln bewirkt, kann man sich selbst in der Stube zu allen Zeiten durch verschiedene Versuche überzeugen. Man nehme z. B. ein Blatt Papier, tauche und tränke es in Urin, trockene es wiederum bei Sonnenschein oder auf dem warmen Ofen, und lege es dann an einen Ort, wo solches weder der Sonnen- noch der Ofenwärme ausgesetzt ist, und man wird finden, daß binnen einer kurzen Zeit das Papier Feuchtigkeit angezogen hat, und zwar in dem Verhältnisse des Feuchtigkeitszustandes, in welchem die Atmosphäre sich befindet. Das mit Urin getränkte Papier behält die Eigenschaft der Feuchtigkeits-Anziehung eine lange Zeit, denn man kann solches mehr als hundertmal in trockenen und feuchten Zustand abwechselnd versetzen, ehe solches die durch den Urin erhaltene Eigenschaft völlig verliert.

Der Urin wirkt aber nur in verdünnten (geschwächten) Zustande vortheilhaft auf die Acker-Erde und mittelbar auf die Pflanzen die sie trägt; denn ein Uebermaaß tödtet die Pflanzen, macht die Erde auf einige Zeit unfruchtbar, und zwar so lange, bis die mit Urin übersättigte Erde vermittelst tieferer Cultur oder der Beackerung, andere Erde beigemischt erhält. Auffallend kann man das hierüber Gesagte, ohne alle Versuche, alljährig, besonders im Frühjahre bei den auf magern, düngerarmen Aeckern angebauten Hafer finden, hier sieht man zur Zeit, wenn der Hafer zu schoßen anfängt, hin und wieder einzelne kleine unten ganz üppig stehende dunkelgrüne geile Stellen, welche sich über den benachbarten Haafer mächtig erheben, und man wundert sich über diese Auszeichnung. Untersucht man aber diese geilen Stellen genauer, dann findet sich's, daß einzelne davon in ihrer Mitte ganz kahl sind und keine Pflänzchen tragen, wohingegen aber der kahle Fleck rund herum mit mastigem hohen Hafer bestanden ist; bei andern dergleichen Geilstellen hingegen befinden sich auch in ihrer Mitte mastige Pflanzen. Die Ursache dieser Geilstellen ist nach vielen Beobachtungen nichts anderes, als der Urin und der Dünger, welchen der Acker von den Zugthieren bei der Saat-Bestellung erhielt. Im erstern Falle, wo die Geilstelle nicht in ihrer Mitte, sondern nur rund herum mit mastigen Pflanzen bestanden ist, — war es der Urin von Zugthieren, welchen dieser Fleck erst bei den letzten Eggestrichen, die den Saamen unterbrachten, erhielt, denn in der Mitte, wo der Strahl vom Urin hinfiel, wurde die Erde von demselben übersättiget oder vielmehr überreizt, dagegen aber die Umgebung die weniger davon erhielt, fruchtbar gemacht; im zweiten Falle hingegen ist es die Wirkung vom Dünger, oder von jenem Urin, welchen der Acker von Zugthieren vor der letzten Pflug-Bearbeitung erhielt, denn vermittelst der Bearbeitung bekam der Urin ein größeres Volumen Erde, wo dann gedachter Ueberreitz nicht so leicht mehr statt finden kann.

Der Urin hat in einem hohen Grade die Eigenschaft, Eisenhaltige Theile in der Erde aufzulösen, und solche in eine für den Ackerbau fruchtbare Substanz umzuwandeln. Die Erde, welche unter keiner Cultur steht hat meistens viel Eisen-Ocher bei sich, daher kann man sich der rohen unkultivirten Erde von alten Dämmen, Grabenrändern u. dergl. als Einstreu recht vortheilhaft bedienen, indem, wie gesagt, die Eisenhaltige Erde hierzu recht gut zu gebrauchen ist. Dergleichen Erde, wenn solche zur Zeit des Gebrauchs als Streu auch fahl oder röthlich, vermöge ihres Eisengehalts uns erscheint, — erhielt binnen kurzer Zeit im Stalle unter den Thieren, vermöge des eingesogenen Urins, eine bläulich schwarze Farbe, der Ocher ist verschwunden, sie ist in einen guten Dünger verwandelt, welcher bei richtiger Anwendung auf den Acker sich außerordentlich vortheilhaft auszeichnet, und besonders, wie die damit angestellten Versuche beweisen, den luxuriösen Wachsthum des Raps, Hanfes, Kopfkohls und des rothen Klees vorzugsweise begünstiget.

Der lohnende Ertrag von unsern Aeckern ist meistens von ihrer Kultur und ihrem Düngungszustande abhängig. Die gute

Wirkung des thierischen Düngers ist dem Landwirthe allgemein bekannt, und die Erfahrung bestätiget solches alljährig. Hinlänglich guten kräftigen Dünger zu gewinnen, ist daher ein von uns Landwirthen allgemein gehegter und ausgesprochener Wunsch; ein wesentliches Mittel hierzu ist aber die vollständige Ernährung unserer Thiere und hinlängliche Auffangemittel des Düngers — an welchem letzteren es uns aber oft gebricht. Diesem Mangel wenigstens hier und da durch den Gebrauch der Erde als Einstreumittel vielleicht in etwas vorzubeugen, ist der Zweck dieser Anempfehlung und Mittheilung des Unterzeichneten.

Schierau, den 30sten September 1835.

Albrecht Block.

Die Wormser Bürgerweide.

Zur Feier

der

Generalversammlung der landwirthschaftlichen Provinzial-Vereine

des

Großherzogthums Hessen

zu Worms am 18. October 1860

von

Dr. Glaser,
Großherzoglicher Gymnasiallehrer ꝛc.

Besonderer Abdruck aus der Zeitschrift der landw. Vereine des Gr. Hessen.

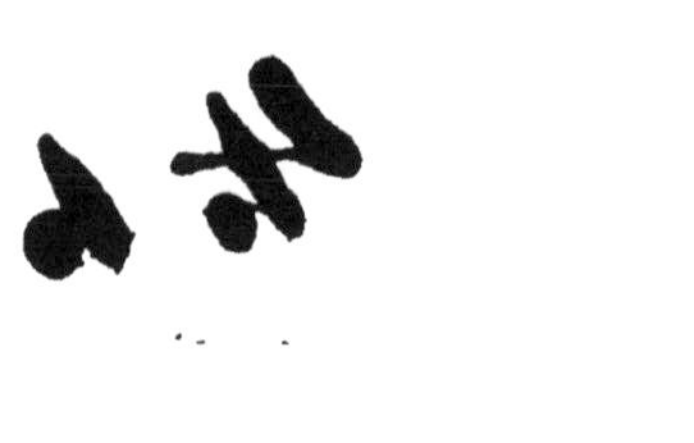

Zu den wenigen ungetrennten Gemeindegütern, die als gemeinheitlicher Complex von den Gemeinden selbst verwaltet werden, gehört die Wormser Bürgerweide. Diese besteht aus einer südlich von der Stadt am Rhein, oder eigentlich an einem parallel laufenden Nebenfluß desselben, dem Giesen, liegenden, ausgedehnten circa 1200 Morgen umfassenden, Wiesenareal, das südwärts an den Bobenheimer Wald auf bayrischem Gebiet, westwärts an die Speyerer Straße, nordwärts an die der Stadt zunächst gelegenen Gärten, Aecker und Wiesen anstößt.

In den nachstehenden Ausführungen soll gezeigt werden, wie dieses Gemeindegut zu allen Zeiten von verschiedenen Seiten her beansprucht, wie es in früheren Jahrhunderten benutzt und erst in neueren Zeiten seiner eigentlichen Bestimmung als Wiesengut durch das Verdienst einsichtsvoller Männer zugeführt wurde.

Die ersten Spuren der Bezeichnung „Bürgerweide," welche allem Anschein nach nie zuvor etwas anderes war, als eine sich selbst überlassene Fläche des niederen Rheingestades, eine blose Haide oder Trift für umherlaufendes Vieh, finden sich in einer Urkunde Kaiser Friedrichs I. (Barbarossa) vom Jahr 1156, betreffend die Autonomie und Jurisdiction der freien Reichsstadt, worin ihr das Recht, Landfriedensbrecher über die Grenze ihres Territoriums zu verfolgen, gestattet wird, dieses aber einerseits bis an's Ende der „Bürgerweide," andererseits bis zur „Prim-Bach (Pfrim), wo sie in den Rhein fällt," angegeben wird. Von diesem hohenstauf'schen Kaiser berichtet Joh. Fr. Moritz*), daß er in den Jahren 1140, 1155, 1158, 1163 rc. Festtage in Worms celebrirte. Daß Worms schon in den ältesten vorchristlichen Zeiten und schon vor dem Erscheinen der Römer am Rhein als Celten-Stadt unter dem Namen Wormesmagen (lateinisch Borbetomagus, auch Wormetomagus) existirte, unterliegt keinem Zweifel, wie denn bekanntlich auch die Judenschaft ihre älteste Synagoge vor die christliche Zeitrechnung und vor Augusts Zeiten datirt. Schannat (Historia episcopatus Wormatiensis, 1734) und später Moritz leiten den Namen von dem Wort Wormes, d. i. Wermuth und anderes Kraut und dem celtischen Wort mag (Magus), soviel als Wohnung (nach Schilter's Glossarium soviel als Volk, Familie, lat. gens, familia) ab. Dieß sei die natürlichste Erklärung, da schon in den ältesten Zeiten Worms sich durch Fruchtbarkeit, obst-, wein- und kräuterreiche Umgebung ausgezeichnet habe**). Als später unter römischer Herrschaft Vangionen, Nemeter, Tribokker rc. in das Gebiet der Mediomatriker, der Bewohner von Germania prima, einrückten, erhielt Worms den Namen Civitas Vangionum. Ungegründet aber nennt Moritz ***) die Erklärung von Vangiones als „Wonnegau," obgleich es gewiß gewesen, „daß an Fruchtbarkeit die Gegend von Worms keiner in Deutschland weiche und die unvergleichliche Ebene ehedem war, wie

---

*) J. F. Moritz (verschiedener Reichsfürsten und -Stände Hofrath rc.), hist.-diplom. Abhandlung vom Ursprung der Reichsstädte, insonderheit der freien Reichsstadt Worms, 1756.

**) Moritz rc.: Schilter's Glossarium enthält, Saxones olus voce Wormes, quæ eandem originem sapit, expressisse, ex Evangeliis Sax. constat, illa enim olus (Lucæ XI. 42) per Wormes interpretantur. A Wormes porro est Sax. Wörmecke absinthium, Germ. Wermuth. Est hinc civitati Wormatiæ, quæ vel decies in Charta seculo XIII. Wormesse vocatur, nomen, quod terra ibi ferax sit olerum.

***) Franciscus Irenicus sage von ihr: „Urbs hæc sita est in territorio teutonico Wungow dicto, Cerere et Baccho opulentissimo„.

sie sich jetzt noch befinde." Nachdem Worms unter römischer Herrschaft als Municipium*), d. i. freie Stadt mit eigenem Gesetz und Magistrat, unter den fränkischen Königen und ersten Kaisern als Civitas regalis und imperialis, also als unmittelbar unter dem Reichsoberhaupt stehende Stadt, ohne Präfecten, Herzoge oder Grafen an der Spitze (in welchem Fall sie eine Urbs præfectoria gewesen wäre) unter dem Namen Wormatia bestanden hatte, wurden ihr, den von den Wormser Bischöfen beanspruchten Hoheitsrechten entgegen, von den Kaisern wiederholt urkundliche Rechte als freier Reichsstadt ertheilt, so daß sie kraft solcher und nach allen Thatsachen der Geschichte als unbestrittene Territorialherrin ihres Gebiets anzusehen war. Gegen das Ende der mittelalterlichen Zeit traten zwar die bischöflichen Ansprüche bestimmter hervor. „Bischöfliche Scribenten (unter ihnen Schannat) behaupteten, es habe vor Zeiten die Stadt Worms unter dem Regiment von kaiserlichen Herzogen und Grafen gestanden, sei darauf unter Otto III. im Jahr 985 an einen Bischof Hildebald zu Worms urkundlich übergeben worden, welcher sein Recht auch auf seine Nachkommen bis in das 18. Jahrhundert fortgepflanzt habe, dasjenige ausgenommen, was ein- und andere Bischöfe in den jeweiligen, ihnen abgerungenen Verträgen nachgegeben hätten."

Moritz widerlegt aber diese Ansicht, deren Richtigkeit schon vor ihm (1695 und nochmals 1761) die „Apologia der Stadt Wormbs contra Bisthum Wormbs" nachgewiesen hatte und führt als besonders gewichtige Widerleger des Schannat'schen Werks den bischöfl. würzburgischen Geh.-Rath Eckardt (in seiner Animadversione ad Schannatum), Joh. Chil. Mainberg, der in seiner Epistola censoria die „Diœcesin Fuldensem" des Schannat eine Rhapsodie nannte, insbesondere aber den Geh.-Rath Moser an, der in seinem Staatsrecht Schannats Sätze als grundlos und reichsgesetzwidrig mit den Worten bezeichne: „das

*) Ammian. Marcellinus (Libr. Hist.) sagt: Numerantur provinciæ per omnem ambitum Galliarum, ubi præter alia Municipia est et Vangiones et Nemetes etc.

heißet gar zu unverschämt und zu unsinnig geschmeichelt und wann diese Principia wieder gelten und weder Reichsmatrikel, noch Collectirung zum Reich, ja Sitz und Stimme auf Reichstägen und zwar a tempore immemoriali et multorum seculorum, nicht mehr ein Beweis der Reichsunmittelbarkeit abgeben, so müßte ein Bischof zu Worms selbst wieder einpacken; und da dergleichen tolle Sätze wider den klaren Buchstaben der Reichs-Constitution laufen, verdienen solche Boute-feux mehr eine fiscalische Ahndung, als eine Widerlegung." Nach Moritz hatte zuerst Bischof Henrich 1233 auf die unerlaubteste Weise mit Hülfe des rebellischen Königs Heinrich der Stadt einen Vergleich (eine s. g. Rachtung) durch Bann und Interdict abgezwungen und sich dadurch zum erstenmal in die Reichsstadt-Wormsische Rathswahl eingedrängt. Als aber König Heinrichs Vater, Kaiser Friedrich II., aus Italien der Stadt zu Hülfe erschien und den rebellischen Sohn in Worms (der Sage nach auf einer Burg Luginsland) gefangen setzte, den ihm anhangenden Bischof Landulf aber aus seinem Angesicht verwies, stellte er den von Friedrich I. bestätigten alten freien Rath sammt andren Gerechtsamen 1236 wieder her und „confirmirte sie urkundlich wiederum." — Auch Friedrich III. (aus dem österreichischen Haus) konnte den immer wieder aufgenommenen bischöflichen Prätensionen nicht länger zusehen, sondern cassirte 1489 „nach genauer vieljähriger Erforschung und Untersuchung der Sache," alle erpreßten Urkunden und Rachtungen und stellte alles von Friedrich II. Geschehene her, was auch sein Nachfolger Maximilian I. 1494 „confirmirte."

Gleichwohl drang 1519 der Bischof mit Hülfe seines genauen Alliirten, des Churfürsten Ludwig von der Pfalz (als Reichsvicar) der Stadt wieder einen Vergleich ab, gegen welchen diese zwar "publice protestirte" und den sogar das Domstift mit allen anderen Stiften in Worms 1525 für erzwungen erklärte, „als widerrechtlich widerrufen, cassiren und alles mit körperlichem Eid bekräftigen" ließ, den aber demungeachtet der Bischof 1526 durch genannten Churfürsten gegen die so standhaft kämpfende Reichsstadt (obwohl ihrer Reichsunmittelbarkeit unbeschädigt) durchzusetzen Mittel fand.

Daß unter solchen Umständen, namentlich wegen der Ansprüche des bischöflichen Hofs an die Beweidung der Bürgerweide, zahlreiche Differenzen entstanden, läßt sich von vornherein denken. Doch knüpft sich der eigentliche Streit um dieses Besitzthum an eine besondere geschichtliche Thatsache des 14. Jahrhunderts, aus der alle folgenden, oft wiederholten und einander ähnlichen Vorgänge bis in unsere Tage herzuleiten sind. Zu Anfang unseres Jahrhunderts stellte auf Ersuchen der französischeen Regierungs-Behörde der Wormser Stadtschreiber Hallungius jenen Ursprung der ewigen Reibereien der an der Bürgerweide Betheiligten und den Rechtstitel der churpfälzischen und bischöflich-wormsischen Gemeinden auf Benutzung dieses städtischen Territoriums etwa folgendermaßen dar: „Er könne zur Beantwortung der ihm vorgelegten Fragen aus den bei der allgemeinen Einäscherung der Stadt im Jahr 1689 geretteten Acten nur entnehmen, daß im 13. Jahrhundert die sehr berühmt, volkreich und mächtig, daher übermüthig gewordene Stadt Worms sich ihren Nachbarn furchtbar und durch öftere, den Kaisern gegen welt- und geistliche Feinde geleistete, tapfere Kriegsdienste denselben schätzbar gemacht und in Verbindung mit den Reichsstädten Mainz, Oppenheim, Speyer und Straßburg*) ihrer eignen und ihrer Verbündeten Feinde Ortschaften verbrannt, Raubschlösser zerstört und zuletzt zu dem berühmten Landfrieden den Grund gelegt habe. Hierbei sei unter andern namentlich ein Graf von Sponheim (Spanheim) in seiner Herrschaft Stauff arg heimgesucht und bei abgeschlossnem Frieden ihm im Jahr 1389 zur Entschädigung seiner eingeäscherten Dorfschaften, für die Worms nächstliegenden Gemeinden, nämlich seine sogenannten Rheindörfer Horchheim, Pfiffligheim, Hochheim, Weinsheim und Wiesoppenheim, limitirtes Weiderecht auf der Wormser Bürgerweide außer einer Brandentschädigung von 1000 fl. zugestanden worden. Dieser Graf habe vorgedachte Rheindörfer dann an das Bisthum Worms verkauft, das später einige derselben gegen näher gelegene Ortschaften an Churpfalz ausgetauscht habe. Jener Sponheim'sche Vertrag (der sich im städtischen Archiv noch vorfindet) möge die Veranlassung sein, daß alle benachbarten

*) Also im bekannten, von Mainz gestifteten, rheinischen Städtebund.

Ortschaften der genannten drei Herrschaften gleiche Befugniß zur Weide zu haben vermuthet und deßfallsige übertriebene Ansprüche darauf gemacht haben, zumal da in schlimmen Kriegsläuften der Magistrat auch noch andere, selbst überrheiner Ortschaften (testantibus actis) zuweilen zugelassen habe."

Unter den im städtischen Archiv vorliegenden, die Bürgerweide betreffenden Acten und Urkunden finden sich in der That Massen von derartigen Beschwerden und „Irrungen" und daraus erwachsenen Prozessen, in welchen nicht immer die Stadt siegreich blieb. Ein Fascikel (Acta antiqua von 1485 bis 1513) betrifft z. B. „den von den benachbarten Ortschaften sich angemaßten und realiter contradicirten Viehtrieb, in specie den darauf von Seiten der Stadt bei churpfälz. Hof, Richter und Räthen per modum compromissi mit den Gemeinden Bobenheim und Roxheim geführten Prozeß und gegen die Stadt erfolgten compromißlichen Spruch, darwider eingereichte Appellation ad Caesarem Majestatem, gleichwohl darauf ergangenes Confirmations-Urtheil." Außerdem liegen vor vom Jahr 1502 „Rechtssache Horchheim contra Wormbs betr. Weydgang auf der Burgerweyd," vom Jahr 1614 „Späne vndt Irrungen vorgefallen sowol zwischen den ambtlichen Vorpförtteln der Stadt Wormbs, als auch den Horchheimer Hürtten wegen des Viehtriebs uff der Burgerweyd," vom Jahr 1652 (bald nach Beendigung des 30jährigen Kriegs) das Rathsprotocoll eines „Umgangs und Besichtigung der Markh- vndt anderen Steine uff der Burgerweyd" den 3. Juni, nachdem ein solcher zuletzt 1626 vorausgegangen, vom Jahr 1666 eine „unterthänige Supplication und flehentliche Bitte" um nachbarliche Zulassung zur Weide 2c. von den drei Gemeinden Pfiffligheim, Hochheim und Leiselheim, denen willfahrt worden, vom Jahr 1699 ein defectes Rathsprotokoll über „der Geistlichen und Stiftsbedienten prätendirte Freiheit mit Gräserei und Pferd- wie Kühweidgerechtsamen und vom Jahr 1701 „Acta cameralia in causa Citationis super fracta Pace publica betr. bischöfliche Beeinträchtigung und Gewaltthaten, verübt auf der Bürgerweide." Das in letzterer Sache erzählte Factum lautet: „den 9. Juni (1701) unterfingen sich unter Anführung des Kellers Lt. Hofmann und Amtskellers Trommers 400 bischöfliche

Bauern mit einigen churpfälzischen Dragonern auf die Bürgerweide modo vel maxime pacifrago einzufallen, die Weidsteine, so mit der Stadt Wappen und „Hammels-, Schwein- und Gänßzeichen" bezeichnet und womit die „unterschiednen Weyden versteint gewesen," auszureißen, die um die abgesonderte Seniors- und Bauwiese gezogenen Gräben auszufüllen, ihr Vieh darüber hinzutreiben und gemeldete Wiesen abweiden zu lassen, das darauf gestandene Seniorshäuschen abzubrechen, das Holz davon zu verbrennen, „hundert und mehr Jahr alte Bäume" zu fällen und obengedachte Gräben damit auszufüllen, ja noch „über dieses alles zu drohen, die von oft mentionirter Bürgerweide bis an die Stadt ziehenden und Privaten zugehörigen Wooggärten gleichfalls zu ruiniren." Hierauf erfolgte (d. d. Heidelberg 10. Juni 1701) ein Schreiben und Befehl Electoris Palatini an die Oberämter „Heydelberg, Alzey und Neustadt," von den Thätlichkeiten abzustehen. Trotzdem geschahen wieder 1704 „rechtswidrige Extension einiger bischöflicher und churpfälzischer Ortschaften auf der Stadt Allmend, Ochsenplatz genannt" und „Irrungen des Triebs auf der Weiden," nahmen 1725 unter Anführung des Amtsverwesers Höglein 150 Bischöfliche mit Hacken, Aexten 2c. aus dem wiedergebauten Seniorshäuschen Schloß, Thüren, Läden 2c. weg, fielen in den Jahren 1736 u. f. wiederholt „Turbationes, Beeinträchtigungen und attentirliche Beginnen" von den benachbarten churpfälzischen und bischöflichen Dorfschaften auf der Bürgerweide vor.

Unter Kaiser Franz I. erfolgte 1753 zu Gunsten der churpfälzischen und bischöflichen Regierung das kaiserliche Mandat*), „daß die Stadt Worms ihre Verbote sogleich widerrufen und aufheben, sofort sämmtliche klagende Dom- und Collegiatstifter und deren Angehörige bei ihrer wohlhergebrachten Possession des Grasens und Weidegangs nun und forthin ohnperturbiret lassen müsse, deßhalb auch hinlängliche Gewährschaft leisten, von allen weiteren

*) Mandatum cassatorium et inhibitorium de non amplius turbando in possessione vel quasi juris compascui cæterorumque intus nominatorum, desuperque idonee cavendo et de non viâ facti sed juris procedendo, refundendoque omne damnum cum expensis, cum clausulâ etc.

Thätlichkeiten abstehen und sich allenfalls an dem Wege Rechtens begnügen lassen, weniger nicht allen verursachten Schaden und die Kosten den Klägern zu ersetzen haben solle, bei Straf von 10 Mark löthigen Goldes" 2c. — Hiergegen appellirte die Stadt ad Cameram Imperialem (an das Reichskammergericht zu Wetzlar) mit den Anfangsworten: „Bei den anmaßlich klagenden Dom- und Collegiat-Stiftern zu Worms ist es seit geraumer Zeit zur Gewohnheit geworden, daß dieselben der bedrängten Stadt und ihrer Bürgerschaft auf das Aeußerste zuzusetzen*) und dieselben nach allen Kräften vel vi vel clam von ihren Gerechtsamen bald hier, bald da zu verdrängen sich emsig bemühen" 2c.

Daraus entwickelte sich ein wahrer Bandwurm von Proceduren; eine Anzahl von Bescheiden, Einwendungen und Forderungen, wobei ein Rath v. Zwirnlein, wie aus den Zuschriften zu ersehen, allmählich ein der Stadt günstiges Urtheil gewann, liegen unter den betreffenden Haufen von Papieren im Stadtarchiv vor. — Vom Jahr 1783 enthält dasselbe wieder ein Conferenzprotokoll vom 21. Oct. bis 5. Nov. betr. „Irrungen wegen der Bürgerweide und schon vorher, 1770, machte ein von churpfälz. Pfiffligheimer Gemeindsleuten auf der Stadt Territorio vor dem Speyer-Pörttel mittelst Fällung und Fortschleppung eines Hirsches verübter Jagdfrevel" den beiderseitigen Behörden viel zu schaffen und verursachte langwierige Verhandlungen.

Die Unentschiedenheit der Lage führte endlich 1786 zu einem neuen Vertrag (vom 10. März genannten Jahres), dessen große Pergamenturkunde in einer besonderen Blechkapsel im Stadtarchiv aufbewahrt wird. Sie lautet im Eingang: „Nachdem sich wegen der Bürgerweide Beschwerden erhoben, welche von Jahrhunderten her zu mehreren Thätlichkeiten Anlaß gegeben und zu gütlicher Ausgleichung ex parte palatina churpf. Geheimder-Rath v. Koch, ex parte des Hochstifts Worms Amts-Keller Köhler von Neuhausen, ex parte der Reichsstadt Worms Consulent Hesse und Dreizehner Knode zusammengetreten, ist nachstehender ewig-

*) Was namentlich durch Erregung von Aufständen wider den Magistrat und durch gewaltthätiges Eindrängen in die Wahlen häufig geübt wurde.

und unverbrüchlicher Vergleich verabredet worden." Der Inhalt des Vertrags bestimmt nun, daß im Ganzen 14 Nachbargemeinden, nämlich 1) die churpfälzischen: Hochheim, Pfiffligheim, Leiselheim und Kleinniddesheim mit Rindvieh und Pferden; dann Heppenheim auf der Wies, Niederflörsheim und Offstein mit Pferden, 2) die bischöflichen Gemeinden: Horchheim, Wiesoppenheim, Weinsheim, Bobenheim und Roxheim mit Rindvieh und Pferden, dann Mörs und Beindersheim mit Pferden, als eine Servitud auf Stadt-Wormsischen Territorio et Fundo von Georgi bis Michaelis die Weide durch eigne Hirten betreiben und ohne Widerspruch zu genießen haben sollen, vorbehaltlich Fischerei, Jagd und übrige Hoheitsrechte jure Territorii für die Stadt Worms allein. In 16 Artikeln werden über Anlegung und Unterhaltung der Wege, Gräben und des Haags, über Repartition aller Kosten, über Bepflanzung des Haags mit Bäumen und Holznutzung, über Ausmerzung der durch die Metzgerzunft mißbräuchlich an sich gerissenen besonderen Weiddistricte und der betreffenden Marksteine, über Handhabung der Polizei, über Wasenmeisterei und reservirte Plätze „zum Graben von Ziegelerd, Leimen und zum Wasenstechen" genaue Stipulationen, auch gegen Zudrängung noch weiterer Gemeinden Verabredung getroffen.

Man ersieht aus allem Dargestellten, wie die Bürgerweide zu allen Zeiten ein Gegenstand von Erheblichkeit war und wie der Weidgang darauf als ein Gewinn und unentbehrliches Bedürfniß gegolten hat. Den außerordentlichen Werth und Nutzen einer eigentlichen Bewirthschaftung der so vortrefflich gelegenen Fläche als Wiesengrund kannte man noch nicht und es blieb erst unserm Jahrhundert vorbehalten, hier den rechten Weg einzuschlagen.

Der erste Versuch einer rationellen Bewirthschaftung dieser bisher nur Streit und Unfug veranlassenden, wenig ausgebeuteten Weide ging ganz zu Anfang des Jahrhunderts (im J. 1805) während der französischen Herrschaft von Verny, dem Unterpräfecten des Bezirks Speyer, aus. Es findet sich im Wormser Archiv ein Bericht desselben*) an den Präfecten des Departements Donners-

*) Le Sous-Préfet de l'Arrondissement de Spire au Préfet du Departement du Mont-Tonnerre, conc. la suppression du droit de

berg vom 13. Pluviose, an 13, worin derselbe die Aufhebung des Weidgangs beantragt. Er weist darin auf den Inhalt der Staatsgesetze vom 22. und 28. October 1791 hin und motivirt seinen Antrag damit, daß 1) der Mißbrauch des Weidgangs den Communen in Anbetracht ihrer Entfernung mehr nachtheilig als vortheilhaft sei, 2) daß es unrecht sei, einer Commune alle Kosten der Verwaltung, alle Lasten und Abgaben zuzumuthen, ohne daß sie dabei etwas andres, als das einfache Territorialrecht zur Entschädigung habe auf einem Terrain, das ihr als Eigenthum zustehe und das sie doch mit so vielen Gemeinden theilen müsse, 3) daß es schmerzlich sei, in einem so wohlangebauten Land wie die Pfalz, eine so beträchtliche Strecke brach liegen zu sehen, während sie so leicht einträglich gemacht und in die fettesten und schönsten Wiesengründe verwandelt werden könnte, 4) daß man aus dem beigefügten Vertrag (vom 10. März 1786) leicht ersehen könne, daß er nur der Schwäche oder Unerfahrenheit der alten Gemeindevorstände zuzuschreiben sei, die, ohne die Gerechtigkeit oder Gesetzlichkeit der Acte, die sie ausstellten, und den Verlust, der daraus für die Landwirthschaft entsprang, zu bedenken, für ihre Gemeinden die Aufrechterhaltung eines schädlichen Gebrauchs glaubten stipuliren zu müssen, daß dieser Vertrag der einzige Rechtstitel sei, den die Benutzer der Bürgerweide vorbringen könnten, ein Rechtstitel, den aber das Gesetz, wie gesagt, für null und nichtig erkläre. Indem er sich darauf beschränke, die Ausführung im deßfallsigen Antrag des Maire (Pistorius), welche in einer so genügenden Weise alle Gründe für Aufhebung des Weidgangs bespreche (le Maire de W. ayant déduit d'une manière très satisfaisante tous les motifs qui plaident en faveur de la suppression), zur Berücksichtigung zu empfehlen, bitte er darum, das ganze Project der Umwandlung zu genehmigen und so „dieser interessanten Gemeinde die Mittel zu verschaffen, welche ihr zur Tilgung ihrer Schulden so nöthig seien." — Inzwischen kam der genannte Plan trotz der Genehmigung durch die Präfectur damals noch nicht zur Ausführung und behielt es bei den obigen Vertrags-

paturage sur la prairie dite „Bürgerweide," dont le terrain appartient en toute propriété à la ville de Worms.

stipulationen sein Bewenden. Es wiederholten sich aber demzufolge die in der Natur der Sache liegenden Uebelstände und um aus diesem Conflict herauszukommen, erhielt unter der Regierung des Großherzogs Ludewig I. das Gemeintheilungs-Gesetz von 1812 auch für die neue Provinz Rheinhessen unterm 19. Mai 1827 Gesetzeskraft. Darauf erfolgte im Jahr 1828*) nach vorausgegangener Communication der Regierungen (nämlich der bayrischen in der ehemaligen Churpfalz und der großherzogl. hessischen), unter Leitung eines hess. Regierungs-Commissärs, Zuziehung eines auswärtigen Geometers und dreier auswärtiger unpartheiischen Experten, im Beisein sämmtlicher Ortsvorstände (von Seiten der Stadt des Herrn Bürgermeisters Valckenberg) die Theilung der Bürgerweide, so wie Abfindung der zurücktretenden Gemeinden mit Ablösungssummen durch die Stadt W. Die Letztere erhielt in Anbetracht ihrer während der französischen Zeit gehabten besonderen Ausgaben für Steuern, Umlagen 2c. (wenigstens im Betrag von 12000 fl.) und der zu übernehmenden Servituten und Capitalien die Hälfte, die andere Hälfte, auf 25,000 fl. abgeschätzt, wurde als Ablösungssumme auf die betheiligten Landgemeinden repartirt und in 5 unverzinslichen Terminen abzutragen festgesetzt. Neun Gemeinden traten ihre Berechtigung wirklich ab; nur die beiden bayrischen Gemeinden Bobenheim und Roxheim und die drei hessischen (ehemals bischöflichen), Wiesoppenheim, Weinsheim und Horchheim, bestanden auf Beibehaltnng ihrer Berechtigung, worauf ihnen pro rata ihre Antheile zugewiesen und abgemessen**) wurden. Dem dürftigen Theil der Bewohner von Worms wurde (wozu eigentlich keine Verpflichtung vorlag), von dem städtischen Antheil ein Weideplatz eingeräumt, der seinem Umfang und seiner Grasproduction nach hinlängliche Nahrung darbot***). Das Uebrige fing man an als Wiesenfläche zu behandeln, wogegen sich aber sowohl die mit beschränkten Districten abgefundenen frem-

*) Vergl. das Wormser Gemeindehaus-Protocoll vom 30. Sept. 1828.

**) Für Horchheim, Weinsheim, Roxheim und Wies-Oppenheim den 30. Juli 1832, für Bobenheim nachträglich den 29. October 1832 durch Hrn. Steuercommissär Kreutzer in Osthofen.

***) Vergl. Wormser Zeitung 1833, Nr. 54.

den Gemeinden, als verschiedene Wormser, die sich nun beschränkt wähnten, auflehnten. So wurden am Ende den 23. April 1833 durch mehrere der genannten Landgemeinden und einige Viehbesitzer unbemittelter Klasse aus Worms grobe Excesse durch Zuwerfen der Gräben, welche die ihnen zugetheilten Weidbezirke von den übrigen zu Waldanlagen bereiteten Theilen trennte, durch Zerstören mehrerer Tausend Setzlinge und junger Baumstämme und durch Thätlichkeiten gegen die herbeigeholten Schützen begangen*) und es wiederholten sich genau jene früher erzählten Auftritte der verflossenen Jahrhunderte. Erst durch kräftige Maßregeln der beiderseitigen Regierungen, welche sogar militärisches Einschreiten zur Folge hatten, konnte der Unordnung ein Ziel gesetzt werden**); die zugeworfnen Gräben wurden jetzt von den Thätern wieder geöffnet, die beiderseitigen Grenzsteine wieder eingesetzt und nur auf den abgesteckten Theilen Weide gestattet.

In Folge der genannten Vorgänge mochte man sich die Frage erst klar zu machen anfangen, ob denn und was für Vortheil mit einer blosen Weide verbunden und ob es nicht vortheilhafter sei, die Bürgerweide zu hegen und den Graswuchs zum Vortheil der Stadt zu veräußern. Derartige Vorschläge finden sich in Nr. 59 der Wormser Zeitung von 1833 und es wird darin der wirkliche baare Vortheil der Stallfütterung gründlich und mit Zahlen nachgewiesen. Dabei wird der Vorschlag gemacht, die Bürgerweide zur Vertheilung an die Bürger gegen eine jährliche Abgabe in gleich werthvolle Loose zu zerfällen. Indessen verblieb es vorläufig bis 1838 beim gewohnten freien Weidgang und wurde dieser erst in diesem Jahr mit höherer Genehmigung aufgehoben. Es sollte zwar den Unbemittelten auf einem andern städtischen Wiesendistrict außerhalb der Bürgerweide ein in Loose getheilter Raum gegen einen fixirten billigen Pacht zur Gräsereibenutzung auf eine gewisse Dauer von Jahren, nicht aber zur Beweidung, überlassen werden, worauf aber jene nicht eingingen. Darum wurde allgemein von da ab nur Stallfütterung eingeführt und auch ferner keine Reclamation erhoben. Den 24. September 1842 forderte

*) Vergl. Wormser Zeitung 1833, Nr. 50.
**) Vergl. Wormser Zeitung 1833, Nr. 52.

der damalige Kreisrath zu Worms (der jetzige Ministerpräsident, Hr. Frhr. v. Dalwigk Exc.) den beständigen Secretär der landw. Vereine zu einem Gutachten über die zweckmäßigste Art der Bewässerung der Bürgerweide auf Grund der kurz zuvor vorgenommenen Localaugenscheine auf, worauf dieser (Hr. Oek.-Rath Dr. Zeller) am 18. October ein vollständiges Project über Nivellirung, Schleusenbau, Anstellung eines besonderen Wiesenbauers und nachherigen Aufsehers mit dem Anfügen vorlegte, „er spreche die Ueberzeugung aus, daß sich die Revenuen aus der Gemeindeweide in wenigen Jahren um wenigstens 30% erhöhen, ohne daß die dazu nöthigen Opfer fühlbar sein würden, daß er daher keinen Weg kenne, auf dem die Fonds der Stadt reichere Zinsen tragen könnten.“ Hierauf erfolgte dann schon am 25. Januar 1843 eine Anfrage des damaligen Bürgermeisters, Hrn. F. Renz, wegen der geeigneten Ermittelung eines tüchtigen Wiesentechnikers und Aufsehers, der in genanntem Jahr in der Person des jetzigen städtischen Gutsaufsehers, Hrn. W. Christ, gefunden wurde. Unter dessen Leitung geschahen nun alle die beschwerlichen, mit persönlichen Strapazen für ihn verbundenen Arbeiten, Weg- und Canalbauten, Nivellirungen, Ausfüllungen und Abtragungen, Damm-, Schleusen- und Dohlenanlagen, welche in verhältnißmäßig kurzer Zeit aus einem wenig ertragenden, haideartigen Weideplatz, mit Lachen, Sümpfen und Löchern, einen frischen, fetten Wiesengrund (ganz nach den obigen Worten des französischen Unterpräfecten) herstellten.

Noch einmal, in dem stürmischen Jahr 1848, erwachten, trotz der gehabten Gelegenheit, sich durch die Thatsache von der Wohlthat und dem allgemeinen, nicht etwa blos ärarischen Vortheil zu überzeugen, unruhige Bewegungen und Versuche zur Wiederherstellung des früheren Zustands. Dadurch ließ sich aber Hr. Bürgermeister Renz nicht beirren, sondern schlug den allein richtigen und heilsamen Weg ein, über die Zweckmäßigkeit eines allenfalls wieder einzuführenden Weidgangs bei der landw. Landesbehörde ein erschöpfendes Gutachten einzuholen, um es von diesem abhängig zu machen, ob auf die erhobenen Forderungen eingegangen werden könne. Hr. Renz stellte in seiner Zuschrift an den damaligen Oekonomierath, Hrn. Dr. Zeller, vom 23. April 1848 den bisherigen Zustand dahin dar, „daß bei der bisher eingeführten Stallfütterung die Viehbesitzer wohl ihre Rechnung müßten gefunden haben, da bisher keinerlei Reclamation erhoben worden, die zur jährlichen Verbesserung der Wiesengelände aufgewandten Kosten reiche Früchte gebracht haben, da sich der Erlös aus der Graserute von 1838 (im damaligen Betrag von 12,000 fl.) bis jetzt auf ca. 30,000 fl. erhöht habe und zu erwarten stehe, daß sich bei vollständiger Ausführung aller nöthigen Arbeiten diese Einnahme, die Hauptrevenue der Stadt, noch ansehnlich erhöhen werde.“ Hr. Oekonomierath Dr. Zeller hob in seinem sehr eingehenden, ausführlichen Gutachten vom 28. April 1848 hervor, daß unter unsern Verhältnissen die Stallfütterung dem Weidgang entschieden vorzuziehen sei und daß alle Sachverständigen hierin so ungetheilter Ueberzeugung seien, daß die Aufhebung des Weidgangs gewissermaßen als Maßstab für die Beurtheilung des landw. Standpunkts eines Orts angesehen werde. Weiter weist genanntes Gutachten nach, daß wenn auch die Stallfütterungswirthschaft dem kleineren Gutsbesitzer weniger Bedürfniß sein, als dem größeren, dieselbe auch für den ersteren immerhin noch vortheilhafter bleibe, als Weidewirthschaft. Was den nicht zu läugnenden Vortheil freien Weidgangs in Beziehung auf Zucht und körperliches Wohlbefinden der Thiere betrifft, so weist dasselbe auf die Anlegung eines ordentlichen Sprungplatzes im Freien hin, eine an vielen Orten bewährte Einrichtung, und drückt die Ueberzeugung aus, daß im unausweichlichen Fall der Wiedergestattung des Weidegangs sich die dermalige Bewirthschaftungsweise auf's Vollständigste rechtfertigen würde. Da sich die technische Autorität in dem Weidgang so ungünstigem Sinn aussprach, so hatte Hr. Bürgermeister Renz, unterstützt von einsichtsvollen Gemeinderäthen, den Muth, allem weiteren Drängen fest entgegen zu treten und die bereits gelegte Grundlage zur materiellen Wohlfahrt der Stadt zu retten und unversehrt zu erhalten. Auch die folgenden Stadtvorstände bauten, unterstützt von der Verwaltungsbehörde, auf der gewonnenen Basis unverdrossen weiter und so sieht sich die Stadt gegenwärtig im Besitz einer unversiegbaren Quelle sehr beträchtlicher Einkünfte, die es ihr ermöglichen, allen Ansprüchen der fortschreitenden socialen

Entwicklung zu genügen, ohne die Bürger durch Umlagen empfindlich zu drücken. Ohne Wald oder sonstige Güter von Bedeutung sähe sie sich im andern Fall gänzlich außer Stand, ihre Ausgaben zu bestreiten. — Dazu kommt, was fast noch höher angeschlagen werden darf, daß sich seit der neuen Cultur des städtischen Guts der Gesundheitszustand der Stadt ausnehmend gebessert hat*), daß namentlich das Wechselfieber, das durch die häufigen Ueberschwemmungen und davon verursachte Nässe und Moderluft in den niedrigliegenden Wohnungen der Stadt, so wie durch die überall vorhandnen stagnirenden Tümpel, Lachen und abzugslosen Sumpflöcher veranlaßt wurde, seit Ausfüllung der Lachen und der Anlage schützender Dämme und Abzugsgräben nebst Schleusen so gut wie verschwunden ist. Ehre darum allen denen, welche zur Herbeiführung eines so segensreichen Zustands das Ihrige beigetragen haben! Insbesondere auch gebührt der ausführenden Hand des Gutsaufsehers der Stadt, Hrn. Christ, für die nicht immer gewürdigten und mühevollen Anstrengungen im Dienste der Stadt, für die er so Nützliches zu schaffen berufen ward, alle Anerkennung.

Aus dem Verzeichniß der bisher erzielten Jahreserträge ergibt sich, wie sich die Production des städtischen Guts mit Vervollständigung der Anlagen immer gesteigert hat, daß die Haupterträge von Heu und Grummet oder von Gräserei, nicht unansehnliche aber auch von der Holznutzung, welche mit den hie und da eingeführten Weiden- und Pappelpflanzungen verbunden ist, herrühren. Um den ehemaligen Haag auf der Rheinseite bis zum „Mittelbusch" hin, sowie in dem als langer Streif quer vor der Bürgerweide liegenden sogenannten „Wäldchen" (zu Ehren des Großherzogs „Ludwigsluft" genannt), finden sich circa 100 oder mehr alte Eichen, Espen und Ulmen, untermengt mit jüngerem Unterholz von Ulmen, Ahorn, Eschen &c. Dies ist Alles, was um Worms an Wald erinnert. Dagegen wurde sehr zweckmäßig überall in nicht trocken zu bringenden, bei Hochwasser der Ueberschwemmung ausgesetzten Stellen, wie z. B. in den vor dem „Mittelbusch" liegenden

---

*) Nach einer mündlichen Versicherung werden in einer Apotheke, welche vor 20 Jahren jährlich 3 Pfd. Chinarinde und darüber verkaufte, jetzt kaum 8—9 Loth davon jährlich verbraucht.

Schauerlachen, vor dem Exercierplatz und vor der Schleuse des „unteren Entenkropfs" am „geschlossenen Wörth" ꝛc., Pappel- und Kopfweidenpflanzungen, die hier sehr gedeihen, angelegt und geben ein über das andere Jahr reichen Ertrag von Oberholz, da sie in Folge des üppigen Schwemmbodens jährlich 15 und mehr Fuß lange Triebe von mächtiger Dicke und reicher Beästelung liefern. Ebenso zeichnen sich Schwarz-, Balsam- und andre Pappeln in den Alleen an den Wegen und auf den einzelnen Loosgrenzen durch unglaublich wucherndes Wachsthum aus und bilden eine gewinnvolle Einnahmsquelle. Der an das hier garnisonirende Regiment vermiethete Exercierplatz unmittelbar hinter der Ludwigslust erträgt außer einem jährlichen Pacht von 300 fl. auch an Heu und Grummet noch etwas. Links neben dem Exercierplatz und dem daran vorbeilaufenden, zu Ehren des Hrn. Bürgermeister F. Renz sogenannten Friedrichsweg, liegen die durch langjährige Partikularberechtigung entstandenen „Lettenlöcher", nämlich ein zum Graben von Lehm reservirter Theil der Bürgerweide, der bisher noch nicht ganz ausgebaut werden konnte, da er erst seit wenigen Jahren (im Ganzen um 5000 fl.) von den berechtigten Herrn Gebrüder Heyl der Stadt ganz überlassen worden ist.

Zwischen der Stadt und Bürgerweide finden wir mehrere sonstige, zum Theil bedeutende städtische und Privatbesitzungen. Zuerst ist zu nennen zwischen dem hart an der Stadtmauer herziehenden Eisbach und der neuen Chaussee oder Rheinstraße der Rheinthorwoog, ehemals eine blose Sumpflache, aber seit 1842 und 1843 (unter Hrn. Bürgermeister Renz) ausgefüllt, als Wiese angelegt und mit Obstbäumen bepflanzt, über 5 Morgen, der dieses Jahr zum ersten Mal ansehnlichen Obstertrag liefert und mit den vorüberziehenden Lindenalleen eine Zierde der Stadtumgebung bildet. Von der genannten chaussirten Rheinstraße und dem dort dem Eisbach zulaufenden Marien-Münsterbach, führen von Nord nach Süd verschiedene Wege, der Wooggartenweg, der Viehweg, dessen Verlängerung über die Bürgerweide bis zum Mittelbusch am Rhein den Friedrichsweg bildet, und hart daneben der in den 40er Jahren mit Pappelalleen neuangelegte Exercierplatzweg, außer blosen Feldwegen, nach der Bürgerweide. Zur

Linken des Wooggartenwegs finden sich viele Privatgärten und Aecker (die Wooggärten), zwischen diesen und dem Giesen-Bach der untere und obere Entenkropf und, durch den starken „Hammelsdamm“ davon getrennt, das „geschloss'ne Wörth“, sehr schöne, in neueren Zeiten angelegte und in Rücken gebaute Wiesengründe, endlich zwischen Giesen und Rhein die obere und untere Kieselswiese, beide durch die Rheinstraße getrennt, erstere mit verschiednen hohen, alten Balsampappeln, die andre nach dem Rhein zu mit der Bleiche. Zwischen dem Wooggarten- und Viehweg finden sich ähnliche Privatgärten und Ackerfelder und zuletzt, an der Stelle des ehemaligen Philosophenwäldchens, verpachtetes städtisches Ackerfeld, woneben, an den Hammelsdamm anlehnend, die seit 1847 in Rücken angelegte Sauwiese (9 Morgen groß) der Bürgerweide zunächst folgt. Rechts von dem Vieh- und Exercierplatzweg liegen zwischen Stadt und Bürgerweide der untere und obere Graswoog (im Ganzen circa 44 Morgen), wovon der letztere erst seit 1844 in Rücken gebaut und fortwährend durch Ueberfahren von Erde mehr und mehr entsumpft wird, beides üppige frische Wiesgründe. Der Exercierplatz wendet sich in 2 Armen nach der Ludwigslust, dem schon erwähnten circa 25 Morgen großen Streifen Wald am Hammelsdamm quer vor der Bürgerweide, mit hohen Eichen und Espen, auch Ulmen und gemischtem Unterholz, mit Wegen und Plätzen verschönert. Hinter demselben und dem Hammelsdamm folgt zuerst eine mit Kopfweiden und Pappeln angebaute Lachenvertiefung, welche beim Ausheben des zum Damm verwendeten Grundes gebildet wurde und oft unter Wasser steht, hinter welcher sodann der circa 50 Morgen große Exercierplatz folgt. Hier befinden wir uns bereits auf dem Boden der eigentlichen Bürgerweide. Ehe wir jedoch in's „Wäldchen“ gelangen, ist noch ein zwischen und neben den Armen des Exercierplatzweges gelegner schöner Wiesengrund, der „Husarenplatz“, der im 17. und 18. Jahrhundert französischer Reiterei zum Manövriren gedient haben soll, zu erwähnen. — Gegen den Rhein ist ein an der Stelle des alten Haags den Giesenbach entlang laufender Deich oder Damm (der untere und obere Haag) noch mit schönen hohen Eichen besetzt; das frühere Gestrüpp desselben ist aber seit einem

Jahr entfernt, die alten Haagaufwürfe geebnet und nun für das Wiesenareal ein Zuwachs von circa 20 Morgen gewonnen, der vorläufig mit Hafer und Klee eingesäet ist. Dort befanden sich auch die durch Rheinfluthen abgelagerten, aus unfruchtbarem Stromschutt bestehenden, jetzt abgetragenen sogenannten „Dornhügel", bei deren Wegräumung im Jahr 1848 verschiedene alte Reste von Gefäßen und sonstigen Geräthen gefunden wurden. — An der Südseite der Bürgerweide liegen zwischen Giesen und Rhein die Bauwiese, gegen den Mittelbusch am Rhein hin die Schauerlache, gegen den schon auf bayerischem Gebiet befindlichen Bobenheimer Wald hin die Waldlache, sämmtliches Niederungen mit Kopfweidenbestand. Neben der letztgenannten befindet sich die ehemalige Seniorswiese und in der Nähe am Rand der Bürgerweide an der Stelle des öfter zerstörten Seniorenhäuschens das jetzige Schützenhaus. Der sogenannte „Stöppelhaag", jetzt auch geebnet und im Damm eingesäet, macht sodann gegen die Speyerer Straße hin die weitere Grenze. Der dort diese Straße entlang liegende Theil der Bürgerweide wurde für die oben gedachten 5 Gemeinden abgetrennt und ist durch einen ganz geraden Graben von der städtischen Fläche geschieden. — Der große Hammelsdamm, der vom Anfang des unteren Entenkropfs zuerst bis vor die Bürgerweide dem Giesen entgegen zieht, wendet dort fast rechtwinklig und setzt sich dann zwischen Wäldchen und Bürgerweide bis vor die Speyerer Straße als Nordgrenze fort; er hat von 16 bis gegen 20 Fuß Höhe über dem Rheinniveau; außer ihm finden sich gegen den Giesen noch niedere Sommerdämme, zum Schutz des Wiesenheus bei zeitweiligen Hochwassern. — Quer von West nach Ost ist die Bürgerweide durchflossen von dem Altbach. Unfern seiner Mündung in den Giesen ist dieser seit 1858 neu überbrückt und mit einer großen Stauschleuse versehen. Hauptschleusen finden sich außerdem am unteren Entenkropf und Beginn des Hammelsdamms, an der Winkelbiegung desselben Damms an den „Lettenlöchern" nach dem Giesen, sowie an mehreren Stellen im Altbach. Dieser ist überall, wo Wege darüber passiren, überbrückt. Solcher sind es im Ganzen 4 schnurgrad von Nord nach Süd in gleichen Abständen hindurch führende, nämlich dem Rhein zunächst der Friedrichsweg, hierauf von der Exercierplatzmitte aus der Ludwigsweg, sodann vom nordwestlichen Eck der Bürgerweide aus der Georgenweg und weiter gerade auf die Seniorswiese los der Seniorsweg. Mitten in der Bürgerweide verbindet und durchschneidet die genannten Wege in die Quere der Petersweg, zu Ehren der Herrn Stadtvorstände Peter Binder und Martenstein so genannt. Als Grenzen der rechteckigen und einander gleichen Loose, in welche die Weide eingetheilt wurde, dienen lauter schmale Entwässerungsgräben mit Dohlen an den Wegpunkten und als in die Augen fallende Grenzmale dienen Pappel- und Weidenbäume, deren Oberholz ein Jahr über's andere benutzt wird.

Was die Güte der Wiesengewächse betrifft, so ist zu bemerken, daß überall durch Grassaat nachgeholfen wurde und sich an nicht zu sumpfigen Stellen die besseren Grassorten, als französisches und italienisches (englisches) Raygras (Lolium), Wiesen- und andere Schwingel (Festuca), Knaulgras (Dactylis), Hafergräser (Avena pratensis, flavescens u. a.), Rispengras (Poa), Wiesenfuchsschwanz (Alopecurus) und namentlich reichlich Glanz- oder Wiesenhafer (Arrhenaterum) vorherrschend finden. Auf den Dämmen fiel mir eine Queckweizenart schön bläulicher Farbe (Triticum glaucum, die als blose Abart der Quecke gilt) vortheilhaft auf, in den Gräben, außer Seggen und Glanzgras (was hier auf feuchten Stellen gewöhnlich als Röhricht bezeichnet wird, sehr vorwaltet und wenigstens zu Pferdefutter taugt), viel hoher Schwaden (Glyceria altissima s. Poa aquatica L.) und hie und da Schneide (Cladium s. Schœnus Mariscus). Von der Güte der eigentlichen Bergwiesen mit Rieselwässerung kann hier nicht die Rede sein und es fehlen jene feinen, duftenden Gräser und Kräuter, welche solche characterisiren, in den Niederungen der Rheinwiesen, deren Charakter vielmehr derjenige nasser Thalwiesen ist. — Sonst herrschende Wiesenkräuter sind hier allerlei kleeartige Gewächse (rother deutscher Wiesen-, Acker-, Bastardklee*), Sumpfhornklee (Lotus uliginosus), Wiesenplatterbse, sehr reichlich namentlich

*) Kurzer, weißer Klee (Trifolium repens) soll nach Hrn. Christ's Erfahrung sich hier nur schlecht bei Ansaaten zurechtfinden.

Vogelwicke, als Merkwürdigkeit an den Husarenplatzwegen auch sogenannte Spargelbbohnen (Tetragonolobus s. Lotus siliquosus), Luzerne, Esparsette u. a. m., von Dolden unter andern Haarstrang (Peucedanum officinale) und Kümmelsilje (Selinum carvifolium), auch viel Pastinak, außerdem namentlich auffallend viel heilkräftiger Baldrian, sowie Beinwell oder sogenannte Schwarzwurz (Symphytum officinale) zu finden, wogegen manche besonders schädliche Wiesenunkräuter, wie Zeitlose und Pestwurz oder großer Huflattich, fast gar nicht vorhanden sind. Auch findet sich auffallender Weise die im Hinterland und am Vogelsberg so gewöhnliche Kümmelpflanze nur als Seltenheit, was die Idee des absichtlichen Baus von solchem nahe legt.

Im Allgemeinen wird der Fortbau dieses unschätzbaren Wiesenguts künftig hauptsächlich noch das Nivelliren und Nachfüllen gewisser Districte, sowie das Ueberfahren der vorhandenen mageren Strecken mit Dammerde, Baulehm, Kalkmörtel, Abraumerde und Bachschlamm erfordern, worin der städtische Wiesenbauaufseher, Hr Christ, fortwährend thätig ist und wozu, wie überhaupt für die rationellste Weise der weiteren Cultur dieses Guts derselbe die rechte Ein- und Umsicht bisher bethätigt hat, so daß es dem Schreiber Dieses ausgemacht erscheint, daß unter Fortdauer der gegenwärtigen Verhältnisse binnen 10 Jahren die Wiese in allen Theilen und Stücken als sehenswerthes Muster von Wiesenanlage im Großherzogthum dastehen wird.

Ueber die seitherigen Erträge beschränke ich mich darauf, nachträgliche statistische Uebersicht, welche Hr. Christ die Güte hatte aufzustellen, hier folgen zu lassen.

Uebersicht der Erträge der Wormser Bürgerweide und der sonstigen gemeinheitlichen Wiesen-, Acker- und Walddistricte der Stadt Worms von den Jahren 1833 bis 1859.

	Benennungen der Districte.	Flächen-Inhalt		1833—1841 in Heu, Grummet, Pacht, Holznutzung.		1842—1850 in Heu, Grummet 2c.		1851—59 in Heu, Grummet 2c.		Durchschnittlich pro Morgen jährlich					
										1833—41		42—50		51—59	
		Mrg.	Klft.	fl.	kr.	fl.	kr.	fl.	kr.	fl.	kr.	fl.	kr.	fl.	kr.
1	Bürgerweide	1059	200	92991	50	142843	45	175799	28	9	46	14	59	18	30
2	Exercierplatz	49	294	226	40	2787	35	3344	20	—	30	6	13	7	22
3	Die versch. Dämme der Bürgerweide	32	88	1054	—	1481	30	2937	50	3	39	5	8	10	15
4	Obere und untere Kieselswiese .	85	175	14386	25	19054	20	24589	40	18	40	25	—	32	6
5	Geschlossn. Wörth u. d. 3 Entenkopf	65	124	7395	50	4707	—	15557	20	12	—	9	—	26	36
6	Oberer und unterer Graswoog .	44	74	3940	—	3794	—	5598	10	10	—	9	36	14	6
7	Husarenplatz	19	365	390	25	1853	—	3276	50	2	17	10	18	18	6
8	Sauwiese	9	173	146	40	260	50	1183	20	1	44	3	18	14	36
9	Großer und kleiner Ochsenplatz .	26	151	2049	50	1891	10	2122	40	8	40	8	—	9	—
10	Rheinthorwoog, Judenbleiche und Viehbleiche	10	164	289	50	1035	50	2404	10	3	12	11	30	26	42
11	Hammelsdamm und Bachdämme	34	—	2523	40	3046	—	4256	50	8	12	9	57	13	54
12	Ludwigsluft	2	—	52	30	44	50	224	10	2	55	2	30	12	28
13	Philosophenwäldchen (jetzt Ackerld.)	4	267	22	—	26	40	561	30	—	36	—	42	13	30
14	Verschiedne Wege 2c.	3	200	—	—	338	—	590	—			12	30	26	12
15	Holzertrag aus allen Districten			16996	5¾	30316	8½	25422	57						
	Summe . .	1446	275	142465	45¾	213480	38½	263870	15						

Einnahme von 27 Jahren: 618,816 fl. 39¼ kr.

Culturkosten der städtischen Güter						Reinerträge					
1833 — 1841		42 — 50		51 — 59		33 — 41		42 — 50		51 — 59	
fl.	kr.	fl.	kr.	fl.	kr.	fl.	kr.	fl.	kr.	fl.	kr.
13745	23½	3[illegible]753	3½	23878	37½	119046	20¼	182727	35	236515	37½
9673*	52			3476**	—						
23419	15½			27354	37½						
Im Ganzen: 81526 fl. 56½ kr.						Im Ganzen: 537,289 fl. 42¾ kr.					

Nur $\frac{11}{12}$ der angegebenen Culturkosten können auf die hier aufgestellten Güter bezogen werden, $\frac{1}{12}$ fällt auf andere städtische Grundstücke. Der Exercierplatz trägt, außer den angegebenen Erträgen, jährlich noch 300 fl. Pacht ein. Die Holzerträge der neun letzten Jahre größtentheils aus Weichholzwellen. Ausgaben für Bedammung der Bürgerweide und anderer Stücke in den Jahren 1838 — 1840: 9673 fl. 52 kr.; für Herstellung einer Brücke mit Stauschleuse im Jahr 1858: 3476 fl. Die eigentliche Bürgerweide lieferte die höchsten Erträge in den Jahren 1856 (24532 fl. 40 kr.) und 1857 (24513 fl. 30 kr.); in 1859 wegen der Futterpreis-Verhältnisse nur 17131 fl. 10 kr.

Das Jahr 1858 ergab von den sämmtlichen Grundstücken bisher den höchsten Totalertrag, nämlich: 37868 fl. 18 kr., in 1859 nur 26629 fl. 55 kr. — Im Jahr 1833 betrug der Ertrag im Ganzen 10746 fl. 52 kr., 1841: 17905 fl. 53 kr., 1847: 38304 fl. 40 kr., 1848 und 1849 nur 22602 fl. und 14880 fl. 1850 wieder 24233 fl. und so zunehmend bis gegen 40000 fl. jährlich, wobei immer Jahres- und Preisverhältnisse von Einfluß waren. In den früheren Jahren litten auf manchen Gründen die Heuernten öfter durch Hochwasser, was jetzt durch die Dammbauten weniger der Fall ist.

---

*) Für Dämme.

**) Für eine neue Brücke mit einer Stauschleuse im Jahr 1858.

Nachrichten

über die

Wirksamkeit und die Einrichtung

kleiner

Vieh-Versicherungs-Vereine

im

Königreich Hannover.

Mit Formularen zu Listen und Entwürfen

zu

Statuten für solche Vereine.

Nachrichten

über die

Wirksamkeit und die Einrichtung

kleiner

Vieh-Versicherungs-Vereine

im

Königreich Hannover.

Mit Formularen zu Listen und Entwürfen

zu

Statuten für solche Vereine.

Druck von Fr. Klindworth in Hannover.
1853.

Nachdem mittelst der Ausschreiben des Königlichen Ministeriums des Innern vom 24. December 1838 und 11. Juni 1849 den Verwaltungsbehörden die Einrichtung und Beförderung kleiner Vieh-Versicherungsvereine empfohlen worden, haben solche Vereine in allen Landestheilen mehr oder weniger Eingang gefunden, wie aus der nachfolgenden Übersicht hervorgeht:

Übersicht der Wirksamkeit der Vieh-Versicherungsvereine im Königreich Hannover während der Jahre 1849 bis 1852.	Anzahl der Vieh-Versicherungsvereine.	Anzahl des versicherten Viehes				Anzahl der entschädigten Verluste				Bezahlte Entschädigungen.		
		Pferde.	Rindvieh.	Schweine.	Ziegen.	Pferde.	Rindvieh.	Schweine.	Ziegen.	ℛ	ggr	₰
I. Landdrostei Hannover.												
a. Fürstenthum Calenberg 1849	15	—	2421	—	—	—	74	—	—	1163	6	—
1850	17	—	2871	—	49	—	74	—	6	1299	12	8
1851	17	—	2682	—	—	—	90	—	—	1381	8	—
1852	14	—	2227	—	33	—	65	—	2	1147	2	—
b. Grafschaft Hoya und Diepholz. . . . 1849	33	—	3820	—	—	—	48	—	—	802	11	4
1850	37	—	5513	54	37	—	67	1	—	940	18	—
1851	40	—	4509	16	28	—	72	2	1	1188	19	—
1852	42	—	4452	36	30	—	66	1	1	1164	20	—
II. Landdr. Hildesheim.												
a. Fürstenthum Hildesheim 1849	16	—	1383	207	189	—	12	19	1	247	12	8
1850	16	—	1336	200	86	—	22	12	8	404	20	3
1851	19	—	1672	159	111	—	28	10	6	480	4	9
1852	20	—	1855	—	41	—	52	—	1	545	4	4
b. Fürstenthum Göttingen 1849	5	—	343	1289	173	—	9	38	11	415	10	—
1850	4	—	347	999	171	—	8	47	10	449	12	—
1851	4	—	249	796	8[illegible]	—	5	39	7	383	9	—
1852	6	—	512	771	77	—	17	27	6	375	20	—
c. Fürstenthum Grubenhagen 1849	2	—	426	—	—	—	4	—	—	63	1	9
1850	3	—	713	—	—	—	13	—	—	160	11	2
1851	4	—	762	—	—	—	18	—	—	299	6	—
1852	11	—	2120	—	69	—	44	—	2	444	21	2

Fortsetzung.		Anzahl der Vieh-Versicherungsvereine.	Anzahl des versicherten Viehes				Anzahl der entschädigten Verluste				Bezahlte Entschädigungen.		
			Pferde.	Rindvieh.	Schweine.	Ziegen.	Pferde.	Rindvieh.	Schweine.	Ziegen.	Thlr	ggr	₰
Noch Landdr. Hildesheim.													
d. Grafschaft Hohnstein													
	1849	—	—		—	—	—	—	—	—		—	
	1850	—	—		—	—	—	—	—	—		—	
	1851	—	—		—	—	—	—	—	—		—	
	1852	1	—		—	—	—	—	—	—		—	
III. Landdr. Lüneburg													
	1849	92	172	6927	229	—	5	96	6	—	1906	15	
	1850	98	230		324	88	10	135	8	4	2434	23	
	1851	102	220		252	57	4	186	7	4	2806	8	
	1852	98	181		197	56	4	143	7	1	2153	17	
IV. Landdrostei Stade.													
a. Herzogthum Bremen													
	1849	28	—	2234	—	—	—	70	—	—	1216	10	
	1850	32	—		—	—	—	71	—	—	1238	8	
	1851	34	—		—	—	—	86	—	—	459	16	
	1852	47	—		—	—	—	72	—	—	391	—	
b. Herzogthum Verden													
	1849	2	—		—	—	—	11	—	—		8	
	1850	3	—	328	—	—	—	5	—	—		—	
	1851	4	—	517	—	—	—	9	—	—		—	
	1852	3	—	401	—	—	—	8	—	—		—	
c. Land Hadeln	1849	2	—	321	—	—	—	5	—	—	2	—	
	1850	2	—	354	—	—	—	6	—	—		—	
	1851	5	—	696	—	—	—	9	—	—		—	
[illegible]	1852	4	—	815	—	—	—	18	—	—		—	
V. Landdr. Osnabrück.													
a. Fürstenthum Osnabrück......	1849	135	—	10,811	—	137	—	169	—	5	2241	7	
	1850	151	—	14,179	—	92	—	254	—	4		15	
	1851	158	—	4,672	—	92	—	228	—	—	2615	6	
	1852	170	8	5,288	—	146	—	238	—	11		17	
b. Grafschaft Lingen													
	1849	3	—	406	—	—	—	7	—	—	88	21	
	1850	4	—	545	—	—	—	11	—	—	36	12	
	1851	5	—	750	—	—	—	9	—	—	93	21	
	1852	6	—	863	—	—	—	10	—	—	24	17	
c. Grafschaft Bentheim													
	1849	13	—	463	—	—	—	20	—	—	288	2	
	1850	13	—	687	—	—	—	26	—	—	351	3	
	1851	13	—	718	—	—	—	28	—	—	373	16	—
	1852	13	—	417	—	—	—	20	—	—	268	12	—

Fortsetzung.	Anzahl der Vieh-Versicherungsvereine.	Anzahl des versicherten Viehes				Anzahl der entschädigten Verluste				Bezahlte Entschädigungen.		
		Pferde.	Rindvieh.	Schweine.	Ziegen.	Pferde.	Rindvieh.	Schweine.	Ziegen.	ℛ	ggr	₰
Noch Landdr. Osnabrück. d. Herzogthum Arenberg-Meppen 1849	22	—	930	—	—	—	53	—	—	616	18	8
1850	20	—	1674	—	—	—	7	—	—	68	14	8
1851	21	—	1893	—	—	—	4	—	—	30	4	—
1852	22	—	1969	—	—	—	8	—	—	86	13	4
VI. Landdrostei Aurich 1849	8	—	400	—	—	—	3	—	—	89	4	—
1850	—	—	—	—	—	—	—	—	—	—	—	—
1851	2	—	518	—	—	—	11	—	—	173	21	7
1852	1	—	213	—	—	—	5	—	—	101	4	—
VII. Berghauptmannsch. Clausthal . . 1849	10	—	1221	—	—	—	76	—	—	924	20	9
1850	10	—	1185	—	—	—	49	—	—	483	17	4
1851	11	—	1095	—	—	—	42	—	—	443	22	1
1852	16	—	2338	—	—	—	73	—	—	576	3	8
Wiederholung für das Königreich: 1849	386	172	33,437	1725	499	5	657	63	17	10,399	5	9
1850	410	230	41,747	1577	523	10	748	68	32	11,143	—	6
1851	439	220	43,377	1223	373	4	825	58	18	12,102	18	7
1852	474	189	46,580	1004	152	4	839	35	24	11,699	9	—

Die vorstehende Übersicht weiset zunächst nach, daß die Zahl und der Umfang der Vieh-Versicherungsvereine im Allgemeinen im Zunehmen begriffen ist. Im Jahre 1852 haben 88 Vereine mehr als im Jahre 1849 bestanden und die Zahl des versicherten Rindviehes ist im Jahre 1852 um 13,143 Stück größer gewesen als im Jahre 1849.

Die Zahl der versicherten Pferde, Schweine und Ziegen erscheint im Vergleich mit der Zahl des versicherten Rindviehes unerheblich. Die Versicherung des Rindviehes hat in allen Landestheilen Eingang gefunden. Die Versicherung anderer Vieharten scheint nur durch lokale Verhältnisse veranlaßt zu sein.

Es ergiebt sich ferner, daß die Vieh-Versicherungsvereine in den nördlichen, zur Rindviehzucht mehr geeigneten Provinzen Lüneburg, Bremen, Verden, Hadeln, Hoya und Diepholz sowie auf dem Harze stärker an Zahl und Umfang sind, als in den südlichen

Landestheilen Calenberg, Hildesheim, Göttingen, Grubenhagen und Hohnstein, in welchen die Rindviehzucht überhaupt zurücksteht.

Im Fürstenthume Osnabrück haben sich besonders zahlreiche Vereine dieser Art gebildet, welche den Verhältnissen der dortigen Heuerleute vorzüglich zu entsprechen scheinen. In den Emsländern Lingen, Bentheim und Arenberg-Meppen ist ein Fortschritt in dieser Beziehung nicht zu beobachten. In Ostfriesland scheint ein Bedürfniß für solche Vereine nicht vorhanden zu sein.

Die obige Übersicht giebt auch Gelegenheit zu einer Vergleichung in Beziehung auf die Gefahr, gegen welche die Vereine versichern. In den 4 Jahren, von welchen die Nachrichten vorliegen, waren 165,141 Stück Rindvieh versichert, wovon 3069 Stück zu entschädigen gewesen sind. Der Verlust beträgt daher im Durchschnitt $1^{86}/_{100}$ Procent der versicherten Anzahl, ein Ergebniß mit welchem man vollkommen zufrieden sein kann, wenn man damit die Prämiensätze größerer Vieh-Versicherungsanstalten vergleicht.

Die Magdeburger Vieh-Versicherungsgesellschaft läßt sich für 100 ℔ des Werths des versicherten Rindviehes im Durchschnitt 3 Procent und zwar praenumerando bezahlen. (Cfr. §§. 37 und 38 der Statuten dieser Gesellschaft vom Jahre 1851.) Dieselbe gewährt aber nur $^{3}/_{4}$ des Werths als Entschädigung (§. 47 der Statuten), die Mitglieder haben daher 4 Procent der in Aussicht gestellten Entschädigung zu zahlen.

Die landwirthschaftliche Assecuranzbank für Deutschland läßt sich nach ihren Statuten vom Jahre 1851 für Versicherung von Rindvieh halbjährig $1^{2}/_{3}$ bis $2^{2}/_{3}$ Procent, ganzjährig also im Durchschnitt $4^{1}/_{3}$ Procent des Werths bezahlen. Sie gewährt in einigen Fällen aber nur die Hälfte des Werths als Ersatz (§. 16 der Statuten).

Die Prämien der Köln-Münsterschen Vieh-Versicherungsgesellschaft sind aus den Statuten vom Jahre 1852 nicht zu ersehen. Nach §. 41 derselben werden solche alljährlich, provinzenweise, von der Centralversammlung festgestellt.

Für die einzelnen Landestheile im Königreiche Hannover stellt sich das Verhältniß der Anzahl des versicherten zu der Zahl des zu entschädigen gewesenen Rindviehes folgendermaßen dar:

	Anzahl der versicherten Stücke.	Anzahl der entschädigten Stücke.	Verlust. Procent.
Fürstenthum Calenberg	10,201.	303.	$2,^{97}/_{100}$
Grafschaften Hoya u. Diepholz	18,294.	253.	$1,^{39}$
Fürstenthum Hildesheim	6,246.	114.	$1,^{83}$
" Göttingen	1,451.	39.	$2,^{69}$
" Grubenhagen	4,021.	79.	$1,^{96}$

	Anzahl der versicherten Stücke.	Anzahl der entschädigten Stücke.	Verlust-Procent.
Fürstenthum Lüneburg	30,930.	560.	1,81
Herzogthum Bremen	12,969.	299.	2,30
„ Verden	1,577.	33.	2,09
Land Hadeln	2,186.	38.	1,74
Fürstenthum Osnabrück	54,950.	889.	1,62
Grafschaft Lingen	2,564.	37.	1,44
„ Bentheim	6,285.	94.	1,50
Herzogthum Arenberg-Meppen	6,466.	72.	1,11
Fürstenthum Ostfriesland	1,131.	19.	1,68
Der Harz	5,839.	240	4,11

Da in den Nachrichten, nach welchen die obige Übersicht bearbeitet worden, die für die einzelnen Vieharten bezahlten Entschädigungen nicht getrennt sind, so läßt sich nicht ermitteln, wie viel für ein Stück von jeder Viehart im Durchschnitt entschädigt ist. Für einzelne Landestheile, wo entweder nur Rindvieh allein, oder außer demselben nur weniges andere Vieh versichert worden ist, läßt sich die für ein Stück Rindvieh bezahlte Entschädigung im Durchschnitt folgendermaßen berechnen:

im Fürstenthum Calenberg etwa zu	$16^{3}/_{10}$	Thlr.
in den Grafschaften Hoya u. Diepholz	16^{1}	„
im Fürstenthum Grubenhagen	12^{2}	„
im Herzogthum Bremen	17^{7}	„
„ „ Verden	13^{6}	„
im Lande Hadeln	25^{11}	„
im Fürstenthum Osnabrück	11^{8}	„
in der Grafschaft Lingen	12	„
in der Grafschaft Bentheim	13^{6}	„
im Herzogthum Arenberg-Meppen	11^{1}	„
in Ostfriesland	19^{2}	„
auf dem Harze	10^{1}	„

Diese Summen entsprechen vielleicht nichteinmal der Hälfte des Werths eines Stücks des verunglückten Viehes. In der Regel verbleiben aber die Haut und einige andere nutzbare Theile desselben dem Eigenthümer. Außerdem muß als Grundsatz angenommen werden, daß der Eigenthümer des Viehes im Entschädigungsfalle niemals einen Gewinn machen darf. Wäre dieses möglich, so würde zu besorgen sein, daß das Vieh weniger gut gewartet werden würde.

Da die Vieh-Versicherungsvereine einen vollen Ersatz nicht gewähren dürfen, so sind ihre Beihülfen weniger als Entschädigungen, sondern als Unterstützungen anzusehen, wodurch die kleinen Wirthe, Anbauer, Häuslinge u. s. w., für welche diese Vereine vorzugsweise bestimmt sind, in den Stand gesetzt werden, an die Stelle des verunglückten Stücks ein anderes wieder anzuschaffen. Zur Erreichung dieses Zwecks sind die kleinen Vereine um so mehr geeignet, weil sie ihre Hülfe schnell und ohne große Weitläufigkeiten gewähren können. Ihre Vorsteher befinden sich gleich zur Stelle, können ohne Zeitverlust über die zu gewährende Hülfe beschließen und ihre Beschlüsse sofort in Ausführung bringen.

Für den Bestand und das Gedeihen der kleinen Vieh-Versicherungsvereine ist besonders wichtig, daß ihre Statuten zweckmäßig abgefaßt sind. Um solche kennen zu lernen und auf eine Verbesserung derselben hinzuwirken, sind von verschiedenen Seiten Nachrichten eingezogen worden, woraus sich in Beziehung auf die Versicherung des Rindviehes etwa Folgendes ergeben hat:

I. Hinsichtlich des Maßes und der Repartition der zu leistenden Entschädigungsbeträge theilen sich die Vereine in drei Gruppen.

1. Zu der ersten Gruppe gehören diejenigen, welche die zu leistenden Entschädigungen, ohne auf den Werth des betheiligten Viehes zu sehen, lediglich nach der Stückzahl desselben repartiren, und für das eine verunglückte Stück eben so viel als für das andere entschädigen.

a. Die einfachste Form in dieser Gruppe ist diejenige, wo im Fall eines Verlustes von jedem betheiligten Stücke ein gewisser Beitrag gegeben wird. Sind z. B. bei einem Vereine 100 Stück versichert und der Beitrag von jedem Stücke ist zu 4 ggr festgesetzt, so erhält der Beschädigte 16 ₰ 12 ggr, welche er nach den Statuten einiger Vereine selbst einsammeln muß.

Solche Vereine sind eigentlich Unterstützungsvereine, unter Umständen aber sehr empfehlenswerth.

b. Nicht sehr verschieden von dieser Einrichtung ist diejenige, bei welcher die Entschädigungssumme ein für alle Mal auf einen festen Betrag, etwa auf 15 ₰, festgesetzt ist, indem entweder dieser Betrag in jedem Entschädigungsfalle auf die betheiligte Stückzahl repartirt und eingesammelt wird, oder es wird so oft wie nöthig von jedem Stücke ein bestimmter Beitrag gehoben, wobei dann von einer Hebung zur andern ein kleiner Kassenbestand übrig bleiben kann.

c. Einige der zu dieser Gruppe gehörenden Vereine haben auch die Einzahlung fester monatlicher oder vierteljähriger Beiträge eingeführt und suchen einen größeren Kassenbestand für künftige Nothfälle aufzusparen. Hierdurch wird aber der Eintritt neuer und der Austritt alter Mitglieder erschwert. Bei einem größeren Kassenbestande entstehen auch leicht Streitigkeiten und Verluste, weshalb die Ansammlung eines solchen nicht zu empfehlen sein möchte.

2. Zu der zweiten Gruppe der Vieh-Versicherungsvereine gehören diejenigen, bei welchen das betheiligte Vieh rücksichtlich des Betrages der zu gewährenden Entschädigung seinem Werthe nach in Klassen abgetheilt ist, und welche die Repartition der zu erhebenden Beiträge gleichfalls nach dem Verhältnisse dieser Klassen vornehmen. Häufig sind drei Klassen angenommen mit den etwa zu 10, 15 und 20 Thalern, oder zu 12, 16 und 20 Thalern festgesetzten Entschädigungsbeträgen. Auch Vereine mit zwei Klassen kommen vor. Gewöhnlich entscheiden die Vorsteher darüber, zu welcher Klasse ein aufzunehmendes Stück gehören soll. Dieselben sehen das versicherte Vieh auch von Zeit zu Zeit nach, ob dasselbe den für die betreffende Klasse erforderlichen Werth noch besitzt.

Auch diese Einrichtung ist empfehlenswerth, wenn die Verhältnisse solche gestatten.

3. Zu der dritten Gruppe gehören diejenigen Vereine, welche behuf Bestimmung der zu leistenden Entschädigung den Werth jedes einzelnen Stücks durch Abschätzung ermitteln lassen und nach diesen Werthen auch die zu erhebenden Beiträge repartiren.

Einige dieser Vereine lassen die Abschätzung alljährlich, andere alle drei Monate, und andere noch öfter wiederholen.

Einige legen bei der Feststellung der Entschädigung für ein verunglücktes Thier den durch die letzte Abschätzung ermittelten Werth desselben zum Grunde, andere lassen in diesem Falle den Werth des verunglückten Thieres noch einmal abschätzen, wovon sie dann einen aliquoten Theil — die Hälfte oder Zweidrittel — entschädigen.

Solche Bestimmungen werden in der Regel bei größeren Vereinen erforderlich, wo die Mitglieder einander sich weniger kennen und das Mißtrauen leichter Eingang findet. Da hierdurch aber größere Kosten entstehen und die Gelegenheiten zu Streitigkeiten sich vermehren, so möchte doch anzurathen sein, bei den einfacheren Einrichtungen so lange wie möglich stehen zu bleiben.

II. Zur **Leitung und Verwaltung der Angelegenheiten des Vereins** ist fast bei allen Vereinen ein **Vorstand** bestellt, wobei aber über gewisse Angelegenheiten nur in den **Generalversammlungen** beschlossen werden kann, namentlich ist

1. die Feststellung der Statuten,
2. die Wahl der Vorsteher und
3. die Abnahme der Rechnung,

gewöhnlich der Generalversammlung des Vereins vorbehalten. Diese drei Angelegenheiten werden in der Regel auf **einer** ordentlichen Generalversammlung, welche an einem festbestimmten Tage, etwa am Montage in der ersten vollen Woche des Januar, oder an einem andern Tage der ersten Monate des Jahrs, abgehalten wird, erledigt.

Außerordentliche Generalversammlungen finden bei einigen Vereinen Statt, wenn ein Beschluß zu fassen ist, ob Prozesse geführt und ob bei einer herrschenden Viehseuche die Versicherungen des Vereins als aufgehoben angesehen werden sollen.

Einige Vereine haben der Gesammtheit auch eine Mitwirkung bei der Verwaltung vorbehalten, dergestalt, daß von den Beschlüssen der Vorsteher eine Berufung an die Generalversammlung stattfindet. In denjenigen Fällen, wo die Vorsteher das Interesse der Gesammtheit gegen einzelne Mitglieder des Vereins zu vertreten haben, erscheint die Berufung an die Generalversammlung und die Entscheidung derselben über Fragen in eigener Sache unzulässig. Für solche Fälle ist zu empfehlen, daß die Statuten eine Bestimmung enthalten, nach welcher alle Streitigkeiten zwischen dem durch seine Vorsteher vertretenen Vereine und einzelnen Mitgliedern durch ein Schiedsgericht entschieden werden müssen.

Diejenigen Vereine, welche ihre allgemeinen Angelegenheiten auf einer jährlichen Generalversammlung erledigen und alles Übrige in die Hände der Vorsteher legen, sind die einfachsten und daher die empfehlenswerthesten.

III. Der Umkreis, innerhalb dessen die Vereine Mitglieder aufnehmen, wird in der Regel durch die Grenze des Gemeinde-, Bauerschafts-, oder Kirchspielsverbandes bestimmt. Größere Kirchspiele und ganze Ämter haben schon einen zu großen Umfang für einen Verein. In größeren Ortschaften, Städten u. s. w. bestehen oft mehre Vereine neben einander. Nach der oben mitgetheilten Übersicht fallen auf jeden Verein im Durchschnitt etwa 100 Stück Rindvieh.

Einige Vereine sind ausdrücklich nur für die Klasse der kleineren Wirthe, welche 1 oder 2 Stück Rindvieh halten, bestimmt und die größeren Wirthe sind davon ausdrücklich ausgeschlossen. Im Interesse des Vereins kann es nur liegen, möglichst viele nicht unbemittelte Mitglieder zu zählen. Sind aber die Verhältnisse der Mitglieder zu sehr von einander verschieden, so wird der Verein eine künstlichere Einrichtung erhalten müssen, als bei gleichen oder ähnlichen Verhältnissen der Mitglieder nöthig ist. So sehr daher gewünscht werden muß, daß die Vereine von den größeren Wirthen thunlichst unterstützt werden, so ist doch anzurathen, daß die Letzteren dabei sich nur auf eine solche Weise betheiligen, durch welche die Neigung der kleinen Wirthe, solchen Vereinen beizutreten, nicht beeinträchtigt, sondern wo möglich vermehrt wird. Es ist daher zu empfehlen, die Stimmen in den General-Versammlungen nicht nach der Anzahl oder dem Werthe des versicherten Viehes, sondern nach der Kopfzahl der Mitglieder zu zählen. Auch ist zu wünschen, daß die größeren Wirthe das Amt eines Vorstehers bereitwillig übernehmen, wenn sie dazu gewählt werden. Einen guten Eindruck hat es hervorgebracht, daß einige größere Wirthe den Vereinen mit der Erklärung beigetreten sind, daß sie sich zwar für ein oder mehre Stücke zu Beiträgen verpflichten, jedoch in eintretenden Fällen auf Entschädigung verzichten wollten.

IV. Gegenstand der Versicherung sind in der Regel nur Milchkühe und trächtige Stärken. Durch Ausschließung des zu anderen Zwecken gehaltenen Rindviehes wird die Sache vereinfacht, weshalb die gedachte Beschränkung zu empfehlen ist. Mäßige Benutzung der Kühe zur Arbeit darf kein Grund sein, dieselben von der Versicherung auszuschließen.

V. Die Versicherung beginnt bei einigen Vereinen von dem Augenblicke, wo das Vieh mit dem Zeichen des Vereins am Horne gebrannt ist.

Bei anderen Vereinen gilt das Vieh als versichert, sobald dasselbe in die Liste des Vereins eingetragen und der Versicherungsschein ausgehändigt ist.

Die Anmeldung zur Aufnahme geschieht in der Regel beim Vorstande. Derselbe kann nach den Statuten einiger Vereine die Aufnahme verweigern, ohne Gründe anzugeben.

Die Versicherung dauert in der Regel so lange das versicherte Vieh in dem Eigenthume des betreffenden Vereinsmitgliedes bleibt. Verkauft er dasselbe an ein anderes Mitglied oder an einen Fremden, so muß solches den Vorstehern angezeigt werden. Im ersteren Falle kann die Versicherung fortgesetzt werden, im anderen Falle erlischt dieselbe. Einige Vereine lassen alsdann das eingebrannte Zeichen austilgen.

Bei einigen Vereinen wird das Vieh, welches ein gewisses Alter erreicht hat, oder welches unter einen gewissen Werth herabgekommen ist, von der weiteren Versicherung ausgeschlossen.

Auch ist der Ausschluß eines Mitgliedes, in Folge eines Beschlusses des Vorstandes oder der Generalversammlung, nach den Statuten einiger Vereine zulässig.

VI. Eintrittsgeld erheben einige Vereine von neu eintretenden Mitgliedern oder von dem neu zu versichernden Viehe. Wo ein Kassenvorrath vorhanden ist, an welchem das neu eintretende Mitglied Theil nimmt, ist ein diesem Kassenbestande entsprechendes Eintrittsgeld billig.

Das Eintrittsgeld wird beim etwaigen Austritte in der Regel nicht zurückerstattet. Einige Vereine gestatten im Laufe des einmal begonnenen Jahres überall keinen Austritt. Andere verpflichten ihre Mitglieder, welche eine Entschädigung erhalten haben, vor Ablauf einer gewissen Reihe von Jahren nicht aus dem Vereine zu treten;

Diese Bestimmung möchte jedoch nicht zu empfehlen sein. Nicht Zwang, sondern die Überzeugung von der Nützlichkeit des Vereins muß die Mitglieder vom Austritte zurückhalten. Daß die Mitglieder nicht zu jeder beliebigen Zeit austreten können und daß das Eintrittsgeld nicht zurückerstattet wird, läßt sich rechtfertigen, weil der Verein eine gewisse Stabilität haben muß.

VII. Die Statuten fast sämmtlicher Vereine verpflichten den Eigenthümer, das versicherte Vieh gut zu halten und bedrohen die Unterlassung dieser Pflicht mit dem Verluste des Anspruches auf Entschädigung.

Dieselbe Strafe tritt bei einigen Vereinen ein:

wenn das Vieh durch Fahrlässigkeit des Eigenthümers oder seiner Leute verunglückt,

bei Unterlassung der Anzeige von der Erkrankung oder Beschädigung des versicherten Viehes,

bei Nichtzuziehung eines Thierarztes, so wie bei Nichtbefolgung der Vorschriften desselben,

wenn das Thier mehrfach versichert ist,

wenn Betrug angewendet wird um die Entschädigung zu erhalten,

wenn das Vieh ohne dringende Veranlassung außerhalb des Vereinsbezirks aufgestellt worden ist.

Wird das Vieh durch die Schuld eines Dritten beschädigt, so gewähren einige Vereine eine Entschädigung nur dann, wenn der Eigenthümer einen Ersatz von Jenem nicht erlangen kann.

VIII. Bei dem Erkranken oder der Beschädigung eines versicherten Thieres verlangen die Vereine in der Regel, daß solches den Vorstehern angezeigt werde. Nach den Statuten einiger Vereine haben die Vorsteher dann zu bestimmen, ob das Thier geschlachtet und möglichst verwerthet oder ob eine Kur zur Heilung desselben unternommen werden soll. Im letzteren Falle wird entweder dem Eigenthümer zur Pflicht gemacht, einen Thierarzt auf seine Kosten anzunehmen, oder der Verein trägt die durch Zuziehung eines Thierarztes entstehenden Kosten.

Auch kommt die Bestimmung vor, daß wenn das Thier stirbt, der Verein die durch Zuziehung des Thierarztes entstehenden Kosten trägt; wird das Thier aber wieder hergestellt, so muß der Eigenthümer die Kurkosten bezahlen.

Es möchte anräthlich sein, ein beschädigtes oder erkranktes Thier, dessen Heilung ungewiß ist, so bald wie möglich zu schlachten und thunlichst auszunutzen. Zur Beförderung dieses Zwecks dient, wenn die Vorsteher des Vereins befugt sind, dem Eigenthümer im Wege der Vereinbarung einen Theil der ihm im Falle des gänzlichen Verlustes gebührenden Entschädigung unter der Bedingung zuzugestehen, daß demselben die Benutzung des zu schlachtenden Thieres verbleibt, wogegen sie, im Falle der Eigenthümer sich hierzu nicht verstehen will, die Zuziehung eines Thierarztes auf seine Kosten verlangen können.

IX. Nach den Statuten der Mehrzahl der Vereine verbleibt die Haut eines verunglückten Thieres dem Eigenthümer.

Einige Vereine haben festgesetzt, daß wenn der Verein die statutenmäßige Entschädigung bezahlt, das Fleisch des verunglückten Thieres, insoweit solches zu gebrauchen ist, auf Rechnung des Vereins durch Vertheilung oder Verkauf verwerthet werden soll.

Andere Vereine gewähren die Hälfte der statutenmäßigen Entschädigung, wenn der Eigenthümer das Fleisch benutzen kann.

X. Von einigen Vereinen wird gegen Viehseuchen, so wie gegen Verluste durch Brand und Überschwemmung nicht versichert. Andere haben festgesetzt, daß bei Viehseuchen eine außerordentliche Generalversammlung berufen werden muß, welche nach Stimmenmehrheit entscheidet, ob während der Dauer der Seuche die Versicherungen in Gültigkeit bleiben sollen.

Auch wird verlangt, daß das erkrankte Vieh von dem gesunden getrennt, und daß der Stall, in welchem krankes Vieh gestanden hat, sorgfältig gereinigt und daß aller Ansteckungsstoff möglichst vertilgt werde, ehe das darin von neuem aufzustellende Vieh zur Versicherung angenommen wird.

XI. Die Entscheidung, ob der Verein zur Leistung einer Entschädigung verpflichtet sei, steht fast bei allen Vereinen dem Vorstande zu, gegen dessen Ausspruch eine Berufung nicht gestattet ist.

Diejenigen Vereine, welche einen Kassenbestand besitzen, können die Entschädigung, nachdem der Anspruch anerkannt worden ist, sofort ausbezahlen. Diejenigen, welche die Entschädigungssumme durch Sammlung von Beiträgen zusammenzubringen haben, bedürfen hierzu einer Frist, welche auf etwa 8 bis 14 Tage festgesetzt ist.

Dem Vorstande ist auch die Befugniß beigelegt, die etwa rückständig bleibenden Beiträge beitreiben zu lassen, zu welchem Zwecke sie sich des Anmahnungsverfahrens bedienen können.

Einige Vereine haben auch ein Maximum der Beiträge festgesetzt, über welches hinaus keine Beiträge gehoben werden sollen. Den etwaigen Ausfall an den zu leistenden Entschädigungen müssen die Beschädigten alsdann pro rata sich kürzen lassen.

XII. **Die Geschäfte des Vorstandes** mit Einschluß der Rechnungsführung werden bei den einfach eingerichteten Vereinen oft von einer Person allein wahrgenommen, wobei aber vorgeschrieben zu sein pflegt, daß der Vorsteher in wichtigen Fällen mit einigen Vereinsmitgliedern sich berathen soll.

Bei den Vereinen mit einer zusammengesetzteren Einrichtung besteht der Vorstand aus mehren Personen.

Die Wahl desselben geschieht allgemein in der Generalversammlung. In der Regel sind nur Vereinsmitglieder wahlfähig. Es kommt aber auch vor, daß Nichtmitglieder zu Vorstehern gewählt werden können. Es ist dieses zu empfehlen, weil auf diese Weise die Mitwirkung solcher Personen gewonnen werden kann, welche zwar nicht in der Lage sind, bei dem Vereine als Mitglieder sich zu betheiligen, dennoch aber sich für den Verein interessiren und geneigt sind für denselben zu wirken.

Einige Vereine wählen in den Generalversammlungen zugleich Substituten, andere geben dem Vorstande das Recht, bei etwa eintretenden Vacanzen bis zur nächsten Generalversammlung sich zu ergänzen.

Die dem Vorstande obliegenden Geschäfte sind etwa folgende:

1. Aufnahme neuer Mitglieder, Entscheidung über die Zulassung des zu versichernden Viehes, Eintragung desselben in die Listen, Ausstellung des Versicherungsscheins und Bezeichnung des Viehes mit dem Brandzeichen.
2. Beobachtung, ob das versicherte Vieh in einem solchen Stande sich befindet und darin erhalten wird, daß der Verein dabei nicht gefährdet ist.
3. Beschlußnahme, ob eine Versicherung gekündigt oder sonst als erloschen angesehen werden soll.
4. Anordnung der bei Erkrankungen oder Beschädigungen der versicherten Thiere zu treffenden Maßregeln.
5. Beschlußnahme über die zu leistende Entschädigung und über die Verwerthung der dem Verein etwa zufallenden nutzbaren Theile des verunglückten Viehes.
6. Repartition der Beiträge, Erhebung derselben und Auszahlung der Entschädigungen an die Beschädigten.
7. Führung und Ablegung der Rechnung.

Hinsichtlich dieser Geschäfte werden etwa folgende Fragen vom ganzen Vorstande entschieden:

1. ob Jemand als Mitglied aufgenommen oder ob derselbe zurückgewiesen werden soll;
2. ob und in welcher Klasse oder zu welchem Werthe das zur Versicherung angemeldete Vieh angenommen werden soll;
3. ob eine Versicherung gekündigt oder als erloschen angesehen, oder ob das Vieh in eine andere Klasse gesetzt oder zu einem anderen Werthe versichert werden soll;

4. welche Maßregeln bei der Erkrankung eines versicherten Thieres zu treffen sind;
5. ob und zu welchem Betrage die Entschädigung für ein verunglücktes Stück geleistet werden soll.

Für die Ausführung der in obigen Beziehungen gefaßten Beschlüsse, so wie für alle übrigen Geschäfte muß das erste Mitglied des Vorstandes sorgen. Dasselbe ist aber befugt, von einem andern Vorstandsmitgliede sich vertreten zu lassen und den übrigen Mitgliedern einzelne Geschäfte aufzutragen.

Kann das erste Vorstandsmitglied zugleich die Rechnungsführung übernehmen, so gereicht solches sehr zur Vereinfachung der Geschäftsführung. Bei einigen Vereinen führt ein anderes Vorstandsmitglied die Rechnung; bei anderen Vereinen gehört der Rechnungsführer nicht zum Vorstande.

Die Vorstandsmitglieder werden auf ein oder mehre Jahre gewählt. Letzteres ist wünschenswerth, damit sie eine gehörige Geschäftskenntniß sich erwerben können. Da sie aber in der Regel für ihre Bemühungen keine Vergütung erhalten, so kann man nicht wohl länger als auf 3 bis 4 Jahre die Übernahme des Vorsteheramts zur Pflicht machen.

Einige Vereine gewähren ihrem Rechnungsführer eine geringe Vergütung für die Schreiberei und Hebungsgebühren. Auch tritt derselbe bei einigen Vereinen nicht nach Ablauf einer bestimmten Zeit aus, sondern ist auf unbestimmte Zeit, jedoch auf Kündigung, angenommen. Für den Fortbestand des Vereins ist es gewiß zuträglich, wenn derselbe einen auf längere Zeit erwählten Rechnungsführer besitzt.

XIII. Die Aufzeichnung der Angelegenheiten des Vereins geschieht zweckmäßig in einem dazu bestimmten Buche. Dasselbe muß zuvörderst die Statuten enthalten, hinter welchen mehre weiße Blätter für etwaige Veränderungen und Zusätze vorzubehalten sind.

Dann muß das Buch die Stammliste der Mitglieder und das Verzeichniß des versicherten Viehes enthalten, wozu ein Formular als Anlage A. beigefügt ist. Dieses Formular ist brauchbar sowohl für die Vereine, in welchen die Beiträge nach der Stückzahl aufgebracht werden, als für diejenigen, in welchen die Erhebung der Beiträge nach Werthsklassen oder nach dem geschätzten Werthe des versicherten Viehes geschieht.

Damit die Listen zum Gebrauche für mehre Jahre dienen können, ist es rathsam für jedes Mitglied eine eigene Seite zu bestimmen, um Platz für neu hinzukommende Stücke desselben, so wie für etwaige Veränderungen des Werths der versicherten Stücke zu behalten.

Hinter dieser Liste kann eine angemessene Menge weißer Blätter eingebunden werden, um darauf die Beschlüsse der General-Versammlungen und des Vorstandes kurz zu verzeichnen.

Die Hebungslisten sind auf den Grund der Stammliste aufzustellen. In der Anlage B. ist ein Formular zu einer Hebungsliste beigefügt.

In der Anlage C. findet sich ein Formular zu einem Versicherungsscheine.

Endlich sind verschiedene Entwürfe zu Statuten beigefügt.

Anlage A.

Formular

zu einer

Liste der Mitglieder eines Vieh-Versicherungsvereins, nebst Verzeichniß des versicherten Viehes.

No. 1 Anbauer Heinrich Meyer zu N. N. Pag. 1.

Lit. der versicherten Stücke.	Angabe des versicherten Viehes.	Alter des Viehes bei der Aufnahme.	Tag der Aufnahme.	Stückzahl oder Versicherungswerth.	Tag des Erlöschens der Versicherung.	Bemerkungen.
A.	Rothe Kuh mit Stern	2 Jahr	1. März 1850	15 ₰		
	vom 1. Mai 1851 an zu 20 ₰ versichert	....	.....	20 ₰		
	am 15. April 1852 verkauft	....	.....	....	15. Apr. 1852	
B.	Schwarze Kuh	4 Jahr	1. März 1850	20 ₰		
	am 20. Juli 1852 erkrankt und geschlachtet	....	.....	....	20. Juli 1852	
C.	Schwarze Kuh mit weißer Brust	4 Jahr	1. Mai 1852	20 ₰		
D.	Weiße Kuh mit schwarzem Schweif	2 ½ J.	1. Aug 1852	15 ₰		

Bemerkung. Bei Vereinen, welche die Beiträge nach der Stückzahl aufbringen, wird in der 5. Columne jedes versicherte Stück mit der Zahl 1 eingetragen.

Anlage

Formu

zur Hebungsliste eines

№	Namen der Mitglieder.	1te Hebung im Jahre 185.. auf den ...ten......... einzuzahlen.			2te Hebung im Jahre 185.. auf den ...ten......... einzuzahlen.		
		Beitragsverhältniß nach Stückzahl oder Werth des versicherten Viehes.	Geldbetrag der Beiträge. ₰ ggr. ₰	Bemerkung der Zahlung.	Beitragsverhältniß nach Stückzahl oder Werth des versicherten Viehes.	Geldbetrag der Beiträge. ₰ ggr. ₰	Bemerkung der Zahlung.

B.

lar

Vieh-Versicherungsvereins.

3te Hebung im Jahre 185.. auf den ... ten .... einzuzahlen.			4te Hebung im Jahre 185.. auf den ... ten .... einzuzahlen.		
Beitragsverhältniß nach Stückzahl oder Werth des versicherten Viehes.	Geldbetrag der Beiträge. ₰ ggr ₰	Bemerkung der Zahlung.	Beitragsverhältniß nach Stückzahl oder Werth des versicherten Viehes.	Geldbetrag der Beiträge. ₰ ggr ₰	Bemerkung der Zahlung.

Anlage C.

Formular
zu einem Versicherungsscheine.

Der Vieh-Versicherungsverein zu N. N. versichert dem N. N. zu N. N. (Bezeichnung des versicherten Thiers) gegenwärtig . . . . Jahr alt, nach den Bestimmungen der Statuten bis zum Werth von . . . . ₰ und ist dieselbe in dem Versicherungs-Verzeichnisse Seite . . . . . unter № . . . . Lit. . . . eingetragen.

N. N. den . . . ten . . . . 18 . . .

(Unterschrift des Vorstandes.)

Bemerkung.

Wenn der Werth des zu versichernden Viehes bei der Aufnahme nicht festgesetzt wird, so sind die hierauf sich beziehenden Worte in dem Versicherungsscheine auszustreichen.

Anlage D.

Entwurf

zu den

Statuten für Vieh-Versicherungsvereine.

(Mitgetheilt vom landwirthschaftlichen Provinzialvereine zu Hannover.)

Die unterzeichneten Einwohner der Dorfschaft N. N. sind zu einem Vereine behuf Entschädigung für den Verlust ihres Hornviehes zusammengetreten, bei welchem nachfolgende Bestimmungen zur Richtschnur dienen sollen:

§. 1.

Der Zweck des Vereins ist Entschädigung für Verlust an Rindvieh, welches in Folge einer Krankheit oder eines sonstigen Unfalls stirbt oder getödtet werden muß.

§. 2.

Die Entschädigung gewähren sich die Mitglieder des Vereins gegenseitig durch, nach dem Werthe des gefallenen oder getödteten Viehes zu leistende, so wie nach der Stückzahl des versicherten Viehes zu berechnende Beiträge.*)

Sollte eine Viehseuche im Versicherungsbezirke eintreten, so hat der Vorstand die sämmtlichen Gesellschaftsmitglieder zu einer allgemeinen Versammlung sofort zu berufen, und ist dann nach Stimmenmehrheit von der Versammlung darüber zu beschließen, ob und um wie viel die unter gewöhnlichen Umständen dem in Verlust Gerathenden statutenmäßig zu gewährende Ersatzsumme auf die Dauer der Seuche herabgesetzt, oder ob etwa die Wirksamkeit der Gesellschaft so lange ganz eingestellt werden soll.

§. 3.

Jeder Einwohner in N. N. kann Mitglied der Gesellschaft sein. Verstirbt ein Mitglied, so treten seine Erben ohne Weiteres in seine Rechte und Pflichten ein; wer wegzieht hört auf, Mitglied des Vereins zu sein.

§. 4.

Alles Hornvieh kann versichert werden, sobald es nur über ein Jahr alt.

---

*) Durch die Bestimmung der Entschädigung nach dem Werthe des verunglückten Viehes, während die Beiträge nach der Stückzahl berechnet werden, wird beabsichtigt, die Theilnehmer zu veranlassen, gutes Vieh zu halten.

§. 5.

Der Eintritt in die Gesellschaft kann zu jeder Zeit geschehen, muß aber vier Wochen vorher dem Bezirksvorsteher angezeigt sein, und geschieht mittelst Unterschrift der Statuten.

Die Mitglieder der Gesellschaft können zu jeder Zeit unter Beobachtung der folgenden Bestimmungen Vieh neu versichern.

Der Vorstand hat jedoch das Recht, nach eingeholtem Gutachten eines Thierarztes die Aufnahme zu verweigern, ohne die Gründe hiefür angeben zu müssen.

§. 6.

Das zu versichernde Vieh muß gesund sein, worüber, wenn es der Vorstand verlangt, ein thierärztliches Zeugniß beizubringen ist.

§. 7.

Alles versicherte Vieh ist mit möglichst genauer Bezeichnung nach Geschlecht, Alter, Farbe und sonstigen Kennzeichen in ein Buch einzutragen und mittelst eines glühenden Eisens mit einem Hornmahle zu bezeichnen.

Über die erfolgte Aufnahme erhält jedes Mitglied einen vom Vorstande ausgefertigten Schein.

§. 8.

Sobald das zu versichernde Vieh unter Vorwissen und Genehmigung des Vorstandes mit diesem Mahle versehen worden ist, übernimmt der Verein die statutenmäßige Entschädigung für den unverschuldeten Verlust.

§. 9.

Der Austritt aus dem Vereine kann nur mit dem Schlusse des Kalenderjahres nach ein vierteljähriger Kündigung erfolgen, es sei denn, daß Jemand sein versichertes Vieh abschaffe oder wegzöge.

§. 10.

Wer Entschädigung von dem Verein erhalten hat, muß bis zum geschehenden Wiederankauf, mindestens aber bis zum Ablaufe des Jahres, auch dann, wenn er kein Vieh wieder gekauft hat, seine Beiträge nach der bisherigen Versicherung bezahlen.

§. 11.

Veräußert ein Mitglied des Vereins ein versichertes Stück Vieh, so hat er solches im Register streichen zu lassen, und ist erst dann von der Verpflichtung befreit, seine Beiträge zu bezahlen.

§. 12.

Im Beisein eines Bezirksvorstehers muß das Mahl vertilgt werden, sobald ein Stück Vieh aufhört, bei dem Vereine versichert zu sein.

§. 13.

Jedes Mitglied hat das Recht, wenn es ein Stück Vieh auf die im §. 1 angegebene Weise verliert, eine Entschädigung zu verlangen, welche auf drei Viertel des Schätzungswerthes des gefallenen oder getödteten Thieres zur Zeit seines Sturzes sich belaufen und innerhalb acht Tagen, von dem Verluste angerechnet, zahlbar sein soll, unter der Voraussetzung jedoch, daß es den in den folgenden §§. gegebenen Vorschriften nachgekommen ist.

Außerdem hat jedes Mitglied das Recht, an den allgemeinen Versammlungen Theil zu nehmen und in denselben Anträge zum Besten des Vereins zu machen.

§. 14.

Der Werth des gefallenen oder getödteten Thieres wird durch Schätzung ermittelt, welche von dem Vorstande des Vereins vorzunehmen und von dem Eigenthümer des Thieres unbedingt anzuerkennen ist.

Bei der Schätzung sollen jedesmal wenigstens drei Vorstandsmitglieder zugegen sein. In Behinderungsfällen einzelner derselben muß diese Zahl durch Zuziehung anderer Vereinsmitglieder Seitens des vorsitzenden Vorstandsmitgliedes ergänzt werden.

Sollten die Schätzungen verschieden ausfallen, so wird der Durchschnitt als Werth angesehen.

§. 15.

Es kann die Entschädigung des gefallenen Viehes von dem Vereine nicht gefordert werden, wenn der Verlust entweder aus eigenem Verschulden des Eigenthümers oder aus einem Frevel herrührt, den der Eigenthümer selbst oder auch ein Dritter verübt hat. Steht jedoch von diesem Dritten wegen Unvermögens oder aus sonstigen Ursachen die Entschädigung nicht zu erlangen, und trifft den Eigenthümer auch in dieser Beziehung ein Verschulden nicht, so tritt die Verbindlichkeit des Vereins zur Entschädigungsleistung wieder ein.

§. 16.

Kur- und andere Kosten werden vom Vereine nicht vergütet.

§. 17.

Dagegen sollen aber hierfür und für das nicht entschädigtwerdende Ein Viertel den Eigenthümern der Thiere die Haut derselben verbleiben, mithin dem Vereine ein Anrecht hierauf nicht zustehen.

§. 18.

Jedes Mitglied ist verpflichtet, so viel als möglich für das Beste des Vereins zu wirken, sobald eine ansteckende Krankheit sich zeigt, dem Vorstande davon Anzeige zu machen, die bestimmten Beiträge nach geschehener Aufforderung zu bezahlen, und das Amt, zu welcher es durch Wahl berufen werden sollte, zu übernehmen.

Diese letzte Verpflichtung hört nach einjähriger Führung des Amts auf, und tritt erst nach drei Jahren wieder ein.

§. 19.

Wenn bei einem Stück Vieh eine innere Krankheit sich zeigt, muß sofort dem nächstwohnenden Vorstandsmitgliede und Bezirks-Vorsteher Anzeige gemacht, und wenn diese es für nöthig erachten, ein ordentlicher Thierarzt zu Hülfe gerufen und gehörig gebraucht werden. Auch bei bedeutenderen oder gefährlichen äußeren Beschädigungen ist dasselbe Verfahren zu beobachten.

Wer diesen Bestimmungen nachzukommen unterläßt, verliert jeden Anspruch auf Entschädigung.

§. 20.

Bei einer ansteckenden Krankheit ist sofort das kranke Vieh von dem gesunden zu trennen, widrigenfalls für letzteres vom Vereine keine Sicherheit mehr geleistet wird. Ob eine Krankheit ansteckend sei oder nicht, darüber entscheidet unter Anhörung des hinzuzuziehenden Thierarztes der vom Viehbesitzer benachrichtigte Bezirks-Vorsteher.

§. 21.

Der Verein leistet auch dann eine Entschädigung nicht, wenn Vieh in einem Stalle erkrankt, worin kurz zuvor ein Stück Vieh von derselben ansteckenden Krankheit ergriffen worden ist, es sei denn, daß der Stall, ehe Vieh aufs Neue in denselben gebracht wurde, nach den Vorschriften des Vereinsvorstandes gründlich gereinigt und vom Ansteckungsstoff möglichst befreiet worden ist.

§. 22.

Stirbt ein Stück Vieh plötzlich, so ist dem nächstwohnenden Vorstandsmitgliede und Bezirksvorsteher sogleich Anzeige zu machen, welcher mit dem Thierarzte bei der Öffnung des Thieres gegenwärtig sein muß, um sich über die Ursache des Falls die möglichste Gewißheit zu verschaffen.

§. 23.

Wird ein gesundes Stück Vieh unheilbar verletzt, so daß es in Folge des Unfalles geschlachtet werden muß, so bleibt dem Eigenthümer die Wahl, das Fleisch gegen die bestimmte Entschädigung dem Vereine zum Verkauf zu überlassen, oder es selbst zu behalten und auf alle Entschädigungen Seitens des Vereins zu verzichten.

§. 24.

Die Angelegenheiten des Vereins werden theils von allen Mitgliedern des Vereins, theils von einem Vorstande besorgt.

§. 25.

Der Vorstand besteht aus.... Vorstehern und einem Rechnungsführer.

§. 26.

Die Vorstandsmitglieder werden durch Wahl in einer allgemeinen Versammlung zu ihrem Amte berufen und versehen dasselbe auf die Dauer eines Jahrs unentgeldlich (vergl. §. 33). Nach Ablauf dieser Zeit findet eine neue Wahl Statt, welche jedoch wieder auf die Abtretenden fallen kann (vergl. §. 18).

§. 27.

Nach der Anzahl der Vorstandsmitglieder, ausschließlich des Rechnungsführers, wird das Gebiet, über welches sich der Verein erstreckt, in Bezirke eingetheilt, und hat jedes Vorstandsmitglied sich in nachfolgender Weise in dem ihm zugewiesenen Bezirke den vorkommenden Geschäften zu unterziehen. (S. auch §. 12, 14, 19, 22.)

§. 28.

Die Vorsteher nehmen in ihren Bezirken alle Anmeldungen behuf Eintritts in den Verein und Austritt aus demselben an, müssen das angemeldete Vieh nöthigenfalls mit dem Thierarzte besichtigen, haben die Schätzung des gefallenen Viehes vorzunehmen, müssen über das versicherte Vieh eine möglichst sorgfältige Aufsicht führen, in allen Fällen das Beste des Vereins wahrnehmen, über die Beobachtung der Statuten wachen und mit Gewissenhaftigkeit alle ihnen zugewiesenen Geschäfte versehen. Sie haben insbesondere das Vieh mit dem Mahle zu versehen und dasselbe erforderlichen Falls zu löschen, sie müssen die Erhebung der Beiträge von den Mitgliedern ihres Bezirks nach der von dem Rechnungsführer ihnen zugestellten Hebungsliste besorgen. Sie haben alle von den einzelnen Interessenten gestellten, den Verein betreffende Anträge anzunehmen und in der Vorstandsversammlung zur Sprache zu bringen.

§. 29.

Der Rechnungsführer verzeichnet alle Mitglieder des Vereins in dem Hauptbuche und bei jedem derselben die einzelnen versicherten Stücke Vieh nach Anleitung des §. 7, auch fertigt er für jedes Mitglied einen Schein über die geschehene Versicherung aus, den er mit dem Vorsteher des betreffenden Bezirks unterschreibt. Er hat im Falle einer Entschädigung die Beiträge für jedes Mitglied zu berechnen und jedem Bezirksvorsteher eine Hebungsliste zu übergeben, empfängt die gehobenen Beiträge, zahlt die Entschädigung gegen Quitung aus, führt die Rechnung und bewahrt die Kasse. Auch hat er den Vorsitz in den zu haltenden sowohl allgemeinen als Vorstandsversammlungen, führt das Protokoll in denselben und hat alle übrigen Schreibereien zu besorgen. Der Rechnungsführer empfängt ein Honorar für seine Mühewaltung nicht (vergl. §. 34).

§. 30.

Monatlich, wenn es nöthig ist, hält der Vorstand **eine Versammlung**, um über die Angelegenheiten des Vereins sich Bericht zu erstatten und zu berathen. In diesen Versammlungen werden durch den Rechnungsführer die nöthigen Veränderungen im Hauptbuche eingetragen und die erforderlichen Scheine ausgestellt und verändert.

Außerdem können aber auch die einzelnen Vorstandsmitglieder **eine außerordentliche Versammlung des Vorstandes** veranlassen.

§. 31.

Regelmäßig am Schlusse des Jahrs oder in den ersten Tagen des neuen Jahres wird eine allgemeine Versammlung berufen, in welcher von den Angelegenheiten des Vereins Bericht erstattet, die Rechnung abgelegt und die Wahl des Vorstandes für das neue Jahr vorgenommen wird. Auch kommen in derselben regelmäßig alle übrigen Angelegenheiten des Vereins zur Berathung und Entscheidung.

§. 32.

Der Vorstand kann aber auch, wenn er es für nöthig hält, eine außerordentliche allgemeine Versammlung berufen; sobald eine an=

steckende Krankheit sich zeigt, ist er zu dieser Berufung verpflichtet. In diesem Falle ist der Vorstand selbst gegen den Willen seiner Mehrheit zur Berufung einer außerordentlichen allgemeinen Versammlung verpflichtet, wenn fünf Mitglieder des Vereins dieselbe bei einem Vorstandsmitgliede beantragen.

§. 33.

Der Vorstand macht den Tag der allgemeinen Versammlung bekannt und leitet dieselbe. Bei der Wahl entscheidet relative Stimmenmehrheit. Für Beschlüsse, welche die Statuten verändern sollen, müssen sich drei Viertel der Anwesenden erklären, um verbindlich zu werden.

§. 34.

Dem Rechnungsführer des Vereins sind für Schreibmaterialien jährlich . . . ₰ bewilligt; das Hauptbuch und die gedruckten Formulare zu den Aufnahmescheinen werden ihm daneben auf Kosten des Vereins geliefert.

Die Vorsteher empfangen, wenn sie in Vereinsangelegenheiten Wege machen müssen, welche sie einen halben Tag und darüber ihren Geschäften entziehen, eine Vergütung von 6 gg für den Tag aus der Kasse des Vereins, sofern für solche Versäumniß von einem Dritten die Entschädigung rechtlich nicht gefordert und beigebracht werden kann.

§. 35.

Alle Verwaltungskosten sind wie die Entschädigung zu berechnen und zusammenzubringen. Die Gebühren des Thierarztes für etwaige Besichtigungen sind zu den Kurkosten zu rechnen, und daher alle Mal von dem Eigenthümer des betreffenden Thiers zu stehen.

§. 36.

Der Verein kann nur in Folge eines in einer allgemeinen Versammlung durch absolute Stimmenmehrheit gefaßten Beschlusses aufgelöst werden. In diesem Falle soll der aus der Schlußrechnung sich ergebende etwaige Kassenvorrath unter den Mitgliedern nicht vertheilt, vielmehr in die Ortsarmenkasse abgeliefert werden.

§. 37.

Alle Streitigkeiten, welche durch Ausführung der vorstehenden Statuten entstehen möchten, sollen durch ein Schiedsgericht, bestehend aus einem Beamten des Königlichen Amtes, zu welchem der Vereinsbezirk gehört, einem unbetheiligten Mitgliede des Vereins und einem namhaften Landwirthe oder Thierarzte der Umgegend, je nachdem der Fall ist, entschieden werden.

Der erste Beamte des Königlichen Amts soll in den Fällen, wo ein Schiedsgericht wirksam werden muß, von dem Vorstande der Vieh-Versicherungsgesellschaft um Ernennung des Schiedsgerichts gebeten werden. Von diesem Schiedsgerichte findet eine Berufung nicht Statt; seinem Ausspruche muß sich jedes Vereinsmitglied unweigerlich fügen.

§. 38.

Der Verein tritt mit dem heutigen Tage ins Leben, und ist der zu erwählende Vereinsvorstand verbunden, zu dessen Errichtung die obrigkeitliche Genehmigung und beziehungsweise die Bestätigung dieser Statuten zu erbitten.

N. N., den . . . . ten . . . . 18 . . .

Bemerkung.

Obige Statuten können mit einigen Modificationen auch behuf Versicherung anderer Viehharten, z. B. Ziegen oder Schweinen, benutzt werden.

Anlage E.

Entwurf

zu den

Statuten eines Vieh-Versicherungsvereins.

(Mitgetheilt von dem landwirthschaftlichen Provinzialvereine zu Hildesheim.)

---

§. 1.

Jeder Einwohner der Ortschaft N. N. ist berechtigt, das in seinem Gewahrsam befindliche Rindvieh bei diesem Vereine zu versichern, jedoch ist die Versammlung des Vereins befugt, durch einen Beschluß den Eintritt in den Verein zu versagen.

§. 2.

Jedes Mitglied des Vereins ist verpflichtet, das gesammte Rindvieh, welches innerhalb der Feldmark von N. N. sich in seinem Gewahrsam befindet, bei dem Vereine zu versichern.

Dagegen ist Rindvieh, welches das Alter von Einem Jahre noch nicht erreicht hat, und krankes Rindvieh von der Aufnahme in die Versicherung ausgeschlossen.

§. 3.

Die Angelegenheiten des Vereins werden geführt, von der Versammlung des Vereins und vom Vorstande.

§. 4.

Die Versammlung des Vereins wird vom Vorstande berufen, und es sind sämmtliche Mitglieder durch Ansage dazu einzuladen. Die Versammlung ist beschlußfähig, wenn die Hälfte der Vereins-Mitglieder gegenwärtig ist. Die Beschlüsse werden nach einfacher Stimmenmehrheit gefaßt.

§. 5.

Die Versammlung des Vereins beschließt:

1. über die Wahl des Vorstandes;
2. über den Ausschluß vom Eintritte in den Verein;
3. über die Rechnungsabnahme;
4. über Abänderung der Statuten.

Die Verwaltung aller sonstigen Angelegenheiten des Vereins werden dem Vorstande übertragen.

§. 6.

Der Vorstand besteht aus drei Vorstehern und dem Schrift- und Rechnungsführer.

§. 7.

Die Vorsteher haben alle Angelegenheiten des Vereins zu besorgen, und denselben gegen Dritte gerichtlich und außergerichtlich zu vertreten.

§. 8.

Der Vorstand wird von der Vereinsversammlung am 1. März gewählt; jedes Vereinsmitglied ist verpflichtet, die Wahl anzunehmen; die abtretenden Vorstandsmitglieder sind jedoch befugt, die Wahl für ein Jahr abzulehnen.

§. 9.

Die Vorstandsmitglieder versehen ihr Amt unentgeldlich.

§. 10.

Der am 1. März gewählte Vorstand tritt am 15. April in Wirksamkeit (vergl. jedoch §. 19); der abgehende Vorstand hat die Nachfolger während der Zwischenzeit in der Geschäftsführung zu unterweisen und am 15. April die Geschäfte, mit Ausnahme der Rechnungsablage für das letzte Jahr, zu übergeben.

§. 11.

Die Rechnung ist für das Jahr vom 15. April bis 15. April vom abtretenden Vorstande aufzustellen, und am 1. Mai der Vereinsversammlung abzulegen.

§. 12.

Der Rechnungsführer hat die schriftlichen Ausfertigungen, die Ausgabe und Einnahme für den Verein zu besorgen, und die Rechnung aufzustellen.

Auch ist der Rechnungsführer befugt, einen Vorsteher, im Falle derselbe behindert ist, zu vertreten. Bei der Vornahme der Schätzungen darf der Rechnungsführer nur dann einen Vorsteher vertreten, wenn er die hiefür erforderliche Kenntniß besitzt.

§. 13.

Der Eintritt in den Verein ist jeder Zeit gestattet.

Wer in den Verein treten will, hat schriftlich zu erklären, daß er die Statuten des Vereins halten wolle, daß sein zu versicherndes Rindvieh seines Wissens gesund sei, daß er sich verpflichte, das versicherte Vieh vor Schaden sorglich zu bewahren, und daß er das versicherte Vieh in Krankheitsfällen auf seine Kosten durch einen concessionirten Thierarzt wolle behandeln lassen.

§. 14.

Sobald diese Erklärung abgegeben ist, haben die Vorsteher das gesammte Hornvieh des Eintretenden zu besichtigen, dasjenige Vieh, welches unter Einem Jahre alt, oder ihrer Überzeugung nach krank ist, von der Versicherung auszuschließen, und das Rindvieh, welches zu der Versicherung zuzulassen ist, nach bestem Wissen und Gewissen abzuschätzen.

Stimmen die Vorsteher bei der Abschätzung eines Stücks Vieh nicht überein, so giebt jeder sein Taxat abgesondert an, und es wird der Durchschnitt dieser verschiedenen Abschätzungen als der richtige Werth angenommen.

§. 15.

Sofort nach der Abschätzung wird jedes einzelne zu versichernde Stück Vieh in die Liste eingetragen. Mit der Eintragung in die Liste tritt die Versicherung in Kraft.

§. 16.

Das zu versichernde Vieh kann weder höher noch niedriger versichert werden als zu zwei Drittel der Abschätzungssumme.

§. 17.

Erwirbt ein Mitglied des Vereins ein Stück Vieh, so muß er dies sofort dem Vorstande behuf der Versicherung anzeigen.

Der Vorstand hat dann sofort nach Vorschrift des §. 15 dies Vieh abzuschätzen und dasselbe nach §. 16 in die Liste einzutragen.

Wird die Anzeige unterlassen, so ist der Besitzer des nicht angemeldeten Viehes verpflichtet, nach dem Werthe desselben Beiträge zu bezahlen; dagegen erhält derselbe keine Entschädigung vom Vereine, wenn das nicht angezeigte Vieh verunglückt.

§. 18.

Die neugewählten Vorsteher haben das versicherte Vieh in der Zeit vom 1. bis 15. April sämmtlich zu revidiren, zu taxiren und eine neue Liste des versicherten Viehes danach aufzustellen.

§. 19.

Veräußert ein Mitglied des Vereins ein versichertes Stück Vieh, oder schlachtet er dasselbe, oder verliert er dasselbe auf andere

Weise, so ist das Mitglied berechtigt, zu verlangen, daß dies Stück Vieh von der Versicherungsliste gestrichen wird, und daß damit die Versicherung für dies Stück erlischt.

In allen andern Fällen ist der Austritt aus dem Vereine nur dann zulässig, wenn derselbe den Vorstehern, vor der nach §. 19 stattbabenden jährlichen Revision, angezeigt wird.

§. 20.

Erkrankt ein versichertes Stück Vieh oder wird dasselbe beschädigt, so hat der Besitzer sofort davon einem Vorsteher Anzeige zu machen und einen Thierarzt behuf der Behandlung des Viehes zuzuziehen.

Unterläßt der Besitzer des Viehes diese Anzeige oder die Zuziehung eines Thierarztes, so verwirkt derselbe jeden Anspruch gegen die Gesellschaft auf Entschädigung für das in Frage stehende Vieh.

§. 21.

Erklärt der Thierarzt, daß er es nicht für zweckmäßig halte, daß der Versuch gemacht werde, das Thier zu heilen, so muß der Eigenthümer sich erklären, ob er das Thier dem Vereine abtreten und dafür die Versicherungssumme annehmen, oder ob er auf die Versicherungssumme verzichten und das Thier auf eigene Gefahr behalten will.

Erklärt der Thierarzt es für zweckmäßig, die Heilung des Thieres zu versuchen, so ist der Eigenthümer berechtigt, entweder die Heilung des Thieres durch den Thierarzt unternehmen zu lassen oder das Thier gegen die Versicherungssumme dem Vereine abzutreten.

Überläßt der Besitzer das erkrankte oder beschädigte Vieh dem Vereine, so hat der Vorsteher dafür zu sorgen, daß das Vieh zum Besten der Vereinskasse verwerthet wird.

§. 22.

Ist ein versichertes Stück Vieh an einer Beschädigung oder Krankheit gestorben (§. 20) oder in Folge einer Beschädigung oder Krankheit dem Vereine überlassen (§. 21) oder sonst verunglückt, so hat der Verein binnen vierzehn Tagen dem Versicherer die nach dem §. 15 und 16 festgestellte Versicherungssumme zu zahlen.

Die Zahlung der Versicherungssumme kann und muß vom Vorstande verweigert werden, wenn ein concessionirter Thierarzt schriftlich bezeugt, daß der Verlust des fraglichen Stückes Vieh durch offenbar schädliche Behandlung des versichernden Besitzers oder seiner Hausgenossen herbeigeführt ist.

§. 23.

In jedem einzelnen Falle, in welchem eine Versicherungssumme zu zahlen, hat der Rechnungsführer sofort eine Bescheinigung der Beiträge aufzustellen, welche jedes einzelne Mitglied zu der zu leistenden Entschädigung zu zahlen hat.

Die Beiträge sind nach Procenten der von jedem einzelnen Mitgliede versicherten Summe zu berechnen.

Bei der Berechnung der Beiträge wird die Versicherungssumme, behuf deren Zahlung die Beiträge erhoben werden sollen, in gleicher Weise in Rücksicht gezogen, wie die übrigen Versicherungssummen.

§. 24.

Sofort nach der Aufstellung der Berechnung wird die Erhebung der Reihe nach von den Mitgliedern des Vereins nach der vom Rechnungsführer aufgestellten Hebungsliste (gegen eine mäßige Vergütung) besorgt.

Der Erheber hat die gehobenen Beiträge dem Rechnungsführer abzuliefern.

§. 25.

Zahlt ein Mitglied dem Erheber den in der Liste verzeichneten Beitrag nicht sofort, so wird dasselbe nach Ablauf von vier Tagen nochmals zur Zahlung aufgefordert, und muß für die Anmahnung eine Strafe von 1 ggr in die Vereinskasse zahlen.

Erfolgt die Zahlung auch dann nicht, so kann der Vorstand den säumigen Zahler vom Vereine ausschließen, und gegen denselben gerichtliche Hülfe in Anspruch nehmen.

Jedes Vereinsmitglied unterwirft sich der summarischen gerichtlichen Einziehung der Beiträge im Mandatsprocesse, oder demnächst im schleunigen Anmahnungsverfahren.

§. 26.

Werden Beiträge nicht eingezahlt, so darf aus diesem Grunde ein Abzug an der Versicherungssumme nicht gemacht werden, vielmehr sind etwaige Ausfälle durch Beiträge der Vereinsmitglieder zu decken.

§. 27.

Sind außer den Versicherungsprämien Ausgaben des Vereins zu bestreiten, welche nicht durch andere Einnahmen gedeckt werden (§. 21 und 25), so sind zur Berichtigung dieser Ausgaben Beiträge von den Mitgliedern nach Anleitung der §. 23, 24, 25 zu erheben.

Anlage F.

Formular
der
Statuten eines Vieh-Versicherungsvereins.

(Mitgetheilt vom landwirthschaftlichen Provinzialvereine zu Uelzen.)

1.

Der Eintritt in den Verein steht jedem Einwohner der Ortschaft . . . . offen.

(Oder:

In den Verein werden nur einzelne Einwohnerklassen als . . . . (Anbauer, Häuslinge, Hirten) der Ortschaft . . . . aufgenommen.)

Die Zahl des zur Versicherung anzunehmenden Viehes ist unbeschränkt.

(Oder:

Es werden überall nicht mehr als . . . . . Stück Vieh zur Versicherung angenommen.)

Wer erst nach Errichtung des Vereins beitreten will, erlegt für jedes Stück Vieh ein Eintrittsgeld von . . . .

2.

Nur Milchkühe und trächtige Stärken werden versichert.

3.

Die Versicherung gilt auf ein Jahr von . . . . bis . . . . . .;

4.

Wer von dem Vereinsorte abzieht, hört mit dem Tage des Abzuges auf Mitglied des Vereins zu sein, und erhält sodann seinen Antheil an dem Kassenvorrathe des Vereins herausbezahlt.

5.

Das aufzunehmende Vieh muß gesund und nicht über . . . Jahre alt sein, auch einen Werth von mindestens . . . . ₰ haben.

6.

Für ein verloren gegangenes Stück Vieh werden vom Vereine . . . ₰ vergütet.

(Oder:
Für jedes versicherte Stück Vieh werden im Falle eines Verlustes zur Vergütung ...... beigetragen.)

Die Haut behält der Eigenthümer ohne Anrechnung; ist die Haut aber nicht zu gebrauchen, so erhält er für dieselbe einen Ersatz von 2 ₰.

Ist das Fleisch eines äußerlich beschädigten oder kranken Thieres noch genießbar, und wird das Thier — worüber der Vorstand entscheidet — geschlachtet, so wird dem Eigenthümer die Benutzung des Fleisches überlassen, dagegen aber an der Versicherungsvergütung die Hälfte abgesetzt.

7.

Die Vergütung wird binnen acht Tagen nach dem Verluste bezahlt.

Der Eigenthümer des verunglückten Thiers sammelt die Beiträge ein.

Von Dem, welcher nicht zu gehöriger Zeit bezahlt, wird der Rückstand ohne weiteres durch den Vogt beigetrieben.

8.

Der Verlust oder die Veräußerung versicherten Viehes befreiet nicht von Bezahlung der Beiträge.

9.

Für ein versichertes, verloren gegangenes oder veräußertes Stück Vieh darf ein anderes in die Stelle gebracht werden, wenn es die erforderliche Beschaffenheit hat. Vergl. 5.

10.

Ein Einwohner des Versicherungsorts, welcher ein versichertes Stück Vieh erworben hat, kann die Versicherung für den ersten Eigenthümer fortsetzen, wenn der Vorstand damit einverstanden ist und, insofern der Verein sich auf gewisse Einwohnerklassen beschränkt (vergl. 1), wenn er zu diesen Klassen gehört.

11.

Erkrankt ein Stück Vieh, so hat der Eigenthümer davon dem Vorstande sofort Anzeige zu machen und sich dessen Anordnungen zu unterwerfen, widrigenfalls er den Anspruch auf Vergütung verliert. Die Kosten der thierärztlichen Behandlung und der Arzenei steht der Verein; dagegen liegen dem Eigenthümer die Wartung sowie alle Handleistungen bei der Behandlung des erkrankten Thieres unentgeldlich ob.

12.

Geht ein Stück Vieh plötzlich verloren, so muß der Eigenthümer solches bei Verlust der Vergütung dem Vorstande sofort melden, damit das Thier der Besichtigung unterzogen werden kann.

13.

Der Anspruch auf Vergütung fällt außer den unter 11 und 12 angegebenen Ursachen auch dann weg, wenn

der Eigenthümer absichtlich oder durch grobe Fahrlässigkeit und Verwahrlosung Anlaß zum Verluste des Thieres gegeben hat;

wenn das Vieh mehrfach versichert ist;

wenn Betrug ausgeübt ist, um die Vergütung zu erlangen; und

wenn ein Interessent, dringende Veranlassung abgerechnet, das versicherte Vieh außerhalb des Vereinsortes untergebracht hat.

Der Viehverlust durch Brand, Überschwemmung und ansteckende Seuche wird nicht vergütet.

14.

Die Interessenten wählen selbst einen Vorsteher, und haben über die demselben zu gebende Vergütung, wenn die Besorgung nicht unentgeldlich erfolgt, zu beschließen.

15.

Der Vorsteher nimmt das Interesse des Vereins überall bestens wahr, und hat die Befugnisse:

Sachverständige und Vereinsmitglieder als Gehülfen zuzuziehen,

alle Differenzen und Zweifel ohne weitere Berufung zu entscheiden,

und rückständige Beiträge ohne gerichtliche Anträge durch den Gerichtsbedienten, welcher die Exekutionen vollzieht, beitreiben zu lassen.

Dem Vorsteher liegt ob, über das versicherte Vieh ein Register zu führen, worin dasselbe soweit bezeichnet sein muß, daß keine Verwechselung zu besorgen ist, und Versicherungsscheine auszustellen.

Auch hat er die Rechnung zu führen und zu der bestimmten Zeit den Interessenten abzulegen.

In allen wichtigeren und zweifelhaften Angelegenheiten hat der Vorsteher zwei Vereinsmitglieder als Mitstimmende bei Fassung eines Beschlusses zuzuziehen.

Anlage C.

Entwurf
zu
Statuten für Vieh-Versicherungsvereine.

(Aus den Mittheilungen des Provinzial-Landwirthschaftvereins für den Landdrosteibezirk Stade.)

Unter höherer Genehmigung ist zu N. N. im Amte N. N. ein Hornvieh-Versicherungsverein unter nachstehenden Bestimmungen errichtet:

§. 1.

Der Zweck des Vereins ist, sich gegenseitig den Schaden, der den Theilnehmern durch Absterben oder Verunglücken einer Kuh oder eines Stücks Jungvieh erwächst, womit sie dem Verein beigetreten sind, zu vergüten, und wird dabei bestimmt, daß einstweilen nur Milchkühe und solches Jungvieh in den Verein aufgenommen wird, welches beim Stier gewesen ist.

§. 2.

Der Eintritt in den Verein steht jedem Einwohner aus dem Vereinsbezirk zu jeder Zeit frei, jedoch muß Jeder, welcher dem Vereine beitritt, mit seinen sämmtlichen Milchkühen und seinem sämmtlichen Jungvieh (vergl. §. 1) eintreten, und durch Unterschrift dieser Statuten den Bestimmungen derselben sich unterwerfen.

§. 3.

Die Angelegenheiten des Vereins besorgt ein von den Mitgliedern nach Stimmenmehrheit selbst gewählter Vorstand aus ihrer Mitte, welcher aus drei Personen besteht, nämlich einem Rechnungsführer und zwei Bevollmächtigten, welche auf drei Jahre gewählt werden; die Wahl kann ohne triftige Gründe nicht abgelehnt werden.

§. 4.

Nachdem eine hinlängliche den Vereinsbezirksverhältnissen angemessene Anzahl Theilnehmer sich gemeldet hat, tritt der Verein am 1. Mai ins Leben, und geht somit das Rechnungsjahr von Maitag zu Maitag.

§. 5.

Jeder der in den Verein aufgenommen zu werden wünscht, hat spätestens bis Ende April beim Vorstande hiervon Anmeldung zu machen, und sein aufzunehmendes Vieh nach Alter, Haare und Abzeichen, so wie den muthmaßlichen Werth gewissenhaft anzugeben, worauf der Rechnungsführer das Erforderliche in ein Verzeichniß einträgt.

§. 6.

Der Vorstand begiebt sich am 1. Mai in die Wohnungen der Eigenthümer des angemeldeten und verzeichneten Viehes, revidirt das bereits aufgenommene Verzeichniß und setzt den Werth durch Taxation seiner Seits nach billigen Grundsätzen definitiv fest, wobei in einer Meinungsverschiedenheit unter den drei Vorstandsmitgliedern der Durchschnittswerth von diesen angenommen wird, welchen der Rechnungsführer in die dazu bestimmte Rubrik einträgt, sobald dieselben das ihnen vorgezeigte und zu taxirende Vieh für gesund erklären, da ungesundes oder von ihnen für zu schlecht gehaltenes Vieh überall nicht aufgenommen werden darf.

§. 7.

Nachdem auf diese Weise das angemeldete und taxirte Vieh eines Besitzers eingetragen ist, wird von dem Vorstande demselben die Aufnahme oder Nichtaufnahme, so wie im ersten Falle der taxirte Werth eröffnet, und hierauf das Vieh mit einem vom Vorstande auf Kosten der Gesellschaft dazu angeschafften Brenneisen am Horne bezeichnet, auch demselben in den nächsten acht Tagen ein Versicherungsschein des aufgenommenen Viehes vom Vorstande zugestellt, und tritt von da an die Versicherung in Kraft. Auch entsagt der Versicherer im Voraus allen Einreden und Reclamationen gegen solche Bestimmungen und Werthsfeststellungen, und es wird in dieser Beziehung den Handlungen des Vorstandes von der Societät volle und bindende Gültigkeit beigelegt.

§. 8.

Der Vorstand erhält als Vergütung für Mühewaltung und Rechnungsführung, sowie für die Rechnungsablage überhaupt, für jedes eingetragene und zur Versicherung gebrachte Stück Hornvieh jährlich am 1. Mai 1 ggr bezahlt, und theilen sich die drei Vorstandsmitglieder hierin dergestalt, daß der Rechnungsführer hiervon zwei Drittel und jeder der beiden Bevollmächtigten ein Sechstel erhält.

§. 9.

So wie Jeder zu allen Zeiten eintreten kann, so steht auch jedem Mitgliede der Austritt zu jeder Zeit frei, jedoch muß der Austretende für sein einmal eingetragenes und zur Versicherung gebrachtes Vieh die Beiträge für das volle Rechnungsjahr, in welchem er den Austritt anzeigt, ohne Kürzung fortzahlen.

§. 10.

Sollte ein Vereinsmitglied von seinem versicherten Vieh ein oder mehrere Stücke verkaufen, so kann die Versicherung, sobald solches Vieh im Vereinsbezirke bleibt, mit an den Käufer übergehen; Verkäufer und Versicherer bleibt aber für die vollen Beiträge verantwortlich.

Im Fall das verkaufte Stück Vieh nach auswärts geht, hört die Schadensersatzverbindlichkeit des Vereins damit auf; dagegen muß der Versicherer die vollen Beiträge in dem laufenden Rechnungsjahre für solches Vieh fortzahlen und hat dem Vorstande des Vereins den Verkauf sofort anzuzeigen.

§. 11.

Wenn eins der versicherten Stücke Vieh erkrankt, oder ein Bein bricht, oder sonstige äußerliche lebensgefährliche Verletzungen erhält, so ist der Versicherer schuldig, dem Vorstand hiervon ohne Verzug Anzeige zu machen, welcher sich sofort zu dem erkrankten Vieh begiebt, die nöthigen Maßregeln anordnet, nach Gutfinden einen Thierarzt zuzieht, überhaupt die Rechte der Gesellschaft nach bester Überzeugung wahrnimmt, wobei der Versicherer den Anordnungen des Vorstandes willige Folge zu leisten, auch die Arzneikosten selbst zu tragen hat, während beim Absterben oder Tödten des Viehes der noch zu erzielende Nutzen hiervon der Gesellschaft anheimfällt, wogegen dieselbe aber auch die Kosten des Schlachtens, sowie des Zugeldemachens u. s. w. trägt.

§. 12.

Stirbt ein versichertes Stück Vieh, und zwar nicht durch grobe Fahrlässigkeit des Versicherten, so wird der versicherte Werth binnen vierzehn Tagen durch Repartition des Rechnungsführers auf sämmtliche Versicherungssummen gehoben und, nach Absatz des eigenen Beitrages, baar ausbezahlt; und verpflichtet sich jeder Versicherer, dem Rechnungsführer in solchen Fällen auf die Anzeige sofort Zahlung zu leisten, unterwirft sich Kraft dieser Statuten im säumigen Zahlungsfalle der sofortigen gerichtlichen Execution, ohne verlangen zu können und zu wollen, daß eine gesetzliche Ausklage vorangehen soll.

§. 13.

Wenn dem Vorstande in den obigen Krankheits- oder Sterbefällen an baaren Auslagen Kosten erwachsen, welche nicht aus dem der Gesellschaft etwa noch zufallenden nutzbaren Fleische oder der Haut gedeckt werden können, so werden solche mit der Vergütung berechnet und gehoben.

§. 14.

Der Rechnungsführer hat über alle Einnahmen und Ausgaben Rechnung zu führen, und solche, nachdem sie zuvor von den beiden Bevollmächtigten nachgesehen und genehmigt worden ist, der Gesellschaft in einer am 30. April jeden Jahres stattfindenden Generalversammlung in duplo mit den Belegen vorzulegen. Diese hat sich dann sofort über deren Genehmigung zu erklären oder nöthigen Falls solche durch einen sofort zu wählenden Revisionsausschuß von drei Mitgliedern nachsehen zu lassen und dessen Erinnerungen binnen acht Tagen dem Rechnungsführer zuzustellen; wo solches nicht geschieht, ist stillschweigend die Genehmigung eingetreten.

§. 15.

Der Vorstand sieht alle Jahr am 1. Mai das versicherte Vieh nach, berichtigt das Versicherungsverzeichniß und befolgt hierbei die Vorschriften des §. 6 und 7 und ist dafür die Gebühr von 1 gr für das Stück zu entrichten.

§. 16.

Sollte in dem Versicherungsbezirke oder in der nächsten Umgegend eine Viehseuche ausbrechen, so hat der Vorstand sämmtliche Vereinsmitglieder zu einer allgemeinen Versammlung sofort zu berufen, und ist dann nach Stimmenmehrheit von derselben zu beschließen, ob die Entschädigungssumme während der Seuche herabzusetzen sei? oder ob während besagter Zeit die Verbindlichkeit des Vereins aufhören und damit also die Zahlung der Versicherungsgelder so lange gänzlich eingestellt werden solle?

§. 17.

Wird ein Vereinsmitglied überführt, wissentlich aus einem Orte, wo Viehseuchen herrschen, oder überhaupt wissentlich ein krankes Stück Vieh angekauft und zur Versicherung gebracht zu haben, so ist die Versicherung nichtig und soll, falls das Thier stirbt, keine Entschädigung dafür geleistet werden.

§. 18.

Der Versicherungsverein tritt mit dem 1. Mai 185 . in Kraft, nachdem die höhere Genehmigung dazu erfolgt ist.

§. 19.

Dem Vorstande wird die Befugniß ertheilt, wann er es nothwendig hält zur Bestreitung der Nebenkosten einen kleinen Kassenbestand vorräthig zu halten, solchen nach Verhältniß der Versicherungssummen auf die Versicherer zu vertheilen und zu erheben und hierzu, sowie zur Aufbewahrung der Vereinspapiere, auf Kosten des Vereins eine Lade anzuschaffen.

§. 20.

Sollte die Erfahrung lehren, daß diese oder jene Vorschrift und Bestimmung sich demnächst als nicht mehr passend erwiese, so kann dieselbe in einer Generalversammlung, wozu mindestens zwei Drittel der Vereinsmitglieder erschienen sein müssen, durch Stimmenmehrheit aufgehoben und abgeändert werden.

§. 21.

Der Vorstand und von diesem zunächst der Rechnungsführer leitet bei den Generalversammlungen die vorkommenden Verhandlungen, führt das Protokoll, unterschreibt dasselbe mit den andern beiden Vorstandsmitgliedern und legt solches in der Vereinslade zur Aufbewahrung nieder.

§. 22.

Sollte sich bei etwaiger Auflösung des Vereins ein Fonds vorfinden, so hat der zeitige Vorstand mit Genehmigung der betreffenden Obrigkeit über dessen Verwendung, sowie über die Vereinspapiere und Lade zu verfügen, und haben die ausgetretenen Vereinsmitglieder hieran überall keinen Anspruch.

Anlage [illegible].

Formular

zu

Statuten für einen Kuh-Versicherungsverein.

(Mitgetheilt von dem landwirthschaftlichen Provinzialvereine zu Osnabrück.)

---

§. 1.

Mitgliedschaft.

Jeder Bewohner der Bauerschaft N. N., welcher Kühe oder Rinder über zwei Jahre zur Versicherung anmeldet und sich durch Unterschrift dieser Statuten zu deren Haltung verpflichtet, ist Mitglied dieses Vereins.

§. 2.

Ausnahmen.

Ausgeschlossen von der Theilnahme sind:

1. die Kühe der Branntweinbrenner und Viehhändler, welche nicht als deren Nutz- oder Stallkühe zu betrachten sind;
2. alle Rinder unter zwei Jahren;
3. ungesundes Vieh.

§. 3.

Pflichten der Theilnehmer.

Jeder Theilnehmer ist verpflichtet:

1. sein zu versicherndes Vieh zur Aufnahme bei dem Vereins-Vorsteher anzumelden;
2. demselben jeden Krankheits- und Sterbefall sofort anzuzeigen;
3. bei Erkrankungen einen Thierarzt hinzuzuziehen und die erforderliche Pflege anzuordnen; auch
4. das gefallene Vieh nicht eher wegzuschaffen, als bis der Vereinsvorsteher seine Genehmigung dazu ertheilt hat.

Die Unterlassung einer dieser Obliegenheiten hat den Verlust der Entschädigungsprämie zur Folge.

§. 4.

Verwaltung.

Die Verwaltung des Vereins besorgt ein Vorsteher unentgeldlich und ein Sammler, welche beide in der jährlichen Generalversammlung mit einer Stimmenmehrheit von mehr als der Hälfte der Erschienenen gewählt werden. Für Behinderungsfälle des Vorstehers wird in derselben Weise ein Stellvertreter gewählt.

§. 5.

Pflichten des Vorstehers.

Der Vorsteher führt

1. über den Bestand des Vereins Buch und Rechnung;
2. sorgt dafür, daß nur solches Vieh versichert werde, welches statutenmäßig aufnahmefähig ist;
3. untersucht bei jedem einzelnen Sterbefalle, ob der Eigenthümer die nöthige Sorgfalt und Pflege bei der Krankheit angewandt und die statutenmäßigen Verpflichtungen erfüllt hat;
4. läßt durch den Sammler die Beiträge heben;
5. zahlt die Versicherungsprämie aus, und
6. legt über das Ganze im Januar jeden Jahres ordnungsmäßige Rechnung mit Belegen ab.

§. 6.

Pflichten des Sammlers.

Der Sammler fordert nach Anweisung des Vorstehers die Beiträge ein, und bekommt dafür eine Vergütung von........

§. 7.

Beitrag.

Für jedes eingeschriebene Stück Vieh wird bei jedem Sterbe- oder Abnehmungsfalle ein Beitrag von.....gr entrichtet.

§. 8.

Entschädigungsprämie.

Von diesen Beiträgen wird zunächst die Entschädigungsprämie mit..........sowie die Gebühr des Sammlers bezahlt und der Rest als Kassenbestand berechnet. Das gefallene Stück Vieh bleibt Eigenthum des Versicherten.

§. 9.

Rückstände. Strafen.

Gegen die Beitreibung der von dem Vorsteher ausgeschriebenen Beiträge sind keinerlei Einreden zulässig. Sobald Jemand drei Beiträge schuldet, ist er von der Theilnahme ausgeschlossen und erhält, wenn der dritte Fall ihn selbst betrifft, die Entschädigungsprämie nicht.

§. 10.

Austritt.

Der Austritt aus dem Vereine steht jedem Mitgliede zu jeder Zeit frei; es hat jedoch der Austretende an dem etwaigen Kassenbestande keine Ansprüche, bleibt auch noch vier Wochen nach der Austrittsanmeldung Mitglied des Vereins.

§. 11.

Generalversammlung.

Im Januar jeden Jahrs läßt der Vereinsvorsteher sämmtliche Mitglieder durch den Sammler zu einer Generalversammlung einladen, in welcher die Erschienenen die vom Vorsteher abzulegende Rechnung revidiren, auch sonstige Beschlüsse in Angelegenheiten des Vereins nach Stimmenmehrheit fassen.

§. 12.

Schiedsgericht.

Alle bezüglich des Vereins entstehenden Differenzen werden, mit Ausschluß jeglichen gerichtlichen Verfahrens, durch ein aus Nichtvereinsmitgliedern zu ernennendes Schiedsgericht entschieden. Jeder streitende Theil erwählt einen Schiedsrichter, welche beide einen dritten ernennen.

§. 13.

Oberaufsicht.

Der jeweilige Ortsvorsteher so wie die Obrigkeit haben das Recht, sich durch Einsicht der Bücher von den Verhältnissen des Vereins zu unterrichten.

§. 14.

Statutenänderungen.

Abänderungen dieser Statuten sind nur zulässig in einer Generalversammlung, zu welcher sämmtliche Mitglieder unter Angabe des Zwecks geladen und zwei Drittel erschienen sind, und wenn die Mehrheit mit den Abänderungen einverstanden ist.

Anlage I.

Entwurf

zu

Statuten einer Privat=Versicherungsanstalt gegen Viehsterben.

(Mitgetheilt von dem landwirthschaftlichen Provinzialvereine für Ostfriesland).

Mehrere Einwohner der Gemeinde .... haben sich vereinigt, eine Privat=Versicherungsanstalt gegen Viehsterben unter nachstehenden Bedingungen zu errichten:

§. 1.

Diese Versicherungsanstalt beruht auf Gegenseitigkeit dergestalt, daß der Verlust, den einzelne Mitglieder durch Viehsterben erleiden, nach Maßgabe des eingetragenen Werths des versicherten crepirten Viehes von allen Mitgliedern nach den weiter unten folgenden Bestimmungen getragen wird.

§. 2.

Die Versicherung erstreckt sich bloß auf Kühe und Jungvieh über ein Jahr.

§. 3.

Für das Crepiren des versicherten Viehes wird die in §. 4 bestimmte Vergütung geleistet; eben so für solche Verletzungen, in deren Folge das Vieh geschlachtet werden muß, jedoch in diesem Fall nach Abzug des alsdann zu schätzenden Werthes. Für Brandunglück, für Diebstahl und diebisches Schlachten im Lande wird keine Vergütung gegeben.

Klauenseuche und andere Viehseuchen sind in der Versicherung inbegriffen.

§. 4.

Die Anstalt übernimmt die Versicherung auf drei Viertel des taxirten Werthes und muß der Eigenthümer für ein Viertel die Gefahr selbst stehen.

Diese Vergütung von drei Viertel des Werthes des versicherten crepirten Viehes wird dem Eigenthümer von dem Vorstande gegen Quitung sofort ausbezahlt.

§. 5.

Wer dieser Versicherungsanstalt beitreten will, muß seinen Viehbestand an Kühen und an Jungvieh über ein Jahr angeben und sich durch Unterschrift dieser Statuten als Mitglied verpflichten. Es kann für jeden Eigenthümer nur der ganze Viehstand an Kühen und überjährigem Jungvieh versichert werden. Der Eintritt geschieht unter Theilnahme am Kassenbestande zu allen Zeiten des Jahres und werden von dem verflossenen ersten Mai an die vierteljährigen Beiträge so wie das Eintrittsgeld bezahlt. Jeder giebt den Werth des Viehes selbst an. Kommt dem Vorsteher der Preis zu hoch vor, so kann er mit Zuziehung der beiden Taxatoren denselben ermäßigen.

Die Versicherung geschieht für den Zeitraum eines Jahres von Mai zu Mai. In der ersten Hälfte der Monate Mai und November werden die Veränderungen, durch Verbesserung oder Verschlechterung des Viehes oder der Preise entstanden, in oder vor der Generalversammlung aufgenommen. Die Beiträge werden nach der letzten Declaration gehoben und die Entschädigungen darnach ausgezahlt.

§. 6.

Jedem versicherten Thiere wird der Name des Vereins oder ein sonstiges Zeichen auf dem Horn eingebrannt, oder dasselbe auf andere Art bezeichnet, und wird darüber im Lagerbuche das Nöthige bemerkt. Wenn ein Stück Vieh erkrankt, so muß der Eigenthümer dieses dem Vorsteher anzeigen, welche Pflicht wegfällt, wenn er einen concessionirten Thierarzt gebraucht. Jedoch muß er, wenn das Stück Vieh crepirt ist, dem Vorsteher sofort Anzeige davon machen, worauf die etwaigen Veränderungen mit Zuziehung der beiden Taxatoren sofort berichtigt werden.

§. 7.

Wenn durch schlechte Pflege oder grobe Fahrlässigkeit der Verlust eines Thiers zu befürchten steht, so soll der Vorstand mit Zuziehung der beiden Taxatoren über die etwaige sofortige Ausschließung des Versicherten bestimmen, wodurch letzterer allen Anspruch verliert. Erst nach Verlauf eines Jahres kann derselbe sich zur Wiederaufnahme melden.

§. 8.

Die zur Deckung der Entschädigungen erforderlichen Beiträge werden nach dem Werthe des versicherten Viehes gleichmäßig auf die Mitglieder vertheilt und müssen sofort eingezahlt werden. Wer mit der Einzahlung des Beitrages nach erfolgter Erinnerung länger als acht Tage säumig ist, wird von der Anstalt als ausgetreten angesehen und verliert allen Anspruch auf Entschädigung; jedoch wird der ausgeschriebene Beitrag von ihm beigetrieben.

§. 9.

Beim Eintritt (so wie demnächst bei Vermehrung der Stückzahl durch Zukauf oder Zuwachs in Ansehung der vermehrten Versicherung,) werden verhältnißmäßig für jede versicherten 24 ℛ︀ = 8 ggr beigetragen, sodann vierteljährlich für 24 ℛ︀ = 2 ggr, und zwar am 1. Mai, 1. August, 1. November und 1. Februar.

Außerdem bezahlt Jeder für eine Kuh an den Vorstand für Bemühungen und Administrationskosten jährlich 1 ggr und für ein Stück Jungvieh 6 ₰.

Zugleich wird ihm vom Vorstande eine Bescheinigung über die Stückzahl und den Werth des versicherten Viehes ertheilt.

Wird die Kasse durch Unglücksfälle erschöpft, so werden für weitere Unglücksfälle 8 ggr für 24 ℛ︀ als extraordinärer Beitrag sofort von neuem eingelegt.

§. 10.

Wer aus der Anstalt treten will, muß solches vor jeder beziehungsweise im Mai und November erfolgenden Mutation dem Vorstande anzeigen. Er verliert mit dem Austritt alles Anrecht an dem etwaigen Kassenbestande, contribuirt aber noch für das laufende Rechnungsjahr zu den bis Mai etwa erforderlichen Beiträgen. Wer sich innerhalb dieser Zeit zum Austritt nicht meldet, continuirt stillschweigend für das folgende Jahr als Mitglied.

§. 11.

In der vom Ortsvorsteher zu veranlassenden Versammlung wird der Vorsteher der Gesellschaft gewählt.

Gleichzeitig werden zwei unparteiische Taxatoren gewählt, welche, wenn in den Generalversammlungen keine Einigung über den Werth eines Thiers erfolgt, binnen drei Tagen nach der Generalversammlung gemeinschaftlich mit dem Vorsteher den Werth des Thiers bestimmen, sowie in der Zwischenzeit, von einer Mutation zur anderen, es sei bei Aufnahme neuer Mitglieder oder bei An- und Verkauf, die nöthigen Taxationen besorgen.

Ist die Gemeinde zu klein, um eine Gesellschaft zu gründen, so vereinigt sie sich mit einer benachbarten Gemeinde, zu welchem Ende beide Ortsvorsteher die nöthige Versammlung zu veranlassen haben.

Für die Interessenten soll die Liste der Versicherten (Lagerbuch) beim Vorstande jederzeit zur Einsicht offenliegen.

§. 12.

Der Vorsteher hat in der, in der ersten Hälfte des Monats Mai abzuhaltenden, Generalversammlung den Status der Gesellschaft und den Kassenbestand vorzulegen.

Bei der von dem Vorsteher in dieser Versammlung zu veranlassenden Neuwahl sind der abgehende Vorsteher, sowie die beiden abgehenden Taxatoren wieder wählbar.

In der Generalversammlung hat jeder Versicherte volles Stimmrecht.

Wenn bei der, in der Generalversammlung stattfindenden, jährlichen Revision der Statuten Veränderungen gewünscht werden, so müssen solche der Königl. Landdrostei zur Genehmigung vorgelegt werden.

In der heutigen durch mich, den Ortsvorsteher............ veranlaßten Versammlung haben die unterzeichneten Einwohner der Gemeinde..............nach Maßgabe vorstehender Statuten eine Privat-Versicherungsgesellschaft gegen Viehsterben errichtet.

Zu Taxatoren wurden durch Stimmenmehrheit erwählt:

1. der Einwohner......................
2. der Einwohner......................

Als buchhaltender Vorsteher wurde erwählt..............

Sämmtliche Vorstandsmitglieder nahmen die Wahl an, und wurde der Werth des versicherten Viehes sofort ins Lagerbuch eingetragen.

Geschehen................am......185..

(Unterschriften.)

Anlage K.

Entwurf

zu

Gesetzen einer Vieh-Versicherungsgesellschaft.

(Vorgelegt von der Königlichen Berghauptmannschaft zu Clausthal.)

1.

Zweck und Mittel.

Die Gesellschaft hat sich zu dem Zwecke vereinigt, um ihren Theilnehmern den Schaden theilweise zu ersetzen, welchen sie durch Verlust von zum Tode verunglücktem Rindvieh erlitten haben.

Die Mitglieder derselben haben sich deßhalb zu den nachstehend bezeichneten Leistungen behuf Vergütung solchen Verlustes verpflichtet und versichern sich dadurch ihr Rindvieh gegenseitig.

2.

Theilnahme an der Gesellschaft.

Der Beitritt zu der Gesellschaft steht jedem viehbesitzenden Einwohner von N. N. zu jeder Zeit frei; er erfolgt durch Eintragung des Namens des Beitretenden und Verzeichnung seines Viehes in die dafür bestimmten Listen.

Das aufgenommene Mitglied muß das gesammte in seinem Eigenthume und im Bezirke von N. N. befindliche Vieh, welches aufnahmefähig befunden wird, versichern. Doch kann Einzelnen die Aufnahme überhaupt oder rücksichtlich einzelner Viehstücke verweigert werden.

Der Austritt aus der Gesellschaft steht unter der Voraussetzung, daß alle übernommene Verbindlichkeiten völlig erfüllt werden, gleichfalls zu jeder Zeit offen.

3.

Gegenstand der Versicherung.

Gegenstand der Versicherung kann ohne Unterschied alles Rindvieh im Bezirke von N. N. sein, welches über ein Jahr alt ist und sich im Eigenthume eines Gesellschaftsmitgliedes befindet.

4.

Dauer der Versicherung.

Die Versicherung beginnt mit der Aufnahme des Viehstückes in die Versicherungsliste und dauert fort, so lange dasselbe im Eigenthume irgend eines Mitgliedes der Gesellschaft und im Bezirke von N. N. verbleibt.

Die Versicherung erlischt von selbst, wenn ein Nichttheilnehmer der Gesellschaft das Viehstück erwirbt, wenn dasselbe aus dem Bezirke von N. N. fortgeschafft wird, oder wenn bei der Erneuerung der Versicherungsliste das Thier nicht wieder aufgeführt wird.

5.

Verwaltung.

Die Angelegenheiten der Gesellschaft werden unter Oberaufsicht und Mitwirkung der Ortsobrigkeit (des Magistrats, des Gemeinde-Vorstandes) von einem nach Stimmenmehrheit von den Mitgliedern gewählten, aus . . . . . Personen bestehendem Vorstande unentgeldlich besorgt. Das Ehrenamt eines Vorstehers der Gesellschaft währt . . . Jahre und kann nur von Dem abgelehnt werden, dem es durch sofortige Wiedererwählung nach Niederlegung des Amtes übertragen werden soll.

Der Vorstand ist bei der Leitung und Ausführung der Geschäfte an die Beobachtung dieser Gesetze gebunden, übrigens aber unabhängig, nur der versammelten Gesellschaft selbst zur Rechenschaft von seinem Thun verpflichtet, und berechtigt, deren Entschließungen in einer berufenen Versammlung einzuholen, wenn es sich um die Auslegung dieser Gesetze oder um eine für die Wirksamkeit des Vereins besonders wichtige Angelegenheit handelt.

6.

Betrag der Entschädigung und Ermittelung der Versicherungssumme.

Die Entschädigung, welche die Gesellschaft für den Fall des Verlustes ihren Theilnehmern zusichert, besteht in demjenigen Geldbetrage, zu welchem das verunglückte Stück Vieh in der Versicherungsliste geschätzt ist. (Vergl. jedoch № 15.)

Um die Versicherungssumme festzustellen, wird nach dem Augenscheine geschätzt, wie viel Pfunde das Stück Vieh geschlachtet und bakrein wiegt und, unter Annahme eines Preises von . . . . . für das Pfund, der Werth desselben allein nach diesem Gewichte berechnet.

Auf das Gewicht und den Werth der Haut, des Eingeweides, der Füße u. s. w. ist also bei dieser Schätzung und Berechnung keine Rücksicht zu nehmen.

7.

Verfahren bei der Abschätzung.

Die Abschätzung geschieht durch den Vorstand unter Zuziehung eines Sachverständigen (des Hirten oder Schlächters), wobei unter dem Namen des Eigenthümers jedes zu versichernde Stück Vieh nach seinem Geschlechte, seinem Alter, seiner Farbe und seinen besondern Kennzeichen, wo möglich auch nach seiner Stammesart in der Versicherungsliste zu bezeichnen ist. Daneben wird das geschätzte Gewicht und der nach dem Gewichte berechnete Werth desselben eingetragen.

Gegen das Ergebniß der Abschätzung können keinerlei Einwendungen von dem Eigenthümer geltend gemacht werden.

Spätere Veränderungen im Gewichte und in dem Werthe des Thieres bleiben bis zur Erneuerung der Versicherungslisten völlig unberücksichtigt.

Der Vorstand darf kein Stück Vieh, welches ihm abgängig erscheint, in die Versicherungslisten aufnehmen. Gegen solche Ausscheidung sind keine Einwendungen zulässig.

Bemerkung zu № 6 und 7. Wenn, anstatt der Abschätzung im Einzelnen, bestimmte Werthsklassen angenommen werden sollen, so sind die № 6 und 7 zu modificiren.

8.

Inhalt, Erneuerung und Bedeutung der Versicherungslisten.

Die Versicherungslisten bilden die allein glaubwürdige Nachweisung über die Theilnahme an der Gesellschaft, über die versicherten Viehstücke, über das Ergebniß der Gewichts- und Werthsschätzung, mithin über die Versicherungssumme.

Sie sollen alljährlich im Frühjahr vor dem Austreiben des Viehes auf die Weide von Neuem aufgenommen und im Laufe des Jahres durch Nachtragung neu eintretender Mitglieder und zugehender Viehstücke und durch Streichung der ausfallenden in Ordnung und Richtigkeit erhalten werden.

Die Mitglieder der Gesellschaft sind verpflichtet, dem Vorstande jede derartige Veränderung zeitig anzuzeigen.

Auf den Grund dieser Versicherungslisten wird die Berechnung der von der Gesellschaft zu leistenden Entschädigung und der von den Mitgliedern zu zahlenden Beiträge aufgestellt.

Die Listen sollen auch bei ihrer Erneuerung in mehrfacher Ausfertigung aufgestellt und von sämmtlichen Vorstehern unterschrieben werden.

Die eine Ausfertigung wird der Ortsobrigkeit zur Aufbewahrung und behuf Ausstellung von Bescheinigungen und Auszügen daraus, wenn diese begehrt werden möchten, überreicht.

9.

Beschränkung der Entschädigungsansprüche.

Die Gesellschaft leistet nur dann Entschädigung für Viehverlust, wenn derselbe nicht durch die Schuld des Vieheigenthümers herbeigeführt ist und durch eine gewöhnliche Sorgfalt desselben nicht abgewendet werden konnte.

In dieser Hinsicht wird der Vieheigenthümer für die Handlungen der zu seinem Hausstande gehörenden Personen, denen die Besorgung des Viehes anvertrauet ist, verantwortlich gehalten.

Sollte der Verlust durch ein solches Verschulden eines Dritten verursacht sein, welches denselben gesetzlich zum vollen Schadensersatze verpflichtet, so gewährt die Gesellschaft nur dann und nur so weit Entschädigung, als diese nicht von dem ursprünglich dazu Verpflichteten zu erlangen ist.

10.

Weitere Beschränkung und Begründung des Anspruches auf Entschädigung gegen die Gesellschaft.

Jedes Mitglied der Gesellschaft muß nicht allein jeden durch Tod erlittenen Verlust eines Stückes Vieh dem Vorstande ungesäumt und so zeitig zur Kenntniß zu bringen, daß noch die etwa vorhandenen Anzeichen der Todesursache wahrgenommen werden können, sondern auch von allen Unfällen, Beschädigungen und Krankheiten desselben, die einen tödtlichen Ausgang befürchten oder die längere Beibehaltung des Viehes unräthlich erscheinen lassen, dem Vorstande Meldung machen.

Wer diese Anzeige unterläßt oder verspätet, verliert seinen Anspruch auf die Versicherungssumme.

11.

Verfahren bei eingetretenem Viehverluste.

Auf erfolgte Anzeige von einem eingetretenen Verluste sollen sich sofort wenigstens zwei Vorsteher der Gesellschaft durch Besichtigung des todten Viehes und durch Erforschung der betreffenden

Umstände darüber unterrichten, ob der Verlust ein unverschuldeter gewesen ist oder nicht. Hat wegen einer Verletzung oder wegen plötzlicher Krankheit das Schlachten des Viehes entweder nach dem Rathe eines Thierheilkundigen oder bei gebotener Eile auch ohne diesen vorgenommen werden müssen, bevor der Vorstand von dem Unfalle benachrichtigt werden konnte, so soll dem Eigenthümer die Versicherungssumme zu Theil werden, wenn sich der Vorstand von der Nothwendigkeit und der Angemessenheit des Abschlachtens des Thieres nachträglich überzeugt.

12.

Verfahren bei einem befürchteten Viehverluste.

Auf die Meldung, daß ein Stück Vieh bedenklich erkrankt, beschädigt, oder daß wegen eines sonstigen ihm zugestoßenen Unfalles dessen Abschlachtung nöthig werde, müssen sich gleicherweise mindestens zwei Vorstandsmitglieder durch Besichtigung und Nachforschung in den Stand setzen, eine Entscheidung darüber abzugeben, ob das Thier geschlachtet werden dürfe oder ob dessen Herstellung versucht oder abgewartet werden solle und ob etwa ein Verschulden bei dem Vorfalle zum Grunde liege.

Der Eigenthümer des Viehes ist verpflichtet, bei Verlust seiner Entschädigungsansprüche thierärztliche Hülfe zuzuziehen, wenn der Vorstand sich dafür entschieden hat, und den Anordnungen des Thierheilkundigen, der dann auch allein zu bestimmen hat ob das Abschlachten des Viehes räthlich sei, genau nachzukommen.

Die Tödtung eines kranken Thieres soll von dem Vorstande niemals verfügt werden, wenn der Eigenthümer das Vieh am Leben zu erhalten wünscht und thierärztliche Hülfe zur Rettung zu beschaffen bereit ist.

Dagegen muß der Vorstand verfügen, daß das Thier zeitig geschlachtet werde, wenn die Herstellung desselben nach sachverständigem Ausspruch unwahrscheinlich ist und die Anwendung der dazu erforderlichen Mittel vom Eigenthümer beanstandet wird.

Der Vorstand kann vor Abgabe seiner Verfügung einen Sachverständigen zu Rathe ziehen.

13.

Zurückweisung der Entschädigungsansprüche.

Glaubt der Vorstand, daß der Eigenthümer des zu Tode verunglückten Viehes die Versicherungssumme nicht erhalten könne, weil er entweder selbst die Schuld des Verlustes trage oder seine Entschädigung von einem Dritten zuvor in Anspruch nehmen müsse, oder weil er die Anmeldung des Unfalles verabsäumt oder die vom Vorstande erhaltenen Anweisungen nicht befolgt habe, so ist darüber unter Theilnahme sämmtlicher Vorsteher zu berathen und zu beschließen.

In zweifelhaften Fällen und bei entstehender Meinungsverschiedenheit hat der Vorstand die Ansicht der Ortsobrigkeit einzuholen und diese seinem Ausspruche zum Grunde zu legen.

Der Ausspruch des Vorstandes ist unanfechtbar.

14.

Verwerthung des geschlachteten und verreckten Viehes.

Wenn ein Viehstück gewaltsam umgekommen oder geschlachtet ist, so hat der Vorstand unter gewissenhafter Beobachtung der bestehenden gesundheitspolizeilichen Vorschriften und, in allen irgend zweifelhaften Fällen, unter Beirath eines Sachverständigen, zu entscheiden, ob das Fleisch dieses Thieres genießbar sei und verkauft werden solle oder nicht.

Was außer dem verkäuflichem Fleische von geschlachtetem oder gewaltsam zu Tode gekommenem Viehe zu benutzen ist, verbleibt dem Eigenthümer zur beliebigen Verwerthung.

Das verreckte Vieh und das zum Verkaufe des Fleisches nicht geeignet gefundene geschlachtete und verunglückte Vieh verbleibt gleichfalls, soweit nicht Abdeckereiberechtigungen und polizeiliche Vorschriften der willkürlichen Verfügung darüber entgegenstehen, dem Eigenthümer zur nutzbaren Verwendung.

15.

Erhebung der Beiträge zur Entschädigung.

1. Wenn der Fleischverkauf Statt hat.

Sofern das Fleisch des getödteten Thieres für genießbar und verkäuflich erklärt ist und der Eigenthümer nicht etwa, unter Verzichtleistung auf die Versicherungssumme, nach eigenem Gefallen darüber verfügt, sind alle Mitglieder der Gesellschaft verbunden, den bei der Vertheilung auf sie fallenden Antheil daran, welcher nach dem Verhältniß des Gewichts des verkäuflichen Fleisches zu dem Gesammtgewichte des von ihnen versicherten Viehes berechnet wird, zu bestimmter Zeit gegen baare sofortige Bezahlung zu kaufen oder doch den Preis dafür dem Eigenthümer einzusenden.

Für jedes Pfund Fleisch ist ohne Rücksicht auf dessen Beschaffenheit der feststehende Preis von . . . . . zu entrichten.

Das verkäufliche Fleisch soll ordnungsmäßig von einem Schlächter zum Verkaufe nach einzelnen Antheilen vorgerichtet und die Abgabe mit gleichmäßiger Vertheilung beschafft werden.

Der Vorstand entwirft das Vertheilungsverzeichniß und läßt die Mitglieder von der Zeit des Verkaufes und dem Gewichte des für den Einzelnen berechneten Antheils durch Ansagen in Kenntniß setzen.

Der Vorstand kann nach den Umständen, anstatt der Vertheilung des Fleisches auf alle Mitglieder, eine Reihefolge unter denselben, die erst bei mehreren Fällen der Austheilung geschlossen wird, festsetzen.

Der nicht zur bestimmten Zeit abgenommene Fleischantheil fällt dem Eigenthümer zur freien Verfügung anheim.

Außer dem Erlöse aus dem Fleische kann eine weitere Entschädigung von der Gesellschaft nicht in Anspruch genommen werden, wenn auch die Versicherungssumme nach den Listen sich höher belaufen sollte.

16.

2. Wenn der Fleischverkauf nicht gestattet wird.

Ist ein Absatz des Fleisches nicht stattnehmig, so wird vom Vorstande auf den Grund der Versicherungsliste die Entschädigung nach dem Verhältniß des geschätzten Werthes des verunglückten Viehstückes zu der gesammten Versicherungssumme jedes einzelnen Mitgliedes vertheilt, erhoben und innerhalb vierzehn Tagen dem beschädigten Eigenthümer in Einer Summe zugestellt.

17.

Maßregeln zur Einziehung der Beiträge.

Gegen die Mitglieder, welche nicht zur bestimmten Zeit ihren Fleischantheil gegen sofortige Bezahlung abholen lassen, oder welche den von ihnen eingeforderten Geldbeitrag nicht pünktlich innerhalb vorgeschriebener Frist entrichten, muß der Vorstand ohne Verzug zwangsweise, nöthigenfalls unter Anrufung richterlicher Hülfe, verfahren.

Der Vorstand hat auch die Befugniß, diejenigen Mitglieder, welche sich mehrfach säumig erwiesen haben oder durch Weiterungen die Erhebung der Beiträge erschweren, von der Gesellschaft auszuschließen.

18.

Kosten.

Die Kosten, welche durch Zuziehung des Thierheilkundigen vom Vorstande, durch das Schlachten des Viehes und Austheilen des

Fleisches, durch das Ansagen zum Abholen des Fleisches und zur Entrichtung der Beiträge, sowie durch die Einsammlung und Einziehung der Beiträge entstehen, trägt der Eigenthümer des verunglückten Viehes.

Eine Vergütung für die den Vorstandsmitgliedern obliegenden Verrichtungen hat überall nicht Statt.

19.

Abänderung der Gesetze.

Abänderungen dieser Gesetze können nur durch Beschluß der Gesellschaft selbst herbeigeführt werden.

In der Versammlung der Gesellschaft, welche zur Neuwahl des Vorstandes Statt hat, muß jedes Mal berathen und beschlossen werden, ob und welche Änderungen der Gesetze eintreten sollen.

Neuere Erfahrungen

über den

Guano.

Für Landwirthe und Gärtner.

Nach englischen Mittheilungen herausgegeben

von

Commerzienrath **v. Jobst.**

STUTTGART.

1844.

Verlag von Paul Neff.

Analyse von Dr. *Ure*.

Praktische Versuche mit Guano.

Ueber denselben Gegenstand von *Cuthbert Johnson*.

Auszüge aus dem Gardener and practical Florist.

Reduction der Münzen, Maasse und Gewichte.

5

Neuere Erfahrungen

über den

Guano.

Für Landwirthe und Gärtner.

Nach englischen Mittheilungen herausgegeben

von

Commerzienrath v. Jobst.

STUTTGART.

1844.

Verlag von Paul Neff.

Die ausgezeichneten Eigenschaften und Wirkungen des Guano als Düngermittel, und die immer steigende Zunahme seines Verbrauchs in England für Landwirthschaft und Gärtnerei haben mich veranlasst, die dort darüber gemachten Erfahrungen, so weit sie veröffentlicht sind, zu sammeln und deren Uebersetzung in diesem Hefte als eine Widmung den deutschen Landwirthen und Gärtnern zu übergeben, mit dem Wunsche, dass sie dieselbe als einen Beweis meines Interesses, an ihren Fortschritten nach Kräften mitzuwirken, freundlich aufnehmen möchten.

Seit einigen Jahren sind bekanntlich auch in Deutschland Versuche mit dem Guano gemacht worden, jedoch nur im Kleinen und vereinzelt, die daher zu keinen massgebenden Resultaten geführt haben. Vielleicht war das Mittel bisher für uns zu hoch im Preise, es mag auch zuweilen in geringhaltigen mit vielem Sande vermischten Sorten zu uns gebracht worden seyn, es scheint an einer sichern Bezugsquelle so wie an Vorschriften über die richtige Art seiner Anwendung gefehlt zu haben. Die englischen Landwirthe stellten dagegen ihre Versuche im Grossen an und zwar nicht allein mit dem Guano, sondern zu gleicher Zeit in Vergleichung mit vielen andern bei ihnen eingeführten natürlichen und künstlichen Düngermitteln, wodurch sie auf dem kürzesten und sichersten Wege Aufschlüsse über die Wirksamkeit und Vorzüge des südamerikanischen Düngers erlangt haben.

Einige grosse englische Häuser haben durch ihre Commanditen in Südamerika die Beziehung dieses Artikels aus erster Quelle für England gesichert. Die deutschen Landwirthe werden daher gerne vernehmen, dass das sehr achtbare Haus der HH. *A. Gibbs & Söhne in London* die bedeutendsten Importe im vorigen Sommer davon erhalten, den früheren Preis von *Liv.* 14 — *Liv.* 16 *Sterling* auf *Liv.* 10 bei Parthien, und auf *Liv.* 12 *Sterl.* bei Abnahme von einzelnen Tonnen — die Tonne von 20 engl. Centnern — herabgesetzt und viel davon nicht nur in England, sondern auch nach Frankreich und Holland abgeliefert hat. Diese Quelle kann daher zur Zeit als die vortheilhafteste und sicherste zum Bezuge des Artikels angesehen werden; *alle deutschen Landwirthe können sich gegen Vorausbezahlung des Betrages und der Platzunkosten derselben bedienen und sich direkt dahin wenden*, wenn ihrer Mehrere sich vereinigten, um ein namhaftes Quantum kommen zu lassen; jedoch rathe ich nicht zu Beziehungen von nur ein Paar Tonnen, weil sie sonst in den höhern Preis und in Vertheurung der Waare durch höhere Unkosten verfallen würden als bei Parthien von mindestens 4 — 5 Tonnen.

Wie aus den nachstehenden Mittheilungen hervorgeht, bestehen die Vorzüge des Guano darin, dass, wo er richtig und *nicht im Uebermaasse* angewendet wird, *er allen Gewächsen ein rascheres und üppigeres Wachsthum verleiht, für den Gartenbau, für alle Kohlarten, für Hopfen, für exotische Pflanzen (daher vielleicht für manche neue Handelsgewächse und Farbflanzen) vorzüglich geeignet ist, in Jahrgängen einer trägen Vegetation derselben Nachhülfe gewährt, und in bergigen Gegenden, wo die gewöhnliche Düngung mit vieler Mühe und Kosten verbunden ist, mit geringerem Aufwande angewendet werden kann.*

Ueber seine nachhaltigen Wirkungen reichen die Erfahrungen vor der Hand nur bis zu zwei Jahren, wir haben daher in dem nächstfolgenden weitere Aufschlüsse darüber zu gewärtigen. In Beziehung auf die richtige Art seiner Anwendung bleibt aber noch Vieles zu erforschen übrig. Ich glaube in dieser Beziehung hier einige flüchtige Worte aus einem kürzlich erhaltenen Schreiben des Hrn. Prof. J. Liebig in Giessen anführen zu dürfen. „Man darf mit Recht die ungleichen Verhältnisse, die man um gleiche Erfolge zu erhalten, von diesem Dünger (Guano) anzuwenden gezwungen war, dem ungleichen Gehalte an den andern, den Pflanzen nöthigen Bodenbestandtheilen, welche in dem Guano fehlen, zuschreiben; auf Kalireichem Boden ist nur eine sehr mässige Quantität Guano nöthig; auf den Alkaliarmen Bodenarten kann selbst die grösste Quantität das Kali oder Natron nicht ersetzen, man muss diesen gleichzeitig Asche geben.“

Aber auch in Betreff weiterer Forschungen werden die Engländer nicht zurückbleiben, die bekanntlich jeden neuen interessanten Gegenstand ruhig aber mit unverdrossener Beharrlichkeit verfolgen, wie sie denn auch das Werk: „Ueber organische Chemie in ihrer Anwendung auf Ackerbau und Physiologie von Justus Liebig,“ welches öfters in diesen Mittheilungen angeführt wird, mit ausgezeichnetem Beifall aufgenommen und dasselbe als eine Erscheinung begrüsst haben, welche in diesem Gebiete der praktischen Naturforschung neues Licht und Aufklärung verbreiten werde.

Englands Ackerbau, welcher sich den Guano um den billigsten Preis zu verschaffen vermag, wird von dessen Anwendung zunächst die wichtigsten Vortheile ziehen; nach allen Vorbedeutungen werden die englischen Korngesetze sich nicht mehr lange halten, der Getreideverkehr wird immer mehr an Umfang gewinnen und sich allmählig zu einem allgemeineren Speculationshandel gestalten; anderntheils drängt die zunehmende Bevölkerung und die daraus hervorgehende Zertheilung des Bodens die deutsche Landwirthschaft zu Aufsuchung und Anwendung aller Mittel, welche die Erde erkräftigen und ihre Produktion befördern und erhöhen können.

Wenn daher den deutschen Landwirthen, die mit dem Verfahren der englischen Landwirthe in Anwendung des in Rede stehenden so wie anderer Düngermaterialien weniger vertraut sind, durch diese Mittheilungen Veranlassung gegeben wird, sich mit denselben näher bekannt zu machen, und manche neue und nützliche Ideen und Winke daraus zu ziehen, so ist nicht zu bezweifeln, dass die Untersuchung über die Wirkungen des Guano noch zu weiteren Fortschritten in der richtigen Behandlung unserer Bodengattungen mit unseren einheimischen Düngermitteln führen werde.

Um daher zu einem praktischen Zwecke, so viel als von meinem Standpunkte aus geschehen kann, mitzuwirken, habe ich 60 Ctr. Guano aus obiger Quelle von England bezogen, damit gleich mit dem Beginn des Frühjahrs Versuche damit angestellt werden können. Und um die Kosten zu erleichtern, bestimme ich davon 50 Ctr., zur Abgabe zunächst an die Muster-Anstalten und landwirthschaftlichen Bezirksvereine und an Gärtner in Württemberg, Behufs der Anstellung von Versuchen in grösserem Masstab — denn mit denen im Kleinen wird gewöhnlich nur Zeit und Geld vertändelt — zu dem Preise von fl. 10 p. 100 Pfd. gegen Vorausbezahlung; ein Preis, welcher ungefähr um die Hälfte billiger ist, als er früher war. Ich werde den darauf eingehenden Anmeldungen, jedoch nicht unter einem Quantum von 100 Pfd., der Reihe nach, so weit mein Vorrath reicht, entsprechen, erlaube mir aber dabei die Bitte, dass mit Einsendung eines Auftrags von Seiten der Besteller zugleich die geneigte Willfährigkeit gegen mich ausgedrückt werden möchte, dass sie bei den anzustellenden Versuchen ein ähnliches Verfahren wie das von den englischen Landwirthen beobachtete, nämlich mit Vergleichung anderer Düngerarten einschlagen, von den Resultaten seiner Zeit in unsern landwirthschaftlichen Blättern Nachricht geben und so eine Zusammenstellung derselben herbeiführen werden, aus welcher am Ende überzeugende Schlüsse gefolgert werden können:

„in welchen Fällen die Anwendung des Guano unsern „Verhältnissen angemessen und unsern gewöhnlichen „Düngermitteln vorzuziehen seyn möchte."

Ich mache wiederholt darauf aufmerksam, dass ich den Guano nicht unter einem Quantum von 100 Pfd. abgebe und zwar deswegen, weil ich, wie schon oben erwähnt, umfassende Versuche veranlassen möchte, wobei denn, wie sich von selbst versteht, eine Vereinigung Mehrerer zu solchen Versuchen und daher zum gemeinschaftlichen Bezug des benöthigten Quantums nicht ausgeschlossen ist; auch füge ich bei, dass ich diejenigen Aufträge vorzugsweise berücksichtigen werde, welche sich für die Anstellung comparativer Versuche aussprechen.

Den Erlös für die abgegebenen 50 Ctr. Guano im Gesammtbetrage von 500 fl. bestimme ich zu Preisaufgaben und behalte mir vor, die näheren Bestimmungen der Modalitäten durch das Wochenblatt für Landwirthschaft und Gewerbe in Hohenheim bekannt zu machen, sobald die besagten 50 Ctr. Guano veräussert seyn werden. Vorerst beschränke ich mich auf die einfache Bemerkung, dass der Gegenstand der Preisaufgaben in nächster Beziehung zu dem bereits angegebenen Zweck stehen soll, welchen ich mit Bekanntmachung des gegenwärtigen Schriftchens beabsichtige.

Wenn die Freunde und Beförderer der Landwirthschaft und des Gartenbaues meinem Wunsche, der dahin geht, *durch die ihnen dargebotene Erleichterung des Bezugs von Guano, zu gründlicher Ausmittlung seiner Wirksamkeit und seiner Anwendbarkeit auf unsere Verhältnisse, durch Vergleichungen mit unsern einheimischen, natürlichen und künstlichen Düngungsmitteln Veranlassung zu geben*, wie ich hoffe, entgegen kommen werden, so ist meine Absicht erreicht.

Stuttgart den 20. December 1843.

Jobst.

Geschrieben im März 1843.

Weil die Jahreszeit, den Guano-Dünger zu gebrauchen, jetzt gekommen ist, so erschien es als zweckmässig, die hauptsächlichsten über die Beschaffenheit und die Vorzüge desselben bekannten Thatsachen in möglichst gedrängter Darstellung mitzutheilen. Da nämlich grosse Massen dieses Düngers noch im Laufe des gegenwärtigen Jahres von unsern Landwirthen gebraucht werden, so ist für dieselben eine genaue Angabe aller über diesen Artikel angestellter Beobachtungen, so weit letztere bei der erst kürzlich geschehenen Einführung desselben bis jetzt gemacht werden konnten, von nicht geringer Wichtigkeit.

Der Guano besteht aus Excrementen der Seevögel. Unzähliche Schwärme derselben finden sich auf einer bedeutenden Strecke der Westküste Südamerika's und haben seit undenklichen Zeiten auf den kleinen Inseln am Festlande oder auf der Küste selbst ihren Mist abgesetzt. In denjenigen Gegenden, wo Regengüsse häufig eintreffen, hat man die Beobachtung gemacht, dass der Regen, verbunden mit der Einwirkung der Sonne und der Luft, die düngende Eigenschaft des Guano allmählig zerstört; in denjenigen Strichen jedoch, wo es niemals regnet, wie an der bolivischen und einem beträchtlichen Theile der peruanischen Küste, behält und concentrirt der Guano alle seine ursprüngliche Dungkraft. In der That wurde auch eine gewisse Masse von Guano schlechterer Beschaffenheit in England eingeführt und es ist gar nicht daran zu zweifeln, dass derselbe in denjenigen Strichen eingesammelt wurde, welche aus den erwähnten Ursachen sich als ungünstig für seine Eigenschaften erwiesen.

Somit ist auch der Schluss natürlich, dass die wenigen misslungenen Versuche mit diesem Dünger in der Anwendung einer Sorte von geringerer Güte ihren Grund haben.

Die Importeurs, welche nach einem Patente der bolivischen und peruanischen Regierung die Ausfuhr des Artikels unternahmen und welchen die Niederlagen dieses Artikels in England angehören, haben es dessbalb zur Sicherstellung der Consumenten für zweckmässig erachtet, die Muster ihrer Ladungen Hrn. Dr. Andr. Ure zur Prüfung vorzulegen, einem Naturkundigen, welcher wegen seiner chemischen Kenntnisse in der gelehrten Welt berühmt ist. Nach vielen mit Sorgfalt angestellten Versuchen und Analysen hat Herr Dr. Ure einen allgemeinen Bericht entworfen, dessen vollständige Mittheilung hier als entsprechend erschien, weil er interessante und nützliche Eröffnungen über den Gegenstand enthält.

Allgemeiner Bericht über die chemische Untersuchung mehrerer von den Hrn. Gibbs & Söhne erhaltenen Guano-Muster durch Andreas Ure.

Bei den verschiedenen Analysen, welche mit äusserster Sorgfalt und mit Hülfe des vollständigsten Apparats für unorganische wie organische Chemie angestellt wurden, behielt man nicht allein diejenigen Bestandtheile des Guano, welche unmittelbar als Dünger wirken, sondern auch diejenigen im Auge, welche nach Angabe praktischer Landwirthe dem Boden eine dauernde Fruchtbarkeit ertheilen. Die ausgezeichneten Untersuchungen des Prof. Liebig haben erwiesen, dass der *Stickstoff*, das unentbehrliche Element für die Ernährung der Pflanzen, hauptsächlich aber des Weizens und anderer Gewächse, welche viel Kleber enthalten, denselben im Ammoniak gereicht werden muss, jedoch nicht als reines Ammoniak, oder als Ammoniaksalz (dieses würde zu schnell verdunsten oder aufgelöst und weggespült), sondern noch nicht fertig gebildet, aber den Elementen nach vorhanden. Aechter Peruanischer und Bolivischer Guano, wie ich ihn für die Hrn. Antony Gibbs und Söhne in London und für die Hrn. Myers und Comp. in Liverpool, die beiden für den Verkauf beglaubigten Agenten, analysirt habe, übertrifft alle Arten des natürlichen oder künstlichen Düngers in der Masse des in ihm enthaltenen, gebundenen Ammoniaks, und desshalb auch in der Dauer seiner Wirksamkeit auf die Pflanzenwurzeln. Zugleich auch kann der Guano in Folge der grossen Menge seines freien Ammoniaks dem Pflanzenwuchs unmittelbar Kraft ertheilen.

Harnsaures Ammoniak bildet einen bedeutenden Theil der stickstoffhaltigen organischen Materie in *wohlerhaltenem* Guano; es ist im Wasser beinahe unlöslich, nicht flüchtig und vermag bei seiner langsamen Zersezung beinahe ein Drittheil seines Gewichts an Ammoniak dem Boden zu ertheilen. Kein anderer Dünger kommt in der Zusammensetzung diesem thierischen Salze gleich. Eines der genannten Guano-Muster gab bei der Analyse nicht weniger als 17 Procent gebundenen Ammoniac's, ausserdem 4½ Procent von freiem, alsbald wirksamen; andere Muster lieferten 7—8 Procent Ammoniak in jedem der genannten Zustände.

Der ächte Guano, wovon ich sprach, besteht aus reinen Vogelexcrementen und ist frei von Sand, Erde oder Lehm und Kochsalz, welches bei der Analyse einiger Guano's gefunden wurde. Ich selbst habe 30 Procent Sand fast ohne eine Spur Ammoniak in einer unfruchtbaren nach England eingeführten Guano-Sorte gefunden. Die Peruanischen und Bolivischen Guano's enthalten ausserdem 20 bis 30 Procent phosphorsauren Kalk, denselben Stoff wie das Knochenmehl; derselbe ist aber von den Vögeln in eine breiige Masse verarbeitet und lässt sich daher, obgleich in

Wasser unauflöslich, durch die Pflanzenwurzeln doch leicht einsaugen, und von ihren Organen, um diesen Ausdruck zu brauchen, leicht verdauen.

Somit glaube ich ohne Bedenken folgende Behauptung hier aussprechen zu dürfen: Sobald man diese ächten Guanos in verständiger Weise gebraucht, und ihnen das Doppelte oder Dreifache ihres Gewichts Mergel oder kohlensaure Kalkerde beimischt, um das auflösliche phosphorsaure Ammoniak in Knochenerde zu verwandeln, besonders wenn die Guano's viel freies Ammoniak enthalten: so wird sogar auf unfruchtbarem Lande eine solche Aernte sich ergeben, wie sie der Landwirth bei den gewöhnlichen Düngungsmitteln auch dem vollkommen veredelten Boden nicht abgewinnen könnte. Den westindischen Pflanzern wird sich der Guano als die grösste Wohlthat erweisen, da er leicht zu transportiren und anzuwenden ist und ihnen die Mittel bereitet, ihren erschöpften Zuckerfeldern in derselben Weise Fruchtbarkeit wieder zu ertheilen, wie er die armen Hochebenen Peru's befruchtet hat.

Indem ich die genaueren Analysen für die spätere Darstellung aufbewahre, bringe ich folgendes als das Durchschnitts-Resultat derjenigen Analysen, die ich an ächtem Guano mit Rücksicht auf dessen landwirthschaftlichen Werth anstellte:

I. Stickstoffhaltiger organischer Stoff, welcher harnsaures Ammoniak enthält und 8 bis 17 Procent Ammoniak bei langsamer Zersetzung dem Boden ertheilt	50.0
Wasser	11.0
Phosphorsaurer Kalk	25.0
Ammoniak, phosphorsaure Bittererde, phosphorsaures Ammoniak und kleesaures Ammoniak, welches 4 bis 9 Procent von flüchtigem Ammoniak enthält	13.0
Kieselartiger Stoff, von den Vögeln mit der Nahrung aufgenommen	1.0
	100.0

Andreas Ure,
Professor der Chemie.

Als Beilage zu Hrn. Ure's Bericht werden die folgenden mit dem Guano bei verschiedenen Aernten angestellten Versuche von Nutzen seyn. Sie zeigen das Resultat seiner Anwendung und in einigen Fällen auch die Art seines Gebrauchs; sie geben ferner offen liegende Zeugnisse zu Gunsten dieses Düngers, welche in verschiedenen öffentlichen Blättern erschienen.

Hiezu sind noch einige Versuche hinzugefügt, welche dem Publikum noch nicht vorgelegt worden sind; zugleich auch einige Zeugnisse über die nützlichen Eigenschaften des Guano, die man aus Westindien erhielt.

Nr. 1.

Bericht über drei Versuche in Betreff des Baues schwedischer Rüben, welche 1842 in der Grafschaft Somerset im Kirchspiel Wraxall angestellt wurden.

Natur des Bodens.	Vorhergegangene Aernte.	Beschaffenheit und Gewicht des Düngers per Acker.	Kosten des Düngers per Acker.	Zeit des Säens.	Wie oft und in welcher Quantit. gesät wurde.	Wie oft das Land noch bearbeitet wurde.	Krankheiten.	Zeit der Aernte.	Besäter Boden.	Gewicht der Rüben. per Acker nach dem Beschneiden derselben	Kosten des Düngers per Tonne nach d. Netto-Ertrag.
Leichter Lehm auf Kalkstein bei hoher ausgesetzter Lage.	Weizen	247 Pfund Guano gemischt mit 247 Pf. Dammerde 123 „ gestossener Holzkohle	Liv. Sh. Pce Guano zu 14 Schillg. per Centn. 1 10 10 Holzkohle u. s. w. 0 5 0 1 L 15 S 10 d	Am 18. Mai gedrillt.	Einmal $2\frac{1}{2}$ Pf. Einsaat p. Acre.	Mit der Hacke dreimal und mit der Hand zweimal gejätet.	Leichter Mehltau zuerst im Anfang August bemerkt	Vom 10—16 Nov.	3 Ruthen 25 Pearch	Tonnen 17 und 468 Pfund	2 Schill. 1 Penny.
Ditto.	Ditto.	20 Tonnen Stalldünger.	Dünger zu 5 Schilling die Tonne 5 Liv. Sterl.	Ditto 18. Mai.	Einmal $2\frac{1}{2}$ Pfd. per Acker. *	Ditto.	Ditto.	Ditto.	3 Ruthen 20 Pearch	Tonnen $16\frac{9}{10}$ und 29 Pfund	5 Schill. 11 Pence.
Ditto.	Hafer.	32 Buschel Knochenmehl.	Knochenmehl zu 23 Schill. p. Quarter 4 Liv. 12 Schilling.	Ditto 25. Mai.	Einmal $2\frac{1}{2}$ Pfd. p. Acker	Ditto.	Ditto.	Ditto.	39 Pearch	Tonnen $15\frac{17}{20}$ 65 Pfund	5 Schill. $9\frac{1}{2}$ Pen.

* Als einige Reihen nicht keimten, wurden Pflanzen aus dem mit Guano gedüngten Stück gesetzt.

Der Guano-Dünger wurde in Furchen gelegt, mit dem Pfluge bedeckt und der Samen darauf gedrillt.

☞ Auf Seiten 49 und 50. Die Reduction der englischen Münzen, Maase und Gewichte.

Nro. 2.

Abschrift eines Briefes von Sir Thomas Fowell Buxton.

Mein Herr! Ich gebe Ihnen mit vielem Vergnügen einen Bericht von dem Versuche, den ich vergangenes Jahr mit Guano angestellt habe.

Die Thatsachen sind sehr einfach; ein Freund überredete mich, die Wirkung dieses Düngers im Vergleich mit Russ zu versuchen, welcher bisher als der beste Dünger für Gras zu gelten pflegte.

Guano wurde im Verhältniss zu 2 Centnern per Acker aufgestreut, Russ, so weit ich mich erinnere, zu 4 Ctr.; hiebei bin ich aber von der Gewissheit zweier Thatsachen überzeugt: beinahe dieselbe Summe ward auf den Ankauf von Guano und von Russ verwandt und beide wurden auf dasselbe Feld und auf zwei Abtheilungen Land gebracht, welche, soweit man dies beurtheilen konnte, ganz dieselbe Beschaffenheit zeigten. Das Resultat war, dass das Produkt einer mit Russ bedüngten Ruthe 56 Pfund, dagegen 114 Pfund bei Anwendung des Guano betrug.

Unsere Landwirthe waren Zeugen dieses Resultates; einige derselben waren früher gegen den Guano eingenommen, andere dagegen ihm günstig; Alle aber stimmten sowohl in Betreff des Versuches, wo auf beiden Seiten sich gleiche Bedingungen vorfanden, wie in Betreff des Resultates überein.

Ich bin u. s. w.

Nr. 3.

Bericht von vier Versuchen beim Bau des Weizens, welche in der Grafschaft Somerzet und im Kirchspiel Wraxall 1842 angestellt wurden.

Beschaffenheit des Bodens.	Frühere Aernte.	Eigenschaft des Dungers u. dessen Quantität per Acker.	Kosten des Düngers per Acker.	Zeit des Säens.	Fläche des besäeten Bodens.	Weizen per Acker.	Stroh per Acker das Duzend Bunde zu 84 Pfund.	Bemerkungen.
Nr. 1. Unfruchtb. Land, leichter Lehm, steinig, auf Kalkfelsen, hohe und ausgesetzte Lage.	Kartoffeln.	Guano: 300 Pfund.	Zu 14 Schilling der Centner 1 Liv. 17 S. 6 d.	Februar.	Ruthen 1. Ellen 20.	$34\frac{1}{2}$ Bushel	32 Duzend	Guano wurde gestreut. nachdem die Saat in Reihen gesäet und zugleich eingeegget war N. 1, 2, und 3. War zur Kartoffel-Pflanzung gut gedüngt, in gutem Stande und ziemlich rein, obgleich an sich armer Boden.
Nr. 2. Ditto.	Ditto.	Stall-Dünger 12 Tonnen.	Zu 5 Schilling die Tonne 3 Liv. Sterl.	Ditto.	Ruthen 2	34 Bushel	26 Duzend	
Nro. 3. Ditto.	Ditto.	Knochenmehl 20 Bushel.	Zu 23 Schilling das Quarter 2 Liv. 17 Schillg. 6 Pence.	Ditto.	Ruthe 1 Ellen 20.	$28\frac{1}{2}$ Bushel	23 Duzend und 3 Bunde	
Nr. 4. Ditto.	Sommerbrache.			Ditto.	Ruthen 3 Ellen 12	$20\frac{1}{2}$ Bushel	16 Duzend und 4 Bunde	Nr. 4 sehr rein.

NB. All dies Land war zum Einsäen des Weizens im Herbste zugerichtet, allein die Witterung gestattete die Einsaat nicht vor dem Februar.

Nr. 4.

Schwedische Rüben und Weizen.

Wir geben hier folgenden Bericht über Versuche mit Guano, welche Herr Daniel Banton aus Seisdon angestellt hat:

„Ich habe Guano und Salpeter*) als Dünger für Weizen und Rüben (Turnips) in ziemlicher Ausdehnung dieses Jahr gebraucht, wovon ich die den Weizen betreffenden Einzelnheiten mehr unten mittheilen und hier nur in Bezug auf Rüben bemerken will, dass Guano sich als ein wirksamer Dünger herausstellt. Ich habe ihn sowohl bei gemeinen wie bei schwedischen Rüben angewandt; er scheint in beiden Fällen guten Erfolg zu haben. Ein Theil des Feldes mit schwedischen Rüben erhielt während des Winters eine halbe Düngung mit Schaafmist, jedoch nicht von der besten Art, welcher sogleich eingepflügt wurde, bevor Kämme darauf gemacht waren. Ich hatte die Oberfläche kaum mit einem Centner Guano, auf den Acker berechnet, bestreut; der andere Theil des Feldes war mit thierischen Abfällen gedüngt. Die schwedischen Rüben kamen nicht früh, wuchsen aber schnell und verhiessen eine reiche Aernte. Derjenige Theil, worauf Guano angewandt wurde, ist eben so gut wie der andere und von Mehlthau vollkommen frei. Ich düngte auch mit einem Centner Guano eine Anpflanzung von Frühwicken, konnte jedoch keine Wirkung bemerken.“

Folgende Düngungen wurden auf einem Felde von ziemlich guter Beschaffenheit bei Seisdon innerhalb des Bezirks der Ackerbau-Gesellschaft von Stewponey (Grafschaft Stafford) versucht. Der Boden war leicht-

---

*) Unter diesem Salpeter wird peruanischer, d. h. Natron-, oder Soda-Salpeter verstanden. Seit der Einführung des Guano ist dieser Salpeter schon sehr im Preise gefallen.

sandiger Lehm, welcher gewöhnlich Rüben- und Gerstenland genannt wird; die tiefer liegende Schicht bestand aus kiesigem auf rothem Sandstein auflagerndem Sande. Das Feld neigte sich ein wenig nach Nordwesten, enthielt ein Jahr alte Kleewurzeln, war aufgepflügt und in sieben Zoll weiten Reihen mit weissem Weizen am 19. Oct. 1841 eingesäet, und zwar im Verhältniss von $2\frac{1}{2}$ Bushel auf den Acker, 38 Quarts auf den Bushel. Die Weizenpflanzen waren den Winter durch dick und stark, und, als der Dünger angewendet wurde, ziemlich vorgerückt für die Jahreszeit.

„Am 23. April wurde ein Feld in 6 Abtheilungen mit einer Kette genau ausgemessen; jede Abtheilung betrug $\frac{1}{8}$ Acker; alsdann wurde in folgender Weise gedüngt:

Nr. 1. mit Guano, $1\frac{1}{4}$ Centner per Acker,
„ 2. mit Guano und Salpeter zu gleichen Theilen, $1\frac{1}{4}$ Centner zusammen per Acker,
„ 3. mit Salpeter, $1\frac{1}{4}$ Centner per Acker,
„ 4. mit weissem ätzenden Kalk, im Verhältniss von 4 Tonnen per Acker,
„ 5. mit Kalk und Salz, im Verhältniss zu 5 Ctr. Salz und 10 Ctr. Kalk per Acker; die Mischung hatte 1 Woche vor der Düngung stattgefunden,
„ 6. ohne Düngung.

„Zehn Tage lang nach der Düngung fand kein Regen statt; die Tage waren gewöhnlich heiss und die Nächte kalt. Sieben Tage nach dem ersten Regen wurde in den Abtheilungen 1, 2 und 3, wo der Salpeter und der Guano gebraucht war, ein kleiner Unterschied in der Farbe bemerkbar; am 16. Mai ergab sich auf diesen Abtheilungen ein auffallender Unterschied gegen das übrige Feld; da wo Salpeter gebraucht war, zeigte sich das dunkelste Grün; dann folgte in der Farbe der Theil des Feldes mit Salpeter und Guano; der Theil mit Guano endlich zeigte das helleste Grün von den dreien. Da wo Kalk allein und Kalk und Salz gelegt war, äusserte sich keine sichtbare Wirkung. Vom Mai an bis zur Zeit, worin der Weizen in Aehren schoss, welches zugleich auf allen Theilen des Feldes geschah, liessen sich die Abtheilungen Nr. 1, 2 und 3 vom Auge in beträchtlicher Entfernung unterscheiden.

Herr Banton bemerkt ferner: „der Rost, welcher sich allgemein in der Gegend verbreitet habe, sey nur in den Abtheilungen 1, 2 und 3 zum Vorschein gekommen, besonders auf derjenigen, auf welcher der Salpeter allein ausgestreut worden war. Er ist der Meinung, dass weisser Weizen dem Roste mehr ausgesetzt ist als rother; jedoch wird der Ertrag nur selten dadurch beeinträchtigt.

„Das Korn wurde mit Sicheln am 12. August geschnitten und das Produkt jeder Abtheilung besonders eingebracht und gedroschen.

Das Resultat war Folgendes:

Nr.	Produkt an Weizen.		Stroh.	Gewicht des Weizens per Bushel.	Stroh per Acker.			Weizen per Acker.
	Bush. *)	Pecks.	Pfund.	Pfund.	Ctr.	Quart.	Pfd.	Bushel.
1	5	2½	479	62	34	0	24	45
2	5	2	428	62	30	2	8	44
3	5	0½	436	62	30	2	16	41
4	5	1¼	426	62	30	2	6	42½
5	4	3½	326	62	23	1	4	39
6	4	3½	326	61½	23	1	5	39

„Ich habe das beim Schwingen neben den Haufen gefallene Getreide nicht berechnet, dessen Betrag sehr unbedeutend war und kaum ein Quart bei jeder Abtheilung betrug. Wie es scheint, brachte Kalk und Salz keine andere Wirkung hervor, als dass es beim Bushel das Gewicht um ein halbes Pfund steigerte. Vielleicht scheint es sonderbar, dass jede Abtheilung in den fünf

*) Imp. Bushel zu 32 Quarts.

ersten dasselbe Gewicht darbot; diess war jedoch der Fall. Der Salpeter und der Guano wurden von den Importeurs unmittelbar gekauft und waren ohne Zweifel ächt; vom Salpeter kostete der Centner 24 Schilling 6 Pence; vom Guano 20 Schillinge. Die Kosten des Kalks betrugen 12 Schill., des Salzes 19 Schill. per Tonne, mit Ausnahme des Transportes.

Allgemeine Uebersicht.

Dünger.	Kosten des Düngers auf d. Acker mit Inbegriff des Transports.	Erhöhter Werth des Strohs auf d. Acker von 2 Schill. 6 P. der Centner.	Vermehrter Werth der Frucht auf d. Acker zu 7 Schill. jed Bushel.	Allg. Vermehrung d. Werthes der Aernte auf den Acker.	Netto-Ertr des Ackers nach Abzug der Kosten des Düngers.	Verlust auf den Acker nach Abzug der Kosten des Düngers.
	£. s. d.	*£. s. d.*	*£. s. d.*	*£. s. d.*	*£. s. d.*	*£. s. d.*
Guano	1 7 6	1 7 0	2 2 0	3 9 0	2 1 6	
Salpet. u. Guano	1 10 3	0 18 2	1 15 0	2 13 2	1 2 11	
Salpet.	1 13 0	0 18 4	0 14 0	1 12 4	. .	0 0 8
Kalk	3 8 0	0 18 2	1 4 6	2 2 8	. .	1 5 4
Kalk und Salz	0 14 0	0	0	. .	. .	0 14 0

(*£.* bedeutet Pfund, *s.* Schilling, *d.* Pence.)

„Diese Uebersicht beweist nach meiner Meinung deutlich genug, dass die Kosten des Kalkes und des Salpeters, so wie überhaupt die der meisten Düngerarten, mit dem Preis des Getreides verglichen im Verhältniss zu hoch sind, und ohne bedeutende Herabsetzung zu landwirthschaftlichen Zwecken nicht mehr gebraucht werden können.“

Aus den Erfahrungen dieses geschickten Landwirths ergiebt sich das Resultat, dass Guano die bedeutendste Vermehrung des Ertrages, sowohl in Betreff des Strohes wie des Kornes, zu den geringsten Kosten bewirkt hat. Er beklagt sich, die Kosten des Kalkes und des Salpeters und fast aller Düngerarten seyen im Verhältniss zu hoch; wie ersichtlich ist, hat er bei den genannten

Experimenten 20 Schill. für den Centner Guano bezahlt. Gegenwärtig aber wird der Centner zu 14 Schill. geschätzt, und kann, wie wir hören, in Worcester zu diesem Preise oder zu einem noch niedrigeren erstanden werden, wenn eine grössere Menge genommen wird. *) Indem wir desshalb den Ctr. Guano zu 14 Schill. setzen, zeigt sich das Resultat (in Betreff des Transportes machen wir denselben Anschlag wie Herr Banton, wobei wir voraussetzen, dass die Kosten, den Guano als Dünger aufzutragen, mit inbegriffen sind), dass für 20 Schill. Guano auf den Acker 6 Bushel oder 2 Säcke mehr als den Durchschnitts-Ertrag von Nr. 6, wo kein Dünger war, und 11 Centner mehr Stroh liefert oder einen Netto-Gewinn von 2 Pfund Sterling 9 Schilling per Acker gibt, und zwar nach der Verminderung, die nach unserer Meinung in dem Preise des Guano statt fand, wodurch in den Kosten seiner Anwendung eine Differenz von 7 Schillinge 6 Pence per Acker sich ergiebt. Wir hielten es für zweckmässig, diese Thatsachen unserm landwirthschaftlichen Publikum darzulegen.

Die folgenden Versuche sind aus dem brittischen Magazin für Landwirthe (*British Farmer's Magazine. Ridgways*, London.) entnommen.

Nr. 5.

G r a s.

„Ich machte mit Guano einen Versuch auf zwei Feldern mit Gras, ohne diesen Dünger unterzupflügen, und zwar 2 Centner auf den Acker. Das trockene Wetter war ungünstig, allein dennoch war eine volle Aernte

*) Der Preis des ächten Guano ist jetzt auf 10 bis 12 Schill. für den Centner, je nach Abnahme der Quantität, festgesetzt.

auf dem einen Felde das Resultat. Das andere Feld begoss ich gehörig mit einem Wasserkarren. Ich erhielt eine vierfache Aernte, und jetzt (am 12. Decbr. 1842) steht das Gras so dicht, indem der Winter noch gelinde ist, dass mein Vieh es nicht gänzlich aufzehren kann." (*Brief von W. Turner. Haslingden, Lancashire.*)

Allgemeine Experimente.

„Zuerst habe ich die Wirkungen des Guano als eines höchst fruchtbaren Düngers bei frühen Kartoffeln beobachtet; als ich etwas Guano um die Schösslinge gelegt hatte, bald nachdem dieselben aus dem Boden hervorgekommen waren, liess sich eine grössere Ueppigkeit des Wuchses am Stengel einige Tage später bemerken; als ich noch ein wenig Guano hinzugefügt hatte, bevor ich die Kartoffeln nach dem gewöhnlichen Verfahren anhäufelte, erstaunte ich, nachher an den mit Guano gedüngten Stengeln bereits essbare Kartoffeln zu einer Zeit zu finden, worin die nicht so behandelten sich kaum gebildet hatten; alle waren übrigens von derselben Saamenart und zugleich gepflanzt. Alsdann brauchte ich Guano bei Kartoffeln, die bereits ausgegraben werden konnten, deren Laub das Grün schon verloren hatte, und durch seine Färbung die Reife der Wurzel anzeigte; wenige Tage zuvor war das Grün, das Zeichen des Wachsthums, schon verschwunden; beim Ausgraben fand man, dass die Kartoffeln nicht allein grösser waren, sondern dass auch ein Nachwuchs von kleinen und sehr zahlreichen Knollen in Folge der Anwendung des Guano sich ergeben hatte. Diese Kartoffeln waren zur Zeit der Einsaat mit gewöhnlichem Dünger gelegt worden."

Kartoffeln. — „Ich habe auch mit Guano allein, im Verhältniss von 2 Centnern auf den Acker, einen

Versuch angestellt. Er ward in Rillen angebracht und auf der einen Seite wurden Kartoffeln mit reichem Compostdünger von Erde und Mist, auf der andern mit Salpeter in derselben Quantität gepflanzt. Die Aernte war zwar durchweg ausserordentlich ergiebig und wurde für die reichste gehalten, welche in diesem Theile des Landes jemals vorgekommen war. Während des Sommers und Herbstes zeigten aber die Stauden der mit Guano und Salpeter gedüngten Kartoffeln ein viel dunkleres Grün und einen üppigeren Wuchs als die andern; auch bin ich der Meinung, dass die Guano-Rillen bei der Aernte die besten, die mit Salpeter gedüngten an Güte die nächsten waren, wie ergiebig auch die Aernte auf dem ganzen Felde seyn mochte. Die Knollen der Ersteren waren grösser; einige betrugen sogar 3 Pfund an Gewicht und es fanden sich keine kleine. Das Land war zur Zeit der Einsaat sehr gereinigt, jedes Unkraut ausgerottet; zweimal ward mit dem Pflug und mit der Hand gefelgt und später gehäufelt. Sogleich nach dem Einbringen der Aernte wurde das Feld wieder mit Weizen besät, welcher gegenwärtig sowohl auf dem mit Guano und Salpeter gedüngten Theile, wie auf dem andern sehr gut steht."

Rüben. — „Mein nächster Versuch mit Guano betraf die Rüben. Ich liess ihn vor der Einsaat leicht in Rillen einlegen; daneben wurde Stalldünger, im Verhältniss von 20 Tonnen auf den Acker, auf gutem lehmigem Boden, in tiefen Rillen angebracht. Die Schösslinge der Rüben mit Guano waren nicht allein grösser und regelmässiger, sondern auch das Laub derselben frisch und grün, nachdem es bei einem grossen Theil der andern verwelkt war. Auch ergab sich der Ertrag als bei weitem besser, wie auf den andern Theilen des Feldes. Hiebei muss ich noch erwähnen, dass ich neben den mit Guano gedüngten Reihen auch einige wenige ohne Dünger besät hatte, nur um den Unterschied zu erkennen. Die Saat bildete allerdings

Schösslinge, allein dabei blieb's; die Rüben kamen nicht weiter und waren nicht einmal die Arbeit des Behackens werth. Auf meine Anweisung zerkrümelten die Mägde etwas Guano und legten ein wenig um jede kränkliche Pflanze; als ich einige Tage später das Feld wieder in Augenschein nahm, erstaunte ich über den stattgefundenen Wechsel: die Rübenblätter waren so schnell gewachsen und hatten sich so bedeutend ausgebreitet, dass sie in der Reihe aneinander reichten; seitdem haben sie zur Ueberraschung aller, die mit den Thatsachen bekannt waren, eine sehr gute Aernte geliefert."

Weizen. — „Der einzige weitere Versuch, den ich mit Guano auf dem Felde machte, betraf den Weizen. Der Guano ward mit Dammerde gemischt und vor der Einsaat untergepflügt. Der Weizen ging sehr gut auf und zeigt jetzt eine schöne Farbe, so wie das eigenthümliche Wogen, welches eine gute Aernte verheisst."

Aepfelbäume. — „Ich pflanzte mehrere Aepfelbäume, und legte zugleich eine Pinte Guano an die Wurzel eines Jeden; alle wuchsen sehr gut. Obgleich wir vergangenes Jahr die Bäume, mit Ausnahme zweier, weil sie zu jung waren, nicht tragen liessen, so ergab sich die bemerkenswerthe Thatsache, dass sie sämmtlich zweimal dies Jahr blüheten; die beiden Bäume, die wir tragen liessen, blüheten zur selben Zeit, wo die Aepfel reif waren. Auch die Himbeerbüsche, welche mit Guano gedüngt waren, blüheten noch einmal, nachdem sie Früchte getragen hatten."

„Nach der von mir in Betreff des Guano gemachten Erfahrung halte ich ihn für Kartoffeln besonders geeignet (bei denen er zu zwei verschiedenen Zeiten aufgetragen werden sollte), ebenfalls für Rüben und Kohl und für Gemüse im Allgemeinen. Besonders zweckmässig halte ich auch seine Anwendung in gebirgigen Gegenden, wo der Gebrauch von Fuhrwerken unmöglich ist. Ein Einzelner kann nämlich so viel auf seinem Rücken tragen, wie für die Düngung eines halben Ackers genügt. Viele Andere, welche den Guano im vergangenen Sommer anwandten, haben dieselbe Erfahrung gemacht und sämmtlich ihre hohe Meinung über die Vorzüge dieses Düngungs-Mittels ausgesprochen.“ (Brief von Robt. Bell. Listowel, County Kerry.)

Nr. 6.

Hafer, Kartoffeln und Rüben.

An die Landwirthe von Galloway.

„Meine Herren! Indem ich über diesen Gegenstand zu Ihnen rede, bin ich mir sehr wohl bewusst, dass Mehrere von Ihnen damit besser bekannt sind, als es bei mir der Fall ist; sollten jedoch meine Versuche Einigen von Ihnen Interesse oder Belehrung gewähren, so ist mein Zweck erreicht; gegenwärtig nämlich halte ich es für die Pflicht eines Jeden, welcher das Wohl der Ackerbau treibenden Klasse im Auge hat, dass er sein Scherflein an Erfahrung, wie unbedeutend es auch seyn mag, zur allgemeinen Kenntniss beiträgt. Auch bin ich vollkommen überzeugt, dass die Geschicklichkeit und der Unternehmungsgeist der schottischen Landwirthe denselben grösseren Schutz gegen fremde Concurrenz, als Beschlüsse der Gesetzgebung ertheilen werden.

„Die Versuche wurden mit Hafer, Kartoffeln und Rüben angestellt.

1. *Hafer*. Auf einem Felde, welches im Jahr 1841 Grünfutter trug, übrigens nur ganz leicht gedüngt war, schied ich vier Abtheilungen, jede von einem Acker, aus, welche in Betreff des Bodens u. s. w. einander vollkommen gleich waren. Auf einen dieser Aecker brachte ich 2¼ Ctr. Guano, auf einen anderen 150 Pfd. Salpeter; an jeder Seite der beiden liess ich einen Acker ganz ohne Dünger. Das ganze Feld

ward mit Hafer besät. Der Guano und der Salpeter wurden beide breitwürfig gesäet und mit dem Saamen untergeeggt; der Guano wurde übrigens mit ein wenig feuchtem Torfstaub untermischt, damit man ihn besser ausstreuen und verhindern konnte, dass er vom Winde fortgeweht würde. Der Guano-Acker zeigte ein besseres Grün und stärkere Halme, so wie die Saat aufging, und verhiess schon den ganzen Sommer hindurch eine bessere Aernte. Der Hafer reifte hier drei oder vier Tage früher wie auf dem übrigen Felde. Der mit Salpeter bestreute Acker zeigte auch stärkeren Wuchs als das andere Feld; der Hafer reifte auf ihm drei oder vier Tage später als auf letzterem, und eine Woche später als auf dem Guano-Acker. Nach einer sorgfältig angestellten Prüfung ergab sich als Produkt

Guano:	74	Bushel	Hafer;	2	Tonnen	8	Cent	0	Quarter Stroh.
Salpeter;	53½	—	—;		—		—		— —
Ungedüngt:	51½	—	—;	1	—	11	—	1	— —

Durch Versehen wurde das Gewicht des Strohs vom Salpeterfeld nicht aufnotirt. Das Gewicht des auf dem Guano-Acker geärnteten Hafers betrug im Bushel $^1/_4$ Pfund weniger als bei dem mit Salpeter gewonnenen, und das des letzteren um $^1/_2$ Pfund weniger als beim Hafer vom ungedüngten Acker. Die Gewichte betrugen $36^1/_2$, $36^3/_4$ und $37^1/_4$. Die Düngungskosten auf den Acker waren bei dem gegenwärtigen Preise des Guano und Salpeter ungefähr gleich, nämlich 27 Schillinge. Das Feld ist jetzt mit Raygras besät und bisher kein Unterschied bemerkbar.

2. *Kartoffeln*. „Ich pflanzte Kartoffeln einer und derselben Gattung, an einem und demselben Tage und auf durchaus gleichem Boden, gebrauchte dabei guten Stalldünger 75 Karren per Acker, Guano zu 6 Centnern und Kohle zu 2 Tonnen. Die Karren mit Dünger wurden nicht genau gefüllt, da der Düngerhaufen dicht in der Nähe war. So weit ich bemerkte, mochten

die 75 Karren etwa 50 Cubik-Ellen ausmachen. Bald zeigte sich der Guano als das vorzüglichste und billigste Dung-Mittel und gab den Pflanzen ein durchaus verschiedenes Ansehen, namentlich ein viel dunkleres Grün; Stalldünger jedoch bewirkte einen längeren Wuchs, während die Kohle anfänglich einen beschränkteren und ungesund erscheinenden brachte. Das Produkt war folgendes:

Stalldünger:	31 Bolls,	8 Centner auf den Boll.
Guano:	25	—
Kohle:	20½	—

3. *Rüben.* „An einem und demselben Tage säete ich schwedische Rüben auf gut verrottetem Dünger zu 60 Karren (40 Cubik-Ellen) per Acker; auf Guano zu 4 Centner auf den Acker; auf Kohle zu 1½ Tonnen, und auf Knochenmehl zu 30 Busheln per Acker. Die Guano-Rüben gingen zuerst auf, standen am dichtesten und lieferten die besten Schösslinge; sie konnten drei Tage früher versetzt werden, als die übrigen. Bei den Rüben auf Knochenmehl konnte dies sechs Tage später, als bei denen auf Guano, und drei Tage später wie bei den übrigen geschehen. Dieser ihrer Langsamkeit im Wuchs war vielleicht der Umstand hauptsächlich zuzuschreiben, dass die Aernte schlecht ausfiel; man wird sich erinnern, dass der Sommer ausserordentlich trocken war; nur diejenigen Rüben, welche zuerst den Boden bedeckten, hatten die Feuchtigkeit im Boden erhalten, ausserdem fanden sich auf dem mit Knochenmehl bepflanzten Theile mehrere leere Stellen, und obgleich letztere durch Setzlinge sorgfältig wieder ausgefüllt wurden, so verhinderte dennoch die Dürre, dass ein gutes Resultat sich hieraus ergab. Das Produkt auf den Acker betrug:

Guano	17 Tonnen	4½ Centner
Kohle	15 —	19½ —
Dünger	15 —	10½ —
Knochenmehl	15 —	0 —

Dieser Ertrag ist jedenfalls nicht sehr gross; die aussergewöhnliche Dürre des Sommers und Mehlthau verhinderten, dass die Aernte zu derjenigen Reife gelangte, welche sonst eingetreten seyn würde.

„Ich versuchte auch die Mischungen der verschiedenen Düngerarten, d. h. Stalldünger und Guano, Stalldünger und Kohle, Stalldünger und Knochenmehl, Guano und Kohle, Guano und Knochenmehl u. s. w., jedoch in keinem so grossen Maasstabe, dass derselbe eine genügende Beweisprobe hinsichtlich des Productes hätte bieten können. Wo jedoch immer Guano einen Theil der Mischung bildete, zeigten die Rüben stets ein viel dunkleres Grün und die Pflanzen kamen regelmässiger und dichter und wuchsen schneller heran. Letzteren Umstand betrachte ich als einen höchst wichtigen. Hat man gute Setzlinge einmal erlangt, so ist die Gefahr in Betreff des Misslingens gröstentheils überwunden.

„Die Art, Guano bei obigen Rüben anzuwenden, bestand in einer Vermischung mit Asche (Torfasche), im Verhältniss von 10 Pfund Guano auf ein Bushel Asche; die Mischung wurde in die Rillen mit der Hand gestreut, nnd dann auf gewöhnliche Weise bedeckt. Die Mischung sowohl in Betreff der Qualität als der Quantität, halte ich für unwichtig, mit Ausnahme des einen Umstandes, dass man alsdann den Guano besser streuen kann, und dass die gebrauchte Menge dem Ausstreuenden bequemer war; die Masse des Knochenmehls, der Kohle und des Guano wird dann ziemlich gleich. Ausstreuen durch Maschinen möchte ich beim Guano nicht empfehlen, eben so wenig wie das Verfahren, ihn in solcher Weise niederzulegen, dass man so viel die Hand zu fassen vermag hinwirft. Nach meiner Meinung wird er stets dem Zwecke um so mehr entsprechen, je mehr er mit dem Boden gemischt wird.

„Alle diese Versuche wurden auf leichtem trockenem

Boden mit sandigem oder kiesigem Untergrund angestellt.— Jedenfalls spreche ich hier nur vom schottischen Acre.

Folgende Tafel giebt eine Uebersicht über die Kosten der nachstehenden Aernte in Betreff des Düngers, nach Tonnen und Acker berechnet. Den Preis des Guano setze ich in solcher Weise an, wie man jetzt den besten bekommen kann, auf 12 Schillinge für den Centner mit Inbegriff der Fracht und des Fuhrlohns. Kohle kostete vergangenes Frühjahr 55 Schill. die Tonne; Knochenmehl 2 Schill. 9 Pence das Bushel, Fuhrlohn nicht mit inbegriffen; Stalldünger kann, abgesehen vom Fuhrlohn, von den Kosten des Aufladens u. s. w., auf nicht weniger als 3 Schill. per Cubik-Elle geschätzt werden. Natürlich zeigt der Versuch nur das Resultat Einer Aernte; der Zustand des Landes in den späteren Aernten ist noch nicht dargethan; wir wissen indessen, dass der mit Dünger versehene Theil gut seyn wird, und dass der mit Knochenmehl versehene nicht schlecht seyn kann. Ohne eine besondere Vorbereitung habe ich das Ganze mit Weizen angesät; bis jetzt zeigt Alles ein gutes Aussehen. Auch habe ich Weizen auf einem brach gelegenen Lehmfelde gesät, nach Auftragung von blossem Guano zu $2\frac{1}{2}$ Centner auf den Acker; bis jetzt bietet Letzterer denselben günstigen Anschein, wie die früher gedüngte Abtheilung desselben Feldes.

	Rüben.						Kartoffeln.					
	Auf d. Acker.			Auf d. Ton.			Auf d. Acker.			Auf d. Ton.		
	£.	*s.*	*d.*	*£.*	*s.*	*d.*	*£.*	*s.*	*d.*	*£.*	*s.*	*d.*
Guano . . .	2	8	0	0	2	10	3	12	0	0	7	2
Kohle . . .	4	2	6	0	5	2	5	10	0	0	13	4
Viehdünger .	6	0	0	0	7	9	9	0	0	0	14	2
Knochenmehl	4	2	6	0	5	6		. .			. .	

„Die Tafel ist nicht genau bis auf Brüchen berechnet, wird jedoch zur Genüge bestimmt seyn, um die beabsichtigte Ansicht zu bilden.“ (*Aus dem Galloway Register.*)

Nr. 7.

Weideland und Wiesen.

In der Versammlung der Ackerbau-Gesellschaft von Preston sagte der Präsident R. Pownley Parker, er habe einige Versuche mit dem ihm sehr empfohlenen Guano-Dünger angestellt; einen Theil des so gedüngten Landes habe er zur Weide, einen andern als Wiese benützt. Der Guano ward am 28. April aufgetragen; das Land war ein schwerer Boden, und betrug 8 Acker, der Guano 3 Centner auf den Acker. Die Wirkung war beinahe sogleich in der veränderten äusseren Beschaffenheit des Landes bemerkbar; erstaunenswerth war auch die Begierde, womit das Vieh das Gras abweidete; man konnte dasselbe vom Genuss des Grases beinahe nicht zurückhalten. Ferner bemerkt Herr Parker: Er habe einen Versuch mit einer Mischung von Guano und Kohlenstaub zu 2½ Centner auf den Acker gemacht, welche der Natur eine grössere Kraft zu ertheilen und den sehr schnellen Wuchs des Grases zu befördern schien. Die Kosten des Guano betrugen 10 Schill. für den Centner, des Fuhrlohns 1 Schill. 6 Pence, des Ausstreuens 1 Sch., also zusammen für die bei jedem Acker angewandte Masse 2 Liv. 10 Schill. 6 Pence. Die Aernte überstieg jede Erwartung, sowohl an Menge wie an Beschaffenheit. Die Mäher erklärten, nie etwas Aehnliches bemerkt zu haben. Auf demselben Felde war ein Versuch mit gehörig verrottetem Vieh-Dünger angestellt, 30 Tonnen auf den Acker, allein das Resultat des Guano hatte sich als das günstigere ergeben. Ausserdem war zu bemerken, das die Guano-Gräser von saftigerer Beschaffenheit, wie die mit Stalldünger gezogenen, waren, so dass eine grössere Sorgfalt beim Heuen und eine längere Zeit für diese Arbeit sich als durchaus nothwendig erwies, um sich nicht der Gefahr auszusetzen, dass die aufgeschichteten Haufen sich entzündeten, ein

Fall, den Herr Parker durch eigene Erfahrung zu beobachten Gelegenheit hatte. Die Wirkung des Guano auf Weideland schien eben so wohlthätig wie auf Wiesen. (*Farmer's Magazine*, Jan. 1843.)

Nr. 8.

Gerste und Klee.

(Von Hrn. Westcar aus Burnwood, Grafschaft Surrey, mitgetheilt.)

Dünger.	Kosten auf den Acker berechnet.	Grösse des besäeten Bodens	Ertrag.	
		Perches.	Bushel	Quart.
Guano, zu 2 Centner auf den Acker	30 Shill.	5	1	7
Mist, 18 Lasten auf den Acker	90 „	5	1	3

Bemerkungen: Der Dünger wurde in Rillen mit der Gerste und dem Klee eingetragen, und von diesen wurde ein gleicher Betrag des Saamens auf jede Abtheilung des Bodens gesät. *Journal of the Royal Agricultural Society*, Vol. II. pag. 304.

Nr. 9.

Italienisches Raygras.

(Von H. Skirving aus Liverpool.)

Dünger.	Kosten auf den Acker.	Besäter Boden.	Ertrag.		
			Tonnen.	Centner.	Pfund.
Guano 3 Centner per Acker . .	42 Schilling	Vier gleiche	14	15	26
Salpeter, 3 Centner per Acker . .	60 „	Abtheilungen	14	13	37
Stalldünger, 20 Tonnen per Acker	100 „	eines Feldes.	13	2	96
Natürlicher Boden	— —		7	0	108

Bemerkung: Die Einsaat geschah am 19. Mai, die Aernte am 2. August. Der Boden war arm, etwas schwarz, dem Torf sich annähernd. Das Land wurde zuerst umgegraben, alsdann der Dünger darauf gestreut und leicht eingegraben. (*Journal of the Royal Agricultural Society*, Vol. II. pag. 304.)

Nr. 10.

Gerste und Klee.

(Von Hrn. Harriott in North-Waltham, Basingstoke.)

Guano wurde bei einiger Gerste 1840 in Norfolk gebraucht und in diesem Jahr 1841 trug der Klee, auf welchen sie gesäet worden war, eine halbe Tonne mehr ein, als auf andern Theilen des Feldes. Diese Beobachtung ist desshalb von besonderer Wichtigkeit, weil die meisten künstlichen Düngungsmittel nur auf ein Jahr Wirkung äussern. (*Farmer's Magazine*, 1842, p. 25.)

Nr. 11.

Kartoffeln.

(Von Henry Ford in Sheaf House, Sheffield.)

Dünger.	Kosten des Düngers.	Produkte zweier Kartoffelarten.	
		Rothe Kartoffeln.	Amerikan. Kartoffeln.
Guano 1 Pf. für jede Reihe, also für 5 Reihen 5 Pf.	24 Sh. 3 Pence	1 Bushel jede Reihe.	3 Pecks jede Reihe.
Salpeter 5 Pf. wie oben.	27 Sh.	2 Pecks.	2 Pecks.
Stalldünger, der Betrag nicht angegeben .	6 Sh. d. Tonne	3 Pecks.	$2\frac{3}{4}$ Pecks
Hornabfälle	12 Sh. der Ctr.	2 Pecks.	2 Pecks
Ungedüngter Boden .	—	etwas mehr als 2 Pecks	etwas mehr als 2 Pecks

Bemerkung: Das Land betrug etwas mehr als eine Ruthe und war ein leichter Lehmboden. Gesetzt wurden die Kartoffeln je zwei Augen in ein Loch, 7 Zoll von einander entfernt, in Reihen, die zwei Fuss von einander getrennt und 15 Ellen lang waren. Mit den Prinz-Regent-Kartoffeln wurde ebenfalls ein Versuch angestellt. Sie lieferten bei demselben Dünger denselben Ertrag wie die rothen. Die Kartoffeln aus der mit Salpeter und Horn gedüngten Abtheilung waren ausserordentlich rauh, die auf Guano und Stallmist dagegen zeigten eine schöne und glatte Haut.

Nr. 12.

Hopfen.

(Von Hrn. John Grane Nott aus Hadlow, Worcestershire.)

„Ich kann mit Vergnügen ein Zeugniss über die treffliche Wirkung des Guano ablegen, welchen Sie die Güte hatten, mir zu senden. Ich habe ihn auf meinen Hopfenfeldern angewandt, und um den Versuch auf gehörige Weise anzustellen, in jeder Reihe bei den Häufelchen abgewechselt; ich düngte den Stock mit einer Pinte.*) Die Wirkung war ausserordentlich. Die Stöcke, wo Guano angebracht war, zeigten üppigen Wuchs; die dazwischen liegenden und nicht so gedüngten dagegen waren kränklich und schwach.

Mein Nachbar, Hr John Winnel aus Brace's Leigh, rühmt sehr den Erfolg eines Versuches, den er mit künstlichen Weideschlägen und Hopfen anstellte. Der Guano äusserte auf beide treffliche Wirkung. Ich bin der Meinung, dass Guano den werthvollsten Dünger, den wir jemals besassen, abgeben wird, wenn man ihn zu mässigem Preise einkaufen kann.“ (*Farmer's Magazine*, Januar 1842.)

Nr. 13.

Allgemeine Versuche.

„Nachdem ich viel von Guano als Dünger gelesen und gehört hatte, fand ich mich vergangenes Frühjahr zu einem Versuche veranlasst, und beobachtete, dass derselbe in vielen Beispielen auf bemerkenswerthe Weise gelang, wie die folgenden Zeugnisse erweisen werden. Herr Lowe aus Brent machte vergangenes Jahr mit dem Guano einen Versuch, und erhielt eine reiche Aernte an Gerste und Hafer; er säete auch Klee mit der Gerste,

---

*) 1 Pinte ist ungefähr 1¼ würtemberg. Schoppen.

der sehr gut steht. Guano zeigt sich als anhaltender Dünger im Gegensatz zum Salpeter, dessen Wirkung nur nach der ersten Anwendung sichtbar ist. Hr. Spear aus der Gegend von Plymouth berichtet, dass er Guano mit Erde vermischt gebrauchte, und ihn zugleich mit dem Saamen schwedischer Rüben drillte. Da er den Dünger in zu grosser Masse anwendete, ging ein Theil der Saat zu Grunde; allein diejenigen Rüben, welche aufgingen, waren von ausserordentlicher Grösse, am 10. December noch sehr grün im Vergleich mit andern Theilen des Feldes (welche mit Knochenmehl gedüngt waren), und gaben dennoch gleiches Gewicht per Acker. Er ist desshalb von dem Vorzuge des Guano hinsichtlich der befruchtenden Eigenschaft vollkommen überzeugt. Dieser Herr beging denselben Fehler wie mehrere meiner Freunde, die den reinen Guano mit der Saat in den Acker eintrugen; derselbe war so stark, dass die vegetativen Kräfte der Saat dadurch vernichtet wurden. Das beste Verfahren besteht darin, dass man 4 Pfd. Guano mit einem Bushel Asche oder Erde mischt. Herr Shepeard aus Sutton sagt: Ich säete 100 Pfd. Guano auf ein Stück Land für Rüben in gerader durch die Mitte des Feldes gezogener Linie, und trug auf die andere Abtheilung des Feldes den besten verrotteten Dünger auf, den ich mir verschaffen konnte; der Unterschied im äusseren Ansehen der Pflanzen war so bedeutend, dass er den Landleuten allgemein auffiel; der mit Guano gedüngte Theil konnte in grosser Entfernung erkannt werden. — Hr. T. Moore aus Kingsbridge streute 50 Pfd. Guano auf 40 Ellen Grasland; das übrige Feld wurde mit gutem verrottetem Dünger versehen; der mit Guano bestreute Theil war bei Weitem der bessere, und das Vieh zog auch das dort gewachsene Gras vor; gegenwärtig ist er noch so grün, wie die schönste Wiese. — Herr W. Moore aus Kingsbridge streute eine kleine Quantität Guano zur Probe auf einen offenen Grasplatz; die mit Guano bestreute Abtheilung war mit Moos bedeckt und in schlechtem Zustande. Bevor noch das Gras der nicht so gedüngten Abtheilungen gemäht werden musste, hatte man die erwähnten Abtheilung zweimal mähen müssen. Das Moos war gänzlich getödtet und der Graswuchs bot ein treffliches Aussehen. — Diese Thatsachen wurden von sehr achtbaren Männern angegeben, welche im Süden von Devonshire sehr bekannt sind. — Ich habe Guano auch nützlich gefunden als flüssigen Dünger, indem ich ungefähr 4 Pfd. mit 8 Gallons Wasser mischte.“ (*Gardener's Chron.*, 7. Jan. 1843.)

Nr. 14.

Allgemeines.

(Von H. W. Skirving in Liverpool.)

Guano. — „Ich habe mit Vergnügen vernommen, dass dieser neue Dünger, welcher vergangenes Jahr zum ersten Mal in unserer Gegend mit günstigem Erfolge angewandt wurde, sich noch jetzt als eine der werthvollsten Dünger-Arten wieder erwiesen hat. Er wurde sowohl in trockenem wie flüssigem Zustande mit grösserer Ausdehnung in dieser Grafschaft gebraucht. Ward er zweckmässig angewandt, so ergab sich jedesmal bei Aernten jeder Art das beste Resultat. Auch erwies er sich als nachhaltiger Dünger, denn sehr gute Aernten wurden ohne irgend eine neue Düngung auf demjenigen Boden gewonnen, wo der Guano vergangenes Jahr angewandt, bereits eine gute Aernte bewirkt hatte. Ich habe Guano bei Weizen und anderem Getreide, ferner bei Gras als obere Düngung, im Verhältniss von 2 Centnern auf den Acker, mit ausgezeichnetem Erfolge gebraucht. Bei Rüben düngte ich mit 4 Centnern den Acker, und erhielt eine sehr gute Aernte; bei Kartoffeln mit 4 bis 6 Centnern war der Erfolg eben so günstig.

Für Gartenbau und Baumzucht brauchte ich den Guano im flüssigen Zustande; er übertraf in dieser Weise jeden bisher bekannten Dünger. Seine Wirkungen auf junge Obst- und Waldbäume sind erstaunenswerth; sogar diejenigen exotischen Treibhauspflanzen, denen Dünger jeder Art bisher als schädlich sich erwies, scheinen auf unerhörte Weise zu blühen, wenn sie damit begossen werden. Vier Pfund auf 12 Gallons Wasser genügt für die flüssige Form. Das Wasser muss 24 Stunden stehen, bevor es gebraucht wird; wenn man es abgiesst, lassen sich noch 12 Gallons auf denselben Guano aufgiessen!

Nr. 15.

(Abschrift eines Briefes von Robert Neilson.)

Halewood, 14. März 1843.

„Vergangenes Jahr machte ich Versuche mit Guanodünger bei Kohl, Rüben, Möhren, Mangold und Kartoffeln, im Verhältniss von 3, 5, 8 Centner auf den Acker; jedesmal wurde der Guano mit der Hand gestreut (nachdem man das Land tief gepflügt hatte), und war drei oder vier Tage vor der Saat eingeeggt worden.

„Ich befolgte dieses Verfahren, weil ich beobachtet hatte, dass die junge Wurzel, sobald die Saat in direkte Berührung mit dem Guano kam, grösstentheils durch die kräftige Wirkung des Düngers vernichtet wurde.

Durch die angegebenen Versuche gelangte ich zu dem Schlusse, dass 5 Centner guten Guano's in seiner Wirksamkeit auf jene Pflanzen zu den Kosten von 3 Pfd. Strl., 30 Tonnen Stalldünger gleich kommen, dessen Kosten, wenn er aufgetragen war, 12 Pf. Strl. auf den Acker betrugen. Ausserdem war Guano letzterem durch die Leichtigkeit seiner Einbringung und durch den Umstand überlegen, dass der Boden von dem Eindruck der

Karrenräder, welcher beim Viehdünger unvermeidlich ist, verschont blieb: ein bedeutender Vortheil bei hügeligem oder schwerem Boden.

Bei Rüben machte ich auch Versuche mit einer Mischung aus 8 Theilen Guano, 8 Theilen Knochenmehl, 2 Theilen schwefelsaurem Kalk (Gyps), 1 Theil Holzkohle, im Ganzen 5 Centner per Acker, welche in ähnlicher Weise aufgebracht wurden. Dieser Dünger erwies sich in jeder Hinsicht jedem anderen, womit ich Versuche anstellte, überlegen. Das Land, worauf letztere stattfanden, habe ich jetzt mit Weizen besät, und kann nur von der Wirkung eines einzigen Jahres sprechen; ich hege jedoch die Ueberzeugung, dass Guano beim Feldbau im Grossen, ich meine bei einer Vier- oder Fünffelder-Wirthschaft, wenn er jedes Jahr, mit Ausnahme eines einzigen, angewandt und in den Boden hineingebracht werden kann, sich als eine werthvolle und beim gegenwärtigen Preise wohlfeile Zuthat bei allen landwirthschaftlichen Operationen erweisen wird.

Als obere Düngung habe ich Guano nicht so wirksam befunden, als flüssigen Dünger oder Salpeter; das Wetter war jedoch trocken, als ich den Versuch anstellte.

Diess Jahr gebrauche ich ihn bei Rüben, Mangold, Möhren, Kartoffeln, Weizen, Gerste und Hafer, in verschiedenen Verhältnissen und in Mischungen mit Compost und Dünger verschiedener Art, wobei ich stets schwefelsauren Kalk (Gyps) anwende, und die ganze Masse vor der Einsaat gehörig in das Land hineinarbeite."

Nro 16.

Die vier folgenden Briefe und der Bericht Herrn Napier's sind aus einem von jenem Herrn geschriebenen Aufsatz über Guano entnommen, welcher einen ausgesetzten Preis erhielt.

(Brief des Hrn. Horncastle, Agent Herrn Knights, Parlmaentsgl.)

8. August 1842.

„Ich werde die Fragen in Betreff des Guano so genau wie möglich und in der von Ihnen aufgestellten Ordnung beantworten.

Die Masse des gebrauchten Guano betrug 4 Centner auf den Acker und ward in beiläufig gleicher Masse mit Holzasche untermischt. Er ward zugleich mit der Rübensaat eingedrillt, indem natürlich der Dünger etwas tiefer wie die Saat zu liegen kam. Der Boden ist kalkartig, im Durchschnitt von 5 bis 6 Zoll Tiefe; er liegt auf einem Hügel und ist somit von trockener Beschaffenheit. Die Rüben wurden auf Bälken eingesät, in Zwischenräumen von 21 Zoll. Sie wurden am 11. Juni bei sehr trockenem Wetter gedrillt; Insekten und Würmer, welche der Aernte zu schaden pflegen, zeigten sich nicht im Geringsten; diese Beobachtung betrifft jedoch auch den übrigen Theil des Feldes, welcher in verschiedener Weise behandelt wurde. Der gegenwärtige Anschein der Rüben (schwedischer), bei denen Guano angewandt wurde, ist im höchsten Grade befriedigend; die Pflanzen sind kräftig und zeigen ein dunkeles gesundes Grün.

Der daran stossende Theil des Feldes ist von derselben Beschaffenheit. Dieselbe Art von Rübsaamen wurde in Reihen eingesät, und zwar theilweise an demselben Tage; anstatt des Guano und der Holzasche wurde aber guter Stalldünger und Hornabfall angewendet.

Die Rillen wurden zuerst geöffnet und ungefähr neun einspännige Wägen guten verrotteten Düngers per Acker eingelegt. Alsdann wurden die Rillen geschlossen und 4½ Centner Hornabfalls per Acker zugleich mit dem Samen gedrillt. Die mit Guano gedüngten Rüben *gingen drei bis vier Tage früher, wie die andern auf, wuchsen schneller und sind denselben in solcher Weise überlegen, dass ein vorübergehender Fremder sie leicht unterscheiden kann.* Die Rüben wurden sämmtlich auf gleiche Weise gefelgt und gehäufelt; sind sie zur Reife gelangt, so werde ich gleichen Flächentheil ausmessen und die Knollen wiegen lassen.

Ich will über die Erfolge der nachfolgenden Aernten keine Vermuthung aufstellen; bis jetzt aber verdient Guano sicherlich den Vorzug.

Die Kosten eines mit $4\frac{1}{2}$ Ctr. Guano und Holzasche gedüngten Ackers schlage ich auf 4 Liv. Stg. 10 Schill. an, und halte die Masse und den Werth des Düngers und Hornabfalls für durchaus gleich, wobei natürlich beidesmal Arbeit und übrige Kosten in der Berechnung mit inbegriffen sind.

(Brief des Hrn. Thos. Staniforth in Hackenthorpe.)

3. August 1842.

Ich trug den Guano im Verhältniss von $2\frac{1}{2}$ Ctr. auf den Acker, mit Asche gemischt, am 1. Juni mit Rübsaamen ein. Das Feld in der Ausdehnung von zwei Ackern hat einen Boden, mit einer strengen, schweren Lehmschicht als Unterlage; vor der Anwendung des Guano befand es sich in gutem Zustande. Auf der andern Hälfte des Feldes trug ich Knochenmehl in Reihen ein, und zwar im Verhältniss einer Tonne auf den Acker und im Preise von 6 Pf. Strl. auf die Tonne. Auch trug ich guten Schaafmist auf das ganze Feld auf, im Verhältniss zu 12 Ladungen oder Tonnen auf den Acker, zum Werthe von 11 Schill. die Tonne. Die Pflanzen, bei denen Guano gebraucht wurde, haben ein besseres Aussehen, wie die mit Knochenmehl gedüngten; darf ich nach dem jetzigen Anschein schliessen, so werden sie auch ein grösseres Gewicht an Rüben produciren.

(Brief von Samuel Linley in Hackenthorpe.)

2. August 1842.

Ich mischte 12 Ctr. Guano mit ungefähr vier Karrenladungen Soda-Asche, und trug sie in Rillen mit den gewöhnlichen weissen und Dall's Bastard-Rüben am 24. Juni ein, zu einer Zeit, wo das Wetter etwas regnig war. Der Flächengehalt des Feldes beträgt 8 Acker. Der Boden ist sehr mager und arm. Ich streute den Guano auf ungefähr 5 Acker in Rillen, die 18 Zoll von einander entfernt waren; auf dem übrigen Theile des Feldes gebrauchte ich Knochenmehl (mit Asche ebenfalls vermischt), im Verhältniss einer halben Tonne auf den Acker. Die Kosten des Letzteren betrugen 7 Liv. auf die Tonne. Die Pflanzen, wo Guano gebraucht ist, haben ein bei Weitem besseres und gesünderes Aussehen, als die mit Knochenmehl gedüngten, und werden nach meiner Meinung eine bei Weitem reichere Aernte hervorbringen.

Auch muss ich noch hinzufügen, dass auf dem mit Guano gedüngten Boden kaum einige der stehenden Aernte schädliche Würmer zum Vorschein kamen, obgleich das Land sonst damit gefüllt war; auch litten die andern Theile dadurch viel Schaden.

(Brief von Hrn. Georg Woodhead aus Birley.)

12. August 1842.

Folgendes ist der Bericht über den mit Guano-Dünger bei Rüben von mir angestellten Versuch. Am 20. Mai drillte ich ihn, ohne ihn mit Asche zu mischen, im Verhältniss zu 4 Centnern auf den Acker, mit schwedischen

Rübensaamen ein. Das Wetter war damals trocken. Einige Tage später fiel Regen. Die Grösse des so gedüngten Landes bestand genau in einem halben Acker. Der Boden war sandiger Lehm mit Schieferthon als Untergrund. Die Bälken waren in der Entfernung von 24 Zoll gezogen. Auf dem übrigen Theil des Feldes trug ich gehörig verrotteten Schaafmist mit etwas Asche vermischt auf, und zwar je 14 Tonnen auf den Acker. Den Preis des Schaafmistes berechne ich wenigstens auf 10 Sch. per Tonne. Die mit Guano gedüngten Rüben gingen eine volle Woche früher als die andern auf. Sie haben immer den Vorrang behauptet, *und sind gegenwärtig beinahe noch einmal so gut, wie die andern, sowohl hinsichtlich der Grösse wie der Farbe.* Sie haben von schädlichen Würmern nicht das Geringste gelitten; beim Behäufeln bemerkten wir wenigstens keine derselben, da ich im Gegentheil bei den Rüben mit Viehdünger oft 8 oder 9 Würmer an einer Wurzel vorfand.

„Auf einer Ruthe desselben Feldes säete ich auch 14 Tage nach der Einsaat der schwedischen Rüben den Saamen gelber schottischer Rüben mit Guano nach demselben Verhältnisse in Reihen ein. Sie sind der übrigen stehenden Aernte bei Weitem überlegen, welche mit Stallmist von derselben Beschaffenheit und in derselben Menge wie die Schwedischen gedüngt wurden. Sie haben niemals durch Ungeziefer irgend einer Art Schaden erlitten, und lassen sich durch ihre Grösse und gesunde Farbe leicht von den andern unterscheiden. Ich habe heute aus blosser Neugier eine Rübe von durchschnittlicher Grösse von beiden Theilen des Feldes mit Blatt und Knolle gewogen. Das Gewicht beträgt:

	Pf.	Unzen
Schwedische Rübe mit Guano gedüngt	3	8
ditto mit Viehmist gedüngt	2	2
Demnach zu Gunsten des Guano . .	1	6

	Pf.	Unzen.
Schott. gelbe Rübe mit Guano gedüngt	3	5
ditto mit Viehmist gedüngt	1	9
Demnach zu Gunsten des Guano . . .	1	12“

„Das Resultat meiner eigenen Versuche mit Guano ist folgendes:

Am 10. Juni mischte ich einen Centner Guano mit zwei Bushel Holz-Asche, und drillte ihn zugleich mit schwedischem Rübsaamen auf einen halben Acker Land. Das Wetter zur Zeit der Einsaat war schön aber kühl. Das Land ist ein schwerer Boden, welcher auf einer unteren Schicht von strengem gelbem Lehm ruht, und keineswegs für Rüben gut ist.

„Die Tiefe des Bodens beträgt ungefähr 10 Zoll, und die Bälken liegen 24 Zoll auseinander.

„Auf dem übrigen Theil des Feldes gebrauchte ich gut verrotteten Viehdünger im Verhältniss zu 12 Tonnen per Acker, dessen Werth ich ungefähr zu 10 Shilling die Tonne schätze. Die Pflanzen auf demjenigen Theile des Feldes, wo der Guano gebraucht war, gingen schneller auf, als diejenigen, wo man Stalldünger aufgetragen hatte, boten aber zuerst kein so kräftiges Aussehen.

„Jetzt jedoch, am 4. August, sind sie den andern überlegen, und der Unterschied, sowohl in Wuchs wie Farbe, ist sehr in die Augen fallend. Gleicherweise muss ich bemerken, dass wir beim Behäufeln der mit Guano gedüngten Rüben weder schädliche Würmer noch Schnecken fanden; in den übrigen Theilen des Feldes, und sogar in der nächsten Reihe fanden sich dagegen viele derselben vor, und thaten somit auch der Aernte bedeutenden Schaden.

„Auch habe ich *während des anhaltenden trockenen*

Wetters bemerkt, dass die mit Guano gedüngten Reihen fortwährend feucht waren, während das übrige Feld durch die Hitze wie verdorrt erschien. Diess beweist nach meiner Meinung die Nützlichkeit des Guano in Betreff des Umstandes, dass er die Nässe im Boden zurückhält, und ebenfalls die Feuchtigkeit der Atmosphäre aufsaugen kann.

Ich habe ferner einen Centner Guano in gleicher Weise mit Asche vermischt auf ein Gerstenfeld in derselben Grösse breitwürfig gestreut; diess Feld war durch Schnecken so sehr beschädigt worden, dass es den Anschein bot, einige Theile seyen nicht besät gewesen. Wenige Tage nach der Düngung waren die Wirkungen auf überraschende Weise sichtbar. Die Gerste ist jetzt so weit vorgerückt, dass sie in jeder Hinsicht eine reichliche Aernte verheisst. Die Aehren sind gehörig gefüllt, und das Stroh stärker und länger wie irgend sonst auf dem übrigen Felde."

James Napier, den 4. August.

(Aus dem *Farmer's Magazine*, März 1843.)

Nr. 17.

Allgemeine Bemerkungen.

Guano wurde mit sehr grossem Erfolge auf Weizen, Klee, Gras, Kartoffeln und andere Pflanzen, sowohl exotische wie andere Gewächse angewandt.

Nachstehende Angaben eines Correspondenten des Gardener's Chronicle erweisen ihn als ein sehr werthvolles Düngungsmittel bei jeder Art von Gartenbau.

Nachstehende Beobachtungen habe ich in einem Zeitraum von 16 bis 17 Monaten angestellt, indem ich Guano, sowohl in seinem natürlichen wie flüssigen Zustande gebrauchte. Die von mir anzugebende Methode seiner

Anwendung halte ich für die beste auf meinem leichten sandigen Boden aus der Formation des rothen Sandsteins. Bei Erbsen, Bohnen, Zwiebeln u. s. w., sowie bei allen andern Pflanzen, für welche der Boden im Herbste zugerichtet wird, sollte Guano im Verhältniss von einem Pfunde auf 4 Quadrat-Ellen gebraucht, und zur Hälfte seines eigenen Gewichts mit Holzasche vermischt werden, wenn man sich letztere verschaffen kann. Braucht man Guano im Frühjahr oder zu einer andern Zeit, so muss man ihn vor dem Pflanzen oder Säen gehörig in den Boden hineinarbeiten; kömmt nehmlich der Saame während des Keimens mit dem Guano in Berührung, so ist der Reiz desselben für ihn zu stark. Für Kohlarten scheint er besonders tauglich, da er nicht allein den Trieb befördert, sondern auch das Schossen derselben verhindert. Unser Blumenkohl war dieses Jahr sehr schön, und von jenem Uebel durchaus frei, wodurch er vergangenes Jahr förmlich missrathen war. Den Grund suche ich allein in dem Umstande, dass wir Guano anstatt eines andern Düngers gebrauchten. Auch kann ich für diejenigen, welche von Schnecken belästigt werden, noch den Rath hinzufügen, dass sie diese Feinde vertreiben können, wenn sie dann und wann den Boden mit Guano bestreuen. Kartoffeln, Rüben, Lattich, kurz, jede Pflanze, bei welcher Guano gebraucht wurde, zeigen dessen wohlthätige Wirkungen. Ist die Aernte eingebracht, so werde ich einen Vergleich der Produkte des Guano und anderer Düngerarten einsenden. Wird er in flüssigem Zustande gebraucht, so genügen 4 Pfd. zu 10 Gallons Wasser, und in dieser Form ist er bei allen in Töpfen gepflanzten Gewächsen vorzuziehen; ich habe ihn bei Camellien, Pelargonien und andern mit sehr günstigem Erfolge gebraucht. Ich begiesse damit zweimal wöchentlich. Die Blätter der Camellien sind dunkelgrün und geben durch ihren Glanz den Anschein, als wären sie gewaschen; sie haben gutes Holz gebildet und zeigen Ueberfluss an Blüthenknospen für das nächste Jahr. Auch Gurken nehmen, wenn man sie zweimal wöchentlich mit der Flüssigkeit begiesst, ein gesundes, dem Guano eigenthümliches Grün an. Wir haben diesen Sommer mehrere geschnitten, die 22 bis 24 Zoll lang, im Treibhause gewachsen, und in der angegebenen Weise begossen waren. Die Ananas erhält ebenfalls durch diese Behandlung einen höchst üppigen Wuchs; ich habe jetzt ungefähr 40 mit voller, schöner Frucht, welche nicht halb so gross sein würden, wenn sie nicht zweimal wöchentlich in jener Art begossen worden wären. — Den Aufguss lasse ich 24 Stunden nach der Vermischung stehn, und brauche ihn, bevor er zu lange gestanden ist, weil sich sonst sein Ammoniak verflüchtigt."

Die folgenden Angaben über die Wirkung des Guano als Dünger erschienen kürzlich in einer Nummer des Cumberland Packet. Ein Correspondent dieses Blattes schreibt:

„Nachdem ich mit besonderer Aufmerksamkeit die Wirkungen dieses Düngers bei verschiedenen Arten der eingebrachten Aernte beachtet habe, so kann ich hierüber einen Bericht geben, und mich zugleich auf achtungswerthe Personen berufen, welche die befruchtende Kraft dieses Düngers in solcher Weise erprobt haben, dass über dessen Wirksamkeit auf Getreide, Rüben u. s. w. nicht gezweifelt werden kann.

„In diesem Jahre ward Guano vom Grafen Lonsdale auf einem seiner Güter, sowohl bei Rüben wie Raygras mit überraschendem Erfolge angewandt. Die Rüben boten eine ausgezeichnete Aernte, und das Raygras betrug um ein Drittel mehr als auf demjenigen Lande, wo kein Guano aufgetragen war.

„Herr Todd aus Tarnflat machte einen Versuch mit Guano bei Gerste, Hafer und Rüben; das Resultat war höchst günstig.

„Herr Carter in St. Bees, Hr. James Fox in High-Street, Hr. Mossop in Rottington, Hr. Hodgson in Low Walton und eine nicht unbedeutende Anzahl anderer unternehmender Landwirthe haben diess Jahr Versuche mit Guano angestellt, und sind bereit, dessen Wirksamkeit zu beweisen, indem sie sich auf die reiche und üppige Aernte berufen, welche bis jetzt noch auf den mit Guano gedüngten Feldern steht. In Betreff der Eigenschaften des Bodens, worauf Guano in diesem Distrikte versucht wurde, ist ein für allemal zu bemerken, dass der Boden jede Mannigfaltigkeit darbietet, da die Anwendung des Guano in der allergrössten Ausdehnung statt gefunden hat. Auch habe ich nicht gehört, dass der Versuch auf irgend einer Art von Boden missglückt ist. Es wurde mir kürzlich die Frage vorgelegt, ob Guano auch auf einem kalten Lande, welches im Sommer brachgelegen ist und nun mit Weizen besät werden soll, aufzutragen sey. Meine Antwort ist bejahend, und ich begründe dieselbe auf folgende Beobachtungen: Erstlich ist die Guano-Düngung bis jetzt auf jeder Art von Boden, wo sie versucht wurde, erfolgreich gewesen. Zweitens ist Guano, hinsichtlich seiner befruchtenden Eigenschaften von so anhaltender Wirkung, dass er nicht, wie andere Dünger, seine Kraft in einem Jahr verliert. Ich habe nehmlich einen Fall beobachtet, wo er 1841 mit Erfolg angewendet, seine schaffende Kraft auf demselben Boden auch dieses Jahr noch äusserte, ohne dass frischer Dünger gebraucht wurde noch seine Wirkung sich verminderte. Wie lang der Dünger seine Kraft im Boden nach seiner Anwendung behalten wird, kann allein eine längere Zeit erweisen. Für seine Empfehlung ist jedoch schon der Umstand bedeutsam, dass seine productiven Eigenschaften in der Zeit von 2 Jahren keine Verminderung erlitten haben.“

Nr. 18.

Allgemeine Bemerkungen.

Brief eines Verwalters in Cheshire.

„Aus meinen Beobachtungen über Guano will ich zuerst einen Versuch hervorheben, welcher auf einem 8 Acker betragenden Felde angestellt wurde. Dasselbe wurde mit drei Centner Guano bestreut und mit drei Bushel italienischen Raygrases per Acker am 29. April besät, und am 3. August abgemäht. Grün wog das Gras 18 Tonnen, gedörrt und zum Aufbewahren fertig 4 Tonnen per Acker. Mehreres Gras war über fünf Fuss lang; der Wuchs war so schnell, dass es fünfzig Stunden nach dem Abmähen schon wieder zur Höhe von 3⅛ Zoll emporgeschossen war. Bei dieser Thatsache halte ich es für unzweifelhaft, dass ein wenig bemittelter Landmann mit seinen 5 (engl.) Ruthen Land (1¼ Acker) seinen Haushalt mit Pflanzen-Nahrung, und seine Kuh mit Winter- und Sommer-Futter versehen, und somit seiner Familie allen Lebensunterhalt verschaffen kann. Welcher Schotte vermag ohne Bedauern die fruchtbarsten Ebenen Englands, gleichsam im Naturzustand, als sogenanntes Grasland zu erblicken, wo grosse Massen des besten Viehdüngers niedergelegt werden, und der Einwirkung der Atmosphäre ausgesetzt, durch letztere ihre Kraft zu verlieren?

„Gewiss! bei dem jetzigen Stande landwirthschaftlicher Kenntnisse sollte solches Land auf bessere Weise verwandt werden.

„Zweitens: Ein Acker Hafer, gedüngt mit einer Mischung von 2 Centnern Guano und einer gleichen Masse Gyps brachte ein mächtiges (powerful) Wachsthum hervor, aber in diesem Falle entstand Lagerung der Halme, demnach Zurückschlagen der Qualität des Strohs und der Körner. Immerhin hat sich der Guano auf einem an Dungkraft armen Boden als die beste Düngung erwiesen.

„Drittens: Sechs Centner Guano, vermengt mit einem Centner Gyps, bei Kartoffeln angewandt, gab einen Ertrag, welcher dem von 20 Tonnen guten Stalldüngers gleichkam.

„Viertens: Ein Acker gelber Rüben, mit einer Mischung von 4 Ctr. Guano und einer gleichen Masse Gyps gedüngt, gab eine Aernte von 30 Tonnen. Ein Acker mit 2 Centner Guano gemischt, gab 27 Tonnen. Die mit 4 Centner gedüngte Abtheilung trieb anfänglich sehr schnell in das Kraut, so dass man sich einige Zeit von der Abtheilung mit 2 Centner eine bessere Aernte versprach; als aber das Kraut bei der Ersteren anfing abzudorren, so erholte sie sich und brachte den oben angegebenen Ertrag von 30 Centnern.

„Zugleich mit den Rüben säete ich 1 Ctr. Gyps auf den Acker, welcher mit einer gleichen Masse guter Holz- und anderer Asche gemischt und in dem Zustand von Feuchtigkeit war, dass er leicht durch die Maschine passirte. Dies befördert sehr die erste Vegetationsstufe.

„Unter keinem Verhältnisse würde ich Guano, Knochenmehl, Hornabfall u. s. w. auf die Oberfläche eines stehenden Rübenfeldes säen, ein Verfahren, welches mit Maschinen oft in Anwendung gebracht wird, obgleich diese Maschinen mit eisernen Schaaren versehen sind, welche 2 bis 3 Zoll tiefe Furchen zur Aufnahme des Saamens und Düngers ziehen. Die Niederlegung des Düngers so nahe an der Oberfläche bewirkt, dass die Pflanze beim Aufsuchen ihrer Nahrung ihre Wurzeln an die Spitze der Rille herauftreibt, wodurch letztere allem Witterungswechsel unseres veränderlichen Klima's ausgesetzt werden und der Wuchs der Pflanze wesentlich beeinträchtigt wird. Auch noch ein anderer Uebelstand folgt aus der Auftragung des Düngers zu nahe an der Oberfläche; beim ersten Behäufeln oder Verdünnen der Rüben wird nämlich in diesem Fall ein groser Theil desselben von der Pflanze weggezogen.

Jeder Dünger für Rüben sollte auf dem Grunde des Balkens niedergelegt und alsdann mit dem Pfluge ungefähr 6 Zoll tief bedeckt werden; hierauf müsste man die Saat zugleich mit der oben erwähnten Mischung in den obern Theil des Balkens eintragen; in dem Fall werden die Pflanzen ihre Wurzeln in der natürlichen Richtung treiben und ihre Nahrung in einer vergleichsweise gleichförmigen Temperatur finden.“

(Farmer's Magazin März 1843.)

Nr. 19.

(Brief des Hrn. Sh. Baines in Liverpool, 18. März 1843.)

„Ich machte vergangenes Jahr Versuche mit dem Guano, und war so sehr mit dem Resultat zufrieden, dass ich ihn jetzt in weit grösserer Ausdehnung anwenden werde. Der Boden besteht aus urbar gemachter, gehörig trocken gelegter und gemergelter Torferde, und ist sehr günstig für Rüben, Weizen und Klee. Bei Rüben gebrauchte ich Guano im Verhältniss von 4 Centner per Acker, und erhielt auf den Acker eine 4 Tonnen grössere

Aernte, wie bei 30 Tonnen schwarzen Manchester-Düngers zum Preise von 7 Pf. Sterl. In Betreff des Weizens fand sich eine beträchtliche Vermehrung sowohl an Stroh wie an Korn, nachdem ungefähr mit 3 Ctr. gedüngt war. Die Vermehrung der Aernte an Klee und Gras war ebenfalls bedeutend. Das Resultat der im vergangenen Jahre angestellten Versuche hat mich bewogen 10 Tonnen Guano für dieses Jahr einzukaufen.“

Nr. 20.

(Brief von Hrn. Robert Bell, Gunsborough, 20. Februar 1848.)

„Nach der Behauptung der *Gazette* vom 18. d. M. sollte Guano, bei Kartoffeln vor dem Behäufeln angewandt, keine sonderliche Wirkung hervorbringen. Ich habe sehr viel Erfahrung in Betreff des Guano bei verschiedenen Aernten gemacht, da ich der Erste bin, der ihn in England einführte; und gefunden, dass er bei Kartoffeln sehr gute Wirkung äussert, wenn er zu zwei verschiedenen Malen angewandt wird, nämlich sobald die Kartoffeln gelegt sind, und sobald die Stengel auf der Oberfläche des Bodens zum Vorschein kommen, bevor man letztere behäufelt. In dem Fall sind seine Wirkungen erstaunenswerth, wenn man nämlich das Land gehörig vorbereitet, d. h. gut umgearbeitet (pulverized) und alles Unkraut ausgerottet hat. Jahrhunderte lang haben die Peruaner den Guano in dieser Weise gebraucht, und die Chinesen, welche als die besten Landwirthe der Welt gelten, haben stets die Düngung der Pflanze *bei der Saat* vorgezogen.“

Nr. 21.

Guano als Dünger für Kartoffeln.

Rostrevor, 22. Febr. 1843.

„Ein Landwirth dieser Gegend setzte vergangenes Jahr Kartoffeln mit einem Pflanzstock, eine Verfahrungsweise, die in Louth und Down sehr gewöhnlich ist. Alsdann streute er den Guano auf die Oberfläche und bedeckte ihn auf die gewöhnliche Weise. Als die Kartoffeln gegraben wurden, verglich er den Ertrag einer Ruthe von Guano-Boden und Viehdünger-Boden; das Produkt des ersteren verhielt sich zu dem des letztern wie 20 zu 17.“

Nr. 22.

(Auszug aus einem Brief aus Bristol, März 1843.)

„Herr Partington, welcher 2 Säcke Guano zum Düngen eines Weizenfeldes im November gekauft hatte, holte sich kürzlich einen Sack für ein Kartoffelfeld. Er gibt günstigen Bericht über seinen Weizen, wenn derselbe zur Aerntezeit eben so gut ausschlägt, wie er es jetzt verheisst. Er erzählte, Landleute, die ihm beim Ausstreuen zusahen, hätten sich über sein Verfahren gewundert und geglaubt, er brauche ein Mittel, um die Würmer zu tödten. Diese nämlich wanden sich herauf, sobald der Guano sie berührte.“

Nr. 23.

(Brief aus Wrexham, 19. März 1843.)

„Da ich mehrere Experimente mit Guano seit seiner Einführung gemacht habe, so hege ich jetzt aus eigener Erfahrung wie aus Beobachtung mehrerer von Andern angestellter Versuche die höchste Meinung über dessen Werth als Dünger. Die beste Art seiner Anwendung, so wie die zu gebrauchende Quantität schien mir den schwierigsten Punkt zu bieten, denn ich bemerkte bald, dass zu viel Guano die Vegetation vernichtete, und dass zu wenig keine gehörige Wirkung hervorbrachte. Ich habe ihn als obere Düngung beim Grase mit sehr wohlthätigen und schädlichen Folgen gebraucht, ersteres bei nassem, letzteres bei trockenem Wetter; ich habe ihn im Verhältniss von 1 bis 5 Ctr. auf den Acker in Wasser aufgelöst angewendet, auch denselben mit der Hand ausgestreut wie die Weizensaat, jedoch stets nur unmittelbar vor Regen und nachdem ich ihn möglichst klein zerrieben hatte. Regen ist durchaus nothwendig; sollte unglücklicher Weise kein Regen fallen, so muss der Wasserkarren gebraucht werden. Man darf die Behauptung als Regel aufstellen, dass Wasser bei jeder Anwendung des Guano, entweder als obere Düngung, oder wenn man ihn in die Erde kurz vor der Einsaat hineinegget, auf die eine oder andere Weise unumgänglich nöthig ist; im ersteren Fall, um ihn von den Grashalmen oder den jungen Getreidepflanzen abzuwaschen und in den Boden zu bringen, im andern Fall nicht allein um ihn in den Boden zu bringen, sondern auch um ihn von der Saat abzuflössen.

Nie habe ich einen schöneren Graswuchs gesehen wie auf einer Guano-Düngung, welche gut eingeegget und vergangenen Juli unmittelbar vor Regen besät ward. Das Gras wuchs reissend schnell und behielt das dunkelste Grün bis zur Mitte des vergangenen Monats, wo es durch den Frost litt; seitdem hat es aber von Woche zu Woche immermehr seine frühere Farbe wieder gewonnen.

„Viel ist über die Vermischung des Guano mit Holzkohle, Holzasche u. s. w. gesagt worden. Es kann kein

Zweifel herrschen, dass diese und andere Dinge sich als sehr werthvolle Zugaben zu seiner Wirksamkeit erweisen werden, da sie schon an sich eine sehr gute Düngung bieten: ich bezweifle jedoch, dass ihre Hinzufügung seine eigene Kraft sehr vermehren wird, besonders wenn man sie als obere Düngung gebraucht. Der hauptsächlichste Zweck, den jeder Landwirth im Auge halten muss, besteht darin, dass er dem Guano gerade so viel von irgend einer anderen Substanz, mag diese aus Holzkohle, Holzasche, feiner Steinkohlenasche, Kalkerde oder trockener Erde des Feldes, worauf der Guano aufgetragen wird, bestehen, beimischt, als nöthig ist, um eine so geringe Masse wie 2, 3 oder 4 Centner gleichmässig auf einer so grossen Oberfläche, wie ein Acker, ausstreuen zu können. Mechanische Zertheilung des Düngers und sogleich eintretende Wässerung sind die beiden Punkte, auf welche der praktische Landwirth hier vor Allem zu achten hat.

Nr. 24.

Versuche in Frankreich.

Hr. Cuthbert William Johnson hat in seiner kürzlich herausgegebenen Schrift über Guano das Resultat verschiedener Experimente mitgetheilt, welche im Süden Frankreichs angestellt wurden. Der Morning Herald vom 2. März enthält ferner Berichte zweier Direktoren von Musterwirthschaften in andern Theilen Frankreichs, denen der Minister des Ackerbaues in Paris Guano-Muster zum Versuch überschickt hatte. Daraus ergibt sich ein im Ganzen höchst günstiges Resultat.

Nr. 25.

Versuche in Westindien.

(Brief Hrn. Edbury's, S. Thomas in the Vale. Jamaica 30. Dec. 1842.)

Vor einiger Zeit brauchte ich ein Fass Guano bei 6 Wochen altem Zuckerrohr. Drei Wochen nach der Anwendung wurden die Fortschritte im Wachsthum so auffallend, dass ich allen noch übrigen Guano, den ich bekommen konnte, aufkaufte. Gegenwärtig steht das mit Guano gedüngte Zuckerrohr noch einmal so hoch als das auf dem übrigen Felde. Ich hege die Ueberzeugung, dass die Nachfrage nach Guano höchst ausgedehnt seyn muss, sobald man den Werth allgemein kennen wird.

Nr. 26.

Westindien. (Fortsetzung.)

(Auszug aus dem dritten jährlichen Bericht der St. Philipps Ackerbau-Gesellschaft.)

Ich sah in den englischen Zeitungen Notizen über den vor Kurzem eingeführten Guano, und fand aus einer Bemerkung Humboldts, dass dies derselbe Dünger war, den man Jahrhunderte lang in Peru gebraucht hatte, einem Lande, worin, wie ich wusste, nur sehr selten Regen eintritt, und wo das einzige Benetzungsmittel in Nachtthau besteht. Bald nachdem ich diese Notizen gelesen hatte, wurde Guano eingeführt; da ich eine hohe Meinung von diesem Düngungsmittel hegte, welches sich besonders für ein von Dürre heimgesuchtes Land wie Barbados eignen würde, entschloss ich mich zu einem Versuche. Da ich mein geraspeltes Horn schon verbraucht und ein 6 Acker grosses Feld bereits zum Theil zubereitet hatte, so entschloss ich mich es zu bepflanzen und allein mit Guano zu düngen. Seitdem machte ich die angenehme Erfahrung, dass auf diesem Felde das

Zuckerrohr von Dürre weniger litt, wie auf andern Feldern, ob dieselben mit selbst bereitetem Mist, oder mit geraspeltem Horn oder sonst wie gedüngt waren. Auf einem angränzenden Felde von 9 Acker wurden Versuche mit Guano und künstlichem Guano, welcher nach Professor Johnsons Anleitung verfertigt war, so wie mit Daniels Patent-Dünger, geraspeltem Horn und mit dem Schlamm aus einem alten Brunnen, der auf einem Platze stand, wo vor 50 Jahren alle Leichen der Nachbarschaft beerdigt wurden, angestellt: das Zuckerrohr mit Guano ist aber nicht allein höher, sondern auch im Wuchs stärker und in der Farbe besser geworden als dasjenige, zu welchem anderer Dünger gebraucht wurde. Von geraspeltem Horn kann ich aus Erfahrung wie von einem guten Dünger sprechen; ich habe nämlich vergangene Aernte ungeachtet der Dürre beinahe drei Oxhoft *) Zucker auf 1¼ Acker geärntet; es ist jedoch kostbarer als Guano, obgleich nicht theurer wie unser zu Hause erzeugter Dünger. Bedenken wir jedoch die Lage Westindiens, so ist die Vereinfachung der Handarbeit entweder durch Einführung von Maschinen, oder durch Einkauf von Dünger zu demselben Preise, welchen die Produktions-Arbeit erheischt, eine Sache von zu grosser Wichtigkeit. Da ferner ein Verfahren, wodurch man mehr Arbeit auf allgemeine Zwecke verwenden kann, in der Wirkung einer erhöheten Ackerbau treibenden Bevölkerung gleichkömmt, so kann man an der Nützlichkeit von Versuchen nicht zweifeln, welche diesen Zweck befördern werden. Man kann den Einwurf machen, dass ich bis jetzt nur die verhältnissmässige Ueppigkeit des mit Guano gedüngten Zuckerrohrs an sich erkenne, und noch keine Gelegenheit hatte, das Ergebniss der Aernte mit dem Preise des Düngers zu

---

*) 1 Oxhoft = 63 Gallons.

vergleichen. Allerdings habe ich noch kein solches Zuckerrohr eingeärntet. Jedoch eine gesunde Entwicklung der Pflanze mit besser anhaltendem Wuchs und kräftigerer Beschaffenheit als auf den umgebenden Feldern, bei günstigem sowohl wie ungünstigem Wetter, gibt sicherlich Grund zur Hoffnung, dass auch das Produkt überlegener Art seyn werde. — Und somit kann ich meine Meinung dahin aussprechen, dass Guano einen ausgezeichneten Dünger liefert, für unsere allgemeinen Bedürfnisse sich sehr eignet, und wie ich schon bemerkte, den Hauptzweck jedes Pflanzers befördert, nämlich: die Förderung seiner Aernten unter einem solchen Anbau-System, welches den Boden seiner Güter eher verbessert als verschlechtert.

Ueber den Guano

als befruchtenden Dünger,

von

Cuthbert Johnson,

korrespondirendem Mitgliede der Ackerbaugesellschaft in Königsberg und der Gartenbaugesellschaft in Maryland. Herausgeber des Farmer's Encyclopædia, des Farmer's Almanac etc.

Im Auszug aus dem englischen Original (London 1843.)

Inhalt.

Die organischen Stoffe des Flusswassers. — Dr. Madden über die Salztheile des zur Bewässerung dienenden Wassers. — Der peruanische Guano. — Aelterer Gebrauch des Vogelmistes. — Cato's und Worlidge's Angaben hierüber. — Ursprung des Wortes Guano. — Humbold über Guano. — Masse des in Peru gebrauchten. — Betrag der Einfuhr nach England. — Winterfeldt über G. — Liebig über G. — Verhältniss des Verbrauchs per Acker in Peru. — Bland über den Gebrauch des G. in Südamerika. — Boden Peru's. — Peruanisches Sprichwort über Guano. — Der beste Guano in trockenem Klima. — Aussehen des Guano. — Analyse des frischesten Guano. — Wirkung seiner Bestandtheile als Dünger — der Ammoniaksalze. — Wirkung verschiedener Dünger in Erzeugung des Klebers beim Weizen. — Phosphorsaurer Kalk im Guano. — General Beaston's Versuche mit Guano auf St. Helena bei Kartoffeln — bei Mangelwurzel — bei Grasland. — Archer's Versuche bei Rüben. — Kinmouth's Versuche bei Rüben. — Rennie's Versuche bei Kartoffeln. — Versuche im südlichen Frankreich bei Gras — bei Kartoffeln — bei Wicken und Hafer — bei Weizen — bei Runkelrüben — bei Klee — bei Radiesen — bei Mais. — Hrn. Henry Ford's Versuche bei Gartengewächsen, Erbsen, Bohnen, Kohl, Spargel, Sellery, Gras, Stauden und Blumen. — Barton's Versuche bei Schwedischen Rüben. — Lyle's bei Stickney's Riedgras u. andern Grasarten, jungen Waldbäumen und Erdbeeren. — Beadel über die beste Art der Anwendung des Guano. — Boden, Lage und Klima, worin Guano den besten Erfolg zu haben scheint.

Naturkundige haben schon längst bemerkt, dass die See in einer Mannigfaltigkeit von Formen einen grossen Behälter zur Aufnahme fruchtbaren Bodens bildet. Die bedeutende Menge und Verbreitung der verschiedenartigen organischen Stoffe, welche zu allen Zeiten unaufhörlich und durch eine Menge Ströme vom Lande in den Ocean gespült wurden, war schon Gegenstand der Beobachtung des fernen Alterthums.

Die fein zertheilten vegetabilischen und animalischen Stoffe, welche von der Fluth des Nils und anderer Ströme des Orients hinabgeschwemmt wurden, die grossen und fruchtbaren, von dem Niederschlag dieser Stoffe an den Mündungen jener Flüsse gebildeten Deltas, boten eine Erscheinung dar, welche sogar die geistesträgen Ackerbauern des Orients bemerken mussten. Sie erkannten nicht allein den Werth der fruchtbaren von höher gelegenem Boden herabgeschwemmten Erde, sondern suchten auch dieselbe auf ihrem Wege zum Meere in verschiedener Weise aufzufangen. Die Einwohner Aegyptens, Arabiens und Chinas legten deshalb zur Ableitung jener Gewässer Schleusen und Kanäle an, und erkannten bald die vortheilhafteste Art des Gebrauchs derselben; sie bemerkten, dass die Gewässer ihre mechanisch aufgehaltenen organischen und erdigen Stoffe auf dem Lande zurückliessen, und leiteten dann durch andere Kanäle das theilweise gereinigte Wasser zu dem Fluss zurück. Hierin besteht auch das beste Bewässerungsverfahren in allen Ländern. Wie wesentlich der Betrag erdiger Stoffe im Wasser bei Bewässerungen von Wiesen vermindert wird, haben neuere Versuche von Dr. Madden erwiesen, welcher aus einer Gallone Quellwasser, das am Fusse der Pentland-Hügel entsprang, 10 Gran Küchensalz und 5 Gran kohlensauren Kalk darstellte. Nachdem jedoch das Wasser über einige Wiesen gelassen war, enthielt jede Gallone nur 5 Gran Küchensalz und 2 Gran Kalk.

Die Landwirthe werden jedoch einsehen, dass dergleichen Versuche die organischen Stoffe aus kleinen und dem Meere zufliessenden Bächen aufzufangen, ihrer Natur nach nur ein sehr beschränktes und verhältnissmässig unbedeutendes Resultat abgeben können. Stets werden grosse Massen dieser Stoffe, wie es seit undenklichen Zeiten der Fall war, von dem Wasser der Flüsse in das Meer geschwemmt, dienen entweder Fischen oder Insekten zur Nahrung, oder werden in die Tiefe versenkt und gehen somit für den Boden verloren, dessen Fruchtbarkeit durch ihre Entfernung vermindert wurde.

Allerdings haben die Landwirthe dahin gestrebt, einen Theil dieser Stoffe in anderer Form vom Meere zurückzuerhalten; um ihr Land zu befruchten, sammeln sie Massen von Seegras, und kaufen mit Eifer alle Fische, die sie sich auf wohlfeile Weise verschaffen können; die Menschen im Allgemeinen und nach allen Richtungen hin thun dasselbe, wenn sie Fische als Nahrungsartikel suchen und gebrauchen. Berechnet man jedoch allen diesen Ersatz, so stehen doch die auf solche Weise vom Meere wiedergewonnenen organischen Stoffe im kleinsten Verhältniss zu jenen, welche durch die grossen Ströme und deren zahllose Mündungen stündlich dem Ocean zugeführt werden.

Bei der Betrachtung dieser unaufhörlichen Fortschwemmung, wodurch dem Boden fruchtbare Theile entzogen werden, muss somit eine jede erfolgreiche Bemühung willkommen seyn, um vom Meere einige dieser unvermeidlichen Verluste vielleicht in einiger Ausdehnung wieder zu erlangen.

Unter diesen Versuchen ist die Einführung des Peruanischen Guano in den europäischen Ackerbau vielleicht eine der ausgedehntesten, und verheisst unter allen neuern

Bemühungen den besten Erfolg. Dadurch wird nämlich dem Lande in sehr concentrirter Form ein Theil des phosphorsauern Kalks und anderer Salze zurückgegeben, welche von jenen die Fruchtbarkeit ihm entziehenden Fluthen fortgeschwemmt, den Fischen, Insekten und Seepflanzen zur Nahrung dienten und in deren Bildung überging. Nachdem diese ihrerseits zur Nahrung von Vögeln gedient hatten, wurden sie in unverdauten Excrementen von Seevögel-Schwärmen auf den Felseninseln des stillen Oceans niedergelegt, und bilden einen Haupttheil des Guano-Mistes der peruanischen Landwirthe. Die Verfolgung solcher Umwandlungen ist nicht wenig interessant; z. B. dieselben Theilchen phosphorsauern Kalks, welche einst in vegetabilischen Stoffen von Südamerikanischen Flüssen fortgeschwemmt wurden, und dann in die Bildung einer Fischgräte übergingen, welche von einem Vogel verzehrt wurde — dieselben Bestandtheile werden wieder auf das Land gebracht, und bilden einen Theil des Guano, welcher sich jetzt über Englands Boden verbreitet, um in die Bildung anderer Vegetabilien und animalischer Substanzen überzugehen.

Der Gebrauch des Vogelmistes zur Befruchtung ist keine neuere Verbesserung des Ackerbaues. Der Dünger von Geflügel z. B. wurde in sehr alter Zeit gebraucht. (2. Buch Kön. 6, 25.) Der früheste Schriftsteller über Ackerbau M. P. Cato (Buch 86) empfiehlt Taubenmist für Weizen, Kornfelder und Gärten. Englische Landwirthe kannten schon länger den Werth desselben. John Worlidge im Jahr 1669 rühmt sehr den Mist von Geflügel und sagt: (Mystèr. of agric. 71.) „Tauben- oder Hühnermist ist unvergleichlich; eine Ladung desselben ist so viel werth, wie 10 Ladungen andern Düngers; er wird auf Weizen oder Gerste ausgestreut, welche sehr schlecht stehen, und welchen man sonst nicht leicht wieder aufhelfen kann.“ An einer andern Stelle sagt er ferner: „Eine Heerde wilder Gänse hatte sich auf ein Feld grünen Weizens niedergelassen, dasselbe gänzlich abgefressen, mehrere Nächte darauf verweilt und es gedüngt, so dass der Eigenthümer keine Aernte in dem Jahre zu erhalten glaubte; das Gegentheil aber ereignete sich, denn er bekam eine grössere Menge Weizen, wie irgend ein anderer seiner Nachbarn.

Wie es scheint, wird das Peruanische Wort *Huano* (Dünger) auf europäische Weise wie Guano ausgesprochen. Der Stoff findet sich in grossen Massen auf einigen Felseninseln an der peruanischen Küste, wo er im Lauf der Zeit von den Excrementen unzähliger See-Vögel-Schwärme gebildet wurde, welche an jenen Orten besonders während der Brütezeit sich einfinden.*) Nach Humbold ist er im grössten Ueberfluss auf einigen der kleinen Felseninseln des stillen Oceans vorhanden, z. B. in Chinche, Ilo, Iza und Arica. Sogar zur Zeit als Humboldt reiste (vor ungefähr 40 Jahren), wurden jährlich 50 Schiffe mit Guano allein in Chinche beladen, indem jeder Kauffahrer an 1500 bis 2000 Kubikfuss aufnahm. Nach Liebig (Organ. Chem. 81) findet sich der Guano auf der Oberfläche dieser Inseln in Schichten von mehreren Fuss Dicke, und

*) Der Guano bildet unregelmässige und begrenzte Ablagerungen, welche bisweilen die Tiefe von 50 bis 60 Fuss erreichen, und wie Minen von rothem Ocker ausgebeutet werden. Sein wirklicher Ursprung war der Inca-Regierung wohl bekannt, und seine Wichtigkeit für das Volk ward von derselben wohl begriffen; die Tödtung der jungen Vögel galt als Todesverbrechen. Die Masse des nach England eingeführten Guano ist nach kleinem Anfange sehr beträchtlich geworden. Ungefähr 20 Fässer wurden 1840 von den Herrn W. J. Myers u. Comp. in Liverpool eingeführt. Im Juni 1840 gelangte die erste Ladung in jenen Hafen, und seitdem betrug die Einfuhr ungefähr 20,000 Tonnen. Ein Kaufmann aus Liverpool sagt: „Ohne Schwierigkeit wird man im nächsten Jahrtausend von der Küste Peru's eine solche Masse Guano erhalten können, wie sie den Bedürfnissen der brittischen Landwirthe angemessen ist.“

besteht wirklich in langsam faulenden Excrementen unzähliger Seevögel, die dort während der Brützeit verweilen. Die peruanischen Landwirthe kaufen ihn hauptsächlich als Dünger für Mais, nnd wie es heisst, mitunter in dem geringen Verhältnisse eines Centners per Acker. „Die Zeit der Entdeckung des Guano und dessen Einführung als Dünger, sagt Winderfeldt (*Brit. Farm. Mag.* Vol. VI. p. 411) ist unbekannt, reicht jedoch in das hohe Alterthum hinauf. In vielen Theilen Amerikas, wo der Boden vulkanisch oder sandig ist, würde kein Produkt ohne Guano erlangt werden können. Man hat berechnet, dass 12 bis 14000 Ctr. jährlich im Hafen von Mollendo zum Gebrauch der Umgegend von Arequipa verkauft werden. In der Provinz Taracapa und in den Thälern Tambo und Victor muss der Verbrauch noch etwas bedeutender seyn, da Weizen, alle Fruchtarten, Bäume und Pflanzen, Zuckerrohr ausgenommen, mit Guano dort gedüngt werden, ein Fall, der in Arequipa nicht stattfindet, wo Mais und Kartoffeln allein ihn erheischen. Im District Arequipa werden 3 Centr. Guano auf 5000 Quadratruthen (ungefähr einen engl. Acker) ausgestreut; in Taracapa und in den Thälern von Tambo und Victor sind 5 Centner erforderlich. Das so gedüngte Land trägt 45fältig an Kartoffeln, 35fältig an Mais, mit Pferdemist gedüngt nur 18fältig.“

Wie es scheint, gibt es 3 verschiedene Arten Guano, die an der Küste Peru's verschiedene Preise haben. „Der weisse Guano gilt als der werthvollere, weil er frischer und reiner ist. Er findet sich auf allen Inseln der Küste entlang. Vom rothen und dunkelgrauen kostet der Centner 2 Schilling 3 Pence; wegen der grösseren Seltenheit wird für den weissen ein höherer Preis gezahlt; der Centner desselben wird in Mollendo zu 3 Schilling 6 Pence verkauft und hat zu gewissen Zeiten, z. B. während eines Krieges, den Preis von 12 Schilling erreicht.“

Nach einer spätern Mittheilung eines Herrn, welcher mehrere Jahre an der Küste von Peru verweilte (Henry Bland aus Liverpool), bemerkt Herr Winderfeldt auf einige Fragen von mir über den Gebrauch des Guano, den Boden und das Klima von Peru folgendes:

„Die Thäler an den Küsten Peru's bestehen hauptsächlich aus leichtem sandigem Boden. Es *regnet* nie auf demjenigen Theil der Küste, wo ich den Gebrauch des Guano sah. Auch fällt kein so reichlicher Thau, dass die peruanischen Landwirthe denselben als wichtig für die Beförderung des Pflanzenwuchses in den Thälern betrachten sollten.

Auf dem Gipfel der Hügel an der Küste erzeugt sich durch Thau während des Winters ein leichtes Grün, bleibt aber nicht länger als ein oder zwei Monate. Das Land in den Thälern ist bewässert, allein ausserhalb der Gränzen der Bewässerung besteht alles in einer Wüste, mit Ausnahme der kleinen von mir erwähnten Vegetation. Dies ist der Zustand der Küste vom 5. bis 22. Grad südlicher Breite.

Ich glaube nicht, dass eine so kleine Masse, wie ein Centner Guano per Acker für den Boden auf irgend einem Theil der Küste Peru's genügt. In der Nähe von Arequipa besteht die erste Aernte aus Mais. Die Saat wird in Rillen eingetragen, und die Büschel (3 oder 4 Pflanzen nenne ich einen Büschel) wachsen zwei Fuss von einander entfernt. Sind die Pflanzen bis zur Höhe von 6 oder 8 Zoll über den Boden gewachsen, so legt man etwas Guano (ungefähr so viel, wie man zwischen dem Daumen und zwei Fingern halten kann) um jedes Büschel und das Ganze wird dann sogleich bewässert. Guano wird wiederum aufgebracht, wenn die Pflanze ihre Frucht austreibt; eine Handvoll wird alsdann aufgetragen und die Bewässerung erfolgt sogleich. Die nächst folgenden Aernten, Kartoffeln und Weizen, werden ohne weitere Anwendung von Dünger erzielt.

Im Thal Chaucay, 40 Meilen von Lima, bringt ein Boden, welcher ohne Guano nur fünfzehnfältig tragen würde, mit Mais besät, eine dreihundertfältige Aernte hervor. Die Peruaner sagen im Sprüchwort vom Guano: Ob er gleich kein Heiliger ist, thut er Wunder.

Da der Guano bis zu einem gewissen Grade im Wasser auflösbar ist, so kann der gute, welcher die kräftigste Wirkung äussert, niemals in einem Klima, wo Regen fällt, gefunden werden. Folglich muss Guano von derjenigen Küste von Peru, welche ausserhalb der immer trockenen Gegend liegt, von geringerem Werthe verglichen mit demjenigen seyn, welcher von den Chincha-Inseln (im $10\frac{1}{2}$ten Grad südlicher Breite, ungefähr 10 Stunden vom Festlande entfernt) und von Paquica auf der bolivischen Küste kommt (im 21ten Grade südlicher Breite). Auf jenen Inseln und in Paquica findet sich die hauptsächlichste Guano-Anhäufung. Zwei oder drei Guano-Ladungen von der Küste Chili's (wo Regen häufig ist) sind nach England gekommen und wurden, wie ich glaube, als Chincha-Guano verkauft, so dass hierdurch der Ruf des besten Guano als Dünger und der Importeurs des ächten Artikels beeinträchtigt wurde. *)

Ein Umstand mag hier noch erwähnt werden, welcher deutlich erweist, wie sehr die Peruanischen Land-

*) Professor Johnson bemerkt: Die Trockenheit des Klima gestattet die Anhäufung des Guano an jenen Küsten; erreicht man eine Gegend, worin der Thau aus Lokalursachen stärker und der Regen häufiger ist, so verschwindet die Anhäufung. Kaltes Wasser löst wenigstens drei Fünftel des Guano im Zustande, wie wir ihn erhalten, auf. Ein einziger englischer Regentag würde einen beträchtlichen Theil einer der grössten Anhäufungen auflösen und in das Meer schwemmen, ein einziges Jahr mit englischem Wetter würde mehrere derselben gänzlich vernichten. (Journ. of Roy. Agr. Soc. v. 2 p. 315.)

wirthe den Soda-Salpeter mit Guano verglichen, gering-schätzen.

Auf der Küste Peru's wird Soda-Salpeter ungefähr 45 Meilen von Iquique entfernt gewonnen, dem Hafen, worin der Salpeter hauptsächlich eingeschifft wird. Für den Maulesel-Transport des Salpeters vom Orte seiner Gewinnung bis zum Hafen muss der ausführende Kaufmann hauptsächlich die Landwirthe in Anspruch nehmen, welche in der unmittelbaren Nähe der Salpeter-Production wohnhaft sind; er kann sich aber ihre Dienste nur dadurch zusichern, dass er stets für sie eine Rückfracht Guano im Hafen Iquique bereit hält, welche dieselben zur Düngung ihrer Felder nach Hause bringen, sobald sie eine Ladung Salpeter beinah von ihren eigenen Häusern aus bis zum Hafen Iquique transportirt haben.

In dem Zustande, worin Guano nach England gebracht wurde, besteht er in einem braunen Pulver mit starkem Seegeruch; erhitzt nimmt er eine schwarze Farbe an, und äussert einen starken Ammoniak-Geruch. Wird Salpetersäure damit vermischt, so entsteht Harnsäure.

Der frische Guano ist werthvoller nach H. Johnston (Journ. of te Roy. Agr. Soc. II. p. 311), weil er mehr Harnsäure enthält. Wir besitzen keine Analyse von frischen Excrementen der Vögel, welche die Küste von Peru besuchen; wahrscheinlich würde sich einige Verschiedenheit nicht allein nach den Gattungen der Vögel, sondern auch nach der Art der Fische ergeben, wovon sich jene in den verschiedenen Jahreszeiten ernähren. Wir besitzen jedoch Analysen von den Excrementen anderer, hauptsächlich sich von Fischen ernährender Vögel und können uns darnach eine Meinung von der Beschaffenheit bilden, welcher frischer Guano wahrscheinlich zeigen wird. So fand Dr. Wollaston, dass die Excremente der Rothgans (Pelicanus bassanus) im trockenen

Zustande wenig mehr als Harnsäure enthielten, während Coindet in denen des Seeadlers folgendes vorfand:

in festen Excrementen	
Ammoniak . . .	9.2 Proc.
Harnsäure	84.65
Phosphorsauren Kalk	6.15
	100.0

in flüssigen getrockneten Excrementen	
Harnsäure	59 Proc.
erdiges und alkalinisches phosphorsaures Salz, schwefelsaures Salz und Chlorverbindungen	41
	100

Die Bestandtheile des Guano sind sämmtlich wirksame Düngungsmittel; die Salpetersalze bilden eine Classe von Befruchtungsmitteln, deren Gebrauch bei Landwirthen wahrscheinlich eine noch grössere Ausdehnung erlangen wird. Ammoniaksalpeter findet sich in bedeutender Masse unter gährendem Dünger; in ganz kleinem Verhältniss ist er auch im Regenwasser enthalten; Liebig schreibt sogar einige Wirkungen desselben diesem Umstande zu. Salpetersalze äussern im Allgemeinen eine befruchtende Wirkung auf den Pflanzen-Wuchs. Russ verdankt einen Theil seiner Wirksamkeit dem von ihm enthaltenen Ammoniak. Die durch Destillation der Steinkohlen hervorgebrachte Flüssigkeit enthält kohlensaures und essigsaures Ammoniak, und diese Flüssigkeit der Gasverfertiger bildet einen sehr guten Dünger. Davy (Lectures p. 342) sagt: „Im Jahre 1808 sah ich den Wuchs des Weizens auf einem Felde bei Rochampton durch eine schwache Auflösung essigsauren Ammoniaks sehr befördert.“ Die Versuche Robertson's mit Russ erweisen deutlich die befruchtende Wirkung des auflösbaren Theiles desselben. Er mischte, um einen flüssigen Dünger zu bilden, 6 Quart Russ mit einem Oxhoft Wasser. „Spargel, Erbsen und mannigfache andere Gemüse, sagt dieser umsichtsvolle Gärtner, habe ich mit dieser Mischung gedüngt, und dieselbe Wirkung, wie bei festem Dünger erlangt (Gard. Mag. vol. II. p. 18)." Man muss jedoch bei dieser, wie bei allen flüssigen Düngungen mit Sorgfalt darauf sehen, dass man die Mischung nicht zu stark macht. Bei den ersten Versuchen sind alle Landwirthe zu diesem Irrthum geneigt. Sogar Davy bildete hier keine Ausnahme; weil er seine flüssigen Dünger zu sehr concentrirte, erlangte er Resultate, welche von seinen späteren sehr verschieden waren. Es ist kein Zweifel vorhanden, dass die Ammoniak-Salze und alle zusammengesetzten Düngerarten, welche dieselben enthalten, eine sehr kräftigende, oder reizende, oder vielleicht durch ihre Zersetzung eine ernährende Wirkung auf den Pflanzenwuchs äussern. Bei den Versuchen Dr. Belcher's (Com. Board. of Agr. vol. IV. p. 416) an gewöhnlicher Gartenkresse, die mit einer Auflösung phosphorsauren Ammoniaks bewässert wurde, kamen die Pflanzen den übrigen, welche unter ähnlichen Umständen wuchsen, aber nur mit Wasser begossen wurden, 15 Tage voraus. Er beschreibt ferner die Versuche Hrn. Gregory's, welcher die Hälfte eines Grasfeldes mit Urin bewässerte uud dadurch seine Heu-Aernte beinah verdoppelte. Andere Zeugnisse, welche die befruchtende Kraft der Ammoniak-Salze erweisen, giebt Hr. Handly (Journ. Roy Agr. Soc. vol. I. p. 46). Es herrscht kein Zweifel, dass die verschiedenen Düngerarten bedeutenden Einfluss auf die Bildung des Kornes durch den Boden äussern, in welchen sie eingetragen worden sind. Herr Daubeny sagt (ib. v. III. p. 147), das Verhältniss des Klebers zur Stärke, wie auch die Ausgiebigkeit der Aernte selbst, werde durch Düngung des Bodens mit Stoffen gesteigert, welche am meisten Ammoniak enthalten, z. B. Blut, Taubenmist u. s. w. — Farmer's Encyc.

100 Theile Weizen in einem Boden, welcher gedüngt

wurde mit	enthielten Kleber.	Stärkmehl.
Menschen-Urin (getrocknetem) .	35.1	39.1
Ochsenblut (getrocknetem) . .	34.2	41.3
Nightsoil (Cloakdünger, getrocknetem)	33.1	41.4
Schaafmist	22.9	42.8
Taubenmist	12.2	63.2
Kuhmist	12.0	62.3
Pflanzenhumus	9.6	55.9
Nicht gedüngter Boden	9.2	66.7

Der im Weizen-Mehl befindliche Kleber enthielt nach den Untersuchungen des Dr. Marcet in hundert Theilen

Kohle	55.7
Wasserstoff	14.5
Stickstoff	7.8
Sauerstoff mit Schwefel u. Phosphor	22.0—100.

Ammoniak besteht aus

Stickstoff	26
Sauerstoff	74

Kleber findet sich beim Weizen in verschiedenen Verhältnissen. Davy fand 19 Procent in einem Weizen aus Middlesex, 24 Procent im Frühweizen, 12½ in brandigem Weizen, 3 Procent in dem vom Mehlthau verdorbenen (Johnson and Shaw's Farmer's Almanac, vol. I. p. 237).

Was ferner den phosphorsauren Kalk betrifft, welcher im Guano reichlich vorhanden ist, so bildet derselbe einen der stets sich vorfindenden Bestandtheile und eine wesentliche Nahrung der Pflanzen. Wie durchaus nothwendig dieser Stoff für gesunden Pflanzen-Wuchs ist, ergiebt sich aus folgender Tafel mit den Resultaten von Versuchen der Herren Saussure, Vauquelin und anderer ausgezeichneter Chemiker, welche dieselben mit der Asche oder den fixen Stoffen einer Anzahl vegetabilischer Substanzen angestellt haben.

100 Theile der Asche von Hafer-Körnern gaben an phosphorsaurem Kalk 39.3

100 Theile von			Weizenstroh gaben an phosphorsaurem Kalk und Magnesia					. .	6.2
„	„	„	Weizensaamen	„	„	„	„	. .	44.5
„	„	„	Kleie	„	„	„	„	. .	46.5
„	„	„	Wicken	„	„	„	„	. .	27.92
„	„	„	Gold-Ruthe (Solidago vulgaris)	„	„	„		. .	11
„	„	„	Sonnenblume (Helianthus annuus) nicht reifer Saamen	„	„	„		. .	22.5
„	„	„	Gerstenspreu gaben	„	„	„		. .	7.75
„	„	„	Gerstensaamen	„	„	„	„	. .	32.5
„	„	„	Hafersaamen	„	„	„	„	. .	24.
„	„	„	Haferblätter	„	„	„	„	. .	24.
„	„	„	Eichenblätter	„	„	„	„	. .	4.5
„	„	„	Eichenrinde	„	„	„	„	. .	4.5
„	„	„	Pappelblätter	„	„	„	„	. .	13.
„	„	„	Pappelholz	„	„	„	„	. .	16.75
„	„	„	Haselnussblätter	„	„	„	„	. .	23.
„	„	„	Haselnussholz	„	„	„	„	. .	35.
„	„	„	Haselnussrinde	„	„	„	„	. .	5.5
„	„	„	Maulbeerbaumholz	„	„	„		. .	2.25
„	„	„	Maulbeerbaumrinde	„	„	„		. .	8.5
„	„	„	Hagebuchenholz	„	„	„	„	. .	23.
„	„	„	Hagebuchenrinde	„	„	„	„	. .	4.5
„	„	„	Erbsensaamen	„	„	„	„	. .	17.5
„	„	„	Knoblauch u. Zwiebeln	„	„	„		. .	8 9

Phosphorsaurer Kalk wurde auch in der Ackerbohne (*vicia faba*) und in der Erbsenhülse durch Einhoff, im Reis durch Braconot, in der schottischen Föhre durch Dr. John, in der China-Rinde von St. Domingo durch Fourcroy, im Seetang von Gaultier de Claubry und in vielen andern Pflanzen gefunden; kurz, wie Dr. Thomson bemerkt (Syst. of Chem. vol. IV. p. 319), phosphorsaurer Kalk ist ein stets sich vorfindender Bestandtheil der Pflanzen.

Die sorgfältigsten Versuche mit Guano, die mir bekannt sind, wurden auf der Insel St. Helena vom verstorbenen General Beatson ausgeführt, und besitzen ausserdem den meisten Werth, weil dieser sie vergleichsweise anstellte. Der Boden, den er dazu benutzte, war ziemlich hart und bestand aus schwärzlicher, mit bröcklichem fettem Lehm gemischter Dammerde. Folgende Tafel giebt das Resultat jedes Versuches; auf den Acker wurden 35 Wagen von Pferdestreudünger, 35 von Schweinestreudünger und 35 Bushel Guano aufgetragen.

1. Versuch mit Kartoffeln von Wallnuss-Grösse, welche ganz eingepflanzt wurden:

Sechs Zoll tief	Bushels.	Drei Zoll tief	Bushels.
Guano	554	Guano	531
Pferdemist	583	Pferdemist	479
Schweinemist	447	Schweinemist	414
einfacher Boden	395	einfacher Boden	311

2. Mit grossen in Stücke geschnittenen Kartoffeln:

Sechs Zoll tief	Bushels	Drei Zoll tief	Bushels.
Guano	589	Guano	557
Pferdemist	531	Pferdemist	511
Schweinemist	466	Schweinemist	375
einfacher Boden	408	einfacher Boden	414

3. Mit den ausgeschnittenen Mittelaugen der Kartoffelsaat:

Sechs Zoll tief	Bushels.	Drei Zoll tief	Bushels.
Guano	576	Guano	453
Pferdemist	563	Pferdemist	382
Schweinemist	485	Schweinemist	485
einfacher Boden	337	einfacher Boden	343

4. Mit kleinen Kartoffeln, welche ganz eingepflanzt wurden:

Sechs Zoll tief	Bushels.	Drei Zoll tief	Bushels.
Guano	628	Guano	557
Pferdemist	583	Pferdemist	414
Schweinemist	544	Schweinemist	440
einfacher Boden	570	einfacher Boden	440

Das ganze miteinander verglichene Produkt von diesen Düngerarten bestand in Pfunden von Kartoffeln, 35 Bushels auf den Acker:

	Pfund.
Guano oder Seevögeldünger 35 Bushels auf den Acker	639
Pferdemist 35 Wagen auf den Acker	626
Schweinemist 35 Wagen auf den Acker	534
Einfacher Boden	446

An Mangelwurzel war das Produkt auf ähnlichem Boden folgendes per Acker:

	Blätter.	Wurzeln.
Einfacher Boden	38 Tonnen.	19½ Tonnen.
Schweinemist und Asche 360 Bushels per Acker . .	131 „	66½ „
Guano 35 Bushels per Acker .	153¾ „	77¼ „

„Der Guano oder Seevögelmist,“ fügt General Beatson hinzu, „welchen man in beträchtlichen Massen auf den sogenannten Eierinseln findet, wurde mir zuerst von Sir Joseph Banks, Präsident der Königlichen Gesellschaft empfohlen. An der Westküste von Südamerika bildet er die Ladung einer ungeheuern Menge von Schiffen, welche fortwährend hin und her fahren, um ihn von den kleinen Inseln nach dem Festlande zu bringen; dort wird er als Dünger vertheilt und verkauft, da er zu dem Zwecke jedem andern uns bekannten Artikel unendlich überlegen ist. Eine Handvoll wird als genügend für mehrere Quadratruthen betrachtet, deren Produkt alsdann wegen der jenem Dünger inwohnenden Kraft ausserordentlich üppig ist. Die Genauigkeit dieser wichtigen Angabe hat sich bei meinen Versuchen im Kartoffelbau und auf Grasländern vollkommen bestätigt; 35 Bushel Guano oder 3 Wagenladungen per Acker scheinen mir in der Wirkung 70 Ladungen gut verfaulten Düngers gleichzukommen. Auch bin ich der Meinung, dass eine grosse Masse dieses sehr werthvollen Düngers auf vielen Felsen und Inseln an der Küste Schottlands gewonnen werden kann. Die Wirkung des Guano auf Grasland ist verhältnissmässig noch grösser, wie bei dem Versuche mit Kartoffeln. Der Grund hievon wird schwer anzugeben seyn; da jedoch Priestley beobachtete, dass Pflanzen alsdann am besten gedeihen, wenn sie in einer durch thierische und vegetabilische Zersetzungen fauligt gewordenen Luft wuchsen, so lässt sich daraus schliessen, dass die sehr starken aus dem Seevogelmist oder Guano hervorgehenden Dünste zugleich mit dem Umstande, dass er durch die ersten Regengüsse sehr leicht bis zu den Pflanzen-Wurzeln gespült wird, der oberen Düngung durch Aufstreuen desselben eine grössere Wirkung ertheilen, als wenn er mit dem Boden vermischt wird. Am 29. Juli 1808 theilte ich einen Raum auf dem Grasplatze vor Plantation-House ab, welcher eine Ruthe in der Breite und zwölf Ruthen in der Länge mass; dieser ward wieder in 12 gleiche Theile oder Quadratruthen geschieden und von 1 bis 12 nummerirt. Der Guano ward pulverisirt und gesiebt; ein Quart des Pulvers ward mit der Hand gleichmässig ausgestreut, d. h. im Verhältniss von 5 Winchester-Bushel per Acker, weil 100 Quadratruthen oder ein Acker gerade diese Zahl von Quarts oder genau 5 Bushel erheischt haben würden. In derselben Weise erhielt Nro. 2. 2 Quarts, Nro. 3. 3 Quarts und so fort bis Nro. 12, oder ein Quantum von 60 Bushel per Acker. Vom 29. Juli bis 5. August fiel täglich ein feiner Regen, worauf die Wirkung dieses unvergleichlichen Düngers sich zu äussern begann. Am folgenden Tage zeigte die ganze Fläche der 12 Ruthen ein tiefes Grün und bot mit dem nicht bedüngten Theile des Rasenplatzes einen solchen Gegensatz dar, dass sie den Anschein hatte, als sey sie mit einem schöneren Rasen kürzlich bedeckt worden. Die Wirkung mehrte sich stufenweise, und am 1. Oktober, d. h. etwas nach 2 Monaten, erweckten die höheren Nummern von 6 zu 12, welche ein Quantum

5

von 30 bis 60 Busheln per Acker erhalten hatten, das Erstaunen eines Jeden; sie waren von dem üppigsten Graswuchs, der sich nur denken lässt, bedeckt, und glichen mehr einem dicht besäeten Felde jungen Weizens als anderem Grase, wie ich es sonst gesehen habe. Dieser Umstand ist um so bemerkenswerther, da die damals starken Regen im August und im Frühling keine sichtbare Wirkung auf den anstossenden Theil des Grasplatzes hervorgebracht hatten. Aus der wiederholten und sorgfältigen Beobachtung des genannten Versuches habe ich den Schluss gezogen, dass 35 Bushel Guano per Acker in der Wirkung auf Grasland 70 Wagen gut vermoderten Düngers gleichkommen. Wie ich gehört habe, wird Guano in Lima und in andern Städten der peruanischen Küste zu einem Dollar der Sack von 50 Pfund verkauft, und wird dort zur Düngung der Fruchtbäume und Gärten stark gebraucht. Sicherlich bildet er eine der kräftigsten Düngerarten, und erheischt somit in seinem Gebrauche eine nothwendige Vorsicht. Ich habe die Beobachtung gemacht, dass er, zu stark aufgetragen, das Gras verbrennt und zerstört. Ich möchte deshalb denen, welche Guano bei Fruchtbäumen gebrauchen wollen, die Vorsicht anempfehlen, dass sie mit nicht mehr als drei Vierteln einer Pinte auf jeden Baum beginnen, und ihn einen Fuss tief rings um die Wurzeln eingraben. Ergibt sich die erste Anwendung als ungenügend, so kann man nach Zwischenräumen von zwei oder drei Monaten eine zweite und dritte versuchen. Eine noch bessere Art, den für die verschiedenen Fruchtbäume sich eignenden Betrag zu bestimmen, möchte vielleicht darin bestehen, dass man ungefähr ein Dutzend Fruchtbäume derselben Art und Grösse auswählte, und den Guano in kleinen Verhältnissen von drei Vierteln einer Pinte bis zu einem oder zwei Viertel mehr bei jedem Baum abwechselnd auftrüge. (Com. Board of Agr. Vol. VII. pag. 225—240.)

Die in Irland gemachten Versuche mit Guano, soweit dieselben bis jetzt berichtet wurden, scheinen in kleinem Masstabe angestellt und von allen Nachtheilen begleitet gewesen zu seyn, welche mit der ersten Anwendung einer neuen Düngerart stets verbunden zu seyn pflegen. Die Resultate mehrerer wurden der jährlichen Versammlung des Ackerbau-Vereins von Lord Gosford zu Market-Hill im December 1842 mitgetheilt; daraus ersehe ich, dass R. Archer, Geistlicher in Hill Town, folgende Resultate von Versuchen erlangt hat, die er je auf einer Quadrat-Ruthe anstellte.

	Düngerart.	Betrag per Acker.	Art d. Rüben.	Aernte per Acker.			
				Ton.	Ctr.	Quart.	Pfd.
Erste Saat.	Kohlensaures Ammonium.	50 Pfd.	Skirving's schwed. Rüb.	16	14	0	22
			ohne Blätter	13	16	1	20
	Guano . .	$3\frac{3}{4}$ Ctr.	ditto . .	24	14	1	4
			ohne Blätter	19	18	2	8
Zweite Saat	Guano . .	ditto.	Gelbe Aberdeen Rüben	38	17	0	8
			ohne Blätter	31	10	0	0
Dritte Saat.	Kohlensaures Ammonium.	100 Pfd.	Dales Bastard Rüben	31	10	0	0
			ohne Blätter	18	12	3	2
	Guano . .	$3\frac{1}{2}$ Ctr.	Dales Bastard Rüben	39	10	2	24
			ditto . .	27	16	1	20
Vierte Saat.	Stalldünger.	etwa 30 Tonn.	Weis. Norfolk	33	7	2	20
			ohne Blätter	28	15	2	24

Die Versuche des Herrn Alex. Kinmouth aus Deer Park haben folgende Resultate gegeben:

Dünger per Acker.	Produkt.	Tonnen.	Centner.	Quart.	Pfund.
Stalldünger 36 Wagen	Rüben	30	8	3	0
	Blätter	8	15	3	0
Guano 4 Centner	Rüben	28	17	0	16
	Blätter	4	4	1	4
Knochenmehl 25 Bushel	Rüben	20	17	0	16
	Blätter	4	17	0	16

Dünger von Lehm u. Kalk 30 Fässer Kalk vermischt mit dem zusammengesetzten Abfall u. dem Schlamm der Flachsgruben, welcher vier Monate vor dem Gebrauch trocken lag.	Produkt.	Tonnen.	Centn.	Quart.	Pfund.
	Rüben	28	1	1	20
	Blätter	7	10	0	0

Herr W. Rennie aus Mullabrack Glebe bemerkt in einem Briefe vom 31. December 1842: „Seitdem ich einige Versuche mit Guano-Dünger gemacht habe, halte ich ihn für sehr nützlich. Wir legten ihn unter Kartoffeln, im Verhältniss von 2 Centner per Acker, und das Produkt betrug 1½ Stone mehr auf die Ruthe, als beim Stalldünger. Ich versuchte auch, welche Wirkung Guano mit Stalldünger haben würde, und fügte ein Pfund auf die Ruthe hinzu; hieraus ergab sich ein Bushel mehr an Kartoffeln auf jenem Raume. Auch bringt der Guano eine schönere Rübenärnte, als ein anderer Dünger hervor; und der Wuchs der Rüben erscheint länger. Er muss mit Asche oder mit verfaultem Compost gemischt werden, damit der Ausstreuende ihn gleichmässig über den Boden vertheilen kann. Das Land muss gehörig zugerichtet seyn, ehe der Guano aufgetragen wird.

Aus folgenden Versuchen wird man ersehen, dass Guano auch im südlichen Frankreich mit günstigen Erfolgen gebraucht wurde (Brit. Farm. Mag. V. VI. p. 604). Das Klima des Distrikts, worin dieselben statt fanden, ist, wie ich glaube, trocken und warm. Die Erfolge sind angegeben im: „Bericht vom Minister des Handels und Ackerbaus über die auf der Versuchswirthschaft S. Pierre d'Irube bei Bayonne mit Guano angestellten Proben und die dadurch erlangten Resultate.

1. Bei *Gras.* Der Guano wurde auf einem gewissen Raume im Verhältniss von 1600 Pfund auf den Acker ausgestreut. Die Vegetation war ausserordentlich. Man gewann drei Aernten Heu und Nachwuchs bis zum 14.

September, und wenigstens zweimal reichere, als auf anderem gleichem Raum der Wiese, wo man nie mehr als zwei Aernten bekommen hatte. An der Seite war auf gleichem Raum eine hinreichende Masse Holzasche, an einer zweiten vermoderter Dünger, an einer dritten alte Composterde mit Kalk, an einer vierten Mist von Geflügel im doppelten Gewicht des Guano angewandt. Diese Mischungen und Düngerarten brachten einen schönen Pflanzenwuchs hervor, jedoch nur zwei Aernten, und im Verhältniss von einem Drittel bis zur Hälfte geringer, als die Guano-Aernte. Diese gab 800 Pfund per Acker, zwei Aernten und ein Drittel mehr Heu als die andern Theile; bei 500 Pfund per Acker war die erste Aernte reichlicher als die andern; die zweite zeigte keinen Unterschied. Das von Guano erzeugte Heu war zarter, der Geruch aromatischer und angenehmer und die Thiere frassen es mit Begierde.

2. Bei *Kartoffeln* am 24. April: Der Guano wurde im Verhältniss von 200 Pf. per Acker aufgetragen, die Saat-Furchen ungefähr in der Entfernung von 22 Zoll gezogen und die Kartoffeln in einer Linie 13 bis 15 Zoll von einander entfernt gepflanzt. Um die Pflanze ward so viel Guano gestreut, als man mit 3 Fingern fassen konnte. Die Vegetation war schön und das Produkt gut, die Kartoffeln sehr gesund. Auf einem andern Theile wurden sie mit künstlichem Dünger aus Erde und Mist gezogen, auf einem andern mit Mist; das Resultat dieser zwei war dem des Guano untergeordnet. Der künstliche Dünger allein kam ihm nahe.

3. Bei *Wicken* und *Hafer* zur Fütterung, 29. April, im Verhältniss von 240 Pfund Guano per Acker. Die Wicken und der Hafer wurde zuerst breitwürfig gesät, dann Hände voll Guano darüber ausgestreut und das Ganze alsdann geegget, um es zu mischen und zu bedecken. Die Vegetation war schnell und kräftig; auf

einem andern Theile, wo Dünger mehr als um die Hälfte des gewöhnlichen Maasses aufgetragen worden war, weil diess Land zuerst eine andere Bestimmung hatte, war die Vegetation schön, aber nicht so schnell, als beim Guano. Auf beiden Stellen wurde hierauf Mengefutter gesät, welches gut keimte und nun gleich gut erscheint. Wir können vorerst versichert seyn, dass die Aernte auf dem gedüngten Theile gut seyn wird. Später werden wir sehen, wie der Guano in so geringer Masse gebraucht, auf eine zweite Aernte wirkt.

4. Bei *Winterweizen*, 24. April. Der Guano wurde auf einem Feldstück, wo die Vegetation arm und die Stengel gelb waren, breitwürfig, zu 200 Pf. per Acker, wie bei den Wicken und zu derjenigen Zeit ausgestreut, wo die Aehren sich zu bilden begannen. Binnen 14 Tagen wurde die Farbe der Saat eben so grün und die Halme gleich hoch, wie auf den andern Feldern. Bei der Aernte fand man die Aehre und den Stengel schöner. Ein Theil des schlechtstehenden Weizens, der keinen Guano erhielt, blieb stets in diesem Zustande, und gab Aehren und Stengel von schlechter Beschaffenheit. Auf einem Theile, wo der Weizen von Anfang an schön stand, ward er in Aehre und Stroh beinah um die Hälfte besser.

5. Bei *Runkelrüben*, 4. Mai. Im Verhältniss von 80 Pf. Guano per Acker. Die Rillen wurden ungefähr 17 Zoll von einander entfernt gezogen und die Saamen in Entfernungen von 11 bis 13 Zoll gesteckt; ein wenig Guano, wie man nur mit 2 Fingern halten kann, ward je in ein Loch gestreut, sowie man die Saat einlegte. Die Blätter und Wurzeln wurden sehr schön, und es ergab sich dasselbe Resultat, wie bei guter Düngung. Die Pflanzen gediehen jedoch nicht an einigen Stellen. Ich glaube, die Ursache in dem Umstande zu finden, dass zu viel Guano mit 3 Fingern, anstatt mit 2 Fingern beim Einstreuen gefasst worden war.

6. Bei *Klee*, 14. Juni. Vierzehn Tage nach Einbringung der ersten Aernte wurde der Guano im Verhältniss von 120 Pf. per Acker, wie sonst der Kalk ausgestreut. Der Pflanzenwuchs war dem übrigen des ganzen Kleestücks überlegen, nicht einmal mit Ausnahme eines Theiles, wo man Kalk zur selben Zeit aufgetragen hatte. Ungefähr ein Drittel mehr Klee wurde hervorgebracht.

7. Bei *Angersen*, 11. Juli. Man gebrauchte den Guano in demselben Verhältniss und in derselben Weise wie bei Runkelrüben. Der Pflanzenwuchs war demjenigen gleich, welcher sich aus starker Düngung ergab. Auch hier blieb die Saat an einigen Stellen aus. Ich hege keinen Zweifel, dass der Grund davon in zu grossen Portionen Guano lag.

8. Bei *Mais*, 13. Juli. Man trug Guano im Verhältniss von 240 Pf. per Acker auf, zog die Rillen in Zwischenräumen von 22 Zoll und setzte die Pflanzen in einer Linie 10 bis 13 Zoll von einander entfernt. Nach dem letzten Behacken wurde so viel Guano, als man mit 3 Fingern fassen konnte, so bald die Aehre sich zu bilden begann, eben so wie bei den Kartoffeln, um die Wurzeln gestreut. Der Mais steht eben so gut, als auf einem gehörig gedüngten Stücke desselben Feldes, obgleich jenes Verfahren 12 Tage später und in weniger günstigem Zeitpunkte eintrat. Ein Theil des Feldes, welcher weder Guano noch Dünger erhielt, brachte Korn von bei Weitem schlechterer Qualität hervor. Ein anderer schon gedüngter Theil, welcher später noch mit Kalk bestreut wurde, gab einige sehr schöne Stengel. Bevor ich den Guano gebrauchte, liess ich ihn zerstossen, um die vielen harten Klumpen, die sich darin bilden, zu zerkleinern und in Pulver zu verwandeln, damit er gleichförmiger ausgestreut werden konnte. Es ereignete sich hier ein Umstand, den ich wohl nicht mit Stillschweigen übergehen zu dürfen glaube, und worin ein Chemiker

vielleicht die hauptsächlichste befruchtende Eigenschaft des Guano erkennt. Als die ersten Versuche gemacht wurden, besichtigte ich die Wiese an einem sehr heissen Tage und fand überall eine grosse Dürre. Ich näherte mich dem Theile, welcher die grösste Menge Guano erhalten hatte; er fiel auf durch die Kraft des Pflanzen-Wuchses und des Grünes. Ich hielt meine Hand hinein und zog sie so nass wieder heraus, als wenn ich sie in Wasser getaucht hätte. Das Gras hatte sich gelegt, aber noch nicht flach; man hätte glauben sollen, ein starker Regen sey gefallen. Am nächsten Tage erhielt ich den ersten Schnitt. Auf einem Theil dieser Wiese war der Inhalt eines Guano-Sacks aus Versehen ausgeschüttet worden. Ich hatte den Guano so sorgfältig wie möglich aufgenommen, allein die Stelle ist wie verbrannt geblieben; kein Pflanzenwuchs hat sich bis jetzt gezeigt. Auf einen Büschel bis auf den Boden abgeschnittener Linsen streute ich eine Handvoll Guano, die Linsen verschwanden. Ich erinnere mich nie einen Dünger gebraucht zu haben, welcher in so kleinem Umfange so viele befruchtende Eigenschaften, wie der Guano enthält. Indem ich die geringe, für alle Aernten im Allgemeinen nothwendige Menge im Auge halte, bin ich der Meinung, dass er vor jedem andern Dünger bedeutende Vortheile voraus hat. Ich möchte schwerlich seinen Preis im Voraus bestimmen, wenn wir die Nothwendigkeit, ihn zu kaufen, erkennen.

Bei einigen Versuchen mit Guano im Garten des Hrn. Ford's auf Sheaf-House bei Sheffield wurden folgende Resultate erlangt. (Gardener's Chronicle): „Im Frühjahr düngte ich Erbsen und Linsen mit Guano und Soda-Salpeter, indem ich ihn über die Saat in abgesonderten Reihen und im Verhältniss von 1 Pf. auf 10 Ellen streute. Die mit Guano gedüngten Reihen brachten die doppelte Aernte gegen die mit Soda-Salpeter hervor; auch war das Produkt anderer nicht bestreuter Reihen ein besseres. Die Stengel wurden zu stark, um gut zu tragen; wahrscheinlich gebrauchte ich zu viel Salpeter. Bei Kohlpflanzen schien keiner der aufgestreuten Dünger Wirkung zu äussern; dagegen eignet sich Hornabfall ausserordentlich für diese ganze Pflanzenfamilie. Im März düngte ich 2 Spargelbeete mit 6 Pf. Soda-Salpeter, wovon jedes 5 Ellen lang und $4^{1}/_{2}$ Ellen breit war; 2 andere wurden auf gleiche Weise mit Guano gedüngt; die Beete waren sämmtlich von gleichem Alter und gleicher Güte. Der letztere Dünger hat noch keine sichtbare Wirkung hervorgebracht; der Salpeter aber ertheilte den Pflanzen eine grössere Kraft und scheint ihnen sehr zuträglich zu seyn. Vergangenen Juni pflanzte ich 6 Reihen Sellery, düngte 2 mit Guano, im Verhältniss von 2 Pf. auf 10 Ellen, an beiden Seiten der Reihen, unmittelbar nach der Pflanzung, ferner 2 mit Soda-Salpeter und 2 mit Stalldünger 6 Zoll tief unter der Pflanze. Die ersten beiden Reihen waren nicht so gut wie die andern, aber besser als eine Reihe, welche überhaupt keinen Dünger erhielt; die übrigen 4 waren schön und gleich gut. Im Mai düngte ich einige Acker Gras, zum Heuen bestimmt, mit Soda-Salpeter im Verhältniss von $1^{1}/_{4}$ Centner per Acker, einen andern Theil mit Guano in demselben Verhältniss und einen dritten mit gutem Stallmist (zum Werthe von 5 Schill. per Tonne) 7 Tonnen per Acker. Der erste brachte die reichlichste Heu-Aernte; der Guano erwies sich besser als der Dünger. Nachdem das Heu gemäht war, konnte ich in der Entfernung einer halben englischen Meile durch die dunklere Farbe des Grases den Ort erkennen, wo der Salpeter gebraucht war. Auch wurde dasselbe von den Pferden bis auf den Boden bei weitem mehr wie das übrige abgefressen. Bei der Anwendung des Guano auf einzelne Pflanzen vermische ich 2 Pfd. mit einem Bushel leichten Lehms;

einige gutbewurzelte Pentastemons, die darin eingepflanzt wurden, starben 14 Tage später; einige Pelargonien wurden kränklich, starben jedoch nicht. Ein Epiphyllum und einige Cactus-Pflanzen wuchsen dabei sehr stark und einige Fuchsia gediehen gut. Ein Beet mit Verbena Melindres ward am Ende Mai mit Wasser begossen, worin Soda-Salpeter im Verhältniss eines grossen Esslöffels voll auf die halbe Gallone aufgelöst war. Die Pflanzen wuchsen weit schneller und standen beinahe in voller Blüthe, ehe noch bei andern, nur mit Wasser begossenen Beeten, die Blumen sich zu zeigen anfingen. Eine Abies deodada ward auch mit Soda-Salpeter 4 Unzen auf die Gallone, im Wasser aufgelösst, begossen; sie wuchs schneller und stärker, als eine andere daneben stehende Pflanze derselben Art. Beide standen auf derselben Bodenart. Ich muss zwar bemerken, dass die Pflanze, bei welcher der Versuch gemacht wurde, die stärkere war, allein der Salpeter wirkte sicherlich zuträglich, da sie in geringerer Zeit als eine Woche ein dunkleres Grün als die andere bekam und den ganzen Sommer hindurch behielt.

Bei einem Versuche H. Henry Bardon's aus Caldy (Brit. Farm. Magaz. v. 6. p. 555) mit schwedischen Rüben zeigten sich folgende Resultate:

	Tonnen.	Centner.	Pfund.
Zwei Reihen mit 6 Ctr. Guano per Acker gaben	19	3	3
Zwei Reihen mit 16 Karren-Ladungen Compost per Acker	16	0	6

In den Versuchen H. Pusey's mit schwedischen Rüben auf starkem aber nicht tiefem Lehm auf Kalkstein waren die Resultate folgende:

	Tonn.	Ctr.	Pf.	Tonn.	Ctr.	Pf.
	Zu 18 Zoll.			Zu 27 Zoll.		
20 Tonnen Dünger per Acker	13	13	40	18	1	36
20 Bushels Knochenmehl	14	0	36	9	18	40
26 Bushels Poittevin (?)	12	5	80	12	5	80
3 Centner Urate	13	1	48	12	1	48
3 ,, Guano	13	10	16	12	3	16
20 Bushels Perlasche	8	16	0	10	16	60

In der Versammlung der Ackerbau-Gesellschaft der Insel Man (Aug. 1842) gab H. Lyle das Resultat einiger Versuche mit diesem Dünger auf leichtem, unfruchtbarem, hungrigem Boden, worauf zwei Grasarten abgetheilt waren; auf dem einen wächst Stickney's Raygras, mit kleinen Quantitäten von Holcus lanatus (Woll-Gras) und Poa trivialis, auf dem andern italienisches Ray-Gras. Beide hatten am 12. Mai eine obere Düngung mit Guano, im Verhältniss von 3 Centner per Acker, erhalten. Am 20. Juni wurde eine Quadratruthe der gedüngten und ungedüngten Stellen abgemäht und der Ertrag so genau wie möglich gewogen. Folgendes war das Resultat:

Stickney's Raygras und kleine Quantitäten von Holcus lanatus und Poa trivialis.

Auf einer mit Guano in der oben angegebenen Weise gedüngten Quadratruthe	$7\frac{1}{2}$ Pfund.
Ebenfalls, nicht so gedüngt	$2\frac{3}{4}$ „

Italienisches Raygras.

Auf einer mit Guano in der angegebenen Weise gedüngten Quadratruthe	$10\frac{1}{2}$ „
Ebenfalls, nicht so gedüngt	$4\frac{3}{4}$ „

Der Guano ward auch zu derselben Zeit am 12. Mai und in derselben Weise auf Reihen junger Ulmen, Lerchenbäume und Erdbeeren angewandt, und am 20. Juni konnte man diese Reihen in beträchtlicher Entfernung von anderen, wegen ihres dunkeln und gesunden Grüns und kräftigeren Wuchses unterscheiden. (Johnson and Shaw's Farmers's Almanac, v. I. p. 290.)

Somit ergiebt sich aus den Resultaten verschiedener mit Guano in England kürzlich angestellter Versuche der unzweifelhafte Schluss, dass der Guano sicherlich ein Dünger von kräftigen Wirkungen ist; zugleich aber auch ist es ziemlich deutlich, dass man ihn in angemessenem Verhältniss gebrauchen muss. Drei bis vier Centner per Acker scheint die richtige Proportion zu seyn. Ferner auch ergiebt es sich aus den von mir selbst, wie aus vielen anderen beobachteten Versuchen, deren Resultate veröffentlicht wurden, dass man ihn nicht mit der Saat in unmittelbare Berührung bringen darf. Trägt man ihn in Rillen ein (dieses ist, wie ich glaube, die beste Verfahrungsweise), so sollte er nach einer besonderen und am sichersten nach der verbesserten Suffolkischen Methode angewendet werden, wornach der Dünger in den Boden um so viel tiefer und um so viel früher vor der Saat eingebracht wird, dass ein Theil des Bodens zwischen der Saat und dem Dünger unter ihr zu liegen kommt. Wie alle concentrirten Befruchtungsmittel, erheischt er ferner zur grösseren Entwickelung seiner Kräfte einen beträchtlichen Zuschuss von Feuchtigkeit, und wird desshalb in nassen Jahren die besten Resultate geben. Wie es scheint, tritt in vielen Gegenden Peru's, gleich nach seiner Anwendung, eine Bewässerung ein.

Aus diesen Thatsachen, so wie aus den allgemeinen guten Wirkungen, die von ihm aus Grasländern von St. Helena, aus Lancashire und aus anderen der am Meisten regnigen Grafschaften Englands berichtet worden sind, zeigt er sich offenbar als sehr gut geeignet zur oberen Düngung von Wiesen und niedrig liegenden Ländereien im Allgemeinen.*

* Diess scheint mit der Meinung H. J. Beadel's übereinzustimmen, eines ausgezeichneten Landwirths und Landagenten von Witham. Dieser bemerkt in einer Mittheilung, womit er mich neulich beehrte: Wie ich glaube, kann man keinen Zweifel hegen, dass ächter Guano einen sehr kräftigen Dünger bildet. Hätte ich die Absicht, ihn zu gebrauchen, so würde ich seine Anwendung als flüssigen Dünger vorziehen.

Ich bin der Meinung, dass die meisten von uns angewandten oberen Düngungen besser als Reizmittel für Futtergewächse wie für Cerealien dienen. Ich wenigstens habe bemerkt, dass Weizen, wenn so gedüngt, dem Mehlthau mehr unterworfen war. Das Stroh ist alsdann dunkel und kräftig, allein der Kern schwillt nicht auf.

Auch bin ich nach eigenen Beobachtungen der Meinung, dass der Guano, wenn man ihn mit fein gesiebter Erde im Verhältniss seines drei- oder vierfachen Gewichts vermischt, und ihn vor der Anlegung in Rillen oder der Ausstreuung mit der Hand einige Wochen lang in diesem Zustande stehen lässt, bei Weitem beträchtlichere Wirkung äussert, und dadurch seine bisweilen zu kräftigen Wirkungen auf den Wuchs der Aernte vermieden werden.

Auszüge

aus dem

Gardener and practical florist vom 14. October 1843.

Seit Kurzem ist über den Guano so viel gesagt und geschrieben worden, dass die Untersuchungen über seine Eigenschaften und seine vortheilhafteste Anwendungsart immer häufiger werden. Einige gebrauchen ihn im flüssigen Zustande, Andere mit erdigen Bestandtheilen vermischt, Andere wieder den Guano für sich allein. Einige bringen ihn entweder ganz oder theilweise in den Boden ein, Andere streuen ihn nur auf die Oberfläche, in Vermischung mit Erde, Asche, Gyps oder Kalk. In Betreff der Menge, in der er angewendet wird, fand gleichfalls grosse Verschiedenheit Statt, indem der Guano von 1 bis zu 10 Ctr. per Acker angewendet wurde. Ebenfalls S. 28 — 36 im flüssigen Zustand, 4 Pfd. auf 10 bis 12 Gallonen. Diese Abweichungen sind störend für praktische Landwirthe, indem derselbe leicht verleitet wird, auch selbst das, was allein

---

Vielleicht habe ich zu stark gedüngt, und desshalb keinen Erfolg gehabt. Das Aussehen glich dem auf dem Misthaufen wachsenden Getreide, mit üppigem Wuchs aber arm an Körnern.

beachtenswerth ist, hintanzusetzen. Indessen sind solche Zufälligkeiten für jetzt unvermeidlich, nicht allein weil der Gegenstand selbst noch neu ist, *sondern auch weil wir überhaupt in dem richtigen Gebrauch der Dungmittel und der genauen Kenntniss ihrer Wirkungen eigentlich noch Neulinge sind.* In dieser Beziehung sind die Verdienste von *Just. Liebig* in hohem Grade anzuerkennen, welcher über diesen bisher noch so dunkeln Theil der angewandten Naturkunde ein helles Licht verbreitet hat.

Wir sind verschiedenen mit Guano angestellten Versuchen gefolgt, welche dazu dienen können, seine Wirkzamkeit ins Licht zu setzen;*) so weit dieselben reichen, sind sie höchst zufriedenstellend, *nur darf der Guano*

*) Man könnte die Frage aufstellen, ob nicht die Excremente von Seevögeln, welche in grosser Menge einige Felseneilande an der Nordküste Grossbritanniens umschwärmen, dem Guano gleich zu achten seyen? oder ob die Produkte unserer Taubenschläge und Hühnerställe nicht den nämlichen Werth haben? Jedes von diesen ist als ein kräftiges Beförderungsmittel der Vegetation bekannt; was davon auf den Felsen in Europa abgelagert wird, hat seine werthvollsten Bestandtheile schon durch den immer wiederkehrenden Regen verloren, der erstern auswascht, während es in den Gegenden, aus welcher der Guano zu uns kommt, niemals regnet. Der Guano liegt schichtenweis angehäuft, wobei er nach und nach fester und trockner wird, und dadurch alle wirksamen ammoniakalischen und anderen Bestandtheile zurückbehält. Ferner besteht ein grosser Unterschied zwischen den Excrementen von Fleisch fressenden und Körner fressenden Thieren; zwischen denen von Wasser-Vögeln, die von Fischen leben und von Geflügel, das sich von Vegetabilien nährt. Wer von uns kennt nicht den Unterschied zwischen dem durchdringenden Gase, welches sich aus der Umwerfung thierischer Stoffe entwickelt, und dem aus Heu oder ähnlichen Vegetabilien entstehenden? Diese Gase, die man bis jetzt nutzlos entweichen lässt, welche jedoch zurückzuhalten sich jeder Landwirth zur Aufgabe machen sollte, sind so zu sagen die wahre Essenz des Düngers, es sind diejenigen Stoffe, welche mehr als irgend sonst Etwas zum üppigen Wachsthum der Kulturgewächse erforderlich sind,

nicht zu reichlich aufgetragen werden, in diesem Fall wirkt er schädlich. Im flüssigen Zustande wurde er, 4 Unzen auf die Gallone Wasser, zweimal wöchentlich im Laufe von 3 Wochen bei Erdbeerenbeeten angewendet und bewirkte einen erstaunenswerthen Wuchs der Blätter und Blüthen; sein Einfluss auf die Aernte der Früchte muss jedoch noch abgewartet werden. Andererseits wurde ein Beet mit Setzlingen von Alpen-Erdbeeren die ungefähr einen Monat vorher versetzt worden waren, mit ungemischtem Guano-Pulver bestreut; der Guano vernichtete jede Pflanze, an die er gebracht war. Die Hälfte eines Beetes mit Zwiebeln, welche 6 Zoll hoch waren, wurde vor einem Monat mit reinem Guano, zwei Unzen auf die Quadrat-Elle, was 5 Ctr. per Acker ausmacht, bestreut; die Jahrszeit war regnigt und die mit Guano behandelten Zwiebeln sind noch einmal so gross geworden als die nicht so gedüngten. Bei 6 Zoll hohen Kartoffeln wurde Guano im Verhältniss von 1½ Unze auf die Elle an die Wurzeln nahe bei den Stengeln gestreut; diese sind jetzt (5 Wochen später) bei weitem denen überlegen, welche absichtlich ohne Guano gelassen waren. Neun Theile leichten Bodens wurden mit einem Theil Guano untermischt und eine halbe Schaufel (Spaten) dieses gemischten Düngers in jeder der zu seiner Aufnahme regelmässig gegrabenen Löcher auf einem Beete leichten Bodens eingelegt. In der Mitte dieser Düngung wurde ein Setzling Brüsseler Kohl gesetzt und dann gehörig begossen; dies geschah vor einem Monat und gegenwärtig ist mehr als die Hälfte der Pflanze verwelkt und erstorben. Geranien wurden in Zwischenräumen von einer Woche mit Guanowasser, 4 Unzen auf die Gallone, jedoch im Ganzen nur 5mal begossen, die Blätter begannen hierauf sich zu kräuseln, und obgleich der Gebrauch des flüssigen Guano 2 Monate lang nicht fortgesetzt wurde, werden die Pflanzen sich doch wahrscheinlich nicht eher wieder erholen, als bis sie in frischen Boden verpflanzt sind. Pflanzen verschiedener Arten in Töpfen mit Guanowasser, blos eine halbe Unze auf die Gallone, begossen, haben auf erstaunenswerthe Weise geblüht, keine einzige ist ausgeblieben. Die Lehren, welche aus diesen Erfahrungen hervorgehen, sind handgreiflich.

Aus den von Hrn. Gibbs und Söhne über den Guano mitgetheilten Beobachtungen und Bemerkungen und aus andern durch Privatmittheilung gewonnenen, wählen wir die folgenden heraus: Beim Kartoffelbau hatte 2½ Ctr. Guano per Acker, was wohl nicht mehr als 1 Unze auf die Quadrat-Elle macht, in die Gruben eingelegt, eine so günstige Wirkung, dass er der gewöhnlichen Anwendung des Stalldüngers sich als überlegen zeigte. Auf Gras im Verhältniss einer Unze auf die Quadrat-Ruthe gestreut, was in runder Zahl 300 Pfund auf den Acker macht, hat er sich ebenfalls im hohen Grade produktiv erwiesen. Bei Grasland ist er sogar im Verhältniss von einer Tonne per Acker gebraucht worden und zwar mit noch mehr gesteigerter Wirkung. Wir haben noch nicht ausgemittelt, zu welcher Quantität die Anwendung auf Grasland ausgedehnt werden kann, bis dieselbe durch Uebermaass schädlich wird. Will man den Guano mit der Hand ausstreuen, so muss man Sorge tragen, dass es möglichst gleichförmig geschieht.

Reduction

der

in diesem Schriftchen angeführten englischen

Münzen, Maase und Gewichte.

1. Münzen.

1 Pfund Sterling = 12 fl. im 24 Guldenfuss.
1 Schilling = 36 kr. im 24 Guldenfuss.
1 Penny = 3 kr. im 24 Guldenfuss.

2. Längenmaase.

1 englischer Fuss à 12 Zoll = 0,3048 Meter = 1,0638 würt. Fuss.
1 Elle (Yard) à 3 Fuss = 0,914 Meter = 3,19 würt. Fuss.
1 Ruthe (Pearch, Pole, Rod)
à $16^1/_2$ englische Fuss = 5,028 Meter = 17,55 würt. Fuss.

3. Flächenmaase.

1 englischer Quadratfuss = 0,093 Quadr. Meter
= 1,132 würt. Quadratfuss.
1 Quadr. Yard = 0,836 Quadr. Meter = 10,186 würt. Quadr. Fuss.
1 Quadr. Ruthe = 25,29 Quadr. Meter = 308,14 würt. Quadr. Fuss.
1 Acker (acre) = 4 Ruthen Land (rood of land)
= 160 Quadr. Ruthen = 4840 Quadr. Yards = 43560 Q. Fuss.
= 40,467 franz. Ares = 1,284 würt. Morgen oder $1^1/_4$ Morgen
und 13 Quadrat Ruthen.
1 schottischer Acker = 1,261 englischen Acker = 51 Ares
= 1,6 würt. Morgen.
Der schottishe Acker ist beiläufig um $^1/_4$ grösser als der englische.

4. Körpermaase.

1 englischer Cubikfuss = 0,028 Cub. Meter = 1,204 würt. Cub. Fuss.
1 Cub. Yard. = 0,764 Cub. Meter = 32,5 würt. Cub. Fuss.
1 Last = 29,07 Hectoliter = 16,4 würt. Scheffel.
1 Tonne (= 1/2 Last) = 14,54 Hectoliter = 8,2 würt. Scheffel.
1 Quarter (= 1/5 Tonne) = 2,91 Hectoliter = 1,64 würt. Schfl.
1 Bushel (= 1/8 Quarter) = 36,35 Liter = 1,64 würt. Simri.
1 Peck (= 1/4 Bushel) = 9,09 Liter = 1,64 würt. Vierling.
1 Gallon (= 1/2 Peck) = 4,54 Liter = 0,82 würt. Vierling.
1 Quart (= 1/4 Gallon) = 1,14 Liter = 1,64 Ecklein.
1 Pint (= 1/2 Quart) = 0,57 Liter = 3,28 Viertelein.
1 Sack (= 3 Bushel) = 1,09 Hectoliter = 4,92 Simri.
NB. 1 Bushel à 38 Quart = 43,16 Liter = 1,95 Simri.

5. Gewichte.

1 ℔ Handelsgewicht (Avoirdupoids) = 453,6 Grammes
= 0,97 würt. Pfund.
1 Quarter (= 28 ℔) = 12,7 Kilogramm = 27,15 würt. Pfund.
1 Centner (= 112 ℔) = 50,8 Kilogramm = 108,6 würt. Pfund
1 Tonne (= 20 Centner) = 1016 Kilogramm = 2172 w. Pfund.
oder = 20,9 würt. Centner à 104 Pfund.

Hieraus ergibt sich:

1) Wenn der Ertrag per englischem Acre = 1 Bushel ist, so ist derselbe per würtembergischen Morgen = 1,278 würt. Simri.

2) Wenn der Ertrag per englischem Acre = 1 englischen Pfund ist, so ist derselbe per würtembergischen Morgen = 0,755 oder beiläufig 3/4 würtemb. Pfund.

---

1 Gallon Wasser circa 9 3/4 würt. Schoppen circa 4 1/2 Liter.

Sechs Gesp

über die

Röhren-Drainirung

auf

den Feldern und in der Ziegelei

von

Proskau.

Mitgetheilt

von

Dr. phil. E. John,

Versuchs-Dirigent und Lehrer der Landwirthschaft.

Zweite Auflage.

Oppeln, 1851.

Druck und Verlag von Erdmann Raabe.

In Commission bei Graß, Barth & Comp. (J. Ziegler) in Breslau.

Erstes Gespräch.

Ueber die Wesenheit der englischen Röhrendrainirung und über die Entwerfung des Planes zu einer solchen.

J. Ich führe Sie zunächst auf das Feld zu den Drainirungs-Arbeiten; danach wollen wir uns nach der Röhren-Fabrik begeben.

G. Die Entwässerung nasser und namentlich die quelliger Felder durch verdeckte Wasserabzüge ist schon seit vielen Jahrzehnten bekannt und vielfach ausgeführt; wie kommt es, daß trotzdem die englische Röhrendrainirung jetzt plötzlich in so hohem Grade unsere Aufmerksamkeit verlangt?

J. Theils hat dies seinen Grund darin, daß durch die Anwendung der Thonröhren und durch die Vervollkommnung der Röhrenpressen die Abzüge weit wohlfeiler und von bei weitem längerer Wirksamkeit angefertigt werden können, theils darin, daß bei den bisherigen Anlagen unterirdischer Abzüge vorzüglich beabsichtigt wurde, Quellen abzuleiten, während das thorough draining — d. i. Ueber und über oder vollständig Trokkenlegen — der Engländer nicht allein dieß, sondern ganz vorzüglich auch ein rasches Abführen des Tagewassers gleichmäßig über die ganze Feldbreite und bis zu einer möglichst großen Tiefe bewirken soll.

G. Wie muß zu diesem Zwecke das Röhrensystem gelegt werden?

J. Die einzelnen Röhrenzüge — Nebendrains — werden in der Richtung des stärksten Gefälles parallel über die ganze Feldbreite gelegt und zwar nach den Erfahrungen der Engländer in der Entfernung von 24 — 40′ und in einer Tiefe von 3 — 4′. Es ist mehrfach die Regel aufgestellt worden, daß, je tiefer, um so weiter könnten sie von einander entfernt gelegt werden, doch findet nach den bisherigen Erfahrungen dieselbe nur innerhalb enger Grenzen Anwendung. Die hierüber auf dem hiesigen Versuchsfelde eingeleiteten Versuche betreffen folgende Verhältnisse:

3' Tiefe bei 22½' Entfernung,
3' Tiefe bei 32' Entfernung,
3' Tiefe bei 45' Entfernung,
4' Tiefe bei 45' Entfernung,
5' Tiefe bei 45' Entfernung,

und außerdem die Wirkung von Luftdrains, d. h. von Drains, welche an beiden Enden frei münden und daher die Communikation der Luft unter dem Acker gestatten.

G. Und macht in der That die Anlegung so vieler Röhrenzüge sich bezahlt?

J. Die Erreichung jenes Zweckes hat sich von dem günstigsten Einflusse auf die Möglichkeit, den Acker stets **rechtzeitig bearbeiten** zu können, auf die **Wärme** desselben und die **Einführung der befruchtenden Luft** an die Stelle der kalten, schädlichen Nässe, durch dies alles aber auf die **Größe der Erndten** gezeigt, so daß die Anlagekosten meist in 5 — 10 Jahren, in englischen Beispielen sogar in 2 Jahren vollständig zurückerstattet werden.

G. Ein großer Theil meiner Felder hat einen zwar reichen aber nassen und daher kalten Boden, welcher aus letzterem Grunde unsichere Erndten trägt, diesen würde ich demnach wohl zunächst zu drainiren haben?

J. Ein solcher Boden bedarf allerdings der Drainage am meisten und macht sie am reichsten bezahlt, doch werden Sie danach auch den weniger schweren und nassen Boden mit Vortheil drainiren.

G. Auf einem Theile desselben ist das Gefälle so deutlich, daß ich glaube, das genauere Nivelliren ersparen zu können, auf einem anderen aber ist es sehr gering oder ganz mangelnd, ein dritter hat sogar einzelne Senken und somit stellenweise das Gefälle nach allen vier Himmelsgegenden: wird dieß die Ausführung gestatten?

J. Ein stark ausgesprochenes Gefälle erleichtert die Arbeit ungemein und bedingt großentheils hierdurch den Grundsatz, mit den Nebendrains dem Hauptgefälle nachzugehen. Daß es ein genaueres Nivelliren unnöthig mache, ist gewiß der geringste Vortheil; der bei weitem größere besteht in der größeren Sicherhrit, die Röhren stets mit dem richtigen Gefälle gu legen, denn wird dies versäumt und erhalten nur wenige Röhren eines

Zuges ein entgegengesetztes Gefälle, so wird eine Versumpfung des darüber liegenden Feldtheiles herbeigeführt. Bei den Feldbreiten, welche ein sehr schwaches oder gar kein Gefälle haben, können Sie dem Röhrenzuge das Gefälle dadurch geben, daß er zu Anfang 4½ bis 5′ tief und nun immer seichter bis 2′ oder gar nur 1½′ Tiefe gelegt wird.

G. Es ist dieß das Verfahren, welches in gleichen Fällen bei der Anlegung gewöhnlicher, offener Feldgräben befolgt wird. Auf welche Länge würde bei der Drainage diese Aussparung von 3 bis 3½′ ausreichen oder mit andern Worten, wie stark muß mindestens das Gefälle bei derselben sein?

J. Es hängt dies von der Geschicklichkeit der Grabenarbeiter und von dem Boden ab. Ist letzterer fest, so daß der Graben auf eine bedeutende Länge hin geöffnet werden kann ohne einzustürzen, ermöglicht er somit ein sorgsames Nachputzen der Sohle und gleichmäßiges Vertheilen des geringen Gefälles, so genügen 3″ auf 10° Länge, Sie würden also auf diese Weise mit der Aussparung von 3′ Tiefe eine Feldbreite von 120° entwässern können.

G. Das ist mir lieb zu hören, zumal die kleinen Senken auf dem Felde mir nunmehr auch nicht mehr so hinderlich erscheinen, denn ich glaube, trotz derselben durch Vertiefung des Draingrabenzuges im Höhenzuge und Aussparung der Tiefe in der Senke ebenfalls ein gleichmäßiges Gefälle erreichen zu können:

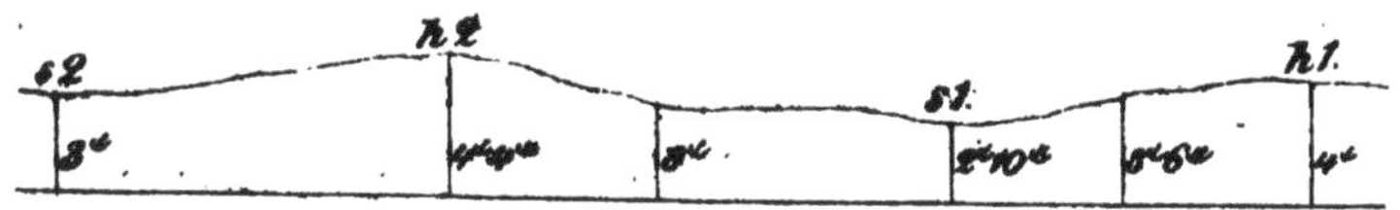

Das eine Gewende hat zwei Senken s^1 und s^2, und wenn ich durch diese die Röhren 3′ tief legen will, werde ich demnach den davorliegenden Berg h^1 mit wachsender Tiefe bis zu ungefähr 4′, den höhern Berg h^2 aber bis zu ungefähr 4′ 4″ durchstechen müssen.

J. Ja wohl; natürlich ist hier aber ein doppeltes Nivellement erforderlich; denn nachdem durch das erste, allgemeinere das Hauptgefälle des ganzen Feldes bestimmt und hiernach der Lauf der einzelnen Drains festgesetzt und abgesteckt worden ist, muß die Linie eines jeden derselben an vielen Punkten und wenigstens auf dem höchsten und niedrigsten Punkte und auf der halben Höhe einer jeden Senke nivellirt werden, um den Grabenarbeitern einigen Anhalt für ihre Arbeit geben und ihnen in bestimmten Zahlen sagen zu können: „An dem Punkte h¹ müßt ihr 4', dort 3' 6", dort 2' 10", dort 3' u. s. f. tief gehen. Hat eine Senke eine Ausdehnung von mehreren Morgen und ist der zu durchschneidende Höhenzug viele Fuß hoch, dann wird es allerdings gerathener sein, für diese ein besonderes Röhrensystem zu entwerfen. Dem praktischen Auge wird es nicht schwer fallen, in dem einzelnen Falle zu beurtheilen, ob mehrere Systeme zu entwerfen und wie diese abzugrenzen seien.

G. Ein Drainsystem nennen Sie die Gesammtheit einzelner Drains, welche einander parallel laufen und einem gemeinsamen Hauptgraben zugehen?

J. Ja.

G. Wenn ich den Drains die Richtung des größesten Gefälles gebe, so treffe ich mit denselben in einen großen Feldgraben, welcher an dem Fuße des Abhanges sich hinzieht. Diesen würde ich wohl als Drainirungs-Hauptgraben oder Sammeldrain benutzen können?

J. Dieß wird davon abhängen, ob er annähernd eine solche Tiefe hat, daß seine Sohle nicht allein 3 — 4" unter den einmündenden Röhren liegt, sondern daß auch sein Wasserspiegel nur selten und dann nur auf wenige Stunden die Röhren erreicht oder dieselben gar überfluthet und ob er nicht an einer gangbaren Straße liegt. Im ersteren Falle würde das, in die Röhrenzüge zurückstauende Wasser ein Erweichen des, die Stoßfugen umgebenden Boden und Verschlämmen der Röhren, im zweiten Falle unnütze Menschenhände die Zerstörung der ausmündenden Röhren bewirken. Diese Rücksichten werden in vielen, ja in den meisten Fällen die Anfertigung eines drainirten Hauptgrabens räthlich machen. Seine Anlage ist um so mehr gerechtfertigt, wenn der vorhandene Feldgraben nur ein kleiner, etwa 1 — 1½' tiefer ist, denn durch seine Vertiefung wird Boden verloren, das Feld noch mehr zerstückelt, die Vertiefung und etwanige Anlegung von Brücken wird so viel wie die Aufwerfung eines Draingrabens kosten, während die für den letzteren erforderlichen Röhren ziemlich dadurch gewonnen werden, daß derselbe circa 2° von dem offenen Feldgraben sich hinziehen, also jeder in denselben einlaufende Röhrenzug um so viel kürzer sein kann, denn jener würde auf diesen Streifen als Nebendrain wirken. Berücksichtigen Sie dabei die Instandhaltung eines großen, offenen Grabens, so werden Sie den drainirten Hauptgräben in den meisten Fällen den Vorzug vor den offenen geben.

G. Bei all' diesen Vorzügen wird er aber den großen Nachtheil haben, daß ich von der Thätigkeit der Drainage, von der Wassermenge, welche sie abführt, mich lediglich bei der endlichen Ausmündung des Hauptdrains in einen offenen Graben überzeugen kann, während bei einem offenen Hauptgraben jeder Nebendrain der Beobachtung sich darbietet, auch etwanige Fehler leichter bemerkt werden können.

J. Die Entdeckung etwaniger Fehler in den Röhrenzügen findet auch bei offenen Hauptgräben nur sehr bedingnißweise statt. Das Feld selbst ist durch die lokale Versumpfung der beste Anzeiger. Wollen Sie aber genauere Beobachtungen über die Stärke des Wasserlaufes u. dgl. machen, so können Sie dieß durch Anlegung von Beobachtungstuten machen. Behufs dessen wird an der, der Beobachtung zu unterwerfenden Stelle ein ohngefähr 1' langes und ebenso breites Loch bis auf die Sohle des Draingraben ausgemauert, seine Sohle gepflastert und über diese der Drain in oben offenen Röhren geleitet. Ein Deckel verschließt für gewöhnlich die Beobachtungstute.

G. Das bisherige System von Feldgräben und Wasserfurchen wird durch die Drainirung nicht völlig entbehrlich gemacht werden, sondern zur Ableitung großer Wasser, namentlich des Schneewassers erforderlich sein?

J. Ja, doch werde ich Ihnen nachher Versuche darüber ob auch große Feldgräben gedraint werden können, zeigen.

G. Ein wichtiger Punkt scheint mir die endliche Ausmündung des Hauptdrains in einen offenen Wasserlauf zu sein!

J. Die Beschaffung der Vorfluth bildet allerdings einen Hauptpunkt bei dem Entwurfe des Drainirungs-Planes, denn es wird in manchen Fällen sehr schwer sein, dem 3—3½' tief aus dem Acker geleiteten Wasser einen weiteren Abfluß zu verschaffen. Wenn nämlich das umliegende Land sehr flach ist, würde ein sehr langer Vorfluthgraben erforderlich sein. Führt derselbe durch fremde Ländereien, so wäre bei dem vorläufigen Mangel eines betreffenden Draingesetzes eine gütliche Vereinbarung mit den Nachbarn nöthig, deren Beding wahrscheinlich sein würde, den Vorfluthgraben zu drainiren. Ein derartiger kostbarer Vorfluthbau kann billiger gemacht werden: erstens dadurch, daß die Nachbarn ebenfalls drainiren, so daß der Vorfluthdrain ihr Hauptdrain wird und sie demgemäß einen Theil seiner Kosten tragen; zweitens dadurch, daß die Nebendrains nach unten zu flacher gelegt werden, so daß der Hauptdrain und der Vorfluthgraben ebenfalls flacher gemacht und letzterer eher einem vorhandenen Graben übergeben werden kann. Dieß ist natürlich nur bei Feldern mit starkem Gefälle ausführbar; bei dem fast horizontal liegenden Theile Ihrer Felder, wo entgegengesetzt bei dem Hauptdrain die Nebendrains tiefer zu legen sind als sie im Mittel liegen sollen, ist somit die Kostenersparniß auf diesem Wege unmöglich.

Drittens werden die Kosten verhältnißmäßig wenigstens geringer, wenn sie einem großen Felde die Vorfluth verschaffen; für 100 und mehr Morgen werden sie nicht im Verhältnisse höher sein als für 5 Morgen, so daß jene in vielen Fällen rentiren werden, was bei 5 Morgen unökonomisch wäre.

G. Vorhin schon wollte ich mir die Frage erlauben, welches die geringste Tiefe der Drains sein dürfte?

J. Sie wird durch die Gefahr, die Röhren der Beschädigung durch Ackergeräthe oder durch Frost auszusetzen, bedingt. Die Beschädigung durch Ackergeräthe dürfte wohl selten mehr als $1\frac{1}{2}'$ Tiefe erheischen; ob die Röhren in dieser Tiefe auch gegen den Frost gesichert sind, ist unter den climatischen Verhältnissen Deutschlands noch nicht erprobt, doch ist es wahrscheinlich. Betreffende Versuche sind in Proskau eingeleitet.

G. Ich sehe, Ihre Nebendrains laufen rechtwinklich zum Hauptdrain; ist dieß nothwendig?

J. Nein; die Größe des Einmündungswinkels ist sehr unwesentlich; meistens wird die Lokalität einen stumpfen, nach dem Gefälle des Hauptdrains geöffneten Winkel bedingen.

G. Schließlich noch die Frage, nach welchen Anhaltspunkten die Größe der Röhren sowohl in den Nebendrains als in dem Hauptdraine zu bestimmen seien?

J. Die am häufigsten zu den Nebendrains angewandten Röhren haben circa 1″ lichte Weite; dieselben vermögen auch in nasser Zeit erfahrungsgemäß das Wasser von circa $^3/_4$—1 Magdeburger Morgen abzuleiten. Daher können, wenn die einzelnen Nebendrains $2^1/_2$ — 3° von einander entfernt sind, dieselben von oben herab bis zur Länge von 60° mit jenen kleinen Röhren gelegt werden, denn ein Streifen von $2^1/_2$° Breite und 60° Länge ist gleich 135 □°, d. i. gleich $^3/_4$ Magdeburger Morgen. Sind die Drains länger als 60° so wird der untere Theil mit größeren Röhren gelegt. Beim Hauptdraine findet dieselbe Berechnung statt, wobei noch besonders auf die einfache mathematische Regel Rücksicht zu nehmen ist, daß der Querschnitt von Röhren sich wie das Quadrat ihrer Durchmesser verhält, daß also die Wassermenge, welche bei gleichem Gefälle 1, 2, 3 und 4″ weite Röhren abzuführen vermögen, sich verhalten wie 1 zu 4 zu 9 zu 16. Der oberste Theil des Hauptdrains wird demnach mit Röhren des Nebendrains belegt, nach dem Einmünden des 2ten, 3ten u. s. w. Nebendrains werden größere Röhren gelegt, so daß nach dem Einmünden der Drains von 9mal $^3/_4$, d. i. von circa 7 Morgen eine Röhre von 3″ Durchmesser nicht mehr genügt; derselben wird deshalb eine Nebendrain-Röhre beigefügt und diese wiederum nach und nach durch größere ersetzt bis von der Einmündung der Drains vom 10ten Morgen ab eine 4zöllige Röhre oder falls solche nicht zur Disposition steht, zwei 3zöllige nebeneinander gelegt werden; diesen wird vom 14ten, der 4zölligen schon vom 12ten Morgen ab — denn 16mal $^3/_4$ Morgen ist gleich 12 Morgen — wieder wie vor eine Nebendrain-Röhre beigefügt und zwar diese dritte oben in die, durch die zwei unteren gebildete Rinne gelegt; falls das Feld noch größer ist, wird diese dritte wiederum nach und nach durch eine größere ersetzt. Es ist leicht ersichtlich, daß es in den Fällen, wo die Nebendrains 90 und mehr Ruthen lang sein können, vortheilhafter ist, 50 — 60° von oben herab einen Hauptdrain anzulegen, da dann die folgende Länge der Nebendrains ebenfalls mit kleinsten Röhren gelegt werden kann, während andernfalls größere hätten in Anwendung kommen müssen, diese aber mehr Kosten würden verursacht haben als die Anlegung jenes zweiten Hauptdrains, auch hier überdies an jedem Nebendrain

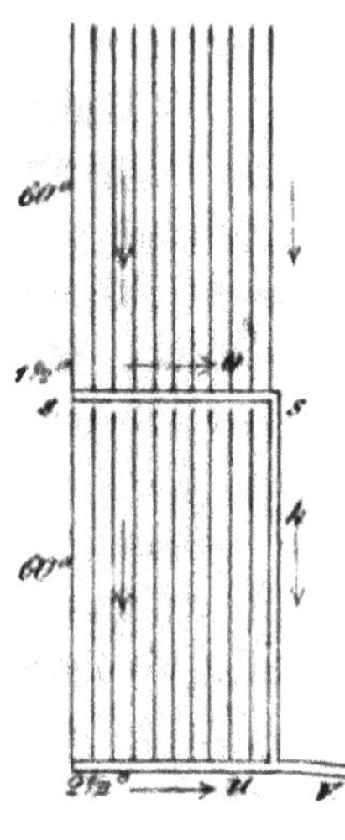

circa 1½ °, nämlich die Stücke s gespart werden können. In den meisten Fällen wird es am vortheilhaftesten sein, den untersten Nebendrain also h mit so starken Röhren zu legen, daß er das Wasser des oberen Hauptdrain o zu den Wassern des unteren Hauptdrain u leiten und hier mit letzterem der Vorfluth v übergeben kann. Besondere Beachtung erfordert es noch, ob bei der Grabenarbeit sich Quellen zeigen, da zu deren Ableitung eine besondere Räumlichkeit der Röhren, welche nach der Stärke der Quellen zu bemessen ist, der vorberechneten und zur Abführung des Tagwassers nöthigen hinzugefügt werden muß.

Zweites Gespräch.

Ueber die Drainirungs-Werkzeuge.

G. Angesichts dieser schmalen Gräben

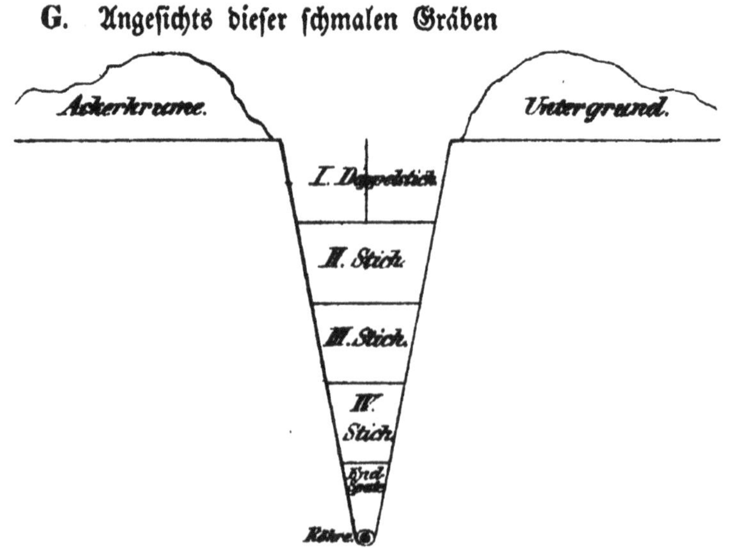

ist es leicht begreiflich, wie die Röhrendrainirung mit verhältnißmäßig geringen Kosten ausgeführt werden könne; in denselben kann sich der Arbeiter kaum bewegen: es sind zu deren Anfertigung zweifelsohne besondere Instrumente erforderlich?

J. Diese Gräben sind, wie Sie sich überzeugen, 3½ Fuß tief, oben circa 1½ Fuß breit und unten nur so breit, daß die Röhren gerade Raum finden. Jener letzte Arbeiter sticht mit einem gewöhnlichen, guten Spaten 2 Stiche breit die Ackerkrume einen vollen Stich tief aus, nachdem an der Schnur der Lauf des Grabens abgesteckt worden ist. Jeder der drei folgenden Arbeiter, von denen der eine stets einen Spatenstich tiefer als der vorhergehende sticht, hat 2 Instrumente, nämlich eine Schoorschaufel, mit welcher er, sich zu seinem Vorarbeiter umdrehend und vorwärtsschreitend, die lose Erde, welche von dem Stiche des letzteren zurückgeblieben ist, aufschoort und aus dem Graben wirft und eine Spate, mit welcher er, rückwärtsschreitend, den Graben um einen vollen Stich tiefer macht. Der Spaten und die Schoorschaufel jedes dieser drei Arbeiter sind um 1½—2″ schmaler als die seines Vordermannes. Der uns zunächst und zugleich am tiefsten stehende Arbeiter endlich hat eine ganz schmale Spate, deren untere Breite gerade gleich dem Durchmesser der zu legenden Röhren ist; damit sie bei dieser geringen Breite und verhältnißmäßig geringen Metallstärke Haltbarkeit habe, lasse ich ihrem Blatte neuerdings eine starke Wölbung geben. Nun sehen Sie noch zwei Instrumente in Anwendung, nämlich diese Soolhacke, circa 8″ lang und so geformt, als sei eine der zu legenden Röhren der Länge nach gespalten; mit ihr wird die Grabensoole ausgeputzt und so geformt, daß die Röhren unverrückbar in ihr liegen, und zweitens den Röhrenhaken, mittelst welchem die Röhren in den Graben hinabgelassen und dort in die normale Lage gebracht werden. Beide Instrumente haben lange Stiele, da sie bei der geringen Breite der Grabensoole vom Grabenrand aus gehandhabt werden müssen. An der Rückseite des Röhrenhaken habe ich das kleine gewölbte Häckchen anbringen lassen, damit der Arbeiter kleine Unebenheiten, welche bei dem Röhrenlegen sich ihm zeigen, beseitigen könne, ohne zu diesem Behufe ein besonderes Werkzeug mit sich führen zu müssen.

G. Dort liegt ein Röhrenhaken, welcher stärker als jener erstere ist und hinten eine Verdickung hat; welche Anwendung findet dieser?

J. Er ist zum Legen von Muffen, d. h. jener circa 3″ langen, stärkeren Röhrenstücke, welche über die Stoßfugen der Röhren, welche den eigentlichen Röhrenzug bilden, geschoben werden, bestimmt. Der vordere, 8″ lange Theil des Hakens geht gerade in letztere Röhren hinein, während auf dem hinteren, stärkeren Theile die Muffe geschoben wird und zwar mit 1½″, also mit ihrer halben Länge, während die andere Hälfte über die Röhre hinweggreift. Beim Legen wird in jene erstere halbe Länge der Muffe die nächstfolgende Drain-Röhre gesteckt.

G. Sind diese Instrumente für alle Bodenarten dieselben?

J. In der Hauptsache — ja; doch können die Spaten für leichten, milden Boden 1 Fuß lang gemacht werden, während die vorliegenden, für diesen zähen Letten bestimmten, nur 9″ lang sind. Auch müssen diesen Werkzeugen, welche, da sie stets zur Anwendung kommen, Hauptwerkzeuge genannt werden, je nach den localen Verhältnissen mancherlei Nebenwerkzeuge beigesellt werden. Von diesen dürfte am häufigsten jene gut verstählte Pickhaue nothwendig werden; meine Arbeiter wenden sie zum Ausbrechen kleinerer Steine, zum Aufarbeiten des Kiesbodens, im hohen Sommer bei trocknem und harten Letten, im späten Herbste zum Aufbrechen der Frostdecke an. Bei größeren Steinen und bei stärkerem Froste findet jene starke Brechstange Anwendung. Als ich mit den Gräben in Quellsand kam, wo sich viel Schlamm bildete, ließ ich Schlammschaufeln machen; diese sehen wie Soolhacken mit hoch aufgezogenen Wandungen aus. Natürlich dürfen Schnur, Visirstäbe, Strohwische, Meßstange hier so wenig wie bei anderen Grabenarbeiten fehlen. Von besonderer Wichtigkeit sind noch eine 12 — 15′ lange, und einige kürzere Mauerlatten nebst Setzwage, recht genau gearbeitet.

G. Werden diese Werkzeuge in der Nähe zuverläßig angefertigt?

J. Die Hauptwerkzeuge und auch die Pickhaue können Sie durch die Fabriken-Inspektion in Königshuld bei Oppeln, oder durch deren Commandite in Breslau beziehen.

G. Und wie würde ich mich ausdrücken müssen, um der Inspektion völlig verständlich zu sein?

J. „Sie wünschen so und so viel Satz Proskauer Drainirungswerkzeuge für schweren — oder für leichten — Boden und für die und die Röhren-Dimensionen, mit — oder ohne — Pickhaue; mit — oder ohne — Stielen; der Röhrenhaken für Muffen von der Länge und der lichten Weite eingerichtet — oder nicht —."

G. Welches sind die Preise?

J. 1. Ein Satz für schweren Boden, bestehend aus:

3 Drainirspaten, Nr. 1, 2 und 3	1 rtlr.	6 sgr.	— pf.
2 breitere Schoorschaufeln	— „	22 „	— „
2 schmalere dto.	— „	18 „	— „
1 Endspaten für mittlere Röhren	— „	13 „	— „
1 Soolhacke dto.	— „	24 „	— „
1 Röhrenhaken	— „	18 „	— „
10 Stück Stiele	1 „	7 „	6 „
Summa	5 rtlr.	18 sgr.	6 pf.

2. Ein Satz für leichten Boden, bestehend aus:

2 Drainirspaten à 1' lang	1 rtlr.	— sgr.
1 breitere Schoorschaufel	— „	11 „
2 schmalere dto.	— „	18 „
1 Endspaten für mittlere Röhren		
1 Soolhacke dto.	„	25 „
1 Röhrenhaken dto.		
8 Stiele	1 „	— „
Summa	4 rtlr.	24 sgr.
1 Pickhaue nebst Stiel	1 „	4 „

G. Sind diese Preise der Arbeit angemessen?

J. Die Werkzeuge sind stark verstählt und so gar und ganz geschmiedet wie der kleine Schmidt es schwer oder nie wird erreichen können. Es wird daher im Allgemeinen gerathener sein, die Werkzeuge in einer derartigen Fabrik als von einem kleinen Schmiede anfertigen zu lassen.

Drittes Gespräch.

Ueber die Ausführung des Planes unter günstigen Verhältnissen.

J. Die eigentlichen Drainirungsarbeiten zerfallen in zwei Hauptabtheilungen: in die Anfertigung der Gräben und in das Legen und Zudecken der Röhren. Die Anfertigung der Gräben geschieht hier wie bei jedem Grabenwerfen an dem niedrigsten Punkte, also bei der Vorfluth; aus dieser geht man in den Drainirungs-Hauptgraben über, öffnet ihn bis zu seinem obersten Punkte und gräbt von hier aus den obersten Nebendrain bis zu dessen oberen Ende. An diesem Punkte beginnt das Röhrenlegen, geht den obersten Nebendrain hinab in den Hauptdrain, und in diesem fort bis zur Einmündung des zweitobersten Nebendrain; nunmehr wird dieser von unten ab bis zu seinem oberen Ende geöffnet und danach von hier ab bis zu seiner Einmündung in den Hauptdrain, dann dieser bis zu der Einmündung des drittobersten Nebendrain mit Röhren belegt und so fort die Grabenarbeit von unten herauf, das Röhrenlegen von oben hinunter ausgeführt. Erlauben Sie, in einer Zeichnung den Gang beider Arbeiten Ihnen anschaulicher zu machen:

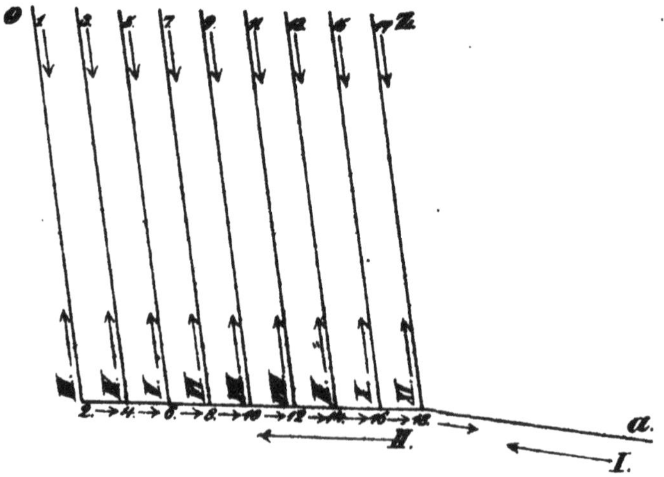

die römischen Ziffern I. II. bis XI. bezeichnen den Gang der Grabenarbeit, welche demnach bei a beginnt und z endet; die deutschen Ziffern 1. 2. bis 18. bezeichnen den Gang des Röhrenlegens, welches demnach bei o beginnt und bei a endet.

G. Ist bei diesem Gange der Arbeit nicht zu befürchten, daß die geöffneten Gräben, bevor sie mit Röhren belegt werden, einstürzen und dürfte es nicht einfacher sein, der Endspate sofort das Röhrenlegen folgen zu lassen, die Röhren also auch von unten herauf zu legen.

J. Wir haben hier günstige Verhältnisse, vorzüglich also die Möglichkeit, die Gräben längere Zeit ohne Besorgniß des Einsturzes offen zu lassen, vor Augen. Bei denselben ist der Grund zu jenem, allerdings complicirteren Gange der Arbeit ein dreifacher. Erstens wird in den meisten Verhältnissen während der Arbeit schlammiges Wasser und Schlamm erzeugt; diesen auszuschöpfen ist eine sehr schwierige, oft gar nicht ausführbare Arbeit, man müßte ihn also in den schon gelegten Röhren hinabziehen lassen, wodurch deren theilweises Verschlämmen würde herbeigeführt werden; werden dagegen die Röhren von oben herabgelegt, so kann man den Schlamm durch die offenen, noch ungelegten Gräben bequem entfernen.

Zweitens ist man nicht sicher, ob nicht während der Arbeit starke Quelle auftreten, so daß die unterhalb derselben schon gelegten Röhren, deren Dimensionen nur für die Ableitung des Tagewassers berechnet waren, zu klein sein würden.

Drittens ist es sehr schwierig, bei dem Legen der Röhren gleich hinter dem Spaten darüber Gewißheit zu erlangen, ob dieselben überall ein richtiges Gefälle haben. Bei einigermaßen unzuverläßigen Arbeitern würde hierzu eine stete sorgsame Aufsicht nothwendig sein und selbst den sorgsamsten Arbeitern würde nur bei ununterbrochenem, starkem Falle der Ackerfläche die Möglichkeit gegeben sein, durch stetes Messen von dem Grabenrande bis zur Sohle und durch Innehaltung einer gleichen, festgesetzten Tiefe dem Röhrenzuge in all' seinen Gliedern das gute Gefälle zu geben, welches die Oberfläche des Ackers hat. Bei welligem Terrain dagegen, wo, wie in unserem Gespräche „über die Entwerfung des Planes" erwähnt wurde, bald 3', bald 3' 2", 3' 6", 4', 2' 10" u. s. f. tief die Röhren gelegt werden müssen, würde dieser Maßstab nur sehr schwierig für jeden Punkt des Grabens anzugeben sein und dennoch würden wenige Röhren mit falschem Gefälle gelegt, die Versumpfung des betreffenden Ackertheiles verursachen.

G. Diese Momente lassen es allerdings sehr wünschenswerth erscheinen, die Röhren stets von dem höchsten Punkte an abwärts zu legen und dürften, mit Hinansetzung der Mehrkosten, veranlassen, den Vorfluth- und den Hauptgraben, welche am längsten ausbleiben müssen, also dem Einfallen der Wände mehr ausgesetzt sind, als die Nebendrains, mit einer stärkeren Dossirung, als durch die Form der Drainspaten gebildet wird, zu öffnen, bei jedem in Angriff genommenen Nebendrains dagegen so viel Arbeiter als irgend zulässig, anzustellen, damit er bald bis oben hin geöffnet sei und dem entsprechend auch bald mit Röhren belegt und zugeworfen werden könne. Ihre Arbeiter scheinen nach demselben Grundsatze angestellt zu sein?

J. Ja; bei der Tiefe von 3 — 3½′ treten auf mildem Boden 4 — 6 Mann, auf strengem Boden 6 bis 8 Mann in einen Pasch zusammen. In jedem Pasche bestimme ich den Zuverlässigsten und Geschicktesten zum Vorarbeiter; mit diesem schließe ich den Contract ab und halte mich an ihn betreffs der sorgsamen, contractmäßigen Ausführung der Arbeit. Derselbe macht daher stets die untersten, wichtigsten Arbeiten, die mit dem Endspaten, der Soolhacke und dem Röhrenhaken. Jeder Graben wird von mir einer viermaligen Controlle unterworfen. Das erstemal untersuche ich ihn nach seinem vollständigen Oeffnen bezüglich seiner Lage, Richtung, Tiefe und des richtigen Gefälles; letzteres ist an dem Laufe des Wassers, welches, falls sich von selbst keins eingefunden hatte, oben in den Graben gegossen wurde, zu erkennen. Das Röhrenlegen darf erst begonnen werden, nachdem ich mit dem Graben in all' seinen Theilen zufrieden sein konnte. Nach dem Legen der Röhren findet die zweite Besichtigung statt; die Röhren müssen dicht und in gleicher Höhe an einander gelegt sein; an weicheren Stellen muß die Sohle durch Einlegen von Letten oder Rasen befestigt worden sein, so daß die einzelne Röhre sich nicht hinabdrücken und dadurch den Röhrenzug ganz oder theilweise unterbrechen kann; das oberste Ende jedes Röhrenzuges muß durch einen dicht anliegenden Flachziegel verschlossen sein; die Röhren des Hauptgraben dürfen mit ihrer oberen Wölbung höchstens so hoch wie die untere Wölbung der Neben-Drain-Röhren liegen. Da, wo der Haupt-Drain in der oben besprochenen Weise aus 2 und mehreren beieinanderliegenden Röhren gebildet ist, müssen die Stoßfugen der einzelnen Röhrenzüge möglichst vollständig mit einander correspondiren, die Röhren dürfen also nicht im sogen. Verbande liegen. Sind alle diese Momente beachtet worden, so kann das Decken beginnen und zwar muß zunächst eine 3—4" hohe Schicht bindigen Bodens, wo möglich schweren Thones auf die Röhren fest aufgetreten werden; an Stellen, wo der Grabenauswurf in Sand oder Quellkies bestand, muß Letten oder Rasen herbeigeschafft und letzterer mit der Narbe nach unten aufgelegt werden. So gedeckt besichtige ich ihn zum dritten Male, überzeuge mich namentlich bei quelligem Boden durch das lustige Laufen des Wassers und dadurch, daß letzteres an keiner Stelle des Grabens durch die aufgetretene Lehm- oder Rasenschicht von unten heraustritt, nöthigenfalls durch Einführen von Wasser in das obere Ende des Drains, daß beim Auftreten der Lette nicht etwa durch das Eintreten einer Röhre der Zug unterbrochen worden ist. Ist er soweit in Ordnung befunden worden, so kann der Graben nunmehr ganz zugefüllt werden, wobei die Arbeiter durch stetes Eintreten des Bodens vermeiden müssen, daß ein zu hoher Grad über demselben entstehe, wird dann zum vierten Male besichtigt und zur Bezahlung vermessen.

G. Wie aber wird die Einmündung der Nebendrains in den Hauptdrain bewerkstelligt?

J. Bei dieser höchst wichtigen Arbeit halte ich die Anwesenheit des Draineur für unerläßlich. Sie findet in verschiedener Weise je nach der Länge und dem Wasserreichthum der Nebendrains statt. Bringt derselbe lediglich das Tagewasser von höchstens ¼ Morgen, so genügt es, seine letzte Röhre über dem Röhrenzuge des Hauptdrains enden zu lassen, sie mit einem circa 2' langen Haufen von Lesesteinen 4—6" hoch zu überschütten, über diese Steinkammer den Letten- oder Rasenmantel, welcher alle Röhrenzüge deckt, doppelt sorgsam zu ziehen und dann den Zusammenstoß beider Graben vollends zuzuwerfen. Der geringe Wasserlauf gelangt hier durch die Stoßfugen in die Röhren des Hauptdrains. Steht dagegen zu erwarten, daß der Nebendrain, wenn auch nur zeitweise, viel Wasser bringe, dann muß in die betreffende Röhre des Hauptdrains ein Loch gemacht und die letzte Röhre des Nebendrains so gelegt werden, daß sie den Strahl durch das Loch in die Hauptröhren fließen lasse. Durch Ueberbauung von Ziegeln oder Röhrenbruch ist das Hineinfallen von Erde u. dgl. zu verhindern. Bisweilen kommen auch Knieröhren in Anwendung, deren einer Schenkel in ein entsprechend großes, rundes Loch in der Hauptröhre, welches vor dem Brennen in dieselbe geschnitten wurde, eingesteckt wird; jene erste Methode scheint mir ebenso zweckentsprechend und dabei einfacher zu sein.

Die Ausmündungen der Röhrenzüge in einen offenen Graben werden am gerathensten in der Weise, wie Sie hier sehen, den Blicken von Zerstörungssüchtigen entzogen;

sie sind um circa ½ Stein zurückgezogen in einen, aus Ziegeln trocken zusammengesetzten, mit dem Grabenrande vergliechenen Rahmen, welcher oben mit Rasenstreifen bedeckt ist. Damit das Wasser, von der letzten Stoßfuge aus durch den Boden sickernd, nicht mit der Zeit den Sohlenstein unterwühle, ist die letzte Röhre 2 — 3′ lang und rings mit strengem Letten umbettet.

G. Sollte hier nicht das Einkriechen von Kröten und dergl. zu befürchten sein?

J. Dagegen ist der Röhrenzug durch ein Stück Sieb (Erbsensieb), welches so weit in die Ausmündungs-Röhre hineingeschoben wird, daß es von Außen nicht bemerkt wird, gesichert. Es klemmt sich fest genug gegen die Röhrenwandungen, um nicht durch den Wasserstrom oder die Eindringlinge beseitigt werden zu können und kann andererseits im Nothfalle leicht herausgenommen werden, um etwanige von innen herangeschwemmte Verstopfungen zu beseitigen.

Ein schlimmer Feind der Drains-Mündungen dürfte in unserem Klima der Frost sein; nach meinen bisherigen Erfahrungen zerstört er indeß nur gewöhnlich gebrannte Röhren, während sehr scharf gebrannte, fast verglaste, ihm widerstehen.

G. Wie es scheint, geschah die Anfuhr jener Röhrenhaufen vor dem Beginne der Grabenarbeit?

J. Ja; es wird durch diese Vorsicht meist viel Mühe gespart, da die Gräben das Feld schwer zugänglich machen.

Viertes Gespräch.

Ueber die Ausführung des Planes unter ungünstigen Verhältnissen.

G. Sie bevorworteten bei unserem letzten Gespräche, daß Sie bei demselben das Drainiren unter günstigen Verhältnissen im Auge hätten; welche Verhältnisse bezeichnen Sie als ungünstige?

J. Erstens die Unhaltbarkeit der Grabenwände, und in erhöhetem Maße, zweitens dieselbe in Verbindung mit einem schlechten Gefälle; drittens eine flüssige, schlammige Grabensohle. Finden sich diese Uebelstände nur stellenweise, so daß also bei einem Graben von circa 50° Länge wenige Stellen, wo vielleicht Quellen denselben durchschneiden, jede einige Fuß bis 1° lang, vorkommen, so kann es nicht zweifelhaft sein, ganz in normaler Weise zu arbeiten und diese Stellen mit halber oder ganzer Dosse auszuschachten, den Arbeitern aber hierfür neben dem Akkordsatze für normale Verhältnisse eine Entschädigung zu bewilligen. Ist die Gesammtlänge dieser Stellen indeß so groß, daß die Entschädigung einen namhaften Theil der Kosten der normalen Erdarbeit betragen würden, dann kann es rathsamer sein, eine Aenderung in der Reihefolge der Arbeiten vorzunehmen, derartig, daß der Sohlhacke das Röhrenlegen von unten herauf folgt.

G. Wie wollen Sie dann aber die drei, früher von Ihnen selbst bedeutungsvoll hervorgehobenen Nachtheile dieser Arbeitsweise vermeiden?

J. Vor allem erfordert dieselbe bei jedem Pasche einen durchaus zuverlässigen Vorarbeiter oder eine unausgesetzte, scharfe Beaufsichtigung; wo keines von beiden möglich ist, ist das Röhrenlegen hinter der Sohlhacke unausführbar und das Drainiren nur bei Anfertigung allerdings sehr kostspielichen Gräben mit Dosse, bei denen das Einstürzen nicht zu befürchten, also das normale Röhrenlegen möglich ist, ausführbar. Der Vorarbeiter hat beim Röhrenlegen von unten herauf vor allem darauf zu sehen, daß jeder Pasch stark besetzt sei und die Arbeiter dicht bei einander bleiben, damit der ersten Spate bald die Sohlhacke, dieser gleich das Röhrenlegen und diesem das Auftreten der Letten- oder Rasendecke folgen könne

Hierdurch wird ein Einstürzen der Wände auch bei geringer Dosse und die Ansammlung von Wasser und Schlamm meist vermieden.

Um die Herstellung des richtigen Gefälles zu ermöglichen, bedarf es des sorgfältigsten Nivellements mit zahlreichen Standpunkten und der steten Anwendung des Maßstockes; um dies mit größerer Sicherheit und unabhängig von kleinen Unebenheiten des Grabenrandes thun zu können, wird auf letzteren eine Mauerlatte gelegt und auf deren Rand herabgemessen.

Bei einer flüssigen, schlammigen Grabensohle ist es, falls dieselbe nur an einzelnen, kurzen Strecken auftritt, am gerathensten, durch tieferes Ausgraben und Ausfüttern der betreffenden Stellen mit Letten oder Rasen eine feste Sohle zu gewinnen. Bei längeren Strecken ist die Anwendung von Muffen unerläßlich, um sowohl das Verschlämmen des Röhrenzuges als auch seine Unterbrechung durch das Versinken einzelner Röhren zu verhindern.

Bei dem Uebelstande, daß durch das unvorhergesehene Auftreten starker Quellen die gelegten Röhren zu eng erscheinen, zieht man von der betreffenden Stelle einen Querdrain nach dem nächsten, noch anzufertigenden Drain und legt diesen mit so starken Röhren, daß er außer seinem normalen Wasser die Quelle mit ableiten kann.

Auf einen besonderen Punkt erlaube ich mir, schließlich Ihre Aufmerksamkeit zu lenken. Läßt die Thätigkeit eines Drains befürchten, daß derselbe eine Unterbrechung erlitten habe, und ist die Auffindung der schadhaften Stelle erwünscht, bevor die Nässe des darüberliegenden Bodens dieselbe anzeigt, so werde der Drain in seiner Mitte aufgegraben; sprudelt das Wasser dort in die Höhe, so liegt die Unterbrechung unterhalb, ist der Drain hier wasserarm, oberhalb der Nachgrabung; die betreffende Hälfte wird nun wieder halbirt, hier der Drain geöffnet und dieselbe Beobachtung und Reflexion wie vorher angestellt und so fort, bis der Fehler selbst gefunden ist.

Fünftes Gespräch.

Ueber die Drain-Röhren.

G. Die Lehm-Masse, welche Sie zu Ziegeln verarbeiten, ist einem guten Dachziegel-Lehme gleich.

J. Sie kann etwas fetter als letzterer sein; bei einem zu hohen Grade der Strenge läuft man indeß Gefahr, daß die Röhren sehr schief trocknen, so wie ein magerer Lehm zu wenig Bindung hat und die Röhren vor dem Brennen leicht brechen.

G. Wie wird er zubereitet?

J. Er wird womöglich vor Winter geschachtet und kurz vor seiner Verwendung zweimal mit dem Schabmesser geschnitten, also ähnlich wie der Thon der Töpfer behandelt. Er muß dabei weit trockener als Dachziegel-Masse gehalten werden, weil andernfalls die Röhren nach dem Pressen sich platt lagern.

Das Pressen geschieht auf der William'schen Maschine, welche eine horizontale Pressung, durch eine Zahnstange vermittelt, hat.

G. Wie sind Sie mit deren Leistungen zufrieden?

J. Es werden mit derselben Röhren in drei verschiedenen Dimensionen, alle 1' lang, angefertigt.

Nr. I. hat 3" lichte Weite,
„ II. „ 1¾" lichte Weite,
„ III. „ 1¼" lichte Weite.

Die Maschine erfordert 1 Mann zum Drehen, 1 Mann zum Abschneiden und Ablegen der Röhren, 2 schwächere Leute zum Abtragen und Wenden derselben und 2 Männer zum Vorbereiten des Lehmes. Letztere 2 und jene 2 Männer bei der Maschine haben gemeinsam einen Accord vom Ziegelmeister übernommen und werden nach dem 1000 lufttrocken abgelieferter Röhren bezahlt; sie lösen sich täglich in der Bedienung der Maschine und in dem Zubereiten des Lehmes ab und bezahlen die 2 Abtrager im Tagelohne. Diese Organisation der Arbeit erleichtert sehr die Aufsicht. Jetzt werden von diesen Kräften täglich

von Nr. I. 1200 — 1300 Stück, oder
„ „ II. circa 2000 Stück,
„ „ III. 2500 — 3000 Stück angefertigt, doch

ist diese Zahl nur allmählich während einer jahrlangen Uebung erreicht worden. Sie erhalten vom Ziegelmeister pro 1000 Stück lufttrockner Röhren:

von Nr. I. 24 Sgr.
" " II. 18 "
" " III. 14 "

G. Von wo kann ich eine derartige Maschine erhalten?

J. Die Königliche Maschinen-Fabrik zu Malapane fertigt neuerdings ähnliche, mittelst einer Zahnstange wirkende Maschinen von leichtem Gange und sehr solider Bauart an und zwar solche, welche vor- und rückwärts pressen, sogenannte

doppelte Röhrenpressen à 175 Rtlr. und
einfache dto. à 100 Rtlr.

In der landwirthschaftlichen Geräthe-Fabrik in Proskau läßt der Herr Administrator Settegast in gleicher Weise Pressen anfertigen, welche mehrere Theile von Holz haben, eine einfache Röhrenpresse à 70 Rtlr.

Letztere dürften namentlich für Gutsbesitzer, welche nur ihren eigenen Bedarf an Röhren sich herstellen wollen, die ganz eisernen von Malapane für Röhrenfabrikanten geeignet sein.

G. Ich ersuche Sie, mich im weiteren mit den, bei der Herstellung der Röhren zu beachtenden Hauptmomenten vertraut zu machen.

J. Die Gleichartigkeit des Thones, seine Freiheit von Steinen, der Grad der Feuchtigkeit sind von mir schon erwähnt worden; Ihre Arbeiter werden in wenigen Tagen diese Momente richtig würdigen lernen. Für den leichten Gang der Maschine ist es von Bedeutung, sie stets gut in Oel zu halten und die Wände des Lehmbehälters vor jedem Füllen anzufeuchten; nach dem 2ten Schneiden wird der Lehm in Würfeln von circa 1 Cubickfuß nahe zur Maschine gelegt; zum festen Einschlagen des Lehmes in den Preßkasten kommen große hölzerne Klöpfel in Anwendung; die Rollen, über welche die Röhren vor der Presse gleiten, sind zweckmäßig mit weißgaarem Leder überzogen, um ein Schmieren und Ankleben des feuchten Thones an die Walzen zu verhindern; der Drath zum Schneiden der Röhren sei recht fein, stets rein und straff angespannt; der Abnehmer lege die Röhren auf ein schräges Brett und lasse sie über dieses zum Abtrager rollen; sie bekommen dadurch ein gutes Ansehen; im Trockenraum werde scharfe Zugluft vermieden, da die Röhren leicht schief trocknen; durch häufiges Umdrehen und dadurch, daß von den kleineren 2, auch 3 Reihen übereinander gelegt werden, wird dieser Uebelstand im Ferneren vermieden.

Für das Ein- so wie für das Auskarren zahlt der Ziegelmeister à 1000 Stück Röhren:

Nr. I. 3 Sgr.
„ II. 2 „
„ III. 1½ Sgr.

Im Ofen werden sie stehend eingesetzt; die größesten werden da, wo es auf Haltung der einzelnen Stöße ankommt, angewandt; in die Röhren Nr. I. können Röhren Nr. III. gesteckt werden. In Bezug auf den Raum im Ofen so wie des erforderlichen Thones sind 2 Röhren Nr. III. gleich 1 Dachziegel, 1 Röhre Nr. I. gleich 1 Mauerziegel. Der Verbrauch an Brennmaterial ist bei den Röhren um circa ⅙ der Schnellfeuerung größer als bei Mauer- und Dachziegeln.

Nach dem Auskarren zahlt der Herr Administrator Settegast dem Ziegelmeister für 1000 gute Röhren:

Nr. I. 1 Rtlr. 20 Sgr.
„ II. 1 „ 10 „
„ III. 1 „ — „

(das Schachten, das Auf- und Abladen des Lehmes besorgt der Ziegelmeister, das Anfahren die Wirthschaft) und verkauft 1000 gute Röhren:

Nr. I. für 8 Rtlr.
„ II. „ 6 „
„ III. „ 5 „
halbirte „ I. „ 6 „

Bezüglich des Transportes erwähne ich, daß 1000 Stück

Nr. I. wiegen 45 Centner,
„ II. „ 20½ „
„ III. „ 12 „

1000 Stück Nr. III. kosten von hier nach Oppeln (1¾ Meile) zu fahren 1 Rtlr., auf der Oberschlesischen Eisenbahn à Meile circa 6 Sgr.

Sechstes Gespräch.

Ueber die Kosten und die Art der Wasseraufnahme der Drains.

J. Ueber die Kosten der Drainirung kann ich Ihnen eine kleine Zusammenstellung der hierorts gesammelten Data geben:

Die Kostenberechnung.

Bei normalem Arbeiten habe ich für 1° Draingraben fertig zu machen (d. h. zu graben, Röhren zu legen, zu decken und zuzufüllen) gezahlt:

in leichtem Boden bei 3′ Tiefe 1½ Sgr.,
in schwerstem Letten bei 3′ Tiefe 2½ — 3 Sgr.,
desgl. 4′ „ 4 Sgr.,
desgl. 5′ „ 5½ Sgr.

Die Drains liegen:

I.	bei 3′	Tiefe	22½′	weit,	also	à	Magd.	Morg.	96°	Drains,
II.	„ 3′	„	32′	„	„	„	„	„	68°	„
III.	„ 3′	„	45′	„	„	„	„	„	48°	„
IV.	„ 4′	„	45′	„	„	„	„	„	48°	„
V.	„ 5′	„	45′	„	„	„	„	„	48°	„

Demnach betragen die Hauptkosten auf 1 Morgen:

I. Bei 3′ Tiefe und 21½′ Weite,

Erdarbeit:	Röhren, 1¼″ l. W. à mille 5 rtlr.	Summa Kosten:
a) auf leichtem Boden,		
96° à 1½ sg. 4 rtl. 24 sg.	1152 St. 5 rtl. 22¾ sg.	10 rtl. 16¾ sg.
b) auf schwerem Boden,		
96° à 2¾ sg. 8 rtl. 24 sg.	1152 St. 5 rtl. 22¾ sg.	14 rtl. 16¾ sg.

II. Bei 3′ Tiefe und 32′ Weite,

a) auf leichtem Boden,		
68° à 1½ sg. 3 rtl. 12 sg.	816 St. 4 rtl. 2½ sg.	7 rtl. 14½ sg.
b) auf schwerem Boden,		
68° à 2¾ sg. 6 rtl. 7 sg.	816 St. 4 rtl. 2½ sg.	10 rtl. 9½ sg.

III. Bei 3′ Tiefe und 45′ Weite,

a) auf leichtem Boden,		
48° à 1½ sg. 2 rtl. 12 sg.	576 St. 2 rtl. 26½ sg.	5 rtl. 8½ sg.
b) auf schwerem Boden,		
48° à 2¾ sg. 4 rtl. 12 sg.	576 St. 2 rtl. 26½ sg.	7 rtl. 8½ sg.

IV. Bei 4′ Tiefe und 45′ Weite auf schwerem Boden,
48° à 4 sg. 6 rtl. 12 sgr. 576 St. 2 rtl. 26½ sg. 9 rtl. 8½ sg.

V. Bei 5′ Tiefe und 45′ Weite auf schwerem Boden,
48° à 5½ sg. 8 rtl. 24 sg. 576 St. 2 rtl. 26½ sg. 11 rtl. 20½ sg.

Im Mittel bei 3½′ Tiefe und 3° Weite auf schwerem Boden,
60° à 3¼ sg. 6 rtl. 15 sg. 720 St. 3 rtl. 18 sg. 10 rtl. 3 sgr.

Hierzu treten die Nebenkosten, welche je nach der Oertlichkeit außerordentlich verschieden sein müssen:

1) Die Entschädigungen für Grabeneinsturz und andere abnorme Arbeiten. Dieselben werden auch auf sonst günstigem Boden in nassen Jahreszeiten sehr bedeutend und können leicht die Kosten der Erdarbeit verdoppeln, so daß es durchaus gerathen erscheinen muß, bei Eintritt anhaltend nasser Witterung die Arbeiten zu unterbrechen.
2) Die Kosten des Hauptgraben und der Vorfluth.
3) Das Anfahren der Röhren und Röhren-Verlust. Letzterer betrug hier 5½ %.
4) Die Abnutzung der Geräthe, gleich 2—4 % der Kosten der Erdarbeit.
5) Die Herrichtung von Beobachtungstuten.

G. Nach diesen rein practischen Gesprächen möchte ich Ihre Ansicht auch über die Art und Weise, wie das Wasser aus dem Boden in diese zum Theil scharf gebrannten Röhren gelangt und wie es zugehen mag, daß der undurchlassenste Boden seine Nässe an dieselben abgiebt, kennen lernen!

J. Nach einer Reihe von Versuchen, welche Herr Dr. Krocker angestellt hat, unterliegt es keinem Zweifel mehr, daß die Röhren durch ihre Wandungen nur eine sehr kleine Menge Wasser aufzunehmen vermögen. Vier Röhren wurden vor dem Brennen auf der einen Seite durch Thon geschlossen; zwei bestanden aus gewöhnlicher Röhrenmasse und von diesen wurde die eine gewöhnlich, die zweite sehr scharf, die dritte schwach gebrannt; die vierte bestand aus Lehm, welcher mit Hechsel gemischt worden war; dieselbe wurde gewöhnlich gebrannt. Alle vier Röhren wurden, die geschlossene Seite nach unten, bis an den oberen Rand in Wasser getaucht und durch Beschwerungen 24 Stunden in dieser Lage erhalten. Nach dieser Zeit fanden sich

in der schwach u. in der gewöhnlich gebrannten 4—6 Loth Wasser,

in der aus Hechsel-Thon gefertigten 3—4 Loth Wasser,
in der scharf gebrannten 1—2 Loth Wasser.

55° oder 660 Stück Röhren der ersten Sorte würden also unter gleichen Verhältnissen 110 Pfd. = 1⅔ Cub.-Fuß Wasser aufgenommen haben.

Nach directen Messungen gab aber ein Röhrenzug von 55° Länge und 3′ Tiefe im Monat Mai in 24 Stunden 60—80 Cub.-Fuß Wasser.

Demnach muß die Aufnahme des Wassers vorzüglich den Stoßfugen zugeschrieben werden.

Daß aber der undurchlassendste Boden durch das Drainiren so durchlassend wird, daß ein langer, starker Regen 48 Stunden nach seinem Falle den Bodon schon wieder verlassen hat, erklärt sich nur durch die Betrachtung, daß der schwere Boden beim Austrocknen eine unendliche Verzweigung von Rissen bekommt; diese Risse gehen von den Stoßfugen aus und leiten später das Regenwasser nach den Stoßfugen. Es steht damit die Erfahrung, daß auf schwerem Boden die Drainage ihre volle Wirkung erst nach Verlauf eines trocknen Sommers zeige, im innigsten Zusammenhange, denn dieser muß zunächst das erste Austrocknen des Bodens und die Bildung der Trocknungsrisse veranlassen.

Vorlesung

über die

Kultur der Küh-Alpen.

Gehalten

in der Versammlung der Schweizerischen Gesellschaft für die Naturkunde,

in Lausanne, den 28. Heumonat 1818,

von

Karl Kasthofer.

Oberförster.

Bern,

bey J. J. Burgdorfer, Buchhändler. 1818.

Die gegenwärtige Abhandlung wird hier so, wie sie wenige Tage vor dem Vereine der naturhistorischen Gesellschaft entworfen worden, zur öffentlichen Kenntniß gebracht. Das Urtheil achtungswürdiger Männer; der Wunsch den vaterländischen Gebirgen nützlich zu werden, Belehrung über ihre bessere Bewirthschaftung zu finden, und durch klare schriftliche Darstellung verehrten Collegen zu freundlicher Theilnahme und Prüfung seines Strebens sich näher zu stellen: dieser Wunsch vorzüglich hat den Verfasser zum Druck dieser Abhandlung bewogen.

Einige Ideen, die schon in den zu Aarau erschienenen Bemerkungen über die Alpen des Bernischen Hochgebirgs in Kürze dargestellt worden sind, werden hier ausführlicher entwickelt, einige neue Erfahrungen beygefügt, und einige Angaben berichtiget. So thätig als Amtsgeschäfte und Hülfsmittel es gestatten, wird der Verfasser in folgenden Jahren selbst auf Alpweiden Kultur-Versuche anstellen und seiner Zeit den Erfolg bekannt machen.

Unterseen, im Augstmonat 1818.

Hochgeachte Herren!
Verehrte Collegen und Freunde!

Einleitung.

Uebersicht der Alpen.

Ich wage es Ihre Aufmerksamkeit — Ihre Nachsicht dann zugleich — für die Darstellung eines Gegenstandes in Anspruch zu nehmen, der nahe vaterländischem Sinn, anziehend für den Naturforscher und den Landwirth, bedeutend für den Staatswirth, aber bis dahin nicht im Verhältniß seiner Wichtigkeit beachtet worden ist.

Es ist die Alpenwirthschaft, und es sind einige Ideen über die Möglichkeit ihrer Verbesserung, die ich heute Ihnen darzustellen und Ihrer einsichtsvollen Prüfung zu unterziehen wünsche. Ich habe keine neuen Entdeckungen, keine entscheidenden Erfahrungen, nur Ansichten Ihnen mitzutheilen, die in dem Wunsche nützlich zu seyn, in der Vorliebe für unsre Gebirge, und in öfterer Betrachtung derselben ihre Entstehung genommen.

Ich will mich nicht entschuldigen Ihre Theilnahme für einen Gegenstand mir zu erbitten, der nur von wirthschaftlichem Interesse zu seyn scheint. Die Natur, vor allem aber die vaterländische, in freundlicher Mittheilung zu erforschen, ist der Zweck unseres Vereins, und wenn das erste Streben des Naturforschers die Kenntniß der Naturkörper, ihrer Beziehungen und Kräfte ist, wenn es seine höhere Aufgabe wird, in diesen Kräften die Gesetze des Ewigen zu erkennen; so wird es auch seine Pflicht, die Erfolge seines Nachdenkens und seiner Entdeckungen in Leben und Wirklichkeit zu bringen, und in ihrer Anwendung auf Landwirthschaft und Gewerbe, den Wohlstand der Völker zu fördern, in ihren höhern Genüssen, in ihrer Dankbarkeit vielleicht den Lohn seiner Anstrengungen zu suchen.

Es ist wohl eine Eigenheit der Gebirgsländer, daß ihre Kultur sich später erhöht; daß ihre Bewohner, mehr abgeschnitten von dem Verkehr mit andern Völkern, auf der Bildungsstufe unbeweglicher verharren, auf die sie einmal durch gewaltsame Ereignisse ihrer politischen und religiosen Entwicklung gelangt sind. Erfindungen die nicht aus ihrem eigenthümlichen Boden hervorgegangen, finden schwerer Anwendung und Gedeihen in der vielartigen und vielgestalteten Natur; und daher wohl finden wir in den Gebirgstheilen unsers Vaterlandes, wo die Alpenwirthschaft zu Hause ist, mit festerm Verharren bey altem Herkommen, weniger Industrie, und die Landes-Kultur im Stande der Kindheit, oder weit hinter den Fortschritten welcher sich die nördlichen und die Jura-Kantone erfreuen.

Betrachten wir die angebauten oder beweideten Ländereyen im Schooße unserer Alpen, und die Völkerschaften die sie bewohnen, so finden wir: an den Ufern der Flüsse und Seen vielfach getheilte Wiesen in üppiger Vegetation, meist ohne künstliche Pflege; eine beunruhigend steigende Bevölkerung, zusammengedrängt auf kleinem urbarem Raum, fast ohne Kunst- oder Erwerbssinn, und vorschreitend in sittlichem Verfall; höher die Thalwälder, vormals die Schützer vor Lawinen und ewigem Winter, überall verwüstet durch Menschenhände und Natur-Ereignisse, ohne Pflege, kaum dem häuslichen und wirthschaftlichen Bedarf der Bevölkerung genügend, — die nämlichen Wälder, die, bey früherer wirthschaftlicher Sorgfalt, den Gebirgsbewohnern eine reiche Quelle des Erwerbs und der Ausfuhr hätten seyn können; dann folgen die fast unermeßlichen Flächen der Küh-Alpen, ohne Einschränkung beweidet, oft baumlos, oft ohne Gebäude zum Schutze der Heerden, meist ohne Spur landwirthschaftlicher Kunst. Die Alpenwälder, überall wo sie sich finden, wie sinnlos von den Hirten zerstört, in ihnen der Schutz gegen die rauhe Natur, das größte Hilfsmittel wirthschaftlicher Verbesserung zernichtet. Höher endlich von der Gränze des Holzwachsthums bis zum Ersterben der Pflanzenwelt, die Schaf-Alpen, selbst ausgedehnter vielleicht als die Küh-Alpen, noch unberührt beynahe von dem Fleiße der Bergvölker. Ihr Zustand vor Jahrtausenden noch ungefähr der heutige.

Die Küh-Alpen.

Es sind besonders die Küh-Alpen des Bernerschen Hochgebirgs über deren Kultur ich einige Ideen Ihnen in dieser Stunde vorzutragen wünschte. Die höhern Alpen der gastfreundlichen Waadt, von Wallis, und von der östlichen Schweiz, gehören unter die nämliche Ansicht. — Was anwendbar auf die Hochgebirge dieser Kantone erfunden würde, könnte um so sicherer auf die tiefern und mildern Alpen der genannten und der übrigen Berg-Kantone in Anwendung kommen; und wenn ich das Bernerische Oberland bey diesem Versuch in näherer Betrachtung behalte: so hoffe ich dennoch Ihnen zu einigen bemerkenswerthen Vergleichungen mit andern Gebirgsgegenden unseres gemeinsamen Vaterlandes Gelegenheit zu geben.

Die Region der Oberländischen Küh-Alpen, erstreckt sich beyläufig von 3500 Fuß der Höhe über das Mittelmeer bis zur Höhe von 6500 Fußen, und begreift also eine Gebirgszone von 3000 Fuß des Höhen-Unterschieds. Da diese Angaben aber bloß eine absolute Höhe über das Meer bezeichnen, die in ihrem Einfluß auf die Temperatur und das Gedeihen der Pflanzen vielfältig durch Oertlichkeiten modifizirt wird; so scheint es besser diese Region der Küh-Alpen in ihrer tiefern und höhern Grenzlinie durch die Punkte zu bestimmen, wo gewöhnlich der Kirschbaum nicht mehr Früchte und höher die Rothtanne nicht mehr Saamen zu reifen vermag.

Die Küh-Alpen bilden entweder Gebirgsrücken, die auf der Scheidung zweyer Thäler oft große, nur durch sanfte Beugungen unterbrochene Flächen zeigen; dann mehr oder weniger steile Hänge die gegen zu Tag ausgehende Felsen steigen, oder gegen die Thalwälder fallen; sie bilden vertiefte Gründe endlich, von kleinern Seitenthälern, die in größere Thäler auslaufen. Dieses verschiedene Vorkommen der Alpen in Hinsicht der Senkung oder Lage der Flächen giebt einen in Betrachtung ihrer Kulturfähigkeit nicht unwichtigen Eintheilungsgrund. Die Grund-Alpen, die in der Tiefe kleiner Thäler liegen, werden freylich öfter als andere den Verheerungen der Schneelawinen und der Bergwasser ausgesetzt, aber dagegen auch zu landwirthschaftlichen Verbesserungen mehr geeignet seyn. Die Grat-Alpen die auf dem Rücken der Gebirge liegen, werden mehr von Windstürmen zu besorgen haben, und mehreren Schutz von Waldungen bedürfen. Die Alpenhänge dann werden weniger als die vorigen Abtheilungen unter landwirthschaftliche Kultur gebracht werden können. Sie werden sich nur zur Waldproduktion eignen, oder doch in landwirthschaftlicher Nutzung meist nur zur Weide dienen. Sie werden, je nach dem ihre Senkung steil ist, Staublawinen, Grundlawinen oder Rutschlawinen ausgesetzt seyn.

Alle diese hier angedeuteten Abtheilungen können in irgend einem Verhältniß der Ausdehnung auf einer und derselben Alp vorkommen, und zum Theil in einander überfließen. Was die Oberfläche der Alpen dann selbst ansiebt, so bietet sich in dieser Rücksicht eine große Mannigfaltigkeit dar. Selten finden sich auf den Grund- und noch seltner auf den Grat-Alpen wagrechte Flächen von einiger bedeutenden Ausdehnung; überall fast kommen Senkungen und Erhöhungen vor, und die sanften Krümmungen der Wellenform sind so häufig, daß die Ueberzeugung dem Beobachter sich aufdringt, daß Strömungen und Wellenschlag des alten Ozeans diese Formen gebildet, und nie, seit dem unsre Gebirge ihre gegenwärtige Gestaltung erhalten, Menschenhände die Oberfläche aufgebrochen und verändert haben.

Wo die Alpenhänge zu steil zur Beweidung, und mit Rasen bewachsen sind, da werden sie auf mehreren Alpen auf Wildhen benutzt und abwechselnd mit Schafen abgeweidet; oft aber kommen sehr ausgedehnte Halden vor, die mit Huflattich, Droseln und Bergrosen bedeckt, und für jede Benutzung verloren sind. Diese Halden und solche, wo der Boden von alten Felsbrüchen bedeckt ist, und nur zwischen dem Gestein eine fruchtbare Erde enthält, bieten jeder landwirthschaftlichen Verbesserung Schwierigkeiten dar. Es wird die Aufgabe der Forstwirthschaft, sie zu besiegen.

Unsre Gebirge sind Leiter der Wolken, und gewöhnlich reichlich aus ihrem Schooße getränkt. Der Reichthum der Feuchtigkeit erzeugt den üppigen Graswuchs auf den Alpen des Hochgebirgs. Stauende Gewässer sind häufig in ihren Gründen, auf ihrem Rücken, und selbst große Abhänge zeigen sich durch unterirdische Wasserflüsse versumpft.

Die Weide.

Beweidet wurden unsre Gebirge schon vor Jahrhunderten. Beweidet wurden vor Zeiten auch die reichen Fluren der tiefern Schweiz, die nun der Pflug zu mannigfaltigem Anbau aufgebrochen hat. Die uneingeschränkte Beweidung der Ländereyen bezeichnet wohl in den meisten Fällen die unterste Stufe landwirthschaftlicher Kunst: sie ist dem einfachen Bedarf eines Viehzucht treibenden Volkes, und wohl auch der Trägheit am angemessensten. Wo aber einmal die Bevölkerung mit den Erzeugnissen des Bodens in Mißverhältniß gestiegen ist, da kann der ohne Kunst sich selbst überlassene Boden auch nicht mehr genügen, und die Völkerschaften unsers Hochgebirgs, die auf dieser Stufe des Uebergangs stehen, werden sich zu höherer Kultur ihrer Thäler und Berge anstrengen, und wo diese höhere Kultur unthunlich wäre, sich zu Auswanderungen verstehen müssen, oder den immer wachsenden Gefahren blos gegeben bleiben, die für Freyheit und Sittlichkeit aus dem Uebermaße der Bevölkerung entspringen.

Jede althergebrachte, allgemein eingeführte Benutzungsart des Bodens hat gewöhnlich Vortheile, die bey jedem Neuerungsversuche berücksichtigt werden müßten. Die großen Vortheile nun, selbst uneingeschränkter Beweidung unserer Alpen, sind unläugbar die folgenden:

1. Die Klauen des Viehs vertreten die Stelle des Walzens. Die Wurzel der Gräser wird gepreßt, und treibt mehrere Sprossen.

2. Die Kräuter werden von den Kühen nicht so nahe an der Wurzel abgefressen, als von der Sense geschnitten.

3. Gründe die von Zeit zu Zeit beweidet sind, werden in den meisten Fällen einen dichtern, milchreichern, wenn auch an Masse kleinern Graswuchs erzeugen, als Gründe die immer gemäht und nicht beweidet werden. Werden die Wiesen und Weiden früh mit dem Vieh betrieben; so werden Kräuter, die im Heu verholzt vorkommen würden, mit Vortheil des Milchertrags von dem Vieh genossen, und mit den geringern Gräserarten in ver-

hältnißmäßigen Nachwuchs gebracht. Junge Gräser endlich, die ohne grossen Zeitverlurst nicht gemäht werden könnten, werden mit dem Vortheil grossen Milchertrags beweidet. Ein anderer grosser Vortheil der uneingeschränkten Beweidung ist die grosse Ersparniß an Arbeit und mithin an Taglöhnen, die sie gewährt. — Die Besorgung einer Heerde von 100 Kühen kann auf den Alpen mit Inbegriff der Geschäfte der Milchnutzung, der Käseverfertigung und des Herbeyschaffens des Holzes von 6—8 Männern verrichtet werden.

Die Alpenweide aber von 100 Kühen setzt auf dem Hochgebirg eine Ausdehnung von 1000 bis 1200 Jucharten voraus. Es ist also möglich 1200 Jucharten Alpenlandes durch sechs Männer zu bewirthschaften. Eine Ersparniß an Zeit und Kosten, die wir bey allen Verbesserungsvorschlägen nicht aus den Augen verlieren dürfen, wenn gleich der Gegensatz auffällt, daß mithin 1200 Jucharten Alpengrund keinen höhern reinen Ertrag als 1000 Franken gewähren, wenn der Weidzins für eine Kuh zu 10 Franken im Durchschnittspreise berechnet wird.

Abgesehen von diesen Vortheilen in Hinsicht auf Kostenersparniß und milchreichern Graswuchs, bietet die Beweidung noch Vortheile dar, die in der besondern Natur unsres Gebirges gegründet sind. Das Mähen steiler Alphänge nämlich hat immer die Folge, daß der Boden hart und glatt, nach und nach den Kühen ohne Gefahr des Stürzens unzugänglich, mithin nicht mehr gedüngt, immer unfruchtbarer gemacht wird, und immer mehr die Entstehung der Grund- und Rutschlawinen begünstigt; wo hingegen die Abhänge beweidet werden können, wird die Oberfläche des Bodens weniger gespannt, den Kühen zugänglicher, gefahrloser benutzt, mehr gedüngt, und weniger zu Schneelawinen geneigt seyn.

Diese Abhänge werden daher mit Vortheil getraiet, d. h. mit Fußpfaden für das Vieh durchschnitten, immer mit vorsichtiger Rücksicht auf die Beschaffenheit des Bodens und die Witterung beweidet, und nie gemäht.

Eine reiche Weide wirkt vortheilhafter auf den Milchertrag, als keine Stallfütterung; aber diese reiche Weide kömmt selbst auf den bessern Alpen nicht für eine lange Zeit des Bergbetriebes vor. Eine reiche Stallfütterung dann wirkt vortheilhafter auf den Milchertrag als eine schlechte oder nicht sehr gute Weide; und es unterliegt wohl keinem Zweifel, daß durch die Stallfütterung einer ungleich größern Menge Viehs-Nahrung verschafft werden kann. Bey der Stallfütterung wird, besonders wo Streuungsmittel zu Gebote stehen, eine größere Masse wirksameren Düngers gewonnen, gleichmäßiger, und jedesmal da verbreitet, wo die größere Wirkung erfolgt. Daß eine Stallfütterung auf den Alpen nur bedingt und mit Einschränkung statt finden könne, fließt schon aus dem Gesagten. Das Beyspiel anderer Länder zeigt, daß auch Weidewirthschaft, mit Einschränkungen ausgeübt, sich mit zweckgemäßem und reichem landwirthschaftlichem Betriebe verträgt.

Uebergang zu Einfristungen. Stallfütterung und Düngung.

Ein Mittelweg zwischen Weide und Stallfütterung, ist die sogenannte in Dänemark eingeführte Tüderwirthschaft. Die Kühe werden an den Hörnern an einen 10-15 Schuh langen, mit Wirbeln versehenen Strick gebunden, der an einen in die Erde getriebenen Pflock befestigt ist. Wenn in der Runde um den Pflock das Gras rein abgefressen ist, werden die Pflöcke weiter geschlagen, der gefallene Dünger gleichmäßig verbreitet und so ein Weideschlag nach dem andern von den in einer Linie, und in gleichen Entfernungen an den Pflöcken befestigten Kühen abgefüttert. Abwechselnd mit dieser Weidenutzung werden die Weidschläge im darauf folgenden Jahre gemäht.

In England wird oft das einem Viehstapel bestimmte Grasland in zwey Theile getheilt, der eine vom Frühjahr an geschont, bis er gemäht werden kann, der andere beweidet bis der erste gemäht ist, und nach der Heuerndte wieder Weide giebt; so wird mit Weide und Heunutzung abgewechselt und hierdurch die Kraft und der Ertrag der Wiesen besser als bey zweymaliger Schur erhalten.

Aehnlich könnte auf den geeigneten Theilen unsrer Grund- und Grat-Alpen mit grüner Stallfütterung oder mit Heuen und mit Weide gewechselt werden, wo Stallgebäude und Mittel der Einfristung vorhanden wären; mit dem Unterschiede jedoch, daß das Mähen und abwechselnd die Weide nur alle zwey Jahre auf demselben Einschlag statt fände.

Der Einschlag, der zu grüner Stallfütterung oder zum Heuen zu dienen hätte, würde dann, nach dem Abweiden im vorhergehenden Herbste, aus den Stallungen noch besonders gedüngt und nach jedesmaliger Schur mit verdünnter Jauche begossen werden können.

Auf den so schönen Gemein-Alpen der Walliser lagern bey Nacht die Hirten in trauter Gemeinschaft unter ihrer Heerde und trotzen in Decken gehüllt unter freyem Himmel der Kälte und Witterung. Vermehrung und Verbreitung des Düngers, Stall- oder Wohngebäude auf den Alpen scheinen ihnen zwecklos.

Auf unsern Gemein-Alpen sind entweder keine Stallgebäude vorhanden, und das Vieh bleibt Tag und Nacht während der Sömmerung jeder Witterung ausgesetzt; oder wo Stallgebäude vorhanden, da sind sie weder zur Stallfütterung noch zu Gewinnung des Düngers oder der Gülle eingerichtet.

Auf Privat-Alpen kommen öfters Stallungen vor, in die das Vieh bey übler Witterung eingestellt und Dünger gesammelt werden kann, der dann gewöhnlich unvermischt mit Streue in kleinen Haufen mit hölzernen großen Schaufeln auf die fettesten und den Hütten am nächsten liegenden Weidplätze oder Läger verbreitet wird, sobald diese Weidplätze abgeweidet sind. Zunächst um diese kleinen Düngerhaufen verdirbt dann unbenutzt das nachwachsende Gras, da es von den Kühen nicht berührt wird; auf der Stelle der Düngerhaufen selbst aber wachsen, wenn die Düngung früh im Sommer Statt gefunden, freylich im Herbste sehr üppige Horste Gras, die aber erst dann von den Kühen berührt, und doch immer nur zum Theil, abgeweidet werden, wenn Herbstfröste sie getroffen haben. Gülle die durch Vermischung mit Wasser hinreichend verdünnt, weniger Eckel erregend für das Vieh, und mit schnellerer Wirksamkeit, als jene Misthaufen, nach dem Eingrasen fetter und eingefristeter Rasenplätze angewandt werden könnte, wird nirgendwo bereitet.

Bey jener Düngungsart kann ohne Zweifel nach Verhältniß der Düngmasse ein kleinerer Raum gedüngt werden; der Boden wo er sogleich nach der ersten Abweidung mit Düngerhaufen gedüngt wird, ist für fernere Nutzung im laufenden Jahre fast ganz verloren, und die kleinen Dünghaufen werden zu sehr ausgewittert, zu sehr selbst von Insekten aufgezehrt, um im folgenden Jahre volle Wirksamkeit zu gewähren.

Selten sind unsre Küh-Alpen so hoch über den Thalwaldungen, daß nicht aus diesen Bauhölzer zu Errichtung wenigstens des Dachwerks von Stallungen hinaufgetragen werden könnten, wenn auch auf dem Umfang der Alp selbst diese Bauhölzer nicht mehr vorhanden wären. Die Wände der Stallungen würden dann entweder in trocknen Mauern oder vielleicht mit Ausnahme steinerner Dachstützen gegen den Schneedruck in einer Art von Erd- oder Pise-Bau aufgeführt werden können. Da an den Gemein-Alpen oft mehrere hundert Genossen Theil haben, so wären um so leichter Stallgebäude im Gemeinwerk zu errichten. Die Verfertigung der Dachungen von Birkenrinde, und der fleißige Anbau der die Kälte so leicht ausdauernden Birke zu diesem Zweck, würde die Bauten auf den Alpen sehr erleichtern, und wohlfeiler machen.

Streue-

Streue- und Futterbäume.

Streuemittel finden sich auf den Alpen oft vor, die aber selten zu Vermehrung des Düngers benutzt werden. Künstlich liessen sich diese Streuemittel leicht durch Anzucht passender Holzarten vermehren. Die Weißeller (Betula incana) scheint für diesen Zweck vorzüglich dienlich. Ihre Blätter verwesen schnell und sind sehr düngend; der Baum schlägt selbst auf Alpen die höher als 4500 Fuß über dem Meer liegen, sehr gut aus dem Stock und der Wurzel aus.

Er gedeiht auf Felsschutt, wenn nur irgend zwischen dem Steingeschiebe sich Erde findet. In wenigen Jahren wird auf diesem Steingeschiebe durch Fäulniß der Weißellerblätter eine fruchtbare Schicht von Dammerde gebildet. Unter allen unsern Laubhölzern zeigt die Weißeller sich am ausdauerndsten auf Halden, die den Schneelawinen ausgesetzt sind.

Noch höher jedoch würde der Vogelbeerbaum (in der Landessprache Gürmsch,) zu gleichem Zwecke angezogen werden können, da er sogar eine größere Kälte als die Weißeller in unserm Hochgebirg zu vertragen, und noch genügsamer in Ansehung des Standortes zu seyn scheint. Auf unsern Alpen kommen sehr ausgedehnte Hänge und selbst Gründe vor, die mit Alpenunkräutern, Bergrosen und Droseln (Rhododendron ferrugineum und hirsutum, und Betula alnus viridis, Suter.) überzogen sind, dem Alpbesitzer ausser schlechter Feuerung nicht die geringste Nutzung gewähren, und mit großem Vortheil zu Gewinnung von Streue durch Pflanzung oder Ansaaten der Weißellern benutzt werden könnten. Auch der Ahorn (Acer pseudoplatanus) liefert in seinen Blättern ein vorzügliches Streue- und Düngmittel, und hat die Eigenschaft durch seine Traufe und seinen Schatten dem Graswuchs weniger als andere dicht belaubte Bäume zu schaden, vielmehr, wie von verständigen Hirten behauptet wird, ihn noch zu begünstigen. Auf einigen Privat-Alpen des Emmenthals sind wirklich von einsichtsvollen Besitzern beträchtliche Ahorn-Pflanzungen zu Gewinnung der Blätterstreue gemacht worden. Unter dem Schutze von Droseln und Bergrosen würden die edlern und nützlichern Holzarten leichter als auf nackten Alphängen gesäet und gepflanzt werden können.

In einigen Thälern unsers Hochgebirgs werden Aeschen, Ilmen, Linden, Haselstauden, Ahornen (Fraxinus excelsior, Ulmus, besonders campestris, Tilia, besonders parvifolia europaea, Corylus avellana, und Aceres, vorzüglich der obgenannte pseudoplatanus) und andere Bäume mehr um dem Mangel an Winterfutter zu begegnen abwechselnd ein Jahr abgeblättert, und im folgenden Jahre die jungen Triebe mit den Blättern abgehauen, in kleine Wellen gebunden, getrocknet und dem Vieh im Stall verfuttert, das die Blätter, besonders wenn sie am Schatten getrocknet werden, und die jungen Zweige, der Linde vorzüglich, sehr gerne frißt. Tausende von Jucharten die entweder berast, aber zu steil zur Beweidung, oder mit schlechten Sträuchern oder Unkräutern bewachsen jetzt nutzlos für die Alpbesitzer sind, könnten auf unsern Gebirgen durch Ansaat oder Pflanzung mit jenen passenden Holzarten, als Schutzwälder dienen, und in Vermehrung der Streue- und Fütterungsmittel der Alpenwirthschaft die größten Vortheile gewähren. Es findet sich in unserm Hochgebirg noch keine Gemein-Alp vor, wo eine ähnliche Verbesserung versucht worden wäre.

Einfristungen.

Die verschiedenen Regionen unserer Alpen, die obersten, mittlern und untersten Läger, wie sie genannt werden, sind selten durch trockne Mauern, meistens durch todte Zäunungen, nie durch Lebhäge von einander geschieden, und diese verschiedenen Läger, die oft auf den grossen Gemein-Alpen Hunderte bis Tausende von Jucharten enthalten, sind dennoch nie in besondere Schläge oder Eintheilungen gebracht; sie werden ohne Beschränkung beweidet. Der oben angedeutete Wechsel der fruchtbarsten Weidplätze mit Beweidung und Schur zur Eingrasung oder Heugewinnung, jeder Wechsel künstlicher Kultur der auf den Alpen versucht werden könnte, jede Eintheilung der großen Weidläger selbst, um eine Reihenfolge der Schläge in der Abweidung einzuführen, würde Einfristungen voraussetzen, die, bey der Verwüstung unsrer Alpenwälder, ohne Anzucht von Lebhägen kaum ausgeführt werden könnten.

Jeder Alpenbaum, der in Reihen am Platz der Häge gepflanzt würde, könnte den Zweck der todten Einfristungen erreichen helfen, wenn auch diese nicht ganz entbehrlich machen. Trockne Mauern würden, wo die Lage am rauhsten, der Boden felsicht wäre, die obersten Läger von den mittelsten scheiden, und überhaupt da zu errichten seyn, wo die Weiden mit Felsstücken bedeckt wären, die zu Holzersparniß und zur Vermehrung des Graswuchses geräumt werden sollten. Auf angemessenem Boden könnten hier doppelte oder dreyfache Reihen von Rothtannen in dichtem Stand zu Bildung von Lebhägen gepflanzt werden; auch die Lärchtanne würde um so mehr mit Vortheil zu gleichem Zwecke gepflanzt, da sie durch ihren lichtern Schatten dem Graswuchs weniger als andere Bäume hinderlich wird. Weißellern, Birken, Mehlbeerbäume, Vogelbeerbäume oder Gürmsche, Aspen und Ahorne (Betula alba und incana, Crataegus aria, Sorbus aucuparia, Populus tremula und Acer pseudoplatanus und platanoides) würden auf ähnliche Art gepflanzt die untern Läger von den mittelsten scheiden, und in ihrem Laube sowohl ein Fütterungs- als Streuemittel darbieten. Die tiefsten Läger könnten in ihren untersten Säumen leicht vermittelst der so nützlichen Esche und auch durch den gewöhnlichen Weißdorn (Crataegus oxyacantha und monogyna) eingefristet werden; da dieser letztere baumartig und gut wachsend über 4000 Fuß hoch in unsern Alpenthälern vorkömmt. Auch einige Weidenarten, vorzüglich die riparia, Willd. und cinerascens, Willd. oder grandifolia, Ser. zeigen sich so ausdauernd gegen die Kälte unsers Hochgebirgs und in so starken Stämmen, daß leicht durch Setzstangen Lebhäge zu Einfristung kleinerer Weidschläge angezogen werden könnten. Die Anlage freylich aller Lebhäge und aller Reihenpflanzungen von Bäumen zu Ersparung des todten Zaunholzes würde nur auf denjenigen Gründen und Hängen anwendbar seyn, die vor den Lawinen, besonders vor den Rutschlawinen gesichert wären, oder sich davor auf irgend eine Weise sichern ließen.

Sollten auch nicht dichte Lebhäge rein von einer eben genannten Holzart angelegt werden können, so werden doch immer solche Pflanzungen zu großer Ersparniß des Zaunholzes, zu Fütterungs- und Streuemitteln dienen, und leicht auch könnten in Reihen gepflanzte Baumstämme, wenn sie gleich noch für sich keine Einfristung bilden, diesen Zweck wenigstens zum Theil erreichen, wofern sie durch wagrecht laufende, wenig Holzaufwand fordernde Latten verbunden würden.

In jemehr Weideinschläge die Alpen eingetheilt, jemehr dieser Schläge durch solche Lebhäge oder Baumreihen eingefristet werden könnten, desto weniger Gras würde durch Zertreten und Besudeln der Kühe der Nutzung entzogen, desto mehr Fütterung, Streue- und Feuerungsmittel würden gewonnen, und diese Vervielfältigung der Einfristungen müßte noch den großen Vortheil darbieten, daß kältende Winde, die auf den Alpen den Wuchs des Grases hemmen, gebrochen, und so die Fruchtbarkeit der Schläge erhöht werden könnte.

Aufbruch des Rasens. Kultur.

Nur die Oberfläche des Bodens auf unsern Alpen ist jemal gedüngt worden. Die untern Schichten des nie gedüngten, nie den athmosphärischen Einflüssen geöffneten Bodens bleiben unfruchtbar. Die Alpenkräuter werden abgeweidet, ehe sie Saamen reifen können, und aus diesem einfachen Grunde wird der aufgebrochene, sich selbst überlassene Boden unserer Alpen nur nach langen Zeiträumen wieder neuen Rasen bilden; daher die Scheu der Hirten, den Rasen auf den Bergweiden zu verletzen;

ihre Ueberzeugung, daß er nach dem Aufbruch sich nicht wieder herstellen könne. In der tiefern Schweiz ist die Einführung eines künstlichen Kulturwechsels zur Wohlthat des Landes gediehen. Auf unsern Alpen ist sie nie versucht worden, weil unbeschränkte Beweidung für das höchste wirthschaftliche Gesetz, und jeder Aufbruch für verderblich angesehen wurde.

In der That auch müßte jeder Aufbruch auf steilen Halden oder steinichten mit weniger Dammerde bedeckten Gründen vermieden werden, oder doch immer mit Bedacht auf Naturereignisse und Witterungszufälle geschehen. Besonders müßten Erdbrüche und die Folgen der Rutschlawinen in Anschlag kommen. Es darf auch nie der Kornbau, nie unbedingte Abschaffung des Weidgangs der Beweggrund des Aufbruchs seyn; auch dürfte zu Gunsten desselben den besten Weidplätzen kein Dünger entzogen, sondern es müßte die aufgebrochene Erde durch den Ueberfluß des Düngers gedüngt werden, der durch schon eingeführte, bedingte und beschränkte Stallfütterung und durch Vermehrung der Streuemittel gewonnen worden wäre.

Der Hauptzweck solcher Aufbrüche, die hier als möglich und räthlich angenommen sind, würde seyn: den Boden auf größere Tiefen durch Bearbeitung, Luftberührung und Dünger fruchtbarer und zur Aufnahme, zu größerer Vermehrung und vollkommener Entwicklung solcher Futterkräuter geschickt zu machen, die der Natur unseres Gebirges am besten zusagen, der Gesundheit und dem Milchertrag unserer Kühheerden sich am zuträglichsten zeigen, und deren Saamen auf unsern Bergen in besondern Einschlägen angezogen und in ausgedehnterer Anzucht für die höhere Nutzung des vaterländischen Gebirges wichtig werden könnten. Unsere vorzüglichsten Alpenkräuter erreichen selbst auf den fettesten Weideplätzen nur eine geringe Höhe; in tiefer aufgelockerter oder aufgebrochener und gehörig gedüngter Erde würden sie veredelt und zu höherer Vollkommenheit gebracht. Die Mutteren z. B. wird auf den Alpweiden selten einen Fuß hoch gefunden. Auf der Jtramen-Alp, unweit einer Sennhütte des obersten und rauhsten Lägers kömmt auf fettem zufällig locker gemachtem Boden Muttern zwey Fuß hoch vor.

Es ist wohl eine gegründete Vermuthung, daß der wild auf den Alpen vorkommende Klee und die wild wachsende Onobrychis durch Ansaat auf gedüngtem, durch gehörigen Kulturwechsel bearbeiteten Aufbruch, wie der spanische Klee und die Esparsette, veredelt werden könnten. Unsere Berge enthalten einen großen Reichthum von den besten Futterkräutern, die ohne Zweifel wie jene durch Kultur veredelt und nutzbarer gemacht werden möchten: nur müßte diese Kultur auf den Alpen selbst und nicht in der Tiefe der Thäler versucht werden um günstige Erfolge davon hoffen zu lassen. Muttern und Adelgras würden in den tiefern Gegenden unseres Vaterlandes ausarten, so wie die, den flachen und mildern Gegenden eigenthümlichen Futterkräuter leicht, auf unseren Alpen angebaut, hier ausarten, und nicht den erwarteten Vortheil bringen dürften; Erfahrungen fehlen uns noch, um mit Sicherheit über den Erfolg der Versetzung von Alpenpflanzen auf unsere Wiesen, und von unsern Wiesenpflanzen auf die Alpen entscheiden zu können; es wird sich der Mühe lohnen, diese Erfahrungen zu suchen,

Der Kulturwechsel, der in den eben bemerkten Einschlägen zu versuchen wäre, könnte bestehen in

1. Aufbruch des Rasens im Herbste vor Ende der Alpfahrt.
2. Brennen des Rasens und Düngung, mit Kartoffelbau und Rüben- oder Rutabajensaat.
3. Flachs, Möhren oder Gerste; die letztere mit Ansaat jenes wild wachsenden Klee's.
4. Thaumantel, Muttern, unser wild wachsende Klee, die wild wachsende Onobrychis, Astragalus montanus, oder überhaupt jedes Futterkraut, das durch Ausdauer gegen die Witterungszufälle unserer Alpen, Masse der Fütterung und Einfluß auf den Milchertrag sich empfehlen würde.

Das Brennen des Rasens, das für das zweyte Jahr nach geschehenem Aufbruch vorgeschlagen ist, soll, nach vielen in den Alpenthälern gemachten Erfahrungen, den Boden ungleich mehr erschöpfen, als wenn der Rasen bloß geschält, der Sonne und dem Winde bis zum gänzlichen Verwelken ausgesetzt, und dann wie Dünger untergebracht wird. Die nachtheiligen Folgen des Brennens rühren wahrscheinlich aber daher, weil dasselbe oft an und für sich als hinreichende Düngung des aufgebrochenen Bodens angesehen wird, der, die Erschöpfung zu vermeiden, immer gleich gedüngt werden müßte; auf den Alpen besonders, wo die untern Erdschichten bey dem ersten Aufbruch einer reichlichern Düngung bedürfen, als das Brennen des Rasens allein ihnen geben kann.

Die weiße Rübe gedeiht auf unsern Alpen noch 6400 Fuß hoch; höher vielleicht noch die Rübe mit geldem Fleisch, deren Saamen aus Schottland zu uns gekommen ist, und die leichter, als jene bey uns gewöhnliche Rübe, unsere harten Winter im Freyen ausdauert. Eine ähnliche Ausdauer zeigt die Rutabaja. Beyde Gewächse würden, wo sie auf den Bergen angebaut und den Winter über aufbewahrt oder auf dem Pflanzland stehen gelassen werden könnten, im Frühjahr schätzbare Fütterungsmittel gewähren, wenn bey spätem Schnee, der so oft die Heerden dem Hunger preisgiebt, die Hirten sich keiner Heuvorräthe getrösten können: auch würde ihr Anbau das unverhältnißmäßige Steigen der Heupreise in den Winterungen verhüten helfen, da die davon gemachten Vorräthe den frühern Aufzug auf die Alpen, die Gewinnung einer größern Düngmaße und mithin eines größern Futterertrags begünstigen würden.

Der Flachsbau könnte auf dem Neubruch oder in der Folge des Kartoffel-, Rüben- oder Rutabajabaues mit Vortheil in den Alpenschlägen statt finden. Flachs wächst auf unserm Hochgebirg noch 5200 Fuß hoch in vorzüglicher Schönheit; er wirkt auf nicht zu dürrem oder magerm Boden vortheilhaft für die Fruchtbarkeit des Neubruches.

Der dringende Bedarf des Winterfutters hat in unseren Thälern den ausgebreitetern Anbau dieser Pflanze verhindert, die auf den mildern Alpen, wo sie noch vollkommener, als in den Thälern wächst, in ausgebreiteterm Anbau für die Industrie unsers Gebirgslandes wichtig werden müßte.

Die Sommergerste scheint die einzige Getreideart zu seyn, deren Anbau der Natur unseres Hochgebirges entspricht, und bis auf die Höhe von 4800 Fuß über das Meer versucht werden könnte. Die sogenannte sibirische Gerste (hordeum nudum) zeigt diese Ausdauer gegen die Kälte in noch höherm Grade; sie reift schneller als unsere gewöhnliche Sommergerste: früher Schnee, der sie niederdrückt, wird ihr nicht nachtheilig. Wenn sie kurze Zeit vor Bildung der Aehren gemäht wird, so entwickelt und reift sie auf mildern Alpen neue Aehren. In Leyzin, auf dem waadtländischen Hochgebirge, ist der Anbau dieser Gerste bey 3400 Fuß hoch mit dem günstigsten Erfolge versucht worden, obgleich sie drey bis vier Mal durch frühen und späten Schnee zu Boden gedrückt wurde.

Unkräuter. Künstliche Vermehrung der bessern Alpen-Futterkräuter.

Unter dem Schutze der Droseln und Bergrosen würden edlere, zur Streue- und Futtergewinnung dienliche Bäume leicht angezogen und leicht durch ihren stärkern Wuchs jene schlechtern Sträucher verdrängen.

Die Germeren und die Eisenhütchen (Veratrum album, Aconitum lycoctonum und napellus) gehören zu den häufig vorkommenden gefährlichen; die Alpen-Sauerampfer (Rumex alpinus etc.), wohl auch einige Geranien zu den lästigen Unkräutern. Es ist nie noch auf unsern Alpen versucht worden, diese Unkräuter auszurotten, und durch gute Futterkräuter zu ersetzen: eine Verbesserung, die vorzüglich in der Nähe der Sennhütten anwendbar wäre, wo gewöhnlich der fetteste Boden vorkömmt, der, nach gehöriger Bearbeitung, mit Saamen von Alpen-

Futterkräutern bestreut und am leichtesten eingefristet werden könnte.

Die Alpenkräuter, denen vorzüglich die größere Fettigkeit der Milch und ihr reicherer Ertrag nach allgemein übereinstimmendem Urtheil der Hirten zugeschrieben wird, sind die Muttern Phellandrium mutelina, das Adelgras Plantago alpina, das Goldblümchen Leontodon aureum, und dann noch der Thaumantel Alchemilla vulgaris, der oft in großer Menge, besonders auf den oberländischen Voralpen, vorkömmt, und eine so große Ausdauer gegen die Kälte zeigt, daß er selbst bis unter den 78sten Breitegrad in den grönländischen Wüsten üppig wächst.

Es sind noch nie auf unsern Alpen Versuche gemacht worden, diese köstlichen Futterkräuter künstlich zu vermehren. Eine Menge anderer Alpenpflanzen, besonders von der Gattung der Kälte liebenden Doldengewächse, würde ohne Zweifel einen reichern Ertrag unserer Alpen bewirken, wenn sie durch künstliche Besaamung allgemeiner verbreitet werden könnten.

Der Wiesenklee (Trifolium pratense), der auf dem Gotthard und auf unsern rauhsten Alpen in der Region der Arven wild vorkömmt, und vielleicht irrig mit dem spanischen Klee verwechselt worden ist: dieser auf unsern Berghöhen wild wachsende Klee verdiente genauer beobachtet, sein Saame gesammelt und auf den Alpen ausgestreut zu werden.

Aehnliche Vortheile, wie die Esparsette Hedysarum onobrychis unserer Felder, würde vielleicht die künstliche Vermehrung der Onobrychis gewähren, die auf dem Gipfel 5000 Fuß hoher Kalkgebirge und auf vielen hohen Thalgründen wild wachsend vorkömmt, leicht, so wie auch der wilde Klee, durch Düngung und Bearbeitung des Bodens veredelt werden könnte, und wahrscheinlich mit der Esparsette unserer tiefern Felder verwechselt worden ist.

Die Einschläge, für die oben der passendste Wechsel und die angemessensten Pflanzen gesucht worden, könnten dann, sobald der Endzweck des Aufbruches die Anzucht guter Alpenkräuter erreicht wäre, wie oben vorgeschlagen worden, entweder abwechselnd beweidet, oder die Onobrychis auf eine längere Reihe von Jahren gemäht werden, weil sie vielleicht das Abweiden so wenig als unsere kultivirte Esparsette verträgt.

Mehrere solche Einschläge, nach und nach in reinen Bestand verschiedener Futterkräuter gesetzt, würden immer einer verhältnißmäßigen Anzahl von Kühen reiche Stallfütterung, und abwechselnd die beste Weide geben; und wenn auf einer Alp verschiedene Einschläge, jeder von mehrern Jucharten, rein mit den genannten, oder andern guten Alpenkräutern in Bestand gesetzt wären, so würde die auf einander folgende Blüthezeit dieser Kräuter den Vortheil darbieten, jeden Einschlag in der besten Kraft der Pflanzen zu nutzen, und über den Einfluß jedes einzelnen auf den Milch-, Butter- und Käse-Ertrag, Erfahrungen zu sammeln, die gegenwärtig unserer Alpenwirthschaft gänzlich fehlen.

Auf den Emmenthalischen Privat-Alpen, die in Hinsicht der Stallgebäude und der fleißigen Düngung den meisten Alpen als Beyspiel dienen könnten, werden unweit den Stallungen immer kleine hiezu geeignete Bezirke eingefristet, gemäht, und der Ertrag bey ungünstiger Witterung dem Vieh im Stalle verfüttert. Selbst auf diesen Alpen aber ist nicht versucht worden, diese Einschläge zu vervielfältigen, und vermittelst zweckmäßiger Rotation in reinen Bestand vorzüglicher Alpen-Futterkräuter zu setzen.

Es ist nach der überall auf den Alpen eingeführten Bewirthschaftungsart immer das Bestreben der Pächter, so wenig Knechte für die Zeit der Alpfahrt zu dingen, als die einfachen Geschäfte der Wirthschaft nur immer gestatten.

Da jede Alpenverbesserung größere als die übliche Arbeit, und mithin die Anstellung mehrerer Knechte voraussetzt: so ist diese Rücksicht ein vorzügliches Hinderniß von Kulturverbesserungen. Gebildete Städter, die auf ihren verpachteten Alpen die Arbeitslöhne bezahlen und die Kulturarbeiten selbst beaufsichtigen würden, könnten die Zweifel der Hirten gegen den Nutzen und die Anwendbarkeit aller Alpenkulturen am besten widerlegen.

Ueber die Anwendbarkeit der Werkzeuge des Ackerbaues flacher Ländereyen auf Alpengründen, würde wohl jetzt noch jedes Urtheil voreilig seyn. Nur eine Bemerkung finde hier Platz: das scharfe Eggen der Wiesen, oder das Aufritzen derselben durch Instrumente nach Art des Skarificators hat auf den Wiesen, besonders kurze Zeit ehe der Dünger darauf gebracht wird, nach dem Urtheil der erfahrensten Landwirthe, das Wachsthum und den Ertrag ausnehmend befördert.

Auf unsern Alpengründen, die nie in ihrer Oberfläche aufgeritzt worden, wo der dichte, durch das Flechtwerk der Wurzeln geschlossene Boden, die Unterlage den Wirkungen des Düngers und der Luft entzieht, würde diese Arbeit ohne Zweifel von dem besten Erfolge begleitet seyn. Es versteht sich, daß sie nur auf verflächten Alpengründen statt finden könnte.

Verflächung der Alpengründe. Wässerung.

Wie oben bemerkt, kömmt die Oberfläche unserer Alpgründe meist wellenförmig gebildet vor, oder kleine Hügel wechseln ab mit kleinen Vertiefungen. Bey trockener Witterung werden jene ausgedörrt und unfruchtbar, da selten der Dünger des weidenden Viehs dahin fällt, das nicht auf diesen Erhöhungen lagert. Bey nasser Witterung leidet hingegen der Graswuchs in den Senkungen, und auf den kleinen Hügeln wird er doch nie üppig.

Hier und da rühren diese Erhöhungen von Felsstücken her, die sich in ihrem Kerne finden, oder diesen durchbrechen; oft aber werden sie nur durch Anhäufung des Erdreichs gebildet, das, in flache Lage gebracht, fruchtbar gemacht werden kann.

Die Anwendbarkeit landwirthschaftlicher Maschinerie, jede sorgfältigere Bearbeitung des aufgebrochenen Alpengrundes auf bedeutenden Ausdehnungen, die Abwässerung und Bewässerung desselben hängt von seiner Verflächung d. h. von Abtragung der Höhen und Ausfüllung der Tiefen ab.

Die Weidewirthschaft, eben weil sie viele Arbeitslöhne erspart, würde alle Vorbereitungsarbeiten erleichtern, die auf der Oberfläche des Alpbodens zu Erzweckung höherer Kultur zu veranstalten wären. Wenn in den Vertiefungen der Rasen ausgestochen und seitwärts gelegt wird, wenn die Erderhöhungen in die Vertiefungen geworfen und wieder mit den abgestochenen Rasenstücken bedeckt, die entblößte Unterfläche der Erhöhungen gedüngt und mit den Saamen jener guten Alpenkräuter bestreut würde, so könnten nach und nach auf diese Weise die schönsten Alpengründe gebildet und einer erhöhten Kultur empfänglich gemacht werden.

Wo Felsstücke die Alpflächen unterbrechen und weggeschafft werden sollen, können sie zu jeder bequemen Zeit von den Hirten angebohrt, ehe die Alp verlassen wird die Bohrlöcher mit Wasser gefüllt, und mit Pfropfen von dürrem Holze fest zugeschlagen werden. Die Winterkälte sprengt sie leicht auseinander, die Bruchstücke werden zu Bauten und trockenen Mauern verwandt.

Wären Alpgründe und nicht zu steile Halden einmal auf eben bemerkte Art verflächet, so würde die Abwässerung vor sich gehen, und die Bewässerung auf den hiezu geeigneten Alptheilen versucht werden können.

Auf den Alpen unsers Hochgebirges ist die Abwässerung oder die Trockenlegung sumpfiger Gründe, und die Bewässerung durch die reichen Quellen dieser Berge noch nicht versucht worden. Am großen Bernhard im Wallis hat bis zum Dorfe St. Pierre, 5000 Fuß hoch, die Bewässerung auf Privat-Gründen mit großem Vortheil Statt.

Jene Versäumniß hat oft ihren Grund in der Gemeinweidigkeit und öfter noch in der Trägheit der Hirten; oder in dem Mangel der Industrie der Alpbesitzer. Die Bewässerung könnte in der That bey gegenwärtiger Beschaffenheit der Oberfläche der mehrsten Alpgründe und Alprücken nicht eingeführt werden: sie setzt Verflächungen des Bodens, diese Verflächung den Aufbruch des Rasens voraus: es ist schon gesagt worden, wie sehr die Begriffe der Hirten allen Aufbrüchen entgegenstehen.

Ueber die Wirksamkeit gehörig eingeleiteter, mit Bedacht auf die Natur der Alpen vorgenommener Wässerung finden wohl keine gewichtige Einwendungen Platz. Das so reichlich aus dem Innern unserer Alpen quellende Wasser führt mehrentheils Kalk, durch die dem Pflanzenleben so wohlthuende Kohlensäure aufgelöst, mit sich; diese entweicht in längerer Berührung mit der äußern Luft, und der Kalk schlägt sich nieder. Je näher dem Ursprung, desto reicher an Kohlensäure und Kalk sind die Gewässer, desto mehr begünstigen sie die Fruchtbarkeit. Auf jeder Alp beynahe unsers Hochgebirges finden sie sich. Die Alpengründe, wo sie nicht stauen, sondern zufällig überrieseln, zeugen von ihrer Wirksamkeit.

Käsfabrikation.

Die Milch ist in ihren chemischen Verhältnissen gründlich erst vor kurzer Zeit von unserm verehrten Collegen untersucht worden. Die Käseverfertigung aber, die Grundlage des Wohlstandes der vaterländischen Gebirge,

hat

hat noch keine wissenschaftliche Untersuchungen gefunden, und ist auf keine sichere Regel gebracht.

Was bewirkt den Unterschied der so theuern Parmesan-Käse von den unsrigen? Was giebt den Greyers-Käsen den vorzüglichen Geschmack? Giebt es keine Scheidungsmittel als unser Laab? Wie würden sie auf diesen Geschmack wirken? Wirkt nicht selbst die mannigfaltige Art der Anwendung des Laabes verschiedenartig auf den Geschmack und die Consistenz des Käses? und wie wirkt sie? Die Beymischung einer einzigen Pflanze *) hat die Glarner-Schabzieger berühmt gemacht, und dem Canton größern Wohlstand gebracht. Sind keine andern gewürzhaften Pflanzen mehr zu finden, deren Beymischung von ähnlichem Vortheile wäre? .... Diese und so viele andere Fragen bieten sich dar, deren Beantwortung von weitaussehender Wichtigkeit scheint.

Rings um unsere Gebirge erheben sich Landwirthschaft und Viehzucht, verbreiten sich die Wissenschaften, deren Anwendung den Wohlstand erhöht. Nebenbuhler unseres Handels und unserer Erzeugnisse werden sich mehren. — Ungestraft darf kein Volk in Erfindungen und in seinem Erwerbsfleiß stille stehen. — Es verhüte der Himmel, daß wir in unserm Gebirge noch länger auf gleicher Stufe verharren!

Legislative Hindernisse der Gebirgskultur.

Noch würde mir übrig bleiben, die rechtlichen und legislativen Verhältnisse zu berühren, die oft lähmend, selten begünstigend der höhern Kultur unseres Gebirges

*) Trifolium melilotus coerulea.

entgegenwirken. Doch die Besettigung dieser Verhältnisse wird die Aufgabe des Gesetzgebers, sie kann nicht der Vorwurf des Naturforschers seyn.

Schluß.

Ich habe in allgemeinen, ich fühle in schwachen und unvollständigen Zeichnungen, einen Theil unserer Alpen zu schildern, Ihre Theilnahme für die Idee ihrer höhern Benutzung zu erregen versucht. Ihre gütige Nachsicht wird die Mängel meiner Worte entschuldigen, Ihre Einsicht und Kenntniß, die ich zu freundlicher Zurechtweisung anspreche, sie ergänzen und berichtigen.

Ein weites, von der Industrie unsers Volkes kaum betretenes Feld bietet sich in diesem herrlichen Gebirge uns dar, und reiche Folgerungen ergeben sich, wenn wir die höhere Nutzung der vaterländischen Alpen mit dem ökonomischen und sittlichen Zustande der Völkerschaften, die sie bewohnen, in Beziehung bringen.

Die Ersparnisse unsers Volkes in mehrern hundert Friedensjahren, die Früchte des Fleißes von tausend Geschlechtern unserer Städte sind an fremde Finanzminister und Eroberer verloren gegangen. So viele Quellen des alten Wohlstandes sind vertrocknet; unseren Erzeugnissen ist von unfreundlichen Nachbarn die Ausfuhr erschwert. Die alte Sitte der Einfachheit, die festeste Stütze des Wohlstandes ist von uns gewichen. Die Bevölkerung in diesen Gebirgen steigt in beunruhigendem Mißverhältniß mit dem Ertrag dieser Berge, deren Ernährungskräfte wir kaum kennen, nie in höherer Kultur zu benutzen versucht haben.

Immer haben unsere Städte wohlthätig auf die Landschaften durch Verbreitung nützlicher Kenntnisse gewirkt. Welchen Gewinn hat nicht die Landwirthschaft der flächern Schweiz von edlen Bernern gezogen! Die Verbesserung der Alpenwirthschaft aber ist noch so wenig der Gegenstand der Sorgfalt unserer Städter geworden; sie wird selbst von denen vernachläßigt, die eigene Alpen besitzen, die durch Kenntnisse, Capitalien, Ausdauer und Thätigkeit diese Berge mit den nützlichsten Erfahrungen bereichern, und leicht auf höhere Stufen des Ertrages erheben könnten.

Wie lohnend würde ein Aufenthalt von mehrern Monaten den gebildeten Städtern auf ihren Alpen seyn: hier in näherer Berührung mit dem Volke, das sie leiten sollen; den Glauben nährend an den Rest seiner Tugenden; vertrauter mit den Quellen, die seine Sittlichkeit gefährden; gestärkt in reiner Luft durch einfache Lebensweise; entfernt von dem Zwang der Mode, von der Last des Beyspiels, das in dem Wetteifer des Luxus so viele Hausväter zu Boden drückt; geübt in der Kraft der Entbehrung, die in diesen genußgierigen Zeiten uns verloren geht. — — — —

Jedes Volk endlich soll der Zögling seyn des eigenthümlichen Bodens, und seiner eigenen Natur. Nicht umsonst sind diese Berge von der Vorsehung uns gegeben, — was wären wir ohne sie? — Dem Einflusse des ewigen Winters auf den beeisten Firnen sollen wir entgegenstreben, an diesen Felsen, diesen Gewässern unsere Kräfte üben, die reichen Gaben durch Erfindungsgeist zu Tage fördern, die die Natur dem Fleiße zur Belohnung in unsere herrlichen Alpen gelegt hat. Ein Volk von Landbauern und Hirten sollen wir seyn, frey und genügsam in diesen Bergen wohnen, fleißig, friedlich, einfach und stark, — Freunde anderer Völker, — nie ihnen dienend.

Die in Aarau erschienene Schrift: Bemerkungen über die Wälder und Alpen des bernischen Hochgebirgs 2c. enthält sehr viele Druckfehler, die in der Entfernung des Verfassers von dem Druckorte ihren Grund haben. In der Voraussetzung, daß jene Schrift und die gegenwärtige Abhandlung die nämlichen Käufer finden, werden hier diejenigen Druckfehler bemerklich gemacht, welche den Sinn am meisten verdunkeln.

Seite.	L. v. ob.	v. unten	lies:
11	9		während trockener Witterung.
68		16	stufenweise Abnahme der Vegetation.
75	8		weniger den Erdbrüchen.
—	9		kürzern Breitedurchschnitten.
—	10		daß die unter dem Holzschlag.
82		12 u. 16	Holzläßen.
—		13	Holzproduktion.
90	1		der Abhang steil ist.
—	11		Engelberg.
—	Note.		Salix riparia, helix etc.
96	4		Flühen und Waldblößen.
—	Note.		hinreichendes Winterfutter.
103	5		nur bey dem Brande von mühsam.
110	16		Jucharten haubarer Waldbestände.
113	9		Marktpreise des Holzes.
119		9	Es ist eben aus.
137		10	Wiesen aufgebrochen.
141		4	mit dem Weidrecht auf den
163		2	auf die unfruchtbarern Bezirke eingeschränkt, die fruchtbarern eingefristet 2c.
168	2		auch ist die
181	7		auch die Weiden.
195	12		sind Forst-Lehranstalten.

Andere Druckfehler, besonders in Rechtschreibung und Interpunktion, fallen ohne Berichtigung in die Augen.

Die

Formeln

zu den

Cotta'schen

Waldwerthberechnungs-Tafeln

nebst

einigen Bemerkungen über letztere.

Von

Ferdinand Klein,

der Rechte und des Forstwesens Candidat.

Landshut, 1823.

Vorwort.

Es wird vielleicht Manchem, welcher vorkommende Waldwerthberechnungs-Fälle nach dem Entwurfe einer Anweisung zur Waldwerthberechnung von Herrn Cotta zu bearbeiten hat, nicht unangenehm seyn, die Formeln zusammengestellt zu erhalten, woraus die in den Waldwerthberechnungs-Tafeln enthaltenen Resultate gefunden werden können. Wenn es gleich jedem Geschäftsmanne erwünscht ist, besonders im Rechnungsfache diejenigen Hülfsmittel (z. B. Tafeln) zu besitzen, welche den Calcul nicht nur bedeutend abkürzen, sondern auch ihrer Einfachheit wegen vor Fehlern bewahren: so thut es doch anderseits gewiß keinen Schaden, wenn man das Practische einer Sache durch Theorie erläutert, und dadurch auch dem in fraglicher Beziehung minder Bewanderten Ueberzeugung verschafft.

Ich machte daher den Versuch, die Formeln zu den Cotta'schen Tafeln so leicht verständlich, als mir möglich war, zu construiren, so daß ich hoffe, es wird sie Jeder verstehen, der nur einiger Maßen die Lehre von einfachen Gleichungen, von Progressionen ꝛc. inne hat.

Ueber Geldwerth, Geldwerthberechnung der Waldungen, über Zinsen ꝛc. glaubte ich so viel sagen und voraus schicken zu müssen, als zur Kürze und Deutlichkeit beym Construiren selbst erforderlich war; dabey hielt ich mich an die Einleitung einer Anweisung ꝛc. ohne deßwegen eigenthümliche Darstellung außer Acht gelassen zu haben.

Ueber die V. Tafel (der 2. Auflage des Entwurfes) und die IV. (der 1. Auflage) habe ich im 3. Abschnitte eine verbessernde Bemerkung zu machen gewagt, indem ich an diesen Tafeln etwas fehlerhaftes wahrzunehmen glaubte. Einnahmen nämlich, die nur eine Zeitlang eingehen, müssen gerade so behandelt werden, wie Jahres=Renten. Nun kann aber das letztern entsprechende Kapital nur einfache Verzinsung erleiden. In den Tafeln finden sich dagegen dreyerley Resultate, an deren Richtigkeit daher im Voraus gezweifelt werden durfte. Durch nähere Untersuchung glaube ich dargethan zu haben, daß sich nur auf der mittlern Zeile beyder Tafeln die allein richtigen Werthkapitalien befinden, und im eigentlichen Sinne nicht die nach zusammengesetzter, sondern nach einfacher Zinsrechnung sind, wenn sie gleich auch auf dem Gebiete der zusammengesetzten Zinsrechnung gefunden werden können. In dem nämlichen Abschnitte machte ich auch auf einige Unrichtigkeiten beym Nachsuchen in den Tafeln aufmerksam, und hoffe in dieser Beziehung nicht ganz Unnützes gesagt zu haben, da man auf dergleichen, dem Anscheine nach, unwichtige, Dinge gewöhnlich nicht viel zu achten pflegt. Hatte ich es nun einmal versucht, die letzte Tafel beyder Ausgaben zu berichtigen, und ein genaueres Nachsuchen anzurathen, so mußte ich den vorliegenden Blättern einen 4ten Abschnitt beyfügen, der alle, durch Hülfe der Tafeln lösbaren Waldwerthberechnungs=Aufgaben, und die Auflösung derselben mit Berücksichtigung auf die früher gemachten Bemerkungen enthält.

So viel über die Entstehung gegenwärtiger Bogen! Ich lege sie jetzt nicht ohne Schüchternheit dem förstlichen Publikum vor, und erwarte ein gerechtes, wenn auch strenges Urtheil. Denn, überzeugt von den Schwierigkeiten mathematischer Darstellung, bin ich weit entfernt die unbescheidene Meinung zu haben, als hätte ich allen Foderungen sachkundiger Männer ein Genüge geleistet. Vielmehr ist mir gar wohl bewußt, wiesehr das Ganze erster Versuch ist. Nur die Liebe zur Wahrheit und der Glaube Brauchbares zu liefern, haben mich zu diesem Schritte vermocht. Sollte dieses Büchelchen dennoch das Glück haben, sich einigen Beyfall zu erwerben, so werde ich darin Belohnung und Aufmunterung finden.

Landshut, im Oktober 1822.

J. J. Ferd. Klein.

Erster Abschnitt.

Von dem Geldwerthe der Waldungen im Allgemeinen, und von den zur Ausmittelung desselben erforderlichen Ansichten.

§. 1.

Die möglich größten Natural-Erträgnisse eines Waldes können zu Geld angeschlagen, und dann die möglich größten Geld-Einnahmen aus dem Walde genannt werden. Sie haben für den Waldbesitzer einen positiven Werth.

Auf demselben Walde lasten aber auch Aus- und Abgaben, die, sind sie als die möglich kleinsten in Ansatz gebracht und zu Geld angeschlagen, die möglich kleinsten Geld-Ausgaben auf den Wald genannt werden können. Sie haben für den Waldbesitzer einen negativen Werth.

In der Differenz des Werthes aller Geld-Einnahmen und des Werthes aller Geld-Ausgaben ergiebt sich für den Waldbesitzer der reine Geldwerth des Waldes.

§. 2.

Für den Waldbesitzer ist ein und dieselbe Geld-Einnahme um so viel mehr oder um so viel weniger werth, je früher oder je später sie eingeht; so wie auch ein und dieselbe Ausgabe einen um so kleinern oder einen um so größern negativen Werth hat, je später oder je früher sie entrichtet werden muß.

Bey der Geldwerthberechnung eines Waldes aber kann nur ein einziger, ein bestimmter Werth der Einnahmen und Ausgaben zum Grunde gelegt werden, weil der Geldwerth des Waldes ebenfalls nur einziger, ein für einen gewissen Moment allein gültiger seyn kann. Setzt man daher einen Zeitpunkt fest, von welchem aus man die bis zum Eingehen der Einnahmen oder bis zur Entrichtung der Ausgaben verfließende Zeit misset, und für welchen man die Werthe der Einnahmen und Ausgaben berechnet; so kann dieser Zeitpunkt der Reductions-Moment genannt werden.

§. 3.

Alle Geld-Einnahmen und Geld-Ausgaben theilen sich durch die möglichen Antworten auf die zwey Fragen:

1) Wann geht eine Geld-Einnahme vom Reduktions-Momente gerechnet zum ersten, wann, von demselben Momente an gezählt, zum letzten Male ein, und

2) wann wird eine Geld-Ausgabe vom Reductions-Momente an gezählet, zum ersten, und wann, von eben demselben Zeitpunkte an gerechnet, zum letzten Male entrichtet?

in folgende drey Klassen.

I. Klasse.

Eine Einnahme geht nur ein einziges Mal.	Eine Ausgabe wird nur ein einziges Mal.

II. Klasse.

Eine Einnahme geht in gleich großen Zeit-Abschnitten immerfort.	Eine Ausgabe wird in gleich großen Zeit-Abschnitten immerfort.

III. Klasse.

Eine Einnahme geht in gleich großen Zeit-Abschnitten nur eine bestimmte Anzahl Mal ein.

Eine Ausgabe wird in gleich großen Zeit-Abschnitten nur eine bestimmte Anzahl Mal entrichtet.

Liefert der Wald Geld-Einnahmen oder verursacht er Geld-Ausgaben, die nicht in gleich großen Zeit-Abschnitten; oder, wenn dieses wäre, nicht in stets unveränderlicher Größe erfolgten; so sind sie in jenem Falle als einzelne Einnahmen oder Ausgaben zu betrachten und gehören zur ersten Klasse, in diesem Falle aber lassen sie sich, wie unten Abschn. IV. §. 29. Nro. 4 gezeigt wird, der dritten Klasse einverleiben.

Anmerk. 1. Da Ausgaben nur für den, welcher sie zu entrichten hat, Ausgaben, für den aber, welcher sie empfängt Einnahmen sind, und daher die Werthberechnung derselben, abgesehen davon, daß das Resultat negativ in Ansatz kömmt, dieselbe, wie bey den Einnahmen seyn muß; so wird von jetzt an nur der Ausdruck »Einnahme« gebraucht werden.

Anmerk. 2. Wenn nichts besonders bemerkt ist, so werden in den Beyspielen immer 5 pro Cent zum Grunde gelegt.

§. 4.

Nach den bisher aufgestellten Vorbegriffen kann zur Werthbestimmung selbst geschritten werden.

A. Im Allgemeinen.

Der Arithmetiker kann den Geldwerth von Geld-Einnahmen nur durch ein Kapital ausdrücken, welches vom Reduktions-Momente bis zum letztmaligen Eingehen der Einnahme verzinset, theils durch die Zinsen, theils durch diese und sich selbst, Geld-Einkünfte abwürfe, die eben so groß, wie die Geld-Einnahmen aus dem Walde seyn, und zur selben Zeit, wie diese fließen würden. Ein solches Kapital würde in arithmetischer Beziehung durch die Zinsen dieselben Vortheile, wie der Wald, für den es substituirt wird, durch seine Geld-Erträgnisse gewähren; daher denn durch solch ein Kapital der Geldwerth des Waldes arithmetisch richtig ausgedrückt ist.

B. Im Besondern.

I. Welchen Geldwerth hat eine Einnahme der ersten Klasse?

Offenbar den eines Kapitals, welches vom Reductions-Momente an bis zum Eingehen der Einnahme verzinset, durch die Zinsen zur Größe dieser Einnahme anwachsen würde. Eine Einnahme von 130 fl., welche von heute über 6 Jahre eingeht, hat heute den Werth von 100 fl., weil diese als Kapital von heute an 6 Jahre lang verzinset, ebenfalls auf 130 fl. anwachsen würden.

II. Welchen Geldwerth hat eine Einnahme der zweyten Klasse?

Unbezweifelbar den eines auf ewige Zeiten verzinseten Kapitals, das gerade so groß und unter solcher Bedingung angelegt ist, daß die Menge des Zinses und die Zeit der jedesmaligen Abtragung desselben, gleich der Größe der Einnahme und der Zeit ihres Eingehens ist.

Ein Wald, der fortwährend mit jedem Jahresschlusse 50 fl. einbrächte, wäre einem Kapitale von 1000 fl. gleich, weil auch dieses jährlich 50 fl. an Zinsen abwürfe.

III. Welchen Geldwerth hat eine Einnahme der dritten Klasse?

Legt Jemand ein Kapital mit der Bedingung

verzinslich an, daß ihm gleich mit Schluß des ersten Jahres nicht nur die treffenden Zinsen entrichtet, sondern auch etwas vom Kapitale heimbezahlt werde; und macht er dieselbe Forderung auch für das 2te, 3te, 4te Jahr u. s. w., doch so, daß die Zinsen und der vom Kapitale genommene Theil immer eine gleich große Summe bilden, so wird nach einer gewissen Anzahl von Jahren das Kapital sammt den jedesmal entsprechenden Zinsen heimbezahlt seyn. Durch solch einen Vertrag entstehen gleich große, nur eine Zeit lang andauernde Jahres-Einkünfte (Jahres-Renten), mit welchen die Einnahmen der dritten Klasse ganz übereinkommen.

Es ist daher dasjenige Kapital, welches unter obiger Bedingung verzinslich Einkünfte abwerfe, die eben so groß seyn, und ebenso oft eingehen würden, als eine fragliche Einnahme der dritten Klasse groß ist und oft eingeht, der Geldwerth dieser Einnahme selbst.

§. 8.

Durch diese vorläufige Werthbestimmung ist nun zugleich der Weg gefunden, welchen der Arithmetiker bey der wirklichen Berechnung des Geldwerthes einschlagen muß; denn er braucht nur immer ein Kapital auszumitteln, welches so groß ist, daß es

1) entweder innerhalb einer bestimmten Zeit durch die Zinsen zu einer bestimmten Größe anwächst. — Geldwerth der Einnahmen erster Klasse;
2) oder daß es durch ewige Verzinsung in bestimmten Zeit-Abschnitten, bestimmte Zinsgefälle abwirft. — Geldwerth der Einnahmen zweyter Klasse;
3) oder endlich, daß es durch die Zinsen und einen Theil von sich selbst eine bestimmte Zeit hindurch, gleich große Einkünfte liefern kann. — Geldwerth der Einnahmen dritter Klasse.

§. 6.

Die Begriffe von Kapital und Zins wurden bisher als bekannt vorausgesetzt. Dieß konnte, da bisher nur eine beyläufige Kenntniß derselben nöthig war, mit desto größerm Rechte geschehen, je bekannter dergleichen Gegenstände zu seyn pflegen, und je mehr ihre Anticipation den bisherigen Vortrag erleichterte und abkürzte. In den folgenden §§. aber mag es zweckdienlich seyn, das Wesentliche darüber zu sagen.

§. 7.

Im Handel und Wandel läßt sich unter günstigen Umständen mit jeder Geldsumme etwas gewinnen. Ueberläßt daher Jemand (der Glaubiger) einem andern (dem Schuldner) eine Summe Geldes zum Gebrauche auf einige Zeit, so kann er mit Recht Entschädigung für die Entbehrung des Selbstgebrauches fodern. Wird diese Entschädigung dem Schuldner jährlich in Geld entrichtet, so heißt sie Zins oder Interesse, und die Summe wofür Zins bezahlt wird, Kapital.

Der Zins oder das Interesse heißt auch Pro Cent in so ferne für (pro) jedes Hundert (centum) Einheiten des Kapitales einige Einheiten derselben Art als Zins entrichtet werden.

Das Maximum des pro Cent haben die Landesgesetze auf 6 festgesetzt.

§. 8.

Eingetheilt werden die Zinsen

1) in einfache, welche nur fürs Kapital allein entrichtet werden. Sie können durch mehrjährige Entrichtung oder mehrjähriges Ausstehen zu einer Summe anwachsen, welche die Größe des Kapitals erreicht oder übersteigt. Aber weder das eine noch das andere hebt nach vaterländischen Gesetzen die

Verbindlichkeit fernerer Zins-Entrichtung auf. Erst die Heimzahlung des Kapitales, als eine für sich bestehende Schuld, macht dem Zinsenlaufe ein Ende.

2) in zusammengesetzte oder Zinses-Zinse, welche dadurch entstehen, daß vom Kapitale vor seiner Heimzahlung keine Zinsen abgetragen werden dürfen, sondern dieselben von ihrer Verfallzeit an zum Kapitale nicht nur als selbst verzinslich geschlagen, sondern daß auch die von ihren fälligen Zinsen zum Kapitale gethan und wieder verzinset werden u. s. w. Diese Art ein Kapital zu verzinsen ist aber durch die landesherrlichen Gesetze verbothen und heißt anatocismus conjunctus. Wenn aber der Schuldner die jedesmal fälligen Zinsen dem Gläubiger wirklich entrichtet, und sich dieselben als ein neues verzinsliches Darlehn immer gleich wiedergeben läßt, so ist dieß nach vaterländischen Gesetzen erlaubt und heißt anatocismus separatus. Um so weniger kann es daher verbothen seyn, die eingetriebenen Zinsen immer wieder bey einem Dritten als Kapital anzulegen.

Die Rechnung, wodurch die einfachen Zinsen bestimmt werden, heißt die einfache Zins-Rechnung, — die, wodurch die Zinses-Zinse dazu gefunden werden, die zusammengesetzte, oder die Zinses-Zinsrechnung.

§. 9.

Betrachtet man einfache und Zinses-Zinse in Bezug auf Handel und Wandel; so ergeben sich folgende Sätze:

1) Die Zinses-Zinsrechnung wird Resultate liefern, die der Erfahrung nicht entsprechen; indem Niemand
   a) theils wegen des gesetzlichen Verbothes gegen Zinses-Zinse im eigentlichen Sinne (anatocism. conjunctus);
   b) theils wegen der Schwierigkeit eingetriebene Zinse gleich wieder verzinslich anzulegen;

soviel Zinse und Zinses-Zinse gewinnen kann, als der Calcul auswirft.

2) Eben so wird die einfache Zinsrechnung auch nicht entsprechen. Die eingetriebenen oder ausstehenden Zinse werden nämlich im Calcul als nicht weiter wirkend gedacht. Dieß ist aber im Handel und Wandel nicht wohl der Fall, indem sich durch den Verkehr auch die Zinse wieder verzinsen.

3) Der Arithmetiker, in so ferne ihm um Resultate zu thun ist, die der Wirklichkeit so nahe als möglich kommen, wird daher weder das Resultat nach einfachen, noch das nach Zinses-Zinsen als das wahre, sondern das arithmetische Mittel aus beyden als das der Erfahrung am nächsten kommende annehmen. Dieß arithmeische Mittel kann das nach **mittlern Zinsen** berechnete Resultat heißen.

§. 10.

Jetzt hindert nichts mehr, die Geldwerth-Formeln für die möglichen Arten von Geld-Einnahmen zu construiren, indem das hiebey leitende Princip im §. 4 angegeben ist. Um aber die Nummernfolge, wie sie in der 2ten Auflage der Cotta'schen Tafeln ist, auch bey den Formeln beyzubehalten, wurde die Zins-Rechnung vorangestellt, und die Einnahmen zweyter Klasse, je nachdem sie entweder jährlich, oder in größern Perioden eingehen, in zwey besondern Aufgaben behandelt, so daß in allem für fünf Aufgaben die Formeln zu entwickeln sind, nämlich:

Die Zinsrechnung	. . . .	I. Aufgabe.
Werthberechnung der Einnahmen.	erster Klasse	II. —
	zweyter —	III. —
		IV. —
	dritter —	V. —

Zweyter Abschnitt.

Die zur Geldwerthberechnung der Einnahmen und Ausgaben erforderlichen Formeln.

§. 11.

Erste Aufgabe.

Die Zins-Rechnung.

Zu welcher Größe wird ein zu c prCt. verzinsetes Kapital K in n Jahren anwachsen?

Auflösung.

A. Nach einfachen Zinsen.

Setzt man:

1) die Größe, zu welcher das Kapital K durch die n jährigen Zinsen anwächst $= S$ und

2) diese Zinsen $= Z$, so ist offenbar $S = K + Z$;

3) nun ergiebt sich aber Z durch die Proportion

$$\frac{100}{1} : c = \frac{K}{n} : Z \text{ auf}$$

$$Z = \frac{K\,c\,n}{100}\text{; daher wird subsituendo in No. 2.}$$

4) $S = K + \frac{K\,c\,n}{100} = \frac{100\,K + K\,c\,n}{100}$ d. i.

$$\text{I. } S = K\left(\frac{100 + c\,n}{100}\right)$$

B. Nach Zinses-Zinsen.

1) Setzt man in der so eben aufgestellten Formel $S = K\left(\frac{100 + n\,c}{100}\right)$, $n = 1$ so ergiebt sich, daß K durch die Zinsen eines Jahres auf $K\left(\frac{100 + c}{100}\right)$

oder, drückt man den Factor $\frac{100 + c}{100}$ durch p aus, auf Kp anwachse. Da aber K eine allgemeine Größe ist, so läßt sich auch allgemein sagen: Jede verzinsliche Geldsumme wird durch einjährige Verzinsung p mal größer.

2) Nach dem Begriffe von zusammengesetzter Zins-Rechnung bleiben die Zinses-Zinse als wieder verzinslich beym Kapitale liegen, so daß man für jedes zunächst folgende Jahr ein um die Zinsen des zunächst vorausgehenden Jahres vermehrtes Kapital zu verzinsen hat.

3) Diese jedesmalige Jahresverzinsung geschieht vermöge No. 1. durch die einfache Multiplikation der jedesmal verzinslichen Summe mit p. Auf diese Weise zeigt sich das Gesetz des Anwachsens eines zu Zinses-Zinsen aufgelegten Kapitals K sehr bald; nämlich:

Im 1ten Jahr liegt K an und wächst bis zum Schlusse des 1ten Jahres auf $K \times p = Kp$
„ 2ten „ „ Kp „ „ 2ten „ „ $Kp \times p = Kp^2$
„ 3ten „ „ Kp^2 „ „ 3ten „ „ $Kp^2 \times p = Kp^3$
„ nten „ „ Kp^{n-1} „ nten „ „ $Kp^{n-1} \times p = Kp^n$
an.

4) Bedeutet nun auch hier wieder S die Größe, zu welcher K in n Jahren durch die Zinses-Zinse anwächst, so ist

II. $S = Kp^n$ oder $\log S = \log K + n \log p$.

In dieser Formel ist dann wegen $p = \frac{100 + c}{100}$

wenn $c = 3$ ist $p = 1{,}03$ u. $\log p = 0{,}0128372$
„ $c = 3\frac{1}{2}$ „ $p = 1{,}035$ „ $\log p = 0{,}0149403$
„ $c = 4$ „ $p = 1{,}04$ „ $\log p = 0{,}0170333$
„ $c = 4\frac{1}{2}$ „ $p = 1{,}045$ „ $\log p = 0{,}0191163$
„ $c = 5$ „ $p = 1{,}05$ „ $\log p = 0{,}0211893$

Anwendung beyder Formeln.

Zu welcher Größe wächst nach einfachen, zusammengesetzten und mittlern Zinsen ein Kapital von 10000 fl. in 36 Jahren zu 5 prCt. an?

a) nach einfachen Zinsen erhält man

$$S = K\left(\frac{100 + c\,n}{100}\right) = 10000\left(\frac{100 + 5.36}{100}\right)$$

$= 28000$ fl.

b) nach Zinses-Zinsen ergiebt sich

$\log S = \log K + n \log p = \log 10000 + 36 \log 1{,}05$

$S = 57918{,}1$ fl. denn

$\log 10000 = 4{,}0000000$

$36 \log 1{,}05 = 0{,}7628148$

$\log S = 4{,}7628148 = \log 57918{,}1.$

c) nach mittlern Zinsen wird

$$S = \frac{28000 + 37918{,}1}{2} = 42959 \text{ fl.}$$

§. 12.

Zweyte Aufgabe.

Welchen Geldwerth hat eine Geld-Einnahme E, n Jahre vor ihrem Eingehen?

Auflösung.

1) Dasjenige Kapital, welches durch Verzinsung in n Jahren die Größe der Einnahme selbst erreichen würde, ist der wahre Werth derselben. Sieh. Abschn. I. §. 4. B. I.

2) Setzt man daher dieß Kapital $= K$, so wächst es in n Jahren,

a) bey einfachem Zins auf $K\left(\frac{100 + n\,c}{100}\right)$

b) bey Zinses-Zinsen auf $K\,p^n$ an und es ist

3) mit dem Schlusse des nten Jahres, weil da gerade die eben so große Geld-Einnahme E eingeht

a) bey einfachen Zinsen $K\left(\frac{100 + n\,r}{100}\right) = E$

b) bey Zinses-Zinses $K\,p^n = E$, woraus endlich

4) Der Werth der Einnahme n Jahre vor ihrem Eingehen im Kapitale K gefunden wird.

Dieser Werth ist

I. bey einfachen Zinsen

$$\text{I. } K = \frac{100\,E}{100 + n\,c}$$

II. bey Zinses-Zinsen

$$\text{II. } K = \frac{E}{p^n} \text{ oder } \log K = \log E - n \log p.$$

Wenn ein Schuldner mit Einwilligung des Gläubigers eine unverzinsliche Schuldforderung E vor ihrer Verfallzeit abträgt, so ist dieser verbunden, sich mit weniger als E und zwar gerade mit solch einer Summe zu begnügen, die als Kapital betrachtet vom Augenblicke der freywilligen Zahlung an bis zur ursprünglichen Verfallzeit durch die Zinsen zur Größe der Forderung E anwachsen würde.

Die Rechnung, wodurch gefunden wird, wie viel der Schuldner unter obiger Voraussetzung zu bezahlen habe, heißt Rabbats- oder Interusuriums-Rechnung, weil das, um was weniger entrichtet werden darf, Rabbat oder Interusurium genannt wird. Sie beruht auf demselben Prinzipe, wie die für einmal eingehende Einnahmen, muß daher ganz dieselbe seyn und dieselben Formeln zur Anwendung bringen lassen.

Der Schuldner bezahlt daher n Jahre vor der Verfallzeit der Schuldforderung E

a) bey einfachen Zinsen $K = \frac{100\,E}{100 + n\,c}$

b) bey Zinses-Zinsen $K = \frac{E}{p^n}$

Da endlich $\frac{100\ E}{100 + n\ c} = E \times \frac{100}{100 + n\ c}$, und eben so $\frac{E}{p^n} = E \times \frac{1}{p^n}$ ist; so kann man auch allgemein sagen:

Eine unverzinsliche Schuldforderung, oder Geldsumme E, ist n Jahre vor ihrer Verfallzeit, oder ihrem Eingehen, nach einfachen Zinsen $\frac{100}{100 + n\ c}$ Mal, und nach Zinses-Zinsen $\frac{1}{p^n}$ Mal kleiner, als an der Verfallzeit oder ihrem Eingehen; oder: die Größe einer, um den n jährigen Rabbat, zu vermindernden Summe, wird durch die Factoren $\frac{100}{100 + n\ c}$ oder $\frac{1}{p^n}$ bestimmt.

Anwendung beyder Formeln.

1) Was ist ein Geld-Ertrag von 5000 fl. nach einfachen, zusammengesetzten und mittlern Zinsen gleich jetzt werth, wenn er erst am Schlusse des 12ten Jahres eingeht, und im Calcul 5 prCt. zum Grunde gelegt werden?

a) bey einfachen Zinsen ist er werth:

$$K = \frac{100\ E}{100 + n\ c} = \frac{100\ .\ 5000}{100 + 12\ .\ 5} = \frac{500000}{160} =$$

$= 3125$ fl.

b) bey Zinses-Zinsen ist er werth:

$\log K = \log E - n \log p = \log 5000 - 12 \log 1{,}05.$

$\log 5000 = 3{,}6989700$

$12 \log 1{,}05 = 0{,}2542716$

$3{,}4446984 = \log K = \log 2784{,}2$ fl.

c) bey mittlern Zinsen ergiebt sich der Werth auf

$$\frac{3125 + 2784{,}2}{2} = \frac{5909{,}2}{2} = 2954{,}6 \text{ fl.}$$

2) Jemand hat erst mit dem Schlusse des 10ten Jahres eine Summe von 1000 fl. ohne Zinsen zurückzubezahlen. Er wünscht aber gleich jetzt Zahlung zu leisten, und der Gläubiger versteht sich dazu. Wieviel wird entrichtet werden müssen, wenn 5 prCt. im Calcul zum Grunde gelegt werden?

a) bey einfachen Zinsen:

$$K = \frac{100}{100 + nc} \times E = \frac{100}{100 + 10.5} \times 1000 =$$

$$= 666{,}6 \text{ fl.}$$

b) bey Zinses-Zinsen:

$$\log K = \log E - n \log p = \log 1000 - 10 \log 1{,}05$$

$$\log 1000 = 3{,}0000000$$

$$10 \log 1{,}05 = \underline{0{,}2118930}$$

$$2{,}7881070 = \log K = \log 613{,}9 \text{ fl.}$$

c) folglich bey mittlern:

$$\frac{666{,}6 + 613{,}9}{2} = \frac{1280{,}5}{2} = 640{,}25 \text{ fl.}$$

---

§. 13.

Dritte Aufgabe.

Welchen Geldwerth hat eine, fortwährend alle m Jahre, eingehende Geld-Einnahme E?

Auflösung.

1) Der Geldwerth einer solchen Einnahme ist einem Capitale gleich, welches alle m Jahre, E Interessen einbringen würde. Sieh. Abschn. I. §. 4. B. II.

2) Setzt man dieses fragliche Kapital = K, so bestimmt sich dessen Größe:

a) bey einfachen Zinsen durch die Proportion

$c : \frac{100}{1} = E : \frac{K}{m}$ auf

$K = \frac{100\,E}{m\,c}$

b) bey Zinses-Zinsen durch folgendes Raisonnement:

Ein Kapital K wächst in m Jahren durch die Zinsen und Zinses-Zinsen auf $K\,p^m$ an: setzt man diese Zinsen und Zinses-Zinsen $= Z$, so ist $K p^m = K + Z$. Da aber Z als Einnahme erscheint und folglich $E = Z$ ist; so muß auch $Kp^m = K + E$ seyn, woraus $Kp^m - K = E$ und $K\,(p^m - 1) = E$, endlich $K = \frac{E}{p^m - 1}$ wird.

3) Die Kapitalien, welche alle m Jahre durch ihre Zinsgefälle eine Einnahme E erzeugen könnten; sind nun gefunden. Sie sind aber nicht immer in ihrer Ganzheit, sondern bald verringert bald vermehrt der Geldwerth der Einnahmen. Es kömmt nämlich darauf an, ob der Reductions-Moment vom erstmaligen Eingehen der Einnahme

a) ebenfalls m Jahre, oder

b) ob er mehr, oder endlich

c) ob er weniger, als m Jahre entfernt ist.

ad a. Wenn die Einnahme, vom Reductions-Momente an gerechnet, am Schlusse des mten Jahres zum ersten Male eingeht; so ist ihr Werth den Kapitalien selbst gleich, weil diese alle m Jahre, folglich auch das erste Mal, E Interessen abwerfen würden. Eine Einnahme E der zweyten Klasse ist daher in diesem ersten Falle

I. bey einfachen Zinsen: $K = \frac{100\,E}{m\,c}$

II. bey Zinses-Zinsen: $K = \frac{E}{p^m - 1}$ werth.

ad b. Wenn der Reductions-Moment von dem ersten Eingehen der Einnahme um n Jahre weiter, als im vorigen Falle, also $(n + m)$ Jahre entfernt ist; so würden die ganzen Kapitalien $\frac{100\,E}{m\,c}$ und $\frac{E}{p^m - 1}$ das erste Mal, oder in den $n + m$ Jahren mehr als E Interessen liefern. Werden sie aber um den n jährigen Rabbat vermindert, so schwellen sie in n Jahren, also gerade m Jahre vor dem erstmaligen Eingehen der Einnahme auf $\frac{100\,E}{m\,c}$ und $\frac{E}{p^m - 1}$ an, und können, von jetzt an als Ewig-Kapitalien betrachtet, alle m Jahre, E Interessen abwerfen.

Die Größe, welche ein Kapital nach Abzug des n jährigen Rabbats erhält, bestimmt sich sehr leicht durch die in Aufgabe II. aufgefundenen Factoren $\frac{100}{100 + n\,c}$ und $\frac{1}{p^n}$. Eine alle m Jahre eingehende Einnahme E ist daher $m + n$ Jahre vor ihrem ersten Eingehen-werth:

III. bey einfachen Zinsen: $K = \frac{100\,E}{m\,c} \times \frac{100}{100 + nc} =$

$$= \frac{10000\,E}{mc(100 + nc)}$$

IV. bey Zinseszinsen $K = \frac{E}{p^m - 1} \times \frac{1}{p^n} = \frac{E}{p^n(p^m - 1)}$

ad c. Liegt endlich der Reductions-Moment dem erstmaligen Eingehen der Einnahme um n Jahre näher, als im ersten Falle, so daß bis dahin in Allem nur $m - n$ Jahre verfließen; so würden $\frac{100\,E}{m\,c}$ und $\frac{E}{p^m - 1}$ das erste Mal (in den $m - n$ Jahren nämlich) um die n jährigen Zinsen zu wenig abwerfen. Um diese müssen daher die Kapitalien vermehrt werden, welches, wie aus Aufgabe I. bekannt ist, durch die Factoren $\frac{100 + n c}{100}$ u. p^n geschieht.

Demnach ist eine Einnahme zweyter Klasse m — n Jahre vor ihrem erstmaligen Eingehen

V. bey einfachen Zinsen: $K = \frac{100 E}{m c} \times \frac{100 + n c}{100} =$

$= E \frac{(100 + n c)}{m c}$

VI. bey Zinses-Zinsen: $K = \frac{E}{p^m - 1} \times p^n =$

$= E \left(\frac{p^n}{p^m - 1}\right)$ werth.

Anwendung dieser Formeln.

1) Von heute über 10 Jahren werden das erste Mal, und dann immerfort alle 10 Jahre 6000 fl. bezogen. Welchen Werth hat dieser Ertrag gleich heute nach einfachen, Zinses-Zinsen und mittlern Zinsen gerechnet? Im Calcul sollen 5 prCt. zum Grunde gelegt werden. Der Werth dieses Ertrages ist nach Formel I. und II.

a) bey einfachen Zinsen: $K = \frac{100 E}{m c} = \frac{100 . 6000}{10 . 5}$

$= 20 . 600 = 12000$ fl.

b) bey Zinses-Zinsen: $K = \frac{E}{p^m - 1} = \frac{6000}{1{,}05^{10} - 1} =$

$= 9541$ fl.

Denn 10 log 1,05 = 0,0211893 × 10 = 0,2118930

0,2118930 = log 1,6288

1,6288 — 1 = 0,6288 und folglich

$K = \frac{6000}{0{,}6288} = \frac{60000000}{6288} = 9541$ fl.

c) bey mittlern Zinsen demnach:

$$\frac{12000 + 9541}{2} = 10770 \text{ fl.}$$

2) Von heute über 20 Jahre geht ein Geldertrag von 10000 fl. das erste Mal, dann regelmäßig alle 15 Jahre ein. Welchen Werth hat er heute?

In der Formel III. und IV. bedeutet für diesen Fall $m = 15$ und $n = 5$, weil $m + n = 20$ ist, woraus $n = 20 - m = 20 - 15 = 5$ wird.

a) bey einfachen Zinsen erhält man:

$$K = \frac{10000 \, E}{m \, c (100 + n c)} = \frac{10000 \cdot 10000}{15 \cdot 5 (100 + 5 \cdot 5)} =$$

$$= \frac{100000000}{75 \cdot 125} = \frac{100000000}{9375} = 10666{,}6 \text{ fl.}$$

b) bey Zinses-Zinsen:

$$K = \frac{E}{p^n (p^m - 1)} = \frac{10000}{1{,}05^5 (1{,}05^{15} - 1)} = 7266 \text{ fl.}$$

denn $5 \log 1{,}05 = 0{,}0211893 \cdot 5 = 0{,}1059465$

$0{,}1059465 = \log 1{,}2763$

$15 \log 1{,}05 = 0{,}0211893 \times 15 = 0{,}3178395$

$0{,}3178395 = \log 2{,}0789$

$2{,}0789 - 1 = 1{,}0789$ folglich

$$K = \frac{10000}{1{,}2763 \cdot 1{,}0789} = \frac{10000}{1{,}3771} = \frac{100000000}{13771}$$

$$= 7266 \text{ fl.}$$

c) bey mittlern Zinsen demnach:

$$\frac{10666{,}6 + 7266}{2} = 8966{,}3 \text{ fl.}$$

3) Welchen Geldwerth hat ein Geldertrag von 1000 fl., der alle 20 Jahre, zum ersten Male schon von heute über 4 Jahre eingeht?

In der Formel V. und VI. bedeutet $m = 20$ Jahre und wegen $m - n$ wird $n = m - 4 = 20 - 4 = 16$.

Der Werth des fraglichen Ertrages ist daher:

a) bey einfachen Zinsen: $K = E\left(\frac{100 + n\,c}{m\,c}\right) =$

$= 1000\left(\frac{100 + 16 \cdot 5}{20 \cdot 5}\right) = \frac{1000 \cdot 180}{100} =$

$= 1800$ fl.

b) bey Zinses-Zinsen:

$K = E\left(\frac{p^n}{p^m - 1}\right) = 1000\left(\frac{1{,}05^{16}}{1{,}05^{20} - 1}\right) = 1321$ fl.

denn 16 log 1,05 = 0, 0211893 × 16 = 0,3390288
0,3390288 = log 2,18
20 log 1,05 = 0,0211893 . 20 = 0,4236860
0,4237860 = log 2,65
2,65 — 1 = 1,65 folglich

$K = \frac{1000 \times 2{,}18}{1{,}65} = \frac{2180}{1{,}65} = \frac{218000}{1{,}65} =$

$= 1321$ fl.

c) bey mittlern Zinsen demnach:

$\frac{1800 + 1321}{2} = 1560$ fl.

---

§. 14.

Vierte Aufgabe.

Welchen Geldwerth hat eine, alle Jahre eingehende, Einnahme E?

Auflösung.

Diese Aufgabe ist mit der vorhergehenden im Grunde eine und dieselbe, indem auf die verschiedene Größe der Zeitabschnitte bey Construirung einer Formel für Einnahmen zweyter Klasse nichts ankömmt. Man braucht daher auch nur in den Formeln der dritten Aufgabe $m = 1$ zu setzen; so erhält man die für diese Aufgabe nöthigen Formeln.

Uebrigens unterscheide man wieder, ob der Reductions-Moment von dem erstmaligen Eingehen der Einnahme

a) ebenfalls 1 Jahr, oder
b) mehr, oder
c) weniger, als 1 Jahr entfernt ist.

ad a. Eine jährlich wiederkehrende Einnahme E ist 1 Jahr vor ihrem ersten Eingehen werth:

I. nach einfachen Zinsen: $K = \frac{100\,E}{1 \cdot c} = \frac{100\,E}{c}$

Daß für diesen Fall keine Formel nach Zinses-Zinsen möglich sey, ist leicht einzusehen, da die einfachen Zinsen unter dem Namen Einnahme E, gemäß der Voraussetzung, jährlich abgetragen werden, und somit keine Zinseszinsen erwachsen können.

Hätte man aber auch in der Formel II. Aufg. 8. für $m = 1$ gesetzt, so wäre ebenfalls $K = \frac{100\,E}{c}$ zum Vorscheine gekommen, indem $\frac{E}{p-1}$ wegen $p = \frac{100+c}{100}$ auch durch $\frac{E}{\frac{100+nc}{100}} - 1 = \frac{E}{\frac{100+c-100}{100}} = \frac{E}{\frac{c}{100}} = \frac{100\,E}{c}$ ausgedrückt werden kann.

In diesem sub a aufgeführten Falle ist das enthalten, was man zum Kapitale erheben nennt. Gewährt nämlich irgend ein Gegenstand eine gleich groß bleibende und immer fortdauernde Jahres-Einnahme; so sucht man, um ihrem Werthe eine allgemeinere Verständlichkeit zu geben, ein Kapital, welches durch die Jahreszinsen dasselbe Einkommen einbrächte. Solch ein Kapital findet man durch die einfache Multiplication mit

$\frac{100}{c}$ in das jährliche Einkommen; denn $\frac{100\,E}{c} = E \times \frac{100}{c}$. Dieser Factor $\frac{100}{c}$ wird, wenn c = 5 ist, 20, wenn c = 4 ist, 25 seyn u. s. f. Daher die bekannte Regel: mit 20, 25 ꝛc. zum Kapitale erheben.

ad b. Eine Einnahme E, die jährlich wiederkehrt, ist n Jahre vor ihrem ersten Eingehen werth

II. bey einfachen Zinsen: $K = \frac{10000\,E}{c[100 + (n-1)c]}$

III. bey Zinses-Zinsen: $K = \frac{E}{p^{n-1}(p-1)}$

Daß man hier n—1 für n setzt, kömmt daher, weil die Einnahme E, 1 Jahr vor ihrem erstmaligen Eingehen, den vollständigen Kapitalwerth von $\frac{100\,E}{c}$ hat, und daher nur mehr der n—1 jährige Rabbat in Anschlag kommen kann.

ad c. Wenn eine jährlich wiederkehrende Einnahme E zum ersten Male schon von heute über weniger, als ein Jahre eingeht; so ist in diesem Falle kein Calcul nach Zinses-Zinsen denkbar. Es wird daher das um die einfachen n jährigen Zinsen erhöhte Kapital $\frac{100\,E}{c}$ der Werth einer solchen Einnahme seyn. Das Erhöhen selbst geschieht durch den aus Aufgabe I. bekannten Factor $\frac{100 + nc}{100}$.

Demnach ist die Formel für diesen Fall

IV. bey einfachen Zinsen $K = \frac{100\,E}{c} \times \frac{100 + nc}{c} =$

$$= \frac{100\,E}{c^2}\left(100 + nc\right)$$

Gemäß der Bedingung dieses dritten Falls bedeutet n den bereits verflossenen Jahrestheil, und ist daher immer ein ächter Jahresbruch.

Was die Anwendung dieser Formeln betrifft, so haben sie durchaus keine Schwierigkeit, indem die ersten drey aus denen der 3ten Aufgabe gebildet worden sind, und die letzte ohnedieß nur für einfache Zinsen gehörig ist. Daher begnüge ich mich, nur Ein Beyspiel zu berechnen!

Welchen Geldwerth hat eine alle Jahre wiederkehrende, von heute an aber schon über 8 Monate zum ersten Mal eingehende Einnahme pr. 1000 fl?

In der Formel IV. bedeutet $n = \frac{2}{3}$ denn $1 - \frac{4}{12} = \frac{8}{12}$ $= \frac{2}{3}$ Jahr.

Der Werth dieser Einnahme ist demnach

$$K = E\left(\frac{100 + n\,c}{c}\right) = 1000\left(\frac{100 + \frac{2}{3} . 5}{5}\right)$$

$$= 200\left(\frac{300 + 5}{3}\right) = \frac{200 \times 305}{3} = \frac{61000}{3} =$$

$$= 20333{,}3 \text{ fl.}$$

§. 15.

Fünfte Aufgabe.

Welchen Geldwerth hat eine Geld-Einnahme E, die m Mal, und zwar allemal mit dem Jahresschlusse eingeht?

Auflösung.

1) Es ist noch erinnerlich, daß Einnahmen dieser Art als entstehend aus Zinsen und Kapitalquoten gedacht werden müssen. Sieh. Abschn. I. §. 4. B. III.

2) Setzt man daher dasjenige Kapital, welches auf diese Weise die Einnahme E, m Mal abwerfen könnte = K; so ist damit der Geldwerth der Einnahme selbst ausgedrückt, und muß, den Bedingungen der 5ten Aufgabe gemäß, folgende Verzinsung erleiden; nämlich:

3) Durch die Zinsen wächst K im ersten Jahr auf Kp an; sobald es aber diese Größe erreicht hat, wird E hinweggenommen, so daß fürs zweyte Jahr nur mehr $Kp - E$ anliegt; dieß wird durch die Zinsen dieses Jahres $(Kp - E)\,p = Kp^2 - Ep$ groß; aber im nämlichen Augenblicke kömmt wieder E davon hinweg und es bleibt für's 3te Jahr $Kp^2 - Ep - E$, welches durch die Zinsen auf $(Kp^2 - Ep - E)\,p = Kp^3 - Ep^2 - Ep$ anwächst u. s. w.

4) Wird mit jedem Jahre von der Kapitalmasse etwas, und die jedesmal sich ergebenden Jahreszinsen ganz hinweggenommen; so muß nach m maliger Wiederholung das Kapital verschwinden.

5) Folgendes Schema zeigt das Gesetz des Abnehmens der Größe des Kapitals nach der Entwickelung sub No. 3.

Am Schlusse des				
1ten	Jahres	ist K	noch groß	$Kp - E$
2ten	»	» K	»	» $Kp^2 - Ep - E$
3ten	»	» K	»	» $Kp^3 - Ep^2 - Ep - E$
mten	»	» K	»	» $Kp^m - Ep^{m-1} - Ep^{m-2} \ldots\ldots - Ep - E$

6) Da aber gemäß der Voraussetzung nach m maliger Wiederholung das Kapital ganz aufgehoben d. i. Null seyn muß, so ist offenbar

$$Kp^m - Ep^{m-1} - Ep^{m-2} \ldots\ldots - Ep - E = 0 \text{ oder}$$

$$Kp^m - [Ep^{m-1} + Ep^{m-2} + Ep^{m-3} \ldots\ldots + Ep + E] = 0$$

Kehrt man die in der Klammer stehende abnehmende geometrische Reihe um, und bringt sie nach der Summenformel $S = \frac{aq^n - a}{q-1}$ in eine Summe so ist, da $a = E$; $q = p$ und $n = m$ ist

$$S = \frac{Ep^m - E}{p-1} = E\left(\frac{p^m - 1}{p-1}\right)$$

Substituirt man dieſe gefundene Summe in der obigen Gleichung, so erhält man:

$$Kp^m - E\left(\frac{p^m-1}{p-1}\right) = 0,$$ woraus

$K = \frac{E(p^m-1)}{p^m(p-1)}$ wird; ein Kapital, welches den Ertrag E, m Mal abwerfen kann. Dieses Kapital ist aber nicht immer in seiner Ganzheit der Geldwerth von Einnahmen dritter Klasse; sondern es kömmt darauf an, ob der Reductions-Moment von dem erstmaligen Eingehen der Einnahme

a) nur 1 Jahr, oder

b) mehr, oder

c) weniger, als 1 Jahr entfernt ist.

ad a. In diesem Falle allein ist das gefundene Kapital $\frac{E(p^m-1)}{p^m(p-1)}$ ohne weitere Vermehrung der Geldwerth der Einnahme, weil dieses Kapital durch Nro. 3, 4, 5 und 6 so bestimmt wurde, daß es E, m Mal und zwar das erste Mal gleich übers Jahr erzeugen könnte.

Demnach ist eine m Mal, von heute übers Jahr zum ersten Male eingehende Einnahme E heute werth:

I. bey einfachen Zinsen: $K = \frac{E(p^m-1)}{p^m(p-1)}$

Daß für diesen Fall ein Resultat nach Zinseszinsen nicht möglich ist, leuchtet von selbst ein; da E schon mit Schluß des ersten Jahres bezogen wird, und nicht nur aus den Jahreszinsen des Kapitals, sondern auch noch aus einem Theile des Kapitals bestehet.

ad b. Verfließen vom Reductions-Momente bis zum erstmaligen Eingehen der Einnahme n Jahre, so ist das um den n—1 jährigen Rabbat verringerte Kapital der Geldwerth der Einnahme. Der Rabbat wird deßwegen nur für n—1 Jahr in Anschlag gebracht, weil die Einnahme immer 1 Jahr vor ihrem ersten Eingehen schon den ganzen Kapitalwerth $\frac{E(p^m-1)}{p^m(p-1)}$ hat.

Die Formeln sind demnach für diesen Fall:

II. bey einfachen Zinsen:

$$K = \frac{E(p^m-1)}{p^m(p-1)} \times \frac{100}{100+(n-1)c} =$$

$$= \frac{100\,E(p^m-1)}{[100+(n-1)c]\;p^m(p-1)}$$

III. bey Zinses-Zinsen:

$$K = \frac{E(p^m-1)}{p^m(p-1)} \times \frac{1}{p^{n-1}} = \frac{E(p^m-1)}{p^{m+n-1}(p-1)}$$

ad c. Liegt der Reductions-Moment dem erstmaligen Eingehen der Einnahme näher als 1 Jahr; ist er also nur 1 — n Jahre entfernt; so ist das um die n jährigen Zinsen vergrößerte Kapital der Geldwerth der Einnahme. Demnach ist für diesen Fall

IV. bey einfachen Zinsen:

$$K = \frac{E(p^m-1)}{p^m(p-1)}\left(\frac{100+nc}{100}\right) =$$

$$= \frac{E(p^m-1)(100+nc)}{100\,p^m(p-1)}$$

Daß auch in diesem Falle kein Resultat für Zinseszinsen vorkommen kann, ist aus dem ersten Falle klar; n bedeutet wieder einen ächten Jahresbruch.

Anwendung dieser Formeln.

1) Welchen Geldwerth hat eine 20 Mal, mit jedem Jahresschlusse, zum ersten Male von heute übers Jahr, eingehende Einnahme von 1000 fl? Im Calcul 5 prCt. angenommen.

Aus Formel I. erhält man

$$K = \frac{E(p^m-1)}{p^m(p-1)} = \frac{1000(1{,}05^{20}-1)}{1{,}05^{20}\,.\,0{,}05} = 12462$$

denn 20 log 1,05 = 0,4237860

0,4237860 = log 2,6533

2,6533—1 = 1,6533 folglich

$$K = \frac{1000 \cdot 1,6533}{2,6533 \cdot 0,05} = \frac{1653,3}{0,13265} = 12462 \text{ fl.}$$

2) Welchen Geldwerth hat eine 40mal eingehende Jahres-Einnahme per 1000 fl, wenn sie von heute über 10 Jahre zum ersten Male fließt?

Aus Formel II. und IIb. erhält man

a) für einfache Zinse:

$$K = \frac{100\ E\ (p^m-1)}{[100+(n-1)c]\ [p^m(p-1)]} =$$

$$= \frac{100 \cdot 1000\ (1,05^{40}-1)}{[100+(10-1)5]\ 1,05^{40}(1,05-1)} =$$

$$= \frac{100000\ (1,05^{40}-1)}{(100+9.5)(1,05^{40}:0,05)} = 11834 \text{ fl.}$$

denn 40 log 1,05 = 0,8475720 = log 7,04

7,04—1 = 6,04 folglich

$$K = \frac{100000 \cdot 6,04}{145 \cdot 7,04 \cdot 0,05} = \frac{604000}{51,04} =$$

$$= \frac{60400000}{5104} = 11834 \text{ fl.}$$

b) für Zinses-Zinse:

$$K = \frac{E\ p^m-1}{p^{m+n-1}(p-1)} = \frac{1000\ (1,05^{40}-1)}{1,05^{40+10-1}(1,05-1)} =$$

$$= \frac{1000\ (1,05^{40}-1)}{1,05^{49} \cdot 0,05} = 10961,3 \text{ fl.}$$

denn 49 log 1,05 = 1,0382757 = log 10,921

$$\text{folglich } K = \frac{1000 \cdot 6,04}{10,921 \cdot 0,05} = \frac{6040}{0,54605} =$$

$$= \frac{604000000}{54605} = 11061,3 \text{ fl.}$$

c) für mittlere Zinse demnach:

$$\frac{11834 + 11061,3}{2} = 11447,1 \text{ fl.}$$

3) Wenn ein Geld-Ertrag per 1000 fl. 10mal und zwar jedesmal mit dem Jahresschlusse und das erste Mal von heute über 4 Monate eingeht; welchen Geldwerth hat er jetzt? In der Formel IV. bedeutet $n = \frac{2}{3}$, denn es ist $1 - n = \frac{4}{12}$ woraus $n = \frac{2}{3}$ wird.

Der Werth des fraglichen Ertrages ist also:

$$K = \frac{E(p^m - 1)(100 + nc)}{100\,p^m\,(p-1)} = \frac{1000(1{,}05^{10} - 1)(100 + \frac{2}{3}.5)}{(100.1{,}05^{10})(1{,}05 - 1)} =$$

$= 7979{,}4$ fl.

Dritter Abschnitt.

Einige Bemerkungen über die Cotta'schen Waldwerth-berechnungs-Tafeln.

§. 16.

Im vorhergehenden Abschnitte wurde bey der Construirung und Anwendung der Formeln darauf Rücksicht genommen, daß es (so viel mir bekannt) viel üblicher ist zu sagen: wie groß wird ein Kapital durch die Zinsen in, innerhalb oder nach n Jahren seyn; — eine Einnahme geht in oder nach n Jahren ein 2c. als: wie groß wird ein Kapital durch Verzinsung bis zum Anfange des $n+1^{ten}$ Jahres werden, oder eine Einnahme geht mit dem Anfange des $n+1^{ten}$ Jahres ein 2c.

Man mag aber auch die letztern Ausdrücke für gewöhnlicher halten; in der Hauptsache ist dieß einerley; nur wird es räthlich seyn, sich bey vorkommenden Rechnungsfällen ein für alle Mal entweder der einen oder

der andern zu bedienen; indem man sich dadurch am allerbesten vor Fehlern hütet. Besonders wichtig ist eine solche Gleichförmigkeit bey Verfertigung von Hülfstafeln. Je einfacher nämlich ihre Einrichtung ist, desto leichter werden sie verstanden, und um so richtiger gebraucht. In dem Entwurfe einer Anweisung rc. ist die 1te, 2te und 5te Tafel dem Ausdrucke am Anfange des nten; die 3te und 4te dem Ausdrucke mit dem Schlusse des nten Jahres angepaßt. Davon ist in der Gebrauchs-Anleitung keine ausdrückliche Erklärung gegeben; nur ein Paar specielle auf Tafel I und Tafel II. sich beziehende Winke kommen im §. 63, §. 98 * §. 99. §. 102 * vor. Dieß reicht aber gewiß nicht hin, vor fehlerhaftem Nachsuchen ganz und gar zu bewahren.

Ich werde daher die Tafeln und die darauf Bezug habenden Beyspiele durchgehen, und die Formeln, nach welchen die Tafeln berechnet werden konnten, vorausschicken.

§. 17.

I. und II. Tafel.

Setzt man in den Formeln der ersten und zweyten Aufgabe $K = 1$ und $E = 1$, so wird $S = \frac{100 + nc}{100}$, $S = p^n$ und $K = \frac{100}{100 + nc}$, $K = \frac{1}{p^n}$; woraus dann, wenn der Ordnung nach $n = 0$, $n = 1$, $n = 2$ rc. und für jeden Jahresnummer $c = 3$, $c = 3\frac{1}{2}$, $c = 4$ rc. gesetzt wird, die Resultate für die Einheit gerade so erhalten werden, wie sie für einfache und zusammengesetzte Zinsen in der 1sten und 2ten Tafel stehen. Dadurch aber, daß man das Resultat für $n = 0$ d. h. für keine Zeit hinter den Jahresnummer 1, das Resultat für $n = 1$ d. h. für ein Jahr hinter den Jahresziffer 2 stellte u. s. w. erhielten die Tafeln eine Einrichtung, gemäß welcher jedes Beyspiel für den Anfang eines Jahres gestellt werden muß. In, nach, innerhalb, binnen n Jahren, sind daher in am Anfange des (n + 1)ten Jahres umzuändern.

Im §. 64 und §. 67 des Entwurfs kommen folgende zwey Beyspiele vor:

1) »Gesetzt, man wollte wissen, bis zu welcher Größe »die Summe von 400 Rthlr. in 30 Jahren, durch »die Zinsen anwachsen würde; so dürfte man nur hinter »30 nachsuchen ꝛc.

2) »Wenn Jemand 80 Klafter Holz für den Werth »von 240 Rthlr. verkaufen, dieses Holz aber erst nach »6 Jahren abgeben wollte; so wird ihr jetziger Werth »gefunden, wenn man in Tafel II. hinter 6 nachsucht ꝛc.

Der Einrichtung der beyden Tafeln gemäß, muß, hinter 30 oder 6, so gelesen werden:

Am Anfange des 30sten Jahres ist das Kapital groß . . .
» » » 6ten » geht die Einnahme ein
und ist jetzt werth . . .

Die Bedingungen der Beyspiele heißen in 30, nach 6 Jahren, welches, der 1sten und 2ten Tafel angepaßt, so viel heißt, als: am Anfange des 31sten des 7ten Jahres. Demnach hätte hinter 31 und 7 nachgesucht werden sollen, wenn anders, den Bedingungen der beyden Beyspiele, entsprechende Resultate verlangt werden.

Im §. 86 heißt es, man müsse in Tafel II. hinter dem Jahre 12 suchen, um zu finden, was Eins nach 12 Jahren werth ist!! Im §. 87 steht: Wir suchen demnach hinter dem Jahre 12, bis zu welcher Summe Eins in 12 Jahren anwächst! Daß weder das Eine, noch das Andere, den Tafeln gemäß ausgedrückt ist, geht aus dem bisher Gesagten hervor. Die in den beyden angeführten §§. auf solche Weise herausgebrachten Resultate sind aber dennoch die wahren, weil die Bedingungen der Aufgabe zu fragen verlangen: »Welchen »Werth hat 1 jetzt, wenn es erst nach 11 Jahren (also »am Anfange des 12ten) eingeht, — und, wie groß wächst »1 in 11 Jahren (also bis zum Anfange des 12ten) an?“

Im §. 99 pag. 117 heißt es: »Des 10ten Schlages »Einnahme per 150 Thlr. sammt 1jährigen Zin»sen ergiebt sich auf 1,00000 . 150 = 150 Thlr.« Man würde 1jährig für einen Schreib- oder Druckfehler hal»ten, wenn nicht voran stünde: »Mit 2jährigen, 3jährigen ... 10jährigen Zinsen«, die dem Resultate nach nichts weiter als die 1, 2 .... 9jährigen sind, und es der Aufgabe zu Folge auch seyn müssen.

§. 18.

III. und IV. Tafel.

Setzt man in den Formeln I. und II. Aufgabe 3. und in den Formeln II. und III. Aufgabe 4. E = 1, und der Ordnung nach, in jenen, m = 1, m = 2 ꝛc., in diesen, n = 1, n = 2, n = 3 ꝛc., und endlich für jeden Jahresnummer c = 3, c = 3½, c = 4 ꝛc.; so ergeben sich die in Tafel III. und IV. enthaltenen Resultate für die Einheit; wobey die Einrichtung getroffen ist, daß die Jahresnummern nicht den Anfang; sondern den Schluß des Jahres bedeuten. Diese viel üblichere Sprechart bewahrte vor unrichtigem Nachsuchen bey den, über diese 2 Tafeln, gemachten Beyspielen.

§. 19.

V. Tafel.

Diese muß so gelesen werden:

»Die Einheit, welche von heute übers Jahr zum ersten, »zum letzten Male aber
»am Anfange des 2ten Jahres eingeht, ist jetzt werth, 0,95238

»	»	»	3ten	»	»	»	»	1,85941
»	»	»	4ten	»	»	»	»	2,72325

u. s. w.

Das im §. 75 aufgeführte Beyspiel lautet so:
»Gesetzt, ein Wald bringt vom nächsten Jahre an, 18 »Jahre hinter einander alljährlich 1200 Thlr. ein, und »man will wissen, wie viel dieser Wald zu 4 prCt. »werth ist; so sucht man das Jahr 18 auf rc.«

Jeder Unbefangene wird den Sinn der Aufgabe so verstehen, daß die 1200 Thlr. 18 Mal, und zwar am Anfange des 2ten Jahres zum ersten Male eingehen. Unter dieser Voraussetzung gehen sie am Anfange des 19ten zum letzten Male ein. Demnach muß, der Bedingung der Aufgabe, und der Einrichtung der Tafel gemäß, nicht hinter 18, sondern hinter 19 nachgesucht werden.

Eben so muß bey der im §. 88 und §. 89 vorkommenden Aufgabe hinter 13, anstatt hinter 12, und bey der im §. 103 gestellten, hinter 26, anstatt hinter 25, nachgesucht werden.

Im Entwurfe einer Anweisung erste Auflage, ist Tafel IV das, was Tafel V in der zweyten Auflage ist; nur enthält jene auf der ersten und dritten Zeile ganz andere viel kleinere Resultate, als die V. Tafel auf den nämlichen Zeilen. Diese Abweichung und noch andere, Zweifel erregende, Umstände geben Veranlassung, die IV. Tafel der 1sten und die V. Tafel der 2ten Auflage, etwas näher zu betrachten, und damit die in Aufgabe 5 entworfene Formel zu vergleichen.

Ich werde mit der V. Tafel den Anfang machen.

§. 20.

Im §. 91 und §. 92 des Entwurfs (2te Auflage) werden zwey Methoden gezeigt, Aufgaben, für deren Lösung eigentlich die V. Tafel bestimmt ist, auch noch entweder durch die II., oder IV. zu lösen. Die Aufgabe, welche in den angeführten §§. auf solche Weise gelöset wird, lautet so:

»Wie viel ist ein Wald werth, der nach 20 Jahren, »8 Jahre hinter einander, 800 Thlr. einbringt?«

Nach Zinses=Zinsen ergiebt sich der Werth

1) durch Hülfe der II. Tafel auf 2046 Thlr.
2) » » » IV. » » 2046 »
3) » » » V. » » 2046 »

Demnach drey ganz gleiche Resultate! Wird dieß auch der Fall seyn, wenn man die nämliche Aufgabe auch für einfache und mittlere Zinsen mittelst dieser 3 Tafeln löset? In der Anmerkung zum 87. §. des Entwurfes wird wenigstens gesagt:

„Ohne meine Ansicht über diesen Gegenstand (ein„fache, zusammengesetzte, und mittlere Zinsen) im min„desten zu ändern, wird in den folgenden Beyspielen „nur mit Zinses=Zinsen gerechnet, indem es bey „einer Anweisung zum Verfahren, an sich vollkom„men einerley ist, nach welchen Zinsen „man rechnet.“

Löset man, im Vertrauen auf diese Versicherung, dieselbe Aufgabe für einfache Zinsen

1) durch Hülfe der II. Tafel; so erhält man:
(0,51282 × 1600) — (0,42553 × 1600) = 1396 Thlr.
2) durch Hülfe der IV. Tafel, so ergiebt sich
(10,25641 × 800) — (8,51064 × 800) = 1396 Thlr.
3) durch Hülfe der V. Tafel, so erhält man
800 (16,80448 — 13,11606) = 2950 Thlr.

Das Resultat aus Tafel V. ist um 1554 Thlr. größer als das aus Tafel II oder IV.!

Noch ein Beyspiel!

Was ist ein Geld=Ertrag von 3000 fl. gleich jetzt werth, der nach 20 Jahren, 40 Jahre hinter einander bezogen wird? Zu 5 prCt. und einfachen Zinsen gerechnet.

1) nach Tafel II ist er
(0,51282 × 60000) — (0,25316 × 60000) = 15579

2) nach Tafel IV ist er

(10,25641 × 3000) — (5,06329 × 3000) = 15579

3) nach Tafel V ist er

(27,10479 — 13,11606) 3000 = 41966 fl. werth.

Das Resultat aus Tafel V ist um 26386 fl. größer, als das aus Tafel II oder IV!!

Nach Gewahrwerdung solcher Differenzen kann man behaupten, daß entweder die V., oder die II. und IV. Tafel, oder keine von allen dreyen zur Werthberechnung der Einnahmen dritter Klasse etwas tauge. Ich werde mich jetzt bemühen, jene Gesichtspunkte aufzustellen, von wo aus das Richtige und Unrichtige an der Sache gesehen werden mag.

Jede Geld-Einnahme muß als Wirkung (Zinsen) einer Ursache (entsprechendes Kapital) angesehen werden. Geht die Einnahme immer fort ein, so muß auch das Kapital auf ewige Zeiten angelegt, gedacht werden. Hört aber die Einnahme einmal wieder auf zu fließen, so muß angenommen werden, es seyen in ihr nicht nur die Zinsen; sondern auch etwas vom Kapitale jährlich abgetragen worden. Unter dieser Voraussetzung können aber nie Zinsen aus Zinsen entstehen, da die einfachen Jahreszinse jedesmal ganz abgeführt werden. Daraus folgt, daß für Einnahmen dritter Klasse nur einerley Kapitalwerthe vorkommen können.

Es bleibt jetzt nur noch die Frage übrig, ob in Tafel V., die erste, oder die Mittelzeile, oder keine von beyden die wahren Resultate enthalte. Diese Frage beantwortet die Formel I Aufgabe 5 am besten, indem sie ganz nach der Natur der Einnahmen dritter Klasse construirt worden ist, und deßwegen Resultate liefert, die als Probierstein für alle anders woher gefundenen dienen. Setzt man in dieser Formel E = 1, m = 1, m = 2, m = 3 u. s. w., und für jeden Jahresnummer p = 1,03, p = 1,035, p = 1,04 etc., so erhält man

Resultate, wie sie in der Tabelle V auf der Mittelzeile vorkommen. Die Mittelzeile enthält daher die für dergleichen Einnahmen allein wahren Kapitalwerthe, die mit zusammengesetzter Verzinsung nichts weiter gemein haben, als daß sie auch auf dem Gebiete der Zinseszinsrechnung gefunden werden können, wie ich sogleich zeigen werde.

A. Man denke sich, es wolle Jemand (Käufer) eine Einnahme E, die m Mal und zwar von heute übers Jahr zum ersten Male eingeht, käuflich von einem andern (Verkäufer) an sich bringen. Wie viel hat er dafür zu erlegen?

Allgemein kann man sagen: So viel, daß das Erlegte dem Verkäufer innerhalb m Jahre durch Verzinsung nicht höher, als dem Käufer die m Mal eingehende Einnahme E durch jedesmalige Verzinsung in eben der Zeit anwachsen würde. Die Verzinsung muß aber auf beyden Seiten nach Zinseszinsen berechnet werden, weil nur auf diese Weise jede Bevortheilung und Ungleichheit vermieden wird!

Setzt man nun dasjenige, was der Verkäufer empfängt = K, so würde es als Kapital betrachtet in m Jahren auf Kp^{m} anwachsen.

Der Käufer wird dagegen die erste Einnahme, (m—1), die zweyte (m—2), die dritte (m—3) Jahre ꝛc. die vorletzte nur ein Jahr, die letzte gar nicht mehr verzinsen können. Diese Einnahmen werden daher bis zum Schlusse des mten Jahres anwachsen, und zwar

die erste auf Ep^{m-1}
die zweyte auf Ep^{m-2}
die dritte auf Ep^{m-3}
die vorletzte auf Ep
die letzte auf E

Bildet man aus diesen Gliedern eine wachsende geometrische Progression, und summirt sie nach der Summenformel $S = \frac{aq^n - a}{q-1}$; so erhält man, da $a = E$, $q = p$ und $n = m$ ist: $E + Ep + Ep^2 + Ep^3 + \ldots + Ep^{m-1} = \frac{Ep^m - E}{p-1} = E\left(\frac{p^m - 1}{p-1}\right)$

Da endlich am Schlusse des mten Jahres Käufer und Verkäufer, der eine durch E, der andere durch K, gleich große Geldsummen besitzen müssen, so ist

$$Kp^m = E\left(\frac{p^m - 1}{p-1}\right) \text{ woraus}$$

$$K = \frac{E\,(p^m - 1)}{p^m\,(p-1)}$$ wird, eine Formel wie sie bereits §. 15 auf anderm Wege gefunden worden ist, welcher anschaulich macht, daß, an und für sich, Zinsen von Zinsen dabey nicht vorkommen.

B Die nämliche Formel läßt sich auch auf folgende Weise construiren:

Eine Einnahme E, die von heute über 1 Jahr eingeht, ist jetzt werth *) $\frac{E}{p}$

» 2 » » » » » $\frac{E}{p^2}$

» 3 » » » » » $\frac{E}{p^3}$

» m » » » » » $\frac{E}{p^m}$

Folglich ist die Einnahme E, die von heute übers Jahr zum ersten Mal, und in allem m Mal eingeht, gleich jetzt werth:

*) Man setze in der Formel II., Aufgabe 2, der Ordnung nach $n = 1$, $n = 2$, $n = 3$ ꝛc. endlich $n = m$.

$\frac{E}{p} + \frac{E}{p^2} + \frac{E}{p^3} + \frac{E}{p^4} \ldots\ldots + \frac{E}{p^m}$ oder wachsend dargestellt: $\frac{E}{p^m} + \frac{E}{p^{m-1}} + \frac{E}{p^{m-2}} \ldots\ldots + \frac{E}{p^2} + \frac{E}{p}$ Summirt man diese Reihe nach der Summenformel $S = \frac{aq^n - a}{q-1}$, so erhält man, da $a = \frac{E}{p^m}$, $q = p$ und $n = m$ ist: $\frac{E}{p^m} + \frac{E}{p^{m-1}} + \frac{E}{p^{m-2}} \ldots + \frac{E}{p} =$

$$= \left(\frac{E}{p^m} \times p^m - \frac{E}{p^m}\right) : p - 1 = \frac{Ep^m - E}{p^m(p-1)} = \frac{E(p^m - 1)}{p^m(p-1)}$$

Dieser Weg wurde auch bey Anfertigung der V. Tafel eingeschlagen, und konnte dieß um so leichter geschehen, da sich die Glieder $\frac{E}{p^m}$, $\frac{E}{p^{m-1}}$ rc. bereits berechnet auf der Mittelzeile der II. Tafel vorfanden. Es durften nur die hinter dem 1sten und 2ten, — dem 1sten, 2ten und 3ten, — dem 1sten, 2ten, 3ten und 4ten Jahresnummer rc. vorfindigen Zahlen der Mittelzeile in Summen gebracht, und diese dann in eine besondere Tabelle hinter die entsprechenden Jahresnummern gestellt werden; so wäre die V. Tafel fertig, und fehlerfrey gewesen. Dadurch aber, daß man mit den Zahlen auf der ersten Zeile der II. Tafel eben das vornahm, was man mit denen der Mittelzeile gethan, erhielt man unrichtige Kapitalwerthe, wie ich sogleich zeigen werde;

Eine nur eine Zeitlang eingehende Einnahme muß, wenn sie auch aus einem Walde bezogen wird, arithmetisch wie eine Jahresrente behandelt werden. Das, was man für jene oder für diese hingiebt, wird nämlich so beschaffen seyn müssen, daß es, als Kapital betrachtet, an Jahreszinsen weniger eintragen würde, als die zu beziehende Einnahme oder Jahresrente groß ist. Mit den Resultaten auf der ersten Zeile der V. Tafel ist es aber gerade umgekehrt; nämlich:

1 welches 41 mal eingeht ist 21,64261
1 » 60 » » » 27,10479
1 » 80 » » » 31,59275
1 » 220 » » » 49,15997 werth.

Nun trägt ein Kapital von 21, 27, oder 31 fl. schon mehr als 1 fl., ein Kapital von 49 fl. mehr als 2 fl. 24 kr. Jahreszinsen. Wer daher für die 220 Mal eingehende Einheit 49 fl. hingeben würde, verlöre innerhalb der 220 Jahre

1) alljährlich das, um was die Jahreszinsen von 49 fl. mehr als die Einnahme 1 betragen; also beyläufig (1 fl. 24 kr.): 220 = 308 fl.
2) Das Kapital, die 49 fl. nämlich; in allem also 308 + 49 = 357 fl.

Ein anderes Beyspiel!

Was ist ein 80 Jahre eingehender Wald-Ertrag per 10000 fl., der übers Jahr beginnt, jetzt werth? nach den in der Tabelle angeblich einfachen Zinsen, und zu 5 prCt. gerechnet.

Hinter 81 steht 31,7928, demnach ist er 31,7928 × × 10000 = 317928 fl. werth, ein Kapital, welches ohnedieß jährlich 15896 fl. Zinsen; also um 15896 — 10000 = 5896 fl. mehr abwürfe, als der Wald-Ertrag groß ist. Wer daher den fraglichen Wald-Ertrag um die Summe von 317928 fl. an sich gebracht hätte, würde mit dem Schlusse des 80. Jahres 80 × 5896 + 317928 = 789608 fl. verloren haben!!

Hätte man aber auch dieses Beyspiel nach den, in der Tafel vorkommenden, mittlern Zinsen berechnet; so wäre der Werth von 25,6946 × 10000 = 256946 fl., also ein Kapital zum Vorscheine gekommen, welches jährlich 12847 mithin um 12847 — 10000 = 2847 fl. Zinsen mehr einbrächte, als der Ertrag per 10000 fl. groß ist. Für diesen Fall wäre der Totalverlust in 80 Jahren 80 . 2847 + 256946 = 484706 fl.!

Dergleichen Kapitalwerthe, welche so groß sind, daß sie mehr Jahreszinsen abwürfen, als die Einnahme groß ist, erhält man aus Tafel V:

für einfache Zinsen:

wenn c = 5 ist von n = 37
» c = 4½ » » n = 41
» c = 4 » » n = 45
» c = 3½ » » n = 51
» c = 3 » » n = 60 angefangen;

für mittlere Zinsen:

wenn c = 5 ist von n = 44
» c = 4½ » » n = 51
» c = 4 » » n = 55
» c = 3½ » » n = 62
» c = 3 » » n = 70 angefangen.

Alle übrigen Kapitalwerthe, welche zu jenen Jahresnummern gehören, die den hier angemerkten vorausgehen, werfen zwar weniger Jahreszinsen ab, sind aber dennoch unrichtig, wie leicht einzusehen ist.

§. 21.

Die IV. Tafel der ersten Auflage des Entwurfes wurde angefertigt, indem jede, auf der Tafel III, hinter den Jahresnummern 2, 3, 4 .... vorkommende Zahl, von dem, hinter dem Jahresnummer 1, stehenden Kapitalwerthe 20; 22, 22222 oder 25 (nach Verschiedenheit des Procentes) abgezogen, und die Reste hinter die entsprechenden Jahresnummern in Tafel IV gestellt wurden.

Diese Manipulation hat ein 4ter Weg, die Werthkapitalien der Einnahmen 3ter Klasse zu finden, veranlaßt, nämlich folgender:

Eine von heute übers Jahr zum ersten Male, dann immer fort eingehende Einnahme E ist heute $\frac{100\ E}{c}$ *),

*) Sieh. Aufgabe 4. Formel I.

dieselbe Einnahme, wenn sie von heute über $m+1$ Jahre zum ersten Male, dann aber fortwährend eingeht, ist heute $\frac{E}{p^m(p-1)}$ *) werth; folglich muß eine Einnahme E, die von heute übers Jahr beginnt, und nach m Jahren wieder aufhört

$$\frac{100\,E}{c} - \frac{E}{p^m(p-1)} = E\left(\frac{100}{c} - \frac{1}{p^m(p-1)}\right) =$$

$$= E\left(\frac{1}{(p-1)}\text{**)} - \frac{1}{p^m(p-1)}\right) = \frac{E(p^m-1)}{p^m(p-1)}$$

werth seyn.

Diese Formel ist wiederum ganz dieselbe, wie die, für den nämlichen Fall, in Aufgabe V construirte. Der Subtrahend $\frac{E}{p^m(p-1)}$ findet sich aber in der III. Tafel auf der Mittelzeile; es hätte daher auch nur diese nicht aber auch die erste und dritte von den Kapitalwerthen 20; 22,22222 25 x. abgezogen werden sollen.

§. 22.

In den vorhergehenden zwey §§. wurde gezeigt, daß die IV. Tafel der 1sten und die V. der 2ten Auflage nur auf der Mittelzeile die wahren Kapitalwerthe der Einnahmen dritter Klasse enthalte. Jetzt bleibt noch übrig, das Nöthige über die im §. 91 und §. 92 des Entwurfes, 2te Auflage, vorkommenden zwey Lösungsmethoden zu sagen.

Es wurde bereits dargethan, wie die V. Tafel aus der II. (2te Auflage) und die IV. (1ste Auflage) aus der III. (1ste Auflage) verfertigt werden konnte. Zugleich

*) Sieh. Aufgabe 4 Formel III wo $n = m + 1$ gesetzt wird.

**) denn $\frac{100}{c} = \frac{1}{p-1}$, indem $\frac{100+c}{100} = p$ folglich $c = 100\,(p-1)$ und $\frac{100}{c} = \frac{100}{100(p-1)} = \frac{1}{p-1}$ ist.

wurde aber auch gezeigt, daß man sich in beyden Fällen nur der Mittelzeile benannter Tafeln bedienen dürfe. Es gilt daher von der Lösungsmethode nach der II. Tafel (2te Auflage) *) oder nach der IV. (2te Auflage) **) das Nämliche, was von der V. oder IV. Tafel (1ste Auflage) gilt, daß man sich nämlich, um die wahren Kapitalwerthe zu finden, nur der Mittelzeile bedienen dürfe.

Vierter Abschnitt.

Geordnete Zusammenstellung der Aufgaben, die sich mittelst der fünf Cotta'schen Waldwerthberechnungs-Tafeln lösen lassen.

§. 23.

Wenn man bedenkt, daß viele der, in dem Entwurfe einer Anweisung ꝛc. vorkommenden Beyspiele des unrichtigen Nachsuchens wegen in den Tafeln fehlerhaft gelöset sind, und daß dem mindergeübten Arithmetiker deßwegen nicht alles ganz klar und verständlich seyn kann, weil ein und dasselbe Beyspiel meist durch Hülfe mehrerer Tafeln berechnet ist: so möchte es nicht ohne Nutzen seyn, wenn in diesem Abschnitte, der Ordnung nach, von jeder Tafel der richtige Gebrauch gezeigt und die dahin passenden Aufgaben gegeben und aufgelöset werden.

§. 24.

Vor allem nehme man, um jeden Verstoß beym Nachsuchen zu vermeiden, mit den Tafeln folgende Veränderungen vor:

---

*) Diese Tafel ist in der 1sten Auflage die I.

**) Diese Tafel ist in der 1sten Auflage die III.

1) In der I., II. und V. Tafel vermindere man jeden Jahresnummer um 1, und streiche die erste horizontale Spalte ganz aus.

2) In der V. Tafel streiche man überdieß die auf der ersten und 3ten Zeile stehenden Kapitalwerthe weg.

Ich habe die Tafeln, auf diese Weise corrigirt, vor mir, und richte mich in den folgenden §§. darnach. Im Calcul werde ich, der Kürze halber, 5 prCt. und mittlere Zinsen zum Grunde legen.

§. 25.

Tafel I.

Diese Tafel zeigt an, wie groß die Einheit durch die Zinsen in so viel Jahren anwächst, als der vorne stehende Jahresziffer anzeigt; z. B.

1 wächst durch die Zinsen in 1 Jahr auf 1,05000
1 » » » » » 2 » » 1,10125
1 » » » » » 3 » » 1,15381 an
u. s. w.

Will man wissen, wie groß ein Kapital durch die Zinsen in einer bestimmten Zeit anwächst; so darf man nur den, der bestimmten Zeit entsprechenden, Jahresnummer aufsuchen, und die hinter demselben und unter dem angenommenen Procente stehende Zahl mit dem Kapitale multipliziren.

Beyspiele!

1) Wenn Jemand ein Kapital von 10000 fl. in Handel and Wandel legt, wie groß wird es in 100 Jahren durch die Zinsen werden?

Hinter 100 steht die Zahl 68,75063, das Kapital wächst daher in 100 Jahren auf

68,75063 . 10000 = 687506,3 fl. an.

2) Jemand wird in einem Kaufe um die Summe von 1000 fl. bevortheilt. Welchen Schaden erleidet er in 20 Jahren?

Die Summe von 1000 fl. ist als Kapital zu betrachten, das sich im Handel und Wandel innerhalb 20 Jahren würde verzinset haben; daher verliert er gerade soviel, als 1000 fl. durch die Zinsen in 20 Jahren anwachsen.

Hinter 20 steht die Zahl 2,32665, der Verlust ist daher am Schlusse des 20sten Jahres

2,32665 . 1000 = 2326,65 fl.

§. 26.

Tafel II.

Diese Tafel zeigt an, welchen Werth die Einheit, welche erst nach einer bestimmten Anzahl von Jahren eingeht, oder, welche um eine bestimmte Anzahl von Jahren früher entrichtet wird, als sie hätte entrichtet werden müssen, gleich jetzt hat; z. B.:

1, welche am Schlusse des 1sten Jahres eingeht ist jetzt werth 0,95238
1 » » » » 2ten » » » » 0,90806
1 » » » » 3ten » » » » 0,86671
u. s. w.

Will man daher erfahren, welchen Werth irgend eine erst nach mehrern Jahren eingehende Einnahme schon jetzt habe; so multiplizire man sie mit der hinter dem entsprechenden Jahresnummer, und unter dem angenommenen Procente stehenden Zahl.

Beyspiele!

1) Gesetzt 30 Samenföhren, alle zusammen 200 fl. werth, müssen noch 4 Jahre lang übergehalten werden; es wollte sie aber Jemand gleich jetzt käuflich an sich bringen; so frägt sich, wie viel er dafür zu erlegen habe?

Hinter 4 steht die Zahl 0,82801, er müßte also gleich jetzt 0,82801 . 200 = 165,6 fl. bezahlen.

2) Jemand schuldet 1000 fl. Von heute an über 10 Jahre sollte er sie, gemäß dem Vertrage, ohne Zinsen heimbezahlen. Nun wünscht er gleich heute Zahlung zu leisten. Der Gläubiger ist es zufrieden. Wieviel wird erlegt werden müssen?

Hinter 10 findet sich die Zahl 0,64028. Die zu erlegende Summe wäre demnach

0,64028 . 1000 = 640,28 fl.

§. 28.

Tafel III.

Diese Tafel hat folgende Einrichtung: die hinter den Jahresnummern stehenden Zahlen drücken den Werth der Einheit aus, welchen sie gleich jetzt hat, wenn sie das erste und ohne aufhören, jedes andere Mal mit dem Schlusse des eben so vielten Jahres eingeht, als der vorne stehende Jahresnummer anzeigt; z. B.: die Einheit, welche das erste Mal von heute über 1 Jahr, und dann fortwährend jährlich eingeht, ist heute werth 20,00000

» 2 » » » » alle 2 Jahre » » 9,87804
» 3 » » » » » 3 » » » 6,50541
» 4 » » » » » 4 » » » 4,82011
u. s. w.

Wann aber die Einheit das erste Mal später oder früher als die nachfolgenden Male eingeht, so kann ihr Werth durch Tafel III allein nicht bestimmt werden. Man nimmt zwar an, es gehe die Einheit auch das erste Mal schon innerhalb eben so vieler Jahre ein, als sie nachher immer erfolgt, und sucht in Tafel III den ihr unter dieser Voraussetzung entsprechenden Werth. Dieser gefundene Werth wird aber dann, wann die Einheit das erste Mal später als künftighin eingeht um den entsprechenden Rabbat mittelst Tafel II. vermindert; wenn sie das erste Mal früher eingeht, um die treffenden Zinsen mittelst Tafel I erhöht.

Beyspiele!

1) Welchen Geldwerth hat ein Jahresschlag, der von heute an nach 40 Jahren zum ersten Male, und dann fortwährend ebenfalls alle 40 Jahre 1200 fl. Einnahme gewährt?

Hinter 40 steht die Zahl 0,33278; der Werth des Schlages ergiebt sich daher auf

$$0{,}33278 \, . \, 1200 = 399{,}34 \text{ fl.}$$

2) Gesetzt ein einzelner Schlag eines Niederwaldes bringe alle 20 Jahre 1000 fl. ein. Jemand will ihn käuflich an sich bringen, kann aber die 1000 fl. das erste Mal erst in 25 Jahren beziehen, da der Schlag zur Zeit des Kaufes 15 jährig ist, und sich der bisherige Besitzer die in 5 Jahren erfolgende Benutzung noch vorbehält. Welchen Geldwerth hat der Schlag unter dieser Voraussetzung?

Hinter 20 Tafel III steht 0,80242; der Schlag wäre also, wenn er dem Käufer auch den ersten Ertrag nach 20 Jahren lieferte 0,80242 . 1000 = 802,42 fl. werth. Da aber die Einnahme von 1000 fl. das erste Mal um 5 Jahre länger aussteht, so kann ihr Werth nur dem, um den 5jährigen Rabbat geschmälerten Kapitale von 802,42 fl. gleich seyn. Dieser wird durch Tafel II bestimmt, indem man das Kapital 802,42 fl. mit der hinter dem Jahresnummer 5 stehenden Zahl 0,79176 multiplizirt. Der Werth des fraglichen Schlages ist demnach 0,79176 . 802,42 = 635,4 fl.

3) Der zu schätzende auf 40jährigem Umtriebe stehende Schlag sey zur Zeit des Kaufes 18jährig, so daß seine erste Benutzung schon nach 22 Jahren erfolget. Welchen Geldwerth hat dieser Schlag, wenn er bey jeder Abholzung 2000 fl. einträgt?

Hinter 40, Tafel III. steht 0,33278; der Schlag wäre also 0,33278 . 2000 = 665,6 fl. werth, wenn er dem Käufer auch den ersten Ertrag erst nach 40 Jahren gewährte. Allein er bezieht ihn um 40 — 22 = 18 Jahre früher. Er hat daher um die 18jährigen Zinsen des Kapitals 665,6 fl. mehr zu bezahlen, indem diese der Verkäufer, wenn der Kauf um 18 Jahre früher abgeschlossen worden wäre, bereits gewonnen haben würde. Mittelst Tafel I. findet man, wie groß ein Kapital durch die Zinsen in 18 Jahren wird. Man suche daher hinter 18 nach, und multiplizire die dort stehende Zahl 2,15331 mit 665,6; so ergiebt sich der wahre Werth des fraglichen Schlages auf 2,15331 . 665,6 = 1431,9 fl.

4) Der Werth von Grund und Boden bestimmt sich, abgesehen von andern Rücksichten, durch den Ertrag, den er gewährt. Eine Wiese, die nach Abzug aller Kosten jährlich 100 fl. einbringt, ist, zu 5 prCt. gerechnet, 20 . 100 = 2000 fl. werth. Beym Waldboden erfolgen die Erträgnisse in längern Perioden; daher sich die Werthberechnung desselben für die III. Tafel eignet.

Hier folgen ein Paar Beyspiele:

a) Was ist eine Waldblöße werth, die, wenn sie jetzt mit Kiefern angesäet wird, nach 80 Jahren 500 fl. Ertrag verspricht, und diesen Ertrag nach 80 Jahren immer wieder gewährt? Die jährliche Steuer beträgt $\frac{1}{3}$ fl. Der Kulturaufwand bey der ersten Ansaat beläuft sich auf 12 fl.

Hinter 80, Tafel III. findet sich die Zahl 0,13529. Die Waldblöße ist also, abgesehen noch vom Kulturaufwand und der Steuer, 0,13529 . 500 = 67,65 fl. werth.

Eine jährliche Steuer pr. $\frac{1}{3}$ fl. hat den negativen Kapitalwerth von 20 . $\frac{1}{3}$ = 6,666 fl. Der Kulturaufwand beträgt 12,000.

Mithin beträgt die ganze Ausgabe 18,666 fl.

Zieht man diese Summe von der oben berechneten ab, so bleiben 67,65 — 18,67 = 48,98 fl. als der wahre Werth der Waldblöße.

b) Ein Waldplatz eigne sich am besten für Föhren, die auf 70jährigen Umtrieb gesetzt, alle 70 Jahre bey der Hauptnutzung 1000 fl. gewähren. Gegenwärtig sey dieser Platz noch mit alten abständigen Eichen bestanden, die, gewisser Umstände wegen, erst innerhalb 4 Jahren abgetrieben, und von der Stelle gebracht werden können; worauf dann die Kiefernsaat vorgenommen werden kann. Welchen Geldwerth hat unter dieser Voraussetzung der fragliche Waldplatz gegenwärtig?

Hinter 70, Tafel III. steht 0,15984; folglich ist die alle 70 Jahre wiederkehrende Hauptnutzung, ihrem Werthe nach einem Kapitale von 0,15984 . 1000 = 159,8 fl. gleich; da sie aber das erste Mal, wegen der noch vorhandenen Eichen, und der deßwegen später vorgenommenen Saat, erst nach 74 Jahren erfolgt; so ist mittelst Tafel II der 4jährige Rabbat in Abzug zu bringen.

Hinter 4, Tafel II. findet sich 0,82801. Der Waldplatz ist daher gegenwärtig 0,82801 . 159,8 = 132,2 fl. werth.

c) Wären die abständigen Eichen auch mit im Kaufe begriffen gewesen, und hätten sie am Schlusse des 4ten Jahres eine Einnahme von 400 fl. gewährt; so versteht es sich leicht, daß der Waldplatz einen, um das, was 400 fl., die nach 4 Jahren eingehen, jetzt werth sind, größern Werth gehabt haben würde.

Hinter 4, Tafel II. steht 0,82801, und es ist 0,82801 . 400 = 331,2 = dem gegenwärtigen Werthe der Eichen.

Der Werth des fraglichen Waldortes wäre daher sammt den Eichen 132,2 + 331,2 = 463,4 fl.

d) Hätte sich auf dem nämlichen Waldplatze noch, um

100 fl. aufgeklaftertes Buchenholz befunden, welches vom Käufer auf der Stelle hätte in Besitz genommen werden können, so würde er 463,4 + 100 = = 563,4 fl. haben bezahlen müssen.

§. 28.

Tafel IV.

In dieser Tabelle finden sich die Werthe aufgezeichnet, welche die jährlich fortwährend eingehende Einheit gegenwärtig hat, wenn sie von jetzt an, mit dem Schlusse des eben so vielten Jahres, zum ersten Male fließt, als die voran stehenden Jahresnumern anzeigen; z. B.

Die Einheit, welche fortwährend, jährlich eingeht, ist, wenn sie zum ersten Male von heute

übers Jahr eingeht,	heute	werth		20,00000
über 2 Jahre	»	»	»	19,04762
» 3 »	»	»	»	18,16120 u. s. w.

Will man demnach erfahren, welchem Kapitale der Werth einer jährlich fortwährend eingehenden Einnahme, die erst nach einer bestimmten Anzahl von Jahren das erste Mal fließt, gegenwärtig gleich ist; so multiplizirt man die hinter dem, der bestimmten Anzahl von Jahren entsprechenden Jahresnumer, und unter dem angenommenen Procente vorfindliche Zahl mit der Einnahme.

Beyspiele.

1) Welchen Geldwerth hat eine Waldparzelle, die jährlich, fortwährend, und zwar übers Jahr schon zum ersten Male 3000 fl. Einnahme gewährt?

Hinter 1 steht 20,00000. Daher ist ihr Werth 20,00000 × 3000 = 60000 fl.

2) Ein Wald kann erst mit dem Schlusse des 10ten Jahres zum Hiebe gebracht werden; gewährt aber dann jährlich 6000 fl. Welchen Geldwerth hat er gegenwärtig?

Hinter 10 findet sich 13,34264. Man erhält 13,34264 × 6000 = 80058 fl. als Werth.

§. 29.

Tafel V.

Diese Tabelle enthält die Werthkapitalien der Einheit, welche mit dem Schlusse des 1sten Jahres zum ersten Male, dann jährlich, und zwar in allem so oft eingeht, als die voranstehenden Jahresnumer anzeigen; z. B. die Einheit, welche 1 Mal, und zwar zum ersten Male übers Jahr, eingeht, ist werth » » » » 0,95238
2 Mal und zwar » » » » » » » » 1,85941
3 » » » » » » » » » » » » 2,72325

Die Einheit kann aber auch

1) später als am Schlusse des ersten Jahres einzugehen anfangen. Wenn dieß der Fall ist, so sucht man den Werth, welchen sie haben würde, wenn sie schon übers Jahr zum ersten Male flösse. Das gefundene Werthkapital wird aber durch den so viel jährigen Rabbat mittelst Tafel II. vermindert, als Jahre weniger Eines bis zum erstmaligen Eingehen der Einnahme verfließen. Diese Verringerung kann sowohl nach einfachen, als nach Zinseszinsen, und mittlere Zinsen vorgenommen werden. Und nur unter der einzigen aufgestellten Voraussetzung; der erste Ertrag fließe erst nach mehreren Jahren, hat auch die Zinseszins, und mittlere Zinsesrechnung einen Einfluß auf die Werthbestimmung einer Einnahme 3ter Klasse. Ich suche die Manipulation des Calculs anschaulich zu machen:

Bedeutet ein senkrechter Strich ein Jahr, der obere Endpunkt den Anfang, der untere das Ende des Jahres, und ein schwarzer Punkt das Eingehen der Einheit; so wird sich unter der Voraussetzung, daß die Einheit 6 Mal, mit dem Schlusse des 4ten

Jahres zum ersten Male, eingehe, folgendes Schema ergeben:

A B C D E F G H I

Setzt man nun ferner, Jemand wolle diese 6 Mal eingehende Einnahme 1 kaufen; so würde er, wenn er bis zum Anfange des Jahres D hätte warten können oder dürfen, gemäß der Einrichtung der Tafel V., das haben erlegen müssen, was hinter dem Jahresnummer 6 steht, nämlich 5,07569. Da er aber nun nicht am Anfange des Jahres D; sondern schon am Anfnnge des Jahres A, also um 4—1=3 Jahre früher Zahlung leistet; so darf er nicht das Ganze; sondern das um den 3jährigen Rabbat geschmälerte Werthkapital erlegen. Dieß geschieht mittelst Tafel II., wo hinter dem Jahresnummer 3

a) für einfache Zinsen 0,86956

b) für Zinses-Zinsen 0,86384

c) für mittlere Zinsen 0,86671 vorfindlich ist, gemäß welchen Daten er

a) nach einfach. Zinsen 0,86956×5,07569=4,41351

b) nach Zinses-Zinsen 0,86384×5,07569=4,38445

c) nach mittlern Zinsen 0,86671×5,07569=4,39899

zu bezahlen hat.

2) Die Einheit könnte aber das erste Mal auch früher, als nach einem Jahre z. B. in 3, 4, 5 rc. Monaten eingehen. In diesem Falle wird das Werthkapital wieder so bestimmt, als stände die Einheit auch das erste Mal ein ganzes Jahr aus. Da aber dieses Kapital (wenn man sich wieder einen Kauf vorstellt) in seiner Ganzheit schon am Anfange des Jahres hätte entrichtet werden sollen; so muß es um die Zinsen, welche vom Anfange des Jahres, bis zum Momente des Kaufabschlusses, hätten gewommen wer-

den können, erhöht werden. In der Tafel I. ist freylich das Wachsen der Kapitalien von Tag zu Tag nicht angezeigt; dieß läßt sich aber leicht durch die Regeldetri finden, da in einem Zeitraume, der nicht über 1 Jahr beträgt, nur einfache Verzinsung angenommen zu werden pflegt.

Beyspiele.

1) Aus einem Walddistrikte, der von den darin vorkommenden Fichten gereinigt werden soll, ergiebt sich durch deren Verwerthung 10 Jahre hindurch, vom nächsten Jahre angefangen, ein Ertrag pr. 300 fl. Wieviel könnte man gleich jetzt dafür erlegen?

Hinter 10 findet sich 7,72173, man müßte also 7,72173 . 300 = 2316,5 fl. bezahlen.

2) Aus einem Walddistrikte könne man von heute an gezählt, erst mit Schlusse des 25sten Jahres irgend eine Nebennutzung von 400 fl. 20 Mal, und zwar mit jedem Jahresschlusse beziehen; welchen Geldwerth hätte sie gegenwärtig?

Hinter 20, Tafel V. findet sich 12,46221. Demnach würde der Werth der Nutzung, wenn sie mit Schluß des ersten Jahres begönne, gegenwärtig 12,46221 . 400 = 4984,9 fl. seyn.

Da sie aber erst nach 25 Jahren anfängt, so ist der (25—1) = 24jährige Rabbat zu berücksichtigen.

Hinter 24, Tafel II. steht für mittlere Zinsen 0,38230. Der wahre Werth des Ertrages aus der Nebennutzung ergiebt sich daher auf 0,3823 × 4984,9 = 1905,7 fl.

3) Eine Einnahme von 1000 fl. wird 10 Jahre hindurch bezogen. Das erste Mal geht sie schon nach vier Monaten ein. Welchen Werth hat sie gegenwärtig?

Hinter 10, Tafel V. findet sich 7,72173. Stände die Einnahme auch das erste Mal ein ganzes Jahr aus, so wäre sie 7,72173 × 1000 = 7721,7 fl. werth.

Die 12 — 4 = 8 monatlichen Zinsen dieses Werthkapitals betragen aber

$$\frac{100}{12} : 5 = \frac{7721,7}{4} \cdot x.$$

$$x = \frac{5 \cdot 4 \cdot 7721,7}{100 \cdot 12} = 128,7 \text{ fl.}$$

Der wahre Werth des Ertrages ist daher

$$7721,7 + 128,7 = 7850,4 \text{ fl.}$$

3) Vier Jahre hindurch, mit Schlusse des ersten Jahres beginnend, sollen folgende Einnahmen bezogen werden

am Schlusse des			1sten Jahres	1000 fl.	
»	»	»	2ten	»	1200 »
»	»	»	3ten	»	1300 »
»	»	»	4ten	»	1500 »

Welchen Werth haben sie gegenwärtig?

In diesem Falle kann man sich mehrere Kapitalien A, B, C, D denken, welche diese Einnahmen erzeugen, und letztere so auflösen:

Am Schlusse des

1sten Jahres v. Kap. A 1000,
2ten » » » A 1000, v. Kap. B 200
3ten » » » A 1000, v. Kap. B 200, v. Kap. C 100
4ten » » » A 1000, v. Kap. B 200, v. Kap. C 100

und endlich mit Schluß des 4ten Jahres noch eine einzelne Einnahme von 200 fl.

Die 1000 fl., welche viermal eingehen, sind

$$3,54595 \times 1000 = 3545 \text{ fl.},$$

die 200 fl., welche 3 Mal bezogen werden, sind

$$0,95238 \times (2,72325 \times 200) = 544,7 \times 0,95238 = 519,1 \text{ fl.}$$

die 100 fl., welche 2 Mal eingehen, sind

$$0,90806\ (1,85941 \times 100) = 168,8 \text{ fl.}$$ und

die, am Schlusse des 4ten Jahres, ein Mal nur eingehende Einnahme pr. 200 fl. ist vermöge Tafel II. $0,82801 \times 200 = 165,6$ fl. und folglich die Einnahmen pr. 1000, 1200, 1300 und 1500 fl. 3545 + 519,1 + 168,8 + 165,6 = 4398,5 fl. werth.

§. 30.

Auf die bisher gegebenen einfachen Beyspiele dürften nun zusammengesetztere folgen.

Da sie aber, als Aggregate einfacher Fälle, für den Calcul nichts Neues darbieten, und im Entwurfe einer Anweisung ꝛc. überdieß deren einige berechnet sind; so halte ich es für überflüssig, noch weiter etwas hinzuzuthun. Rechnungslustige mögen diese, im Entwurfe aufgestellten größern Beyspiele von Waldwerthsberechnung, mit Rücksicht auf die bisher gemachten Bemerkungen durchnehmen.

Anleitung

zum

Kartoffelbau,

mit Rücksicht

auf die im Herbste 1845 zum Vorschein gekommene Kartoffelkrankheit und deren Folgen.

Im Auftrage der Königl. Württembergischen Centralstelle des landwirthschaftlichen Vereins verfaßt

vom

Director Dr. v. Pabst
in Hohenheim.

Stuttgart.
Verlag der J. B. Metzler'schen Buchhandlung.
1846.

9

Anleitung
zum
Kartoffelbau,
mit Rücksicht
auf die im Herbste 1845 zum Vorschein gekommene Kartoffelkrankheit und deren Folgen.

Im Auftrage der Königl. Württembergischen Centralstelle des landwirthschaftlichen Vereins verfaßt

von

Dr. **Wilh. Heinr. v. Pabst,**
Direktor der land- und forstwirthschaftlichen Lehranstalt in Hohenheim.

Stuttgart.
Verlag der J. B. Metzler'schen Buchhandlung.
1846.

Einleitung.

Die im vorigen Herbste nicht nur in fast ganz Deutschland, sondern auch in vielen andern Ländern verbreitet gewesene Kartoffelkrankheit war in solcher Ausdehnung noch nicht erlebt worden. Sie hat mehr oder weniger Schaden, im ganzen jedenfalls einen höchst bedeutenden Schaden angerichtet. Sie ist zugleich zusammengetroffen mit einer im Durchschnitt kaum mittelmäßigen oder selbst weniger als mittelmäßigen Getreideerndte. Die Ausfälle, welche in Folge der Krankheit bei der Erndte der Kartoffeln sich herausstellten, waren an vielen Orten schon sehr beträchtlich; bedenklicher war noch das bemerkte Fortschreiten der Krankheit nach dem Herausthun der Kartoffeln und die wahrgenommene große Neigung derselben, in weitere Fäulniß überzugehen, sobald sie in größeren Massen an nicht ganz günstigen Plätzen aufbewahrt worden waren.

Das Zusammentreffen dieser Umstände war wohl geeignet, Besorgnisse für die Zukunft zu erregen, wobei sich dann auch die Fragen hervorstellten: 1) ob die im letzten Herbste geerndteten und von der Krankheit völlig frei gebliebenen Kartoffeln wohl ohne Bedenken im nächsten Frühjahre zur Saat angewendet werden könnten; 2) in wie weit wir die Fortdauer der Krankheit auch für die Zukunft zu fürchten hätten und 3) durch welche Mittel dem Wiedererscheinen oder der Fortdauer derselben vorgebeugt werden könne?

Haben nun auch bei sorgfältiger Behandlung die von den krankhaft ergriffenen Knollen gleich Anfangs abgesonderten Kartoffeln und selbst die in geringem Grade von der Herbstfäule angegriffenen, sich über Winter besser gehalten, als man von vielen Seiten zu erwarten hoffte; hat sich auch herausgestellt, daß die Kartoffelerndte in Württemberg im Ganzen keine unergiebige gewesen ist, und daß bei uns die Verluste durch die Krankheit auch lange nicht so groß gewesen sind, als in vielen andern Ländern; so sind die vorhin erwähnten wichtigen Fragen doch immer noch schwebend geblieben. Bei der großen Wichtigkeit, welche die Kartoffel als Kulturgegenstand und besonders als Nahrungsmittel der großen Mehrzahl des Volks behauptet, ist es daher eben so natürlich als anerkennenswerth, daß diejenigen Staatsbehörden, deren Beruf es ist, diesen Gegenständen ihre Fürsorge zu widmen, nach weiteren Mitteln und Maßregeln sich umsehen, welche bei gegenwärtiger Sachlage ersprießlich seyn können.

Bei Zusammenhalt der vielen über die Kartoffelkrankheit bekannt gewordenen Wahrnehmungen aber kann nicht in Abrede gestellt werden, daß die Auswahl und Behandlung des Bodens zum Kartoffelbau und das Verfahren bei der Saat, Kultur und Aufbewahrung auf das stärkere oder geringere Hervortreten der Krankheit mitwirkend gewesen sind. Auch liegt nahe, daß wir in dem Verfahren bei dem Kartoffelbau zunächst das Mittel suchen müssen, so weit es überhaupt möglich ist, für die Zukunft weiterem Schaden vorzubeugen, wozu insbesondere gehört, diejenigen Fehler oder Umstände zu vermeiden, welche für das gute Gedeihen dieser Pflanze mehr oder weniger hinderlich seyn können.

Betrachtungen dieser Art, und überdies das von Oberamtsbehörden und von landwirthschaftlichen Bezirksvereinen an die landwirthschaftliche Centralstelle vielfach gestellte Ansuchen um Verbreitung angemessener Belehrung über zweckmäßiges Verfahren bei der Kartoffelkultur, haben den Anlaß gegeben, daß dem Unterzeichneten mit der Ehre die schwierige Aufgabe geworden ist, eine solche Anleitung zu dem gedachten Zwecke abzufassen.

Wenn dadurch unschuldigerweise die Schuld auf mich gekommen ist, die vielen in Folge der Kartoffelkrankheit erschienenen Schriften noch um eine zu vermehren, so wird mir dieß vielleicht unter den angeführten Umständen nachgesehen werden; dagegen kann mich der Vorwurf treffen, daß ich viele längst bekannte Dinge aufgenommen habe. Indessen konnte es nicht sowohl in meiner Aufgabe liegen, Neues und bis jetzt noch nirgends Erhörtes mitzutheilen, als vielmehr bewährte Thatsachen, sowie Rathschläge und

Andeutungen, die mir der Befolgung oder Beachtung werth erschienen sind.

Da dieses Schriftchen nicht zu einer weitläufigen Abhandlung anwachsen sollte, welche Alles aufzunehmen hätte, was über die Kartoffelpflanze und deren Anbau von irgend einem Interesse seyn kann, so bin ich auf eine nähere Beschreibung der verschiedenen Kartoffelkrankheiten nicht eingegangen. Einer solchen Beschreibung glaubte ich um so eher mich entheben zu dürfen, als vorausgesetzt werden darf, daß jeder Kartoffelbauer die im letzten Herbste vorgekommene Krankheitsform, von mir Herbstfäule, von Andern Stockfäule benannt, aus eigener Anschauung kennt. Auch die damit nahe verwandte Trockenfäule ist ziemlich allgemein bekannt; die andern Kartoffelkrankheiten aber, namentlich der Schorf (das Pockigseyn), haben sich bis jetzt in bedeutendem Grade nicht bei uns gezeigt.

Vermißt man endlich im Verlaufe dieser Schrift den Ausdruck von bestimmten Ansichten über die Fortdauer oder das Wiedererscheinen der bekannten Kartoffelkrankheit, so liegt hierin mein Bekenntniß, daß ich mich nicht im Stande erachte, darüber bestimmt urtheilen zu können. Wohl aber wird es erlaubt seyn, so viel auszusprechen, daß wir uns nicht sicher halten dürfen, eine mehr oder weniger bedeutende Wiederkehr zu erleben, wenn schon ein günstiger Jahrgang, vielleicht selbst der heurige, scheinbar alle Spuren zu verwischen geeignet seyn kann. Aehnliches wird sich auch bezüglich der Verwendung krank gewesener Kartoffeln (deren kranke Stellen aber vernarbt sind) zur Saat sagen lassen. Es ist möglich, daß sich die Krankheit davon nicht fortpflanzt, wenn alle Umstände günstig sind; unter weniger günstigen Umständen werden aber auch größere Nachtheile von der Anwendung gerade von solchen Saatkartoffeln sich ergeben, welche Spuren der Krankheit an sich tragen. Wer also irgend in der Lage ist, von der Krankheit ergriffen gewesene Kartoffeln bei der Saat zu vermeiden, der thue es. Sollte aber, was sich hier und da ereignen kann, die Noth dazu zwingen, auch solche Saatkartoffeln mit auszulegen, die vertrocknete Spuren der Krankheit an sich tragen, so möge man um so mehr besorgt seyn, sonst Alles anzuwenden, was für eine gute Kultur der Kartoffeln als Regel gilt.

Diesen Vorausbemerkungen füge ich noch den Wunsch bei, daß meine redliche Absicht, hiemit dem braven Landmanne nützlich zu seyn, nicht verfehlt seyn möge.

Hohenheim, den 26. Februar 1846.

Pabst.

1. Auswahl des Landes zum Kartoffelbau.

Wenn schon die Kartoffel fast auf jedem Boden wächst, so ist doch ihr gutes und sicheres Gedeihen von der Beschaffenheit des Bodens in bedeutendem Grade abhängig. Damit das gute Gedeihen durch den Boden möglichst gefördert werde, soll derselbe nicht fest und nicht sehr wasserhaltig, der Untergrund nicht undurchlassend seyn, der Abzug des Wassers gehe leicht von Statten. Gegentheils soll jedoch der Boden auch nicht aus ganz losem dürren Sande bestehen; überhaupt aber ist ein gemischter, milder, für den Ackerbau gut gelegener, kräftiger und doch nicht allzu fetter Boden derjenige, welcher gute Kartoffelerndten am sichersten liefert.

Die Lage kann die etwas ungünstige Beschaffenheit des Bodens einigermaßen ausgleichen; sie kann den nachtheiligen Einfluß einer ungünstigen Boden-Beschaffenheit aber auch noch erhöhen. Ist z. B. der Boden etwas zu schwer, dagegen die Lage hoch, abhängig und trocken, so ist dies ein glückliches Zusammmentreffen; ebenso wenn der Boden leicht und lose, die Lage aber dabei mäßig feucht ist. Wogegen nasse Lage beim schweren Boden und sehr trockne Lage bei sehr losem Boden natürlich nicht günstig einwirken.

Da wir aber in allen Gegenden, wie auch der Boden beschaffen seyn möge, Kartoffeln bauen wollen und müssen, und da nicht überall ein ganz geeigneter Boden vorhanden ist; so sollte man um so mehr dahin trachten, von seinem Lande so viel möglich die für den Kartoffelbau geeigneteren Stellen dazu auszuwählen, besonders aber sollte man darauf Bedacht nehmen, den nachtheiligen Eigenschaften des Bodens durch zweckmäßige Zubereitung nach Möglichkeit zu begegnen, wie dies weiterhin näher angeführt werden soll.

Sodann ist es durchaus nicht gleichgültig, nach welchen Vorfrüchten die Kartoffeln gebaut werden. Besonders gesunde und nahrhafte Kartoffeln und auch eine reichliche Erndte erhält man nach Klee, Grasnarbe oder Weide, welche im Herbste vorher aufgebrochen worden. Ferner gedeihen die Kartoffeln gut nach Hanf, Lein, Kraut.

In allen diesen Fällen wird am besten nicht frisch zu den Kartoffeln gedüngt, was stets von Wichtigkeit ist bezüglich ihrer besseren und gesünderen Beschaffenheit. Eben deshalb thut man auch noch wohl daran, die Kartoffeln auf kräftigem Lande nach Dinkel, Weizen oder Roggen folgen zu lassen, wozu vorher gedüngt oder doch ein noch sehr kräftiges Land gewählt worden war.

Bei der in dem größten Theile von Württemberg herrschenden Dreifelderwirthschaft baut man freilich die Kartoffeln hauptsächlich im Brachfelde, und weil das Land nicht mehr kräftig genug ist, so wird zu den Kartoffeln gedüngt. Es ist aber dieses gerade der weniger günstige Standpunkt für die Kartoffeln. Denn ohne gute Düngung liefern dieselben im Brachfeld zu wenig Ertrag, bei starker Düngung aber treten leichter Krankheiten ein, und die Güte der geerndteten Kartoffeln ist jedenfalls viel geringer, als in den vorher angegebenen Fällen. Ueberdies geräth auch im Durchschnitt das Wintergetreide nach Kartoffeln nur mittelmäßig. Viel besser würde darum der Dreifelderwirth handeln, wenn er seine Kartoffeln ungedüngt im Sommerfeld baute und dann im Brachfelde gedüngte Erbsen, Bohnen, Kraut, Hanf u. s. w. darnach folgen ließe; oder wenn er Klee in die Winterfrucht säete, im Sommerfeld Klee hätte und dann in der Brache darnach Kartoffeln, nach denen dann zu Dinkel oder Roggen gedüngt würde. Ja es würde in guten Lagen sogar besser seyn, ins Sommerfeld ungedüngte Kartoffeln und ins Brachfeld gedüngte Gerste darnach zu nehmen, als die Gerste vorausgehen und gedüngte Kartoffeln nachfolgen zu lassen.

Wenn man nun auch nicht für alle zu bauenden Kartoffeln auf diese Weise einen besseren Standort in der Fruchtfolge anweisen kann, so sollte man es doch für einen Theil thun, um vor Allem gute Saatkartoffeln und nächstdem gute Speisekartoffeln zu gewinnen. Der Erfolg wird dann schon weiter belehren.

2. Düngung.

Die Kartoffel erhält in der Regel da ihren Standpunkt angewiesen, wo dem Acker Reinigung, Lockerung und Düngung Noth thut; in der Dreifelderwirthschaft ist dies hauptsächlich im Brachfeld, nachdem also zwei Halmfrüchte vorausgegangen sind. Indem man fand, daß die Kartoffeln, auf diese Weise gebaut, für gewöhnlich gediehen, und indem man es mit der Güte und Schmackhaftigkeit nicht so genau nahm, hatte man auch triftige Gründe für die Wahl eines solchen Standortes in der Fruchtfolge. Da wo man Fruchtwechsel einführte, ordnete sich der Platz für die gedüngten Kartoffeln noch viel vortheilhafter, indem man darnach Sommergetreide mit eingesäetem Klee folgen ließ.

Nachdem aber mit dem immer weiter ausgedehnten Anbau der Kartoffel die Sorglosigkeit bezüglich des Bodens, der Lage, der Stelle in der Fruchtfolge und der Düngung öfters gleichen Schritt gehalten hat, stellten sich häufiger schlechtere Erndten, sogenanntes Ausarten der Kartoffeln und manche Krankheiten ein, von denen man vorher wenig gewahr worden war. Der letzte Jahrgang und die in so großer Ausdehnung verbreitete Herbstfäule (Stockfäule) der Kartoffeln mußte sodann die Aufmerksamkeit von allen Seiten auf die Ergründung der Ursachen der Krankheit hinleiten. Aus den in sehr großer Zahl bekannt gewordenen Beobachtungen aber geht unzweifelhaft hervor, daß zwar keine Bodenart sicher verschont blieb und daß die Krankheit auf gedüngtem und auf ungedüngtem Lande vorgekommen ist; eben so unzweifelhaft hat sich aber auch ergeben, daß nach starker Düngung mit frischem

Stallmist, Pferch 2c. durchschnittlich die Krankheit in höherem Grade sich gezeigt hat, gleichwie sie in den tiefen, nassen oder sonst für die Kartoffel als weniger günstig bezeichneten Lagen und Bodenarten im Durchschnitt stärker auftrat, als in den dieser Pflanze vorhin als vorzugsweise zusagend geschilderten Bodenbeschaffenheiten.

Hieraus darf nun wohl bezüglich der Düngung mit Recht geschlossen werden: daß wir das Verfahren vermeiden müssen, wobei nach den gemachten Erfahrungen die Gefahr größer ist, schlechtere, zu Krankheiten mehr geneigte Kartoffeln zu erhalten. Darum soll vor Allem nach Möglichkeit dahin gestrebt werden, einen Standpunkt in der Fruchtfolge für die Kartoffel zu wählen, wobei frische Düngung entbehrt werden kann, in dem die Kartoffelpflanze die zu ihrer guten Ausbildung nöthigen Nahrungsstoffe in dem Boden findet, die nachtheilig darauf einwirkenden aber entfernt bleiben. Hierüber ist in dem vorigen Abschnitt das Nähere gesagt.

Nicht jeder Kartoffelbauer ist jedoch in der Lage, solchen Rath alsbald vollständig befolgen zu können. Auch kann nicht behauptet werden, daß sonst gut geeignetes, gut behandeltes Land nothwendig schlechte oder kranke Kartoffeln bringen werde, wenn man dazu mit Mist dünge. Es kömmt vielmehr auf die Art des Düngers und auf die Zeit und den Ort seiner Anwendung, auf die Bodenart und Jahreswitterung, sowie auf die Beschaffenheit der Saatkartoffeln noch wesentlich an, ob der Dünger eine nachtheilige Einwirkung äußere oder nicht. In thätigem, lockerem und doch nicht hitzigem Boden wird man, besonders in guten Jahrgängen, wenig Nachtheil von der frischen Düngung gewahren; weit eher auf einem festen, kälteren, nassen, oder gegentheils sehr hitzigen Boden. Besonders aber kann den nachtheiligen Einflüssen der frischen Düngung mit Stallmist mehr begegnet werden, wenn man denselben schon vor Winter oder doch während des Winters aufbringt, und im Frühjahre das Land tüchtig bearbeitet, so daß der Dünger mehr zersetzt und mit der Ackerkrume gut vermengt ist.

Pferdedung und Schafmist sind weniger zur Düngung der Kartoffel geeignet, als Rindviehdung, besonders wenn dieser die flüssigen Bestandtheile möglichst mit aufgenommen hat (fleißig begossen worden war). Die Mistjauche (Gülle) ist ihrer für die gesunde Ausbildung der Kartoffel sehr günstig wirkenden alkalischen und salzigen Bestandtheile wegen besonders zu empfehlen. Man kann sie vor und nach der Saat aufbringen, nur vermeide man, wie sich von selbst versteht, das Begießen der jungen Kartoffelpflanzen mit frischer Gülle bei trockenem Wetter.

Ein vorzügliches Dungmittel für Kartoffeln ist gute Holzasche. Sie wirkt mehr als die meisten andern Dungstoffe auf eine gesunde vollkommene Ausbildung der Knollen. Grund genug um zu schließen, daß sie Bestandtheile enthält (Alkalien und Salze), welche der Kartoffel besonders nöthig und nützlich sind. Da aber gute Holzasche in hinreichender Menge selten zu haben ist; so müssen wir schon zu einer minder guten Asche uns hinwenden, und dürfen auf feuchtem kühlem Boden auch schon eines guten Erfolgs gewärtig seyn, wenn wir zur Hälfte gute (nicht etwa rothe eisenhaltige) Torfasche und zur Hälfte gebrannten Kalk nehmen, und dazu noch so viel gute Holzasche thun, als wir haben können. Auf trockenem hitzigen Boden müssen jedoch die Torfasche und der Kalk entfernt bleiben; denn hier wirken sie nachtheilig, namentlich entstehen dann leicht schorfige (pockige) Kartoffeln.

Ferner ist es rathsam, etwas Gips und Salz, sogenanntes Dungsalz, unter jenes Gemenge zu thun. Man thut zu jeder Saatkartoffel ein paar Eßlöffel voll gute Asche oder Gemenge der gedachten Art. Auch der Seifensiederäscherich ist für nicht zu warmen Boden und für mehr kühle als warme Lage zu empfehlen, dessen man jedoch weit mehr aufbringen muß; auch geschieht dieses Aufbringen in der Regel vor der Saat.

Ferner empfiehlt sich guter Kompost zur Düngung der Kartoffeln. Man kann zu denselben außer guter Erde verwenden: Abtritts- und Hofdung, Asche, Gips und Gülle, auch etwas Salzabfälle. Solchen gut zersetzten und mehrmals umgestochenen Kompost wendet man am besten in die Stufen oder Furchen beim Legen der Kartoffeln an.

Auch die im vorherigen Herbste vorausgegangene Gründüngung (grün untergepflügte Erbsen, Wicken u. s. w.) ist für die Kartoffeln sehr zu empfehlen.

Ganz vorzügliches Gedeihen hat man endlich von den Kartoffeln wahrgenommen, wenn man jede Saatkartoffel vor dem Einlegen in ein Stückchen wollene Lumpen wickelte. Soweit man dergleichen haben kann, sollte man deshalb die Anwendung ja nicht versäumen.

3. Zubereitung des Landes.

Je mehr der Boden unrein oder fest und schwer ist, desto mehr soll für die Bearbeitung des Landes gethan werden; denn in einem tief bearbeiteten und gelockerten Felde leidet die Kartoffel weniger von der Nässe und von der Dürre, überhaupt widersteht sie auf tief und gut gelockerten Boden weit eher den nachtheiligen Einflüssen der Witterung, und gewährt eine bessere und gesündere Frucht und auch reichlicheren Ertrag, als in schlechter bearbeitetem Lande.

Ganz besonders empfiehlt sich die tiefe Bearbeitung des Landes vor Winter, sowohl für schweren, als leichten Boden. Es ist nicht zu viel gethan, wenn man im Nachsommer die Stoppel flach stürzt, später dieselbe tüchtig vereggt und vor Winter dann tief pflügt, so tief als es die Bodenart verträgt. Man sollte zu Kartoffeln vor Winter niemals flächer als 7 bis 8 Zoll tief aufpflügen, oder bei einer Furche von 5 Zoll einen sogenannten Untergrundswühler hinter dem Pfluge in der offenen Furche gehen und diese noch 4 Zoll tief aufwühlen lassen.

Der Zustand des Landes und die Bodenart entscheiden, welche weitere Bearbeitung dem Kartoffelacker im Frühjahre zu Theil werden soll. Bei schwerem, im Herbste vorher aber gut vorbereitetem Lande ist es häufig besser, dasselbe im Frühjahre blos mehreremal tüchtig zu eggen, oder noch besser mit einem sogenannten Reißpflug oder Messerpflug (Exstirpator) zu bearbeiten, und blos zur Saat noch zu pflügen. Auch auf leichtem Boden kann dieses Verfahren öfters das angemessenste seyn. Insoferne aber das Land noch nicht mürbe und nicht rein und locker genug ist, oder insoferne der erst im Winter oder im ersten Frühjahre aufgebrachte Dünger noch besser mit dem Boden zu mengen bleibt, kann auch ein noch mehrmaliges Pflügen mit dazwischen ausgeführtem Eggen rathsam seyn.

4. Behandlung der Saatkartoffeln.

Wir wollen uns in der achten Abtheilung mit der Auswahl und Behandlung der Saatkartoffeln noch besonders beschäftigen und hier vorerst nur das Verfahren beim Setzen der Kartoffeln betrachten.

Daß es zu einem guten Gedeihen einer jeden Pflanze von Wichtigkeit sey, guten gesunden Samen auszusäen, wird Jedermann zugeben, der sich mit dem Pflanzenbau irgend beschäftiget hat. Wer wollte aber behaupten, daß die Kartoffel von dieser Regel eine Ausnahme mache?

Wir haben es aber hier mit einem Saatgut zu thun, das von den reif und trocken gewordenen Samenkörnern des Getreides und anderer Pflanzen weit verschieden ist; denn die saftreiche Kartoffelknolle, welche der Träger der Keime der künftigen Kartoffelpflanze ist, ist weit eher der Beschädigung durch Frost, Hitze, Gährung und Fäulniß unterworfen, als reif gewordene Samenkörner. Weil aber die Kartoffelknolle, so lange sie in ihrer ganzen Beschaffenheit nicht völlig zerstört ist, von Natur eine starke Vegetationskraft im Keime besitzt, indem sie z. B. auch aus einem kleinen nur mit einem Keimauge versehenen Abschnitte noch einen Keim entwickelt, oder indem sie wieder neue Keime treibt, nachdem dieselben ein- oder mehrmal von der Mutterkartoffel abgelöset worden; so hat man sich mancherlei Mißhandlung und Vernachlässigung in der Behandlung des Saatgutes zu Schulden kommen lassen, ohne stets so augenfällig und empfindlich dafür sich gestraft zu sehen, daß man dadurch alsbald belehrt worden wäre. Sicherlich haben aber die in neuerer Zeit häufiger vorgekommenen Kartoffelkrankheiten oder das bemerkte schlechtere Gedeihen derselben theilweise ihren Grund in der schlechten Behandlung des Saatguts, oder sind durch diese wenigstens befördert worden.

Wir wollen hier die gewöhnlichsten Verfahrungsarten zuerst betrachten und dann zu den weniger allgemein gebräuchlichen, aber auch schon versuchten oder empfohlenen Methoden uns wenden.

a) Ganze, im Herbste gut ausgewachsene, mittelgroße *) Kartoffeln zu legen, ist allgemein das Beste und Sicherste, und um so sicherer, je mehr aus irgend einem Grunde zu befürchten steht, daß das Gedeihen der Kartoffel in etwas gefährdet seyn könne.

b) Sehr kleine Saatkartoffeln treiben in der Regel wenigere und schwächere Keime; sehr unvollkommen ausgebildete kleine Kartoffeln aber entwickeln oft auch gar keine ordentliche Pflanze. Wenn man nun, hauptsächlich um an der Saatmenge zu sparen, sehr kleine Kartoffeln legt und dieselbe Entfernung beobachtet wie bei größeren Kartoffeln, so darf man sicher seyn, daß man eine geringere Erndte macht und den ersparten Saamen mehrfach am Ertrage büßen muß. **) Legt man aber kleine, jedoch mit gesunden Keimen versehene Kartoffeln verhältnißmäßig näher zusammen, so erhält man mei-

*) Es versteht sich, daß die Bezeichnung „groß„ oder „klein“ auf die betreffende Kartoffelsorte zu beziehen ist. Die an sich kleinen Zuckerkartoffeln z. B. geben auch in ihrer Art große, mittlere und kleine Knollen.

**) Eine Ausnahme machen in dieser Beziehung kleine, im Jahre vorher aus dem ausgesäeten Samen erzogene Saatknollen, welche oft sehr schöne Erndten liefern, wenn man sie in mittlerer Entfernung auspflanzt. Siehe den achten Abschnitt dieser Schrift.

stens einen nahebei eben so guten Ertrag, als bei größeren, weitläufiger gelegten Knollen. Man hat aber alsdann auch am Samen wenig gespart, hat überdies eine etwas schwierigere Erndte und unter dieser verhältnißmäßig wieder mehr kleine Kartoffeln. In Hohenheim hat man bei gemachten Versuchen, welche während einer Reihe von Jahren fortgesetzt wurden, im Durchschnitt vom gleichen Maße oder Gewichte kleiner Saatkartoffeln auf gleicher Fläche noch etwas weniger geerndtet, als vom gleichen Maße oder Gewichte großer Saatkartoffeln, welche auf gleich große Bodenfläche gesetzt waren.

c) Das Zerstückeln der Saatkartoffeln in der Art, daß man aus einer größeren Kartoffel zwei bis drei Stücke schneidet und Bedacht nimmt, daß jedes Stück wenigstens ein kräftiges Keimauge hat, erfordert ebenfalls ein etwas engeres Zusammenlegen, wenn man nicht bedeutend weniger erndten will; unter jener Voraussetzung gewährt es eine Samenersparniß von vielleicht einem Drittheil. Bei recht gesunden Kartoffeln, in gut geartetem Lande, erhält man von so zerschnittenen Kartoffeln häufig gute Erndten, woraus es zu erklären, daß dieses Verfahren so allgemein angewendet wird. Allein, sobald die Kartoffeln im Jahr vorher nicht zum Besten sich ausbilden konnten, oder nicht recht luftig und gut aufbewahrt waren und deshalb Neigung zur Trockenfäule besitzen, kann man durch das Schneiden in Stücke sich großen Schaden thun; denn diese Stücke gehen alsdann im Boden viel leichter in Fäulniß über, oder treiben viel schwächere Pflanzen, als ganze Saatkartoffeln. Auch wenn ungewöhnlich nasse oder ungewöhnlich trockene Witterung nach der Saat eintritt, sind es immer zuerst die Stücke, welche zurückbleiben oder faulen. Wen daher nicht die Noth dazu treibt, der sollte das Zerstückeln unterlassen.

Ist man jedoch in der Lage, an Saatgut Mangel zu haben oder noch einen Theil der Kartoffeln zum Essen oder zur Fütterung nothwendig zu bedürfen, so ist das sicherste Verfahren noch dies, daß man schon etwa sechs Wochen vor der

Saat anfängt, täglich etwas Kartoffeln vorzunehmen, und das mit Keimen besetzte eine Ende der Kartoffel (den Kopf, die Nase oder Kappe genannt) abschneidet, während man die andere Hälfte zum täglichen Verbrauche nimmt. Die abgeschnittenen Köpfe (Nasen) werden mit Holzasche, oder mit gleichen Theilen Holzasche und ungelöschten Kalk, in deren Ermangelung auch mit Torfasche, gemengt, so daß die Abschnitte ganz eingeascht sind; dann werden sie an einem trockenen, nicht warmen, noch nassen Platze bis zur Saat aufbewahrt. Auf diese Weise behandelte Kartoffelstücke faulten mir in den zwei Jahrgängen, als ich sie verwendete, weder vorher, noch im Boden, und trieben schöne Stöcke. Ein Jahr früher verlor ich aber durch das Zerschneiden der Saatkartoffeln aus einer im Frühjahr zu spät aufgedeckten Miete (Haufen, über Winter mit Stroh und Erde im Freien gedeckt,) ein Drittheil an der Trockenfäule, indem die Stücke im Boden verfaulten.

Noch viel weniger ist auf das schon oft anempfohlene Ausstechen und Legen der Keimaugen, woran nur ein Stückchen Fleisch der Kartoffel gelassen wird, zu halten. In gutem Gartenlande erzieht man in guten Jahren daraus wohl auch noch schöne Kartoffeln; auf gewöhnlichem, zumal nicht vollkommen fein gelockertem Felde kann man aber bis zur Hälfte des Ertrags einbüßen, wenn noch etwas ungünstige Witterung hinzutritt.

Bei großem Mangel an Saatkartoffeln, wie er im bevorstehenden Frühjahre für manche Orte vorauszusehen ist, kann ich aus Erfahrung folgenden Nothbehelf als weit sicherer empfehlen. Man bereitet im Laufe des Monats April ein gut gedüngtes Gartenbeet recht sorgfältig zu, legt dann ganze Kartoffeln in Rinnen, eine ganz nahe an die andere, und macht auch die Rinnen nur $^1/_2$ Fuß weit von einander, endlich deckt man die Kartoffeln 2 Zoll hoch mit Erde. Gegen Ende Mai sind dann die Kartoffelkeime alle aufgegangen, und man hat eine große Menge etwa handlanger Pflanzen, welche man, indem man eine Kartoffel nach der andern sorgfältig aushebt, von der Mutterkartoffel ablöset und auf das unterdeß zubereitete Feld mit der Hand verpflanzt, die Reihen 1 $^{3}/_{4}$ Fuß, und in den Reihen die Kartoffelpflanzen $^{3}/_{4}$ bis 1 Fuß von einander. Die Kartoffelpflanzen wachsen so leicht an als Runkelrüben- oder Kohlrübenpflanzen; die Stöcke haben natürlich keine so große Ausbreitung als aus einer ganzen Kartoffel, welche eine größere Zahl Keime treibt; allein man erhält sehr gleichartige große und mittelgroße Knollen, und wenn die Witterung nicht sehr ungünstig ist und das Land gut vorbereitet war, so darf man bei diesem Verfahren eine gute Mittelerndte erwarten. So war es wenigstens im Jahr 1817, wo ich als landwirthschaftlicher Lehrling wohl 20 Morgen Kartoffeln auf jene Weise verpflanzen mußte. Das Nothjahr 1816 und 1817 gab Anlaß zu solchen Mitteln zu greifen. Mein guter Herr und Meister ließ damals aus den ersparten Kartoffeln Brod für die Hunger leidenden Armen backen, und selbst die aus dem Boden herausgenommenen Mutterkartoffeln konnten noch dem Vieh verfüttert werden.

Man hat auch schon die Keimranken, welche in den Kellern ausgewachsen waren, zum Auslegen empfohlen, und in gut zubereitetem Gartenlande habe ich selbst recht schöne Kartoffeln daraus erzogen. Allein sie sind unsicherer, als die Pflänzlinge, die auf die oben beschriebene Weise erzogen sind, und im Allgemeinen kann man die Kellerkeime nur als einen Nothbehelf bezeichnen, zu dem man nur greifen soll, wenn man sehr großen Mangel an Saatkartoffeln hat.

Wie man noch besonders gute Samkartoffeln erziehen kann, und wie man bei der Erziehung von verjüngtem Saatgut aus den Samen der Kartoffelpflanze (der Kartoffeläpfel) verfahren soll, wird im achten Abschnitte weiter zur Sprache gebracht.

5. Verfahren bei dem Setzen und der weiteren Cultur der Kartoffeln.

Für die Zeit des Kartoffellegens ist ein beträchtlicher Raum gestattet. Im Allgemeinen dient als Regel, daß man nicht eher zur Saat schreiten soll, bis das Land gut abgetrocknet und die Witterung nicht mehr kalt ist. Die sogenannten Frühkartoffeln werden zuerst gelegt, bei uns in der Regel in der ersten Hälfte des April. Die beste Zeit zum Legen der sogenannten Spätkartoffeln ist von Ende April bis Mitte Mai. Die erst mit Ende Mai oder gar erst Anfangs Juni vorgenommene Saat bringt nicht selten geringere, namentlich aber unvollkommener ausgebildete, mehr wässerige und weniger haltbare Erträge.

Man legt die Kartoffeln entweder nach dem Pfluge in die Furchen, oder nach dem Spaten oder der Haue in Stufen.

Das Legen nach dem Pfluge, gewöhnlich in die zweite Furche, ist das minder empfehlenswerthe, zumal wenn die Setzkartoffeln auf die feste Sole der offenen Pflugfurche gelegt werden, wo sie meistens zu tief zu liegen kommen und in zu wenig lockeren Boden. Besser ist der Erfolg, wenn man den Pflug zwar ziemlich tief stellt, aber die Kartoffeln ungefähr auf der Hälfte des Abhangs des umgelegten Schnitts in die lockere Erde eindrückt, so daß sie von dem folgenden Schnitte 2 bis 3 Zoll hoch mit Erde bedeckt werden. In beiden Fällen bleibt aber immer der mißliche Umstand, daß die Kartoffeln in ungleicher Entfernung in den Reihen gelegt werden, um so mehr je ungeschickter oder nachlässiger die Arbeitsleute sind, und daß manche Setzkartoffel durch das in der Furche gehende Zugthier verschleudert wird.

Auf Boden, welcher leicht an Nässe leidet, bewährt es sich, wenn man das kurz vorher gepflügte Land abeggt, und mit dem Häufelpfluge ganz flache 2 Fuß von einander entfernte Rinnen zieht, in diese die Kartoffeln sorgfältig einlegt, und dann die Zwischenräume mittelst des Häufelpfluges spaltet, und so die Kartoffeln mit spitzen angehäufelten Kämmen deckt.

Die vortheilhafteste Art die Kartoffel zu legen ist mit dem Spaten nach der Schnur (im Großen nach einer gegliederten Kette). Die Schnur hat Knoten oder die (wie eine Meßkette gemachte) Kette Glieder, 1 Fuß 8 Zoll von einander.

Man legt am Ende des Ackers die ausgespannte Schnur (Kette) an; die Arbeitsleute stechen mit den Spaten an jedem Knoten (Glied) ein Loch; die Schnur wird von Neuem nach einem Maasstab in der schon angegebenen Entfernung (18 Zoll) angelegt, und nachdem Kinder in jedes Loch eine Kartoffel geworfen, decken nun die Arbeitsleute mit den Spatenstichen, die sie jetzt ausheben, die Kartoffeln in den Gruben der vorigen Reihe und so fort. Auf diese Weise kommen die Kartoffeln alle ganz regelmäßig zu liegen und an Samen wird so viel gespart, daß die Mehrkosten der Handarbeit dadurch an sich schon bezahlt sind. Bei einem im Großen angestellten Versuche erhielt ich, beim Legen nach dem Spaten und bei nachfolgender Bearbeitung ins Kreuz, im Ertrage $^1/_{10}$ mehr, als beim Legen nach dem Pfluge, wobei nur nach einer Richtung mit der Pferdehacke bearbeitet ward.

Was überhaupt die Entfernung der Kartoffelstöcke von einander anbelangt, so muß sich diese nach dem Boden und der Größe der Setzkartoffeln richten. Auf recht gutem Boden und bei großen Setzkartoffeln sollen die Stöcke nach allen Richtungen 2 Fuß von einander seyn, also auf jeden Stock 4 Quadratfuß kommen. Ein Mittelsatz ist 3 bis 3 $^1/_2$ Quadratfuß für den Stock (18 Zoll nach jeder Richtung, oder auch 2 Fuß entfernte Reihen und in den Reihen 1 $^1/_2$ Fuß entfernt). Bei sehr kleinen Setzkartoffeln sollen auf den Stock nur 2 bis 2 $^1/_2$ Quadratfuß kommen, z. B. 1 $^1/_2$ Fuß ins Quadrat, oder 1 $^3/_4$ Fuß weite Reihen und in den Reihen 1 $^1/_5$ Fuß.

Bei der nachfolgenden Bearbeitung des Kartoffelfeldes ist es überall Regel und gewiß auch zweckmäßig, das Land, wenn die meisten Kartoffeln sichtbar ausgeschlagen sind, tüchtig zu eggen. Eben so guten Grund hat die Regel: die weiter herausgewachsenen Kartoffeln sorgfältig zu felgen (hacken) und später zu behäufeln, überhaupt aber den Kartoffelacker recht rein und locker zu halten.

Ob man diese Arbeiten besser mit der Hand oder mit Ackerinstrumenten, durch ein Pferd gezogen, verrichte, hängt von den Umständen ab. Sorgfältige Handarbeit wird sich in der Regel bezahlt machen, wenn sie rechtzeitig und oft genug angewendet wird; es kann namentlich bei dem kleinen Grundbesitzer, der oft nur einen Morgen oder weniger Kartoffeln auspflanzt, nicht die Rede von Anwendung der Pferdehacke seyn. Wer aber viel Kartoffeln pflanzt und nicht genug Leute hat oder die Kosten scheuen muß, um zu rechter Zeit mit der Hand zu felgen und zu häufeln, der bedient sich folgender Instrumente mit großem Nutzen: 1) der dreibälkigen Egge (Furchenegge) oder der dreischaarigen Pferdehacke (Cultivator) zum mehrmaligen Reinigen und Lockern zwischen den Kartoffelreihen. Ist nach der Schnur gepflanzt worden, so ist es am besten ins Kreuz zu bearbeiten, d. h. kurze Zeit, nachdem man längs durchgezogen ist, wird in die Quere gezogen; — 2) des Häufelpfluges (mit doppeltem Streichbrette), womit die weiter heranwachsenden Kartoffeln noch zweimal angehäufelt werden. Hierbei ist es nicht rathsam, wieder ins Kreuz zu bearbeiten, weil man bei der Bearbeitung nach einer Richtung eine tiefere Lockerung erreicht, für den Wasserabzug besser sorgt, und ebensowohl ein zu starkes Austrocknen mehr verhütet, als wenn man mit dem Pfluge ins Kreuz behäufelt. Nach Erforderniß wird endlich mit der Hand noch etwas nachgeholfen; namentlich muß das später aufschießende Unkraut noch ausgezogen werden.

War das Land vor der Saat schon gut behandelt und ist mit den eben genannten Instrumenten recht sorgfältig und fleißig gearbeitet worden, so kann auf diese Weise ein ebenso sicherer und hoher Ertrag erlangt werden, als bei einer sorgfältigen Bearbeitung mit der Handhacke. Wenn es aber bei letzterer an Menschen fehlt oder zu sehr an das Sparen der Kosten gedacht wird, so daß das Felgen und Häufeln nicht so rechtzeitig und ausreichend als mit den Pferdehacken geschieht, so gewähren die letzteren selbst einen höheren Ertrag. Man hat auch noch zu Gunsten des Häufelpfluges angeführt, daß bei dessen Anwendung die Kartoffeln vor den nachtheiligen Einflüssen der Nässe mehr gesichert seyen, als wenn mit der Hand gehäufelt worden, indem hier dem Wasser weniger rascher Abzug gestattet sey als dort. Ferner, daß bei trocknem Wetter dagegen die einzelnen kegelförmigen Haufen, wie man sie mit der Handhacke macht, wieder schneller austrockneten, als die Kämme des Häufelpflugs. Allein es hindert nichts, mit der Handhacke eben solche Kämme und Furchen zu bilden, wie mit dem Häufelpfluge, was auch im Allgemeinen besser ist, als das kegelförmige Häufeln.

Nicht unerwähnt will ich hier lassen, daß man für den leichten Boden schon oft anempfohlen hat, die Kartoffeln gar nicht zu behäufeln, sondern blos fleißig zu felgen. Gemachte Versuche haben entschieden, daß bei gebundenem Boden oder in nasser Lage oder überhaupt in nassen Sommern das Nichtbehäufeln nachtheilig sey; ungewiß aber haben uns die bis jetzt bekannt gewordenen Versuche gelassen, ob in trocknen Sommern auf leichtem Boden das Nichtbehäufeln einigen Vortheil bringe. In den Niederlanden, wo es häufig im Gebrauche ist, trat bekanntlich die Kartoffelkrankheit im vorigen Sommer am stärksten auf, und auch an andern Orten hat man bemerkt, daß da mehr kranke Kartoffeln waren, wo man weniger für das fleißige Behacken und Behäufeln gethan hatte.

Auch muß ich wohl mit einigen Worten noch des schon oft anempfohlenen Abpflückens der Kartoffelblüthen erwähnen. Es wird nemlich gesagt, daß es mehr Kartoffeln gebe, wenn man die Blüthen abpflücke, was natürlich mehrmal geschehen muß, weil die Blüthen nach und nach erscheinen. Man setzt hiebei voraus, daß der Theil der Bildungssäfte der Pflanze, welcher sonst in die Ausbildung der Samenäpfel verwendet werde, durch jenes Verfahren noch dem Zuwachse der Knollen zu gut komme. Sicher ist der Gegenstand noch nicht aufs Reine gebracht, indem die meisten angestellten Versuche nur einen unbedeutenden, manche gar keinen Mehrertrag zeigten. So viel ist aber gewiß, daß das Abpflücken der Blüthen keinen Schaden bringen kann, während manche Gründe dafür sprechen, daß es auch etwas nützen könne. Uebrigens setzen einige

Kartoffelsorten viele, andere wenige Blüthen und Samenäpfel an; auch sind die Jahrgänge in dieser Beziehung verschieden, wie z. B. der vorjährige nur wenige Samenäpfel brachte.

6. Kartoffelerndte.

Bekanntlich dient als Regel, daß die Kartoffelerndte vorgenommen werden solle, wenn das Kraut anfängt abzusterben oder bereits abgestorben ist. Indessen kann es bei sehr frühzeitigem Absterben des Krautes gerathen seyn, die Knollen noch einige Wochen im Boden zu lassen; denn wenn sie im Herbste zur Zeit, wo die Tage noch sehr warm sind, ausgethan werden, so tritt in den Kartoffeln, die an einem nicht recht kühlen Orte in größere Haufen zusammengeschüttet sind, leicht eine starke Gährung und in Folge dessen leichter Fäulniß ein, als in den um einige Wochen später geerndteten Kartoffeln. Wenn aber die Kartoffeln stark ins Kraut gewachsen sind und vorauszusehen ist, daß die Erndte zu weit hinausrücken und zu sehr in die ungünstigste Zeit des Spätherbstes fallen würde, soferne man das Absterben des Krautes abwarten wollte, so ist es rathsam, etwa 8 bis 10 Tage, bevor man zur Erndte zu schreiten wünscht, das Kraut abzuschneiden. Die Kartoffeln werden alsdann beim Austhun sich reifer und weniger wässerig zeigen, als wenn man das Kraut nicht abgeschnitten hätte und zur Erndte geschritten wäre, während es sich noch ganz grün zeigte.

Abgesehen von den Frühkartoffeln, so fällt die Zeit der Erndte gewöhnlich zu Anfang bis Mitte Octobers, und wo man viel Kartoffeln zu erndten hat und die Witterung nicht immer günstig war, oder wo es an Arbeitern fehlt, um das Geschäft zu fördern, da zieht sich die Kartoffelerndte auch bis Ende Octobers hinaus.

So viel möglich soll man, besonders auf gebundenem Boden, das Austhun bei Regenwetter vermeiden; denn es kömmt aldann viel nasser Boden mit den Kartoffeln herein, was der guten Aufbewahrung und Benutzung derselben nachtheilig ist.

Ob man das Kartoffelausthun ganz durch Handarbeiter verrichten lassen, oder das Auspflügen mit zu Hülfe nehmen solle, darüber sind die Ansichten getheilt. Bedient man sich der Mistgabel, oder eines ähnlich geformten Kartoffelhebers mit breiten Zinken, oder eines zweizinkigen Karstes zum Ausheben der Stöcke, ist der Boden nicht etwa sehr fest, und sind die Ausheber, deren jedem 4 bis 6 Aufleser folgen, geschickt und aufmerksam, so dürfte dieses Verfahren den Vorzug behaupten, weil die Kartoffeln vollkommener auskommen, als beim Pflügen, auch die Kosten nicht größer sind. Wenn aber diese Umstände nicht glücklich zusammentreffen, so wird man sich beim Kartoffelbau im Großen mit Vortheil des Pfluges oder auch eines Häufel- oder selbst besonderen Kartoffel-Aushebepfluges bei der Erndte bedienen, wobei nur darauf gesehen werden muß, daß die Kartoffelkämme zur rechten Tiefe gegriffen und umgelegt werden, und daß die Aufleser richtig vertheilt und gut beaufsichtigt sind. Schlecht ist das Verfahren, mit dem Spaten oder der Haue (Hacke) auszuthun, weil es beschwerlicher ist und mehr Kartoffeln beschädiget werden.

Sobald das Kraut stark und zumal wenn es noch grün ist, soll es vor der Erndte abgebracht werden. Das abgestorbene Kraut benützt man auf irgend eine Weise zur Düngung. Das grüne Kartoffelkraut hat ziemlichen Futterwerth; doch ist es im grünen Zustande etwas abführend. Man hat deßhalb vorgeschlagen, es zu trocknen und im Winter als Kurzfutter zu verwenden. Da aber zur Zeit der Kartoffelerndte das Trocknen schwer auszuführen ist, so ist das Einsalzen mehr zu empfehlen. Man stampft das Kartoffelkraut zu dem Ende in Standen oder ausgemauerte Senkgruben mit dazwischen gestreutem Salz; gut ist es, wenn man Rüben- und Krautblätter mit hinzunehmen kann. Dieses eingesalzene Futter muß wie Sauerkraut behandelt werden, also oben beschwert seyn, und darüber stehende Brühe erhalten werden. Es ist dieses gesäuerte Kartoffelkraut im Winter neben trocknem Futter dem Rindvieh sehr angenehm und zuträglich.

Zweckmäßig ist es, die besseren und schlechteren Kartoffeln beim Auflesen sogleich von einander absondern zu lassen, welches leicht thunlich ist, wenn jeder Aufleser zwei Körbchen hat; in das eine werden alle großen und mittelgroßen Kartoffeln, in das andere Körbchen die kleinen, die nicht ganz gesund erscheinenden und die angehauenen oder vom Pfluge getroffenen Stücke gethan. Diese geringere Sorte dient dann zum ersten Verbrauche, hauptsächlich zur Fütterung.

Beim Kartoffelbau im Großen bedient man sich jetzt allgemein der sogenannten Kartoffelkästen zum Einbringen, weil das Einbringen in Säcken die letzteren sehr verdirbt und zu viel kostet.

Wie sich von selbst versteht, wird das abgeerndtete Kartoffelfeld abgeeggt und dann noch gepflügt, und bei jeder dieser Arbeiten werden die noch zum Vorschein kommenden Kartoffeln nachgelesen.

7. Aufbewahrung.

Wenn die Kartoffeln gut ausgebildet und gesund, auch bei gutem und doch nicht zu warmem Wetter ausgethan sind, so halten sie sich in Kellern, so wie in bedeckten Haufen im Freien gut, sobald nur Anfangs für Abzug der sich entwickelnden Dünste Gelegenheit gegeben ist, die Kartoffeln nicht zu feucht liegen und vom Froste nicht getroffen werden. Anders ist es, wenn die Umstände mehr oder weniger ungünstig sind, besonders wenn der Jahrgang mehr naß als trocken ist, oder wenn sich Neigung zu Krankheiten unter den Kartoffeln zeigt. Alsdann unterliegt eine sichere Erhaltung der aufzubewahrenden Kartoffeln, wenigstens wenn man es mit größeren Massen zu thun hat, nicht geringen Schwierigkeiten. Die jüngst verflossene Zeit hat uns die Wahrheit dieses Ausspruchs hinreichend dargethan. Wenn wir indessen die gemachten Erfahrungen und Wahrnehmungen gehörig beachten und verständig anwenden, so werden wir für die Zukunft manchem Schaden vorzubeugen im Stande seyn. Was dem Schreiber dieses bezüglich der Aufbewahrung vor Allem beachtenswerth scheint, begreift er in Folgendem zusammen.

a) Vorkehrungsmittel für eine gute Aufbewahrung.

Man scheide, wie schon bemerkt, bei oder gleich nach der Erndte alle nicht ganz gesund erscheinenden, sehr kleinen oder irgend beschädigten Kartoffeln von den guten, ganz gesunden aus. Auch soll man eifrig darauf sehen, daß die Kartoffeln so viel möglich vom anklebenden feuchten Boden gesäubert werden. *) Im Großen ist, nachdem die Ausleser in jener Beziehung das ihrige gethan haben, das Rollen über einen von schmalen Latten gemachten schräg stehenden Rost hiezu hülfreich, indem noch viele erdige Theile und die noch vorhandenen kleinsten Kartoffeln durchfallen.

Ganz besonders wichtig bleibt sodann, die Kartoffeln um so längere Zeit zum Abtrocknen und Ausdünsten an geeigneten Plätzen liegen zu lassen, je mehr man Ursache hat, vorauszusetzen, daß sie sich nicht zum besten halten werden.

Hierzu bieten sich verschiedene Wege dar, von denen der eine oder andere, je nach den besonderen Umständen, wird gewählt werden können. Beim Kartoffelbau im Größeren und nicht entfernten Feldern kann es rathsam seyn, die ausgethanen Kartoffeln auf dem Felde in etwa 3 bis 4 Fuß hohe spitze Haufen aufzuschütten, und mit Kartoffellaub und anderem Stroh zum Schutz gegen Sonne und Nässe etwas zu bedecken. So läßt man sie einige Wochen sitzen, bis man sie einbringt, und wenn man auch des Nachts wachen lassen muß, so ist dieser Aufwand gegen die größere Sicherheit bei der weiteren Aufbewahrung nicht in Anschlag zu bringen. — Oder man schüttet die Kartoffeln in luftig zu erhaltende bedeckte Räume nur einige Fuß hoch auf, und läßt sie hier einige Wochen liegen. Auch auf Grasboden in der Nähe des Hofes können

*) Sobald übrigens der den Kartoffeln anklebende Boden trocken ist, so ist davon in Betreff der Aufbewahrung kein Nachtheil zu befürchten.

sie in einzelne spitze Haufen aufgeschüttet und, wie vorhin angegeben, bedeckt werden.

Je mehr die Kartoffel äußerlich trocken wird und von ihrer inneren Feuchtigkeit durch längeres Liegen in freier Luft verdünstet, um so weniger ist sie bei der nachherigen Aufbewahrung zur Gährung (inneren Erhitzung) und zur daran sich knüpfenden theilweisen Verderbniß geneigt.

Zu bemerken bleibt hierbei jedoch, daß an warmer wenig luftiger Stelle (z. B. auf geschlossenen Bühnen der Wohnungen) hingelegte Kartoffeln, selbst wenn man sie so dünne legt, daß eine kaum die andere berührt, sich nicht gut gehalten haben, insoferne sie von der Herbstfäule schon ergriffen waren; überdieß werden die einzeln liegenden, längere Zeit dem Lichte ausgesetzten Kartoffeln leicht grün und herbe, so daß sie zum Essen dadurch verschlechtert werden.

Von den zur besseren Erhaltung der zur Krankheit geneigten Kartoffeln so zahlreich im letzten Herbst in Vorschlag gebrachten künstlichen Mitteln, von denen wir auch in Hohenheim viele versucht haben, hat sich meines Erachtens keines dergestalt bewährt, daß es für die Zukunft in Vorschlag zu bringen wäre.

b. Aufbewahrung in Kellern.

In den meisten ländlichen und städtischen Haushaltungen werden bei uns die Kartoffeln in Kellern aufbewahrt. Gegen dieses Verfahren bleibt auch im Allgemeinen insoweit nichts einzuwenden, als man für seine Kartoffelvorräthe ausreichende und zugleich trockene und zum Auslüften gehörig eingerichtete Keller hat. In diesen vermeide man so weit thunlich ein höheres Aufschütten als 4 Fuß, und falls man Ursache hat, an der guten Haltbarkeit der Kartoffeln zu zweifeln, so lege man Balken oder altes Holz auf den Boden; darauf mache man von Latten einen Rost, so daß die Kartoffeln nicht durchfallen können, ferner mache man von Pfosten und starken Brettern und dergleichen Seitenwände für die aufzuschüttenden Kartoffelhaufen, so daß diese die Mauer nicht berühren. Dadurch wird bewirkt, daß ein Luftzug noch an die Kartoffeln kommen kann, was die Erhitzung des Haufens vermindert.

Wenn man nun die Kartoffeln erst dann in den Keller gebracht hat, nachdem sie recht trocken geworden waren und gut ausgedünstet hatten, und wenn man sie, wie oben angegeben, im Keller aufschüttet, und endlich diesen so lange luftig hält (die Läden oder Lucken offen hält), bis eintretender Frost ein Verwahren gebietet, so hat man zu erwarten, daß sich auch solche Kartoffeln, welche zur Fäulniß Neigung haben, noch halten werden.

Man wird übrigens wahrnehmen, daß die Neigung zum Faulen zunächst oben auf den Haufen sich zeigt, weil da die heraufsteigenden Dünste sich theilweise halten. Deshalb soll man die zum Verbrauche nöthigen Kartoffeln immer oben vom Haufen ablesen, wenn man irgend eine Neigung zum Faulwerden bemerkt.

Je kleiner die zum Aufbewahren bestimmte Quantität Kartoffeln ist, desto weniger Umstände braucht man übrigens, wie begreiflich, damit zu machen.

c. Aufbewahrung in Magazinen über der Erde.

Die Aufbewahrung in Magazinen, welche halb oder noch weniger unter, und zum übrigen Theil über der Erde sich befinden, kömmt hier zu Lande selten vor. In Norddeutschland ist sie da, wo man den Kartoffelbau sehr ins Große treibt, sehr geschätzt. Ich bemerke nur darüber, daß gut eingerichtete Kartoffelmagazine die Vortheile der Keller, nicht aber deren Nachtheile darbieten, indem sie trockener und luftiger, auch weniger kostspielig sind.

d. Aufbewahrung im Freien.

Die Aufbewahrung der Kartoffeln in sogenannten Mieten ist bei zugenommener Ausdehnung des Kartoffelbaues vielfach in Gebrauch gekommen. Niemand wird behaupten, daß diese Art der Aufbewahrung besser sey, als die in guten

Kellern oder in guten Kartoffelmagazinen; allein man bedient sich ihrer, weil man geeignete Räume nicht ausreichend hat.

Sind die Kartoffeln gehörig abgetrocknet, so schüttet man dieselben in die etwa 1 Fuß tief in den Boden gemachten, und 5, höchstens 6 Fuß breiten, beliebig langen Gräben ein, nachdem man diese mit Stroh etwas ausgelegt hat. Die Haufen werden auf diese Weise dachförmig gebildet. Nun deckt man sie blos mit langem Stroh, das unten mit Erde etwas beworfen wird. Nach und nach gibt man etwas mehr Erde darauf. So lange es nicht zu frieren droht, müssen die Kartoffeln nur leicht, oben auf der spitzen First des Haufens gar nicht, mit Erde bedeckt seyn. Dagegen muß auf der Spitze viel Stroh liegen, etwa 1 Fuß dick, damit sich die Dünste darin verlieren. Droht Frost, so wird, bis zu 1 Fuß Dicke, Erdedecke aufgethan und festgeschlagen. Diese Erde nimmt man, da der Auswurf des Bettes der Miete dazu nicht ausreicht, aus Gräben, welche um die Mieten gezogen werden, wodurch diese zugleich gegen Nässe geschützt sind. Bei stärkerem Froste wird noch Laub oder Pferdemist und dergleichen übergedeckt. Gibt es wärmeres Wetter, so muß man diese Decke wieder abthun, auch von der Spitze die Erde abziehen. Besonders muß man gegen das Frühjahr nach oben Luft machen. Noch besser ist das Verfahren: Anfangs eine dünne Lage Stroh, und darauf eine 4- bis 5zöllige Erdlage, bei drohendem Froste später wieder so viel Stroh und eine zweite Erdlage zu geben. Letztere beide nimmt man zum Ende des Winters zuerst wieder weg.

In günstigen Jahrgängen halten sich die Kartoffeln in den Mieten gut, und im Allgemeinen besser als in schlechten Kellern. Allein in schlechten Herbsten und bei der Neigung der Kartoffeln zum Faulen hat man viele Last damit, und man muß fortwährend Sorge haben, daß eine solche Miete nicht anfängt zu faulen. Denn alsdann geht es sehr schnell damit. In sehr kalten Wintern ist wieder große Achtsamkeit nöthig, daß sie nicht erfrieren. Man deckt dann noch stärker mit Laub und Mist.

Während in den meisten früheren Jahren die Kartoffeln in Mieten sich hier gut hielten, haben sich alle nur etwas von der Krankheit befallenen darin so schlecht gehalten, daß wir sie bei dem gelinden Wetter in diesem Winter größtentheils wieder herausthun, durchlesen und nach andern Räumen bringen mußten.

Ueberdies erfordern die Mieten viele Arbeit und es geht vieles Stroh dabei zu Grunde.

Die Aufbewahrung in wirklichen Gruben, welche in trocknen Boden mitunter im Gebrauche ist, bietet keine Vorzüge vor den Mieten dar; in nassen Wintern ist sie wohl noch bedenklicher.

8. Besondere Maßregeln, um guter Saatkartoffeln versichert zu seyn.

Wie schon im vierten Abschnitte bemerkt worden ist, so wird auf die Saatkartoffeln häufig zu wenig Sorgfalt verwendet, und daß dies so lange her und so häufig geschehen ist, darin haben wir gewiß manchen Anlaß zum minder guten Gedeihen der Kartoffeln zu suchen. Wir wollen diese wichtige Angelegenheit in folgenden Punkten näher betrachten.

a) Schon auf die Auswahl guter mehlreicher Sorten wird öfters zu wenig gesehen. Wir können uns hier nicht darauf einlassen, die vielen Kartoffelabarten, welche es gibt, einzeln zu beurtheilen. So viel ist aber gewiß, daß man zum Speisen eine recht mehlreiche, wohlschmeckende und haltbare Sorte wählen soll. Es gibt dergleichen unter den weißen oder gelben, den rothen und den blauen, oder selbst marmorirten. Eben so finden wir unter den Früh- und unter den Spätkartoffeln gute Abarten. Recht gute Sorten gehören aber immer nur zu denen, welche blos von mittlerer Größe durchschnittlich sind. Die ganz großen, aber mehr wässerigen und minder wohlschmeckenden Viehkartoffeln, Rohankartoffeln und dergleichen mehr möge man für das Vieh in angemessenem Verhältnisse bauen.

b) Wer gute Saatkartoffeln erziehen will, soll dazu ungedüngtes, aber noch kräftiges Land nehmen, wie Kleeland, Wintergetreidestoppeln rc. (s. 1. Abschnitt.) In starker frischer Düngung erzogene Kartoffeln sind weit weniger sicher zur Saat, faulen leichter und erzeugen leichter wieder kranke schlechte Kartoffeln. Man sey daher besonders besorgt für die Auswahl eines recht geeigneten Landes für die Erziehung des Samens. Daß man sodann die gesündesten mittelgroßen Kartoffeln schon bei der Erndte auswählen solle, ist oben S. 16 schon gesagt.

c) Ist die Aufbewahrung schon wichtig wegen guter Erhaltung der Verbrauchskartoffeln, so ist sie noch wichtiger wegen guter Erhaltung des Saatgutes. Man vermeide besonders starke Erhitzung (Gährung) der in Kellern oder in Mieten aufbewahrten Haufen; man mache von den Saatkartoffeln lieber kleinere Mieten, und decke die in Mieten aufbewahrten im Frühjahre zeitig ab, und bringe sie an kühle luftige Plätze. Zeigt sich Neigung zum Ausschlagen der Keime, so müssen sie umgearbeitet oder besser umgelesen, und die mit sehr stark ausgetriebenen Keimen müssen auf die Seite gethan werden; denn jede Kartoffel, welche schon sehr starke Keime getrieben hat, ist schlechter zur Saat. Besonders ist bei Kartoffeln, welche in der Aufbewahrung etwas gelitten und Neigung zur Trockenfäule haben, große Vorsicht nöthig. Man vermeide namentlich auch die zur Saat bestimmten Kartoffeln vorher in der Sonne auf Haufen ausgeschüttet, oder in Säcken längere Zeit liegen zu lassen.

d) Eine neuerer Zeit empfohlene Weise, gute Samkartoffeln zu ziehen, verdient Nachahmung. Man hält etwas Samkartoffeln in einem möglichst kühlen und trocknen Keller bis zum Augustmonat zurück, und legt diese nun auf einige Gartenbeete in Reihen, und behandelt sie später wie andere Kartoffeln. Sie kommen vor Winter häufig noch zur Blüthe, und werden im Spätherbst sehr hoch angehäufelt, so daß das Kraut fast ganz bedeckt ist. Wenn es anfängt zu frieren, so werden die Kämme mit Pferdemist und Laub bedeckt, damit die Kartoffeln nicht erfrieren. Diese Decke wird gegen das Frühjahr wieder abgenommen, und im April nimmt man die zwar nicht sehr großen, aber sehr schönen sogenannten Winterkartoffeln heraus, die nun ein ganz vorzügliches Saatgut abgeben, aus dem man reichliche Erndten guter, gesunder Kartoffeln erhält.

e) Endlich haben wir des Erziehens von Samkartoffeln aus dem Samen der Kartoffelpflanze zu gedenken. Ist es auch noch nicht erwiesen, daß durch das stete Fortpflanzen mittelst der Knollen die Kartoffelpflanze in ihrer Fortpflanzungs- und Ertragsfähigkeit geschwächt sey, so haben wir den bei der Kultur und bei der Behandlung der Saatkartoffeln begangenen Fehlern doch gewiß manche der Rückschritte zuzuschreiben, die der Kartoffelbau neuerer Zeit gemacht hat. Es kann darum nur rathsam seyn, von Zeit zu Zeit die Kartoffeln aus Saamen zu verjüngen, und wenn die Nachzucht daraus auch nicht vor Krankheiten unter allen Umständen gesichert ist,*) so hat man doch neuerer Zeit viele Erfahrungen gemacht, welche bewiesen haben, daß man von den Kartoffeln die aus Samen erzogen waren und zur Saat gebraucht wurden, eine reichere und bessere Erndte erzielte, als von den von Alters her aus den Knollen fortgezogenen Saatkartoffeln. Insbesondere gehören hierher die von Albert im Anhaltschen und von Tinzmann in Schlesien bekannt gemachten Resultate.

Daß man zu dem Ende die reifsten und schönsten Samenäpfel auswählen und sie liegen lassen soll, bis sie ganz weich geworden, und daß man alsdann sie im Wasser zerdrücken, den Samen auswaschen und trocknen und bis zur Saat aufbewahren soll, ist schon längst bekannt. Dagegen hat die Erziehung aus Samen in den letzten Jahren dadurch einen großen Fortschritt gemacht, daß man die Pflanzen von

*) In Hohenheim konnten wir an einigen aus Samen gezogenen kleinen Kartoffeln die Krankheit bemerken; besonders war sie aber bedeutend unter den ersten Nachkommen von den 1844 aus Samen gezogenen, 1845 dann ausgelegten Knollen.

den im April in Gartenland in Reihen ausgesäeten Samen, nachdem sie handlang geworden, auf den Acker verpflanzt, ganz so wie ich es oben S. 19 für die von den in Samenbeete gelegten Knollen erzogenen Pflanzen angegeben habe. Der Finanzrath Albert gibt sogar an, daß er von den aus Samen gezogenen, Anfangs Juni verpflanzten Kartoffelpflanzen gleich im ersten Jahre bessere Erndten erhalten habe, als von den ausgelegten Knollen. Jedenfalls ist diese Samenzucht mittelst der Pflanzung aller Beachtung werth, besonders auch in diesem Jahre, und wer irgend Gelegenheit hat, Kartoffelsamen zu erhalten, sollte nicht unterlassen, Versuche damit zu machen.

Dieses Verfahren ist meines Wissens zuerst von dem Gärtner Zander zu Boitzenburg (in Preußen) bekannt gemacht, welcher jedoch den Samen im März in Mistbeete ausgesäet und dann die Setzlinge im Mai verpflanzt hatte. Der Gemeindeförster Mayer in Rotenberg (bei Cannstadt) schlägt vor, (s. Wochenblatt für Land- und Hauswirthschaft 1845, Nro. 45) schon im Februar den Samen in Kästchen, die man im Zimmer stehen hat, zu säen und schon im April zu verpflanzen. Jeder Stock enthalte dann bis zum Herbst 30 bis 40 schöne Samkartoffeln für das andere Jahr.

Schlußbemerkungen.

Wenn schon dieses Schriftchen der Kultur der Kartoffel und nicht der verschiedenartigen Benutzung derselben gewidmet ist, so will ich doch nicht unterlassen, hinsichtlich der Benutzung für unseren Landmann noch einige Andeutungen beizufügen, wünschend, daß sie gewürdigt und benutzt werden möchten.

Wie wir alle überzeugt seyn müssen, so würde diese Frucht für den allgemeinen Gebrauch einen noch größeren Werth haben und uns mancher Sorgen überheben, wenn sie sich durchs ganze Jahr hindurch gleich gut und sicher aufbewahren ließe. Eine längere sichere Aufbewahrung ist aber nur möglich, nachdem die Wässerigkeit aus den Kartoffeln entfernt ist. Wir wollen hier nicht untersuchen, wie durch eigens eingerichtete Trockenanstalten der Zweck im Großen erreicht werden könne. Daß aber in jeder Haushaltung vom Herbst bis zum Frühjahr ohne Mehraufwand an Brennmaterial täglich eine Quantität Kartoffeln gekocht (gedämpft), verkleinert und getrocknet werden könne, und daß diese trockenen Kartoffeln sich zu den verschiedenen Kartoffelgerichten, als Suppe, Gemüse ꝛc., sehr wohl eignen, das ist Alles schon oft empfohlen worden und Vielen bekannt, aber nur Wenige thun darnach.

Ferner ist besonders hervorzuheben, daß die getrockneten Kartoffelstückchen sich zu gutem Mehl vermahlen lassen, und dieses ein gutes Brod gibt, wenn es zur Hälfte unter Getreidemehl verbacken wird. Auch gekochte; geriebene Kartoffeln können bekanntlich zu Brod mit verbacken werden, und das Brod wird gut, wenn höchstens zur Hälfte Kartoffeln genommen werden.

Hinsichtlich des Verbrauchs zur Fütterung möge noch bemerkt seyn, daß das Einsalzen der gedämpften, zum Theil von der Krankheit sehr ergriffenen Kartoffeln in Standen (Fässer) oder ausgemauerten Behältern sich fortwährend hier als ganz vorzüglich bewährt hat. Die gedämpften Kartoffeln werden gemahlen und mit Viehsalz sogleich eingesalzen, und zwar aufs Simri Kartoffeln ½ Pfund Viehsalz. Dann sorgt man dafür, daß die Brühe so weit vermehrt wird, daß sie die mit Brettern und Steinen beschwerte Oberfläche bedeckt. Das Gesalzene hält sich sicher bis in den Sommer, und sowohl Kühe, wie Mastochsen, welche fortwährend davon erhalten, befinden sich vorzüglich gut dabei. — Will man aber mit Rindvieh oder Schafen die Kartoffeln roh füttern, so versäume man nicht, die geschnittenen oder gestampften Kartoffeln 24 Stunden mit Wasser übergossen stehen zu lassen, und dieses Wasser nach mehrmaligem Umrühren dreimal abzulassen und zu erneuern. Dadurch werden die ungesünderen Theile aus den Kartoffeln entfernt, und diese bekommen alsdann dem Vieh viel besser und laxiren namentlich weniger.

Inhalt.

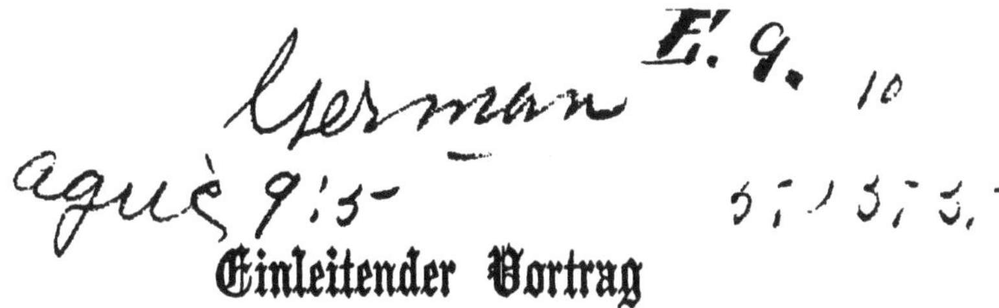

Einleitender Vortrag

über die Frage

„Welches ist die zweckmäßigste Form, in der Viehversicherungsanstalten für Gemeinden und Genossenschaften einzurichten sind"

gehalten von

Professor Dr. L. Rau aus Hohenheim

in der

Braunschweiger Versammlung.

(Abdruck aus dem amtlichen Bericht über die XX. Versammlung deutscher Land- und Forstwirthe.)

Heidelberg.

Buchdruckerei von Georg Mohr.

1860.

Es ist vielfach bezweifelt worden, daß das Rindvieh ein Gegenstand der Versicherung sein könne, allein wenn sich auch eigenthümliche und erhebliche Schwierigkeiten der Versicherung entgegenstellen, so muß man dieselben überwinden lernen, denn die Viehversicherung ist ein Bedürfniß, wie der Ersatz des Kapitals bei Brand- oder Hagelschaden.

Das Rindvieh ist nicht nur für den einzelnen Landwirth als wichtigster Theil des Inventars, sondern selbst in volkswirthschaftlicher Beziehung durch die erstaunlichen Werthe, die es darstellt, von einschneidender Bedeutung. Veranschlagt man doch das gesammte Viehcapital Deutschlands auf 3 Milliarden Thaler.

Allerdings hat der Verlust an Rindvieh nicht für alle Besitzer eine gleiche Bedeutung. Der große und reiche Gutsbesitzer, Pächter oder Bauer wird gewöhnliche Verluste um so leichter verschmerzen, da auf dem Hofe die Möglichkeit der Verwerthung schlachtbarer Thiere gegeben ist. Allein wenn Seuchen immer und immer wieder seinen Viehstand zehnten, wird er schließlich Sehnsucht nach einer Versicherungsanstalt empfinden. Geradezu bedenklich wird die Sache, wenn ohnedem Mangel an Betriebscapital vorhanden ist. Den Minderbegüterten trifft der gewöhnliche Verlust schon schwerer; bei dem kleinen Bauer oder Tagelöhner vollends ist das Eingehen einer Kuh oft genügend, um ihn in die Hände habsüchtiger Handelsleute und an den Bettelstab zu bringen.

Aus dieser Betrachtung ergibt sich, daß es verschiedene Anstalten geben müsse: 1) solche, die für mittelgroße und kleine Landwirthe den Schaden der gewöhnlichen Sterbe- und Unglücksfälle ersetzen, und 2) solche, welche auch dem großen Landwirthe die durch Viehseuchen entstandenen Lücken im Capital ausfüllen. In den verschiedenen Ländern wird je nach dem Vorherrschen des großen oder kleinen Grundbesitzes bald mehr die eine, bald mehr die andere Art Bedürfniß sein.

Das Bestreben, die Verluste durch Viehsterben dem Einzelnen minder fühlbar zu machen, führte schon in unvordenklicher Zeit zur Gründung von Genossenschaften, die heute noch im Urzustande in Nord- und Süddeutschland massenhaft zu finden sind. Seit Anfang des vorigen Jahrhunderts besitzen Frankreich und England derartige Vereine. In England war 1848 für 350 Millionen Thaler Vieh versichert, in Frankreich hatten 1854 allein 2 Gesellschaften für 10 Millionen Franken Vieh versichert und betrug die Gesammtversicherungssumme schon 1845 über 30 Millionen Franken. Friedrich der Große richtete 1765 in Schlesien Versicherungen gegen Seuchenverluste ein, Holland folgte nach, im Beginn dieses Jahrhunderts gesellten sich noch die Anhaltinischen Länder dazu. Ein rechtes Leben entwickelte sich jedoch erst von den 1830er Jahren an; um diese Zeit entstanden zahlreiche neue Vereine, alte verjüngten sich und gestalteten sich um, und so haben wir eine Musterkarte der mannichfaltigsten Einrichtungen vor uns. Die Frage:

> „Welches ist die zweckmäßigste Form, in der Viehversicherungen für Gemeinden oder Genossenschaften einzurichten sind?"

glaube ich nicht besser einleiten zu können, als durch Vorführung der Grundzüge der verschiedenen Anstalten und durch Mittheilungen über deren Schicksale.

Vor Allem sind mit den Viehversicherungen die Viehleihkassen nicht zu verwechseln. Beide Anstalten haben zwar das Bestreben gemein, Landwirthe in den Besitz von Vieh gelangen zu lassen, allein sie unterscheiden sich dadurch, daß die Versicherungen jedem Versicherten Schadensersatz leisten, er mag arm oder reich sein, während die Viehleihkassen dem Unbemittelten Vieh ankaufen und ihm dasselbe leihweise überlassen, bis es in dessen Eigenthum übergeht.

Die Viehversicherungsanstalten zeigen folgende Verschiedenheiten:

1) hinsichtlich der versicherten Thiere.

Die meisten Vereine nehmen nur Rindvieh an, darunter manche nur Kühe — andere auch Pferde, Schafe, Schweine, Ziegen. Ausgeschlossen sind Thiere von einem gewissen Alter, unter ½, unter 1, sogar unter 2 Jahren, oder alte Thiere, z. B. Kühe über 14 Jahre, oder die 10 Kälber gehabt haben (Angeln). Kranke Thiere werden nicht angenommen, Halb- oder Stell-Vieh gar nicht, oder nur zur Hälfte. Hochträchtige Kühe werden häufig nicht aufgenommen, neugekaufte nicht eher, bis die gesetzliche Gewährzeit vorüber ist. In der Regel muß der gesammte Viehstand versichert werden, mitunter darf nur eine gewisse Zahl (z. B. 2) aufgenommen werden.

2) hinsichtlich der Thierbesitzer.

Bald können alle Thierbesitzer Mitglieder einer Gesellschaft werden, welche sich alsdann über ganz Deutschland erstreckt, oder die Angehörigen einer Provinz, eines Kreises, eines Gaues, eines Amtes oder einer Gemeinde und Markung haben ausschließlich ein Anrecht auf die Aufnahme. Dieses wird jedoch nicht selten entzogen oder gar nicht ertheilt: Viehhändlern und Juden, notorischen Thierquälern, solchen die schon einmal betrogen haben, oder schon einmal versichert sind.

3) hinsichtlich der Einrichtung.

Es gibt viele, auf uraltem Herkommen beruhende Versicherungsanstalten, ohne alle Statuten, oder mit solchen von einigen wenigen Paragraphen. Diese kleinen Unternehmungen zeichnen sich durch Einfachheit und billige Verwaltung aus. Anderseits sind die größeren Anstalten häufig sehr künstliche Organismen mit Hunderten von Paragraphen, worin alle Vorkommnisse zum Voraus berücksichtigt, die Pflichten und Rechte der Theilnehmer genau festgestellt sind. Solche Anstalten erfordern umfassende Controlemaßregeln und darum ein zahlreiches Beamtenpersonal, also theuere Verwaltung. Die Privatvereine sind entweder Actienunternehmungen oder beruhen auf Gegenseitigkeit oder auf der Einzahlung fester Beiträge.

4) hinsichtlich der Staatsbetheiligung.

Manche Anstalten bedürfen nicht einmal der Staatsgenehmigung, z. B. wenn in Baden Gemeinden eine Anstalt gründen; andere gehen vom Staate aus und sind Zwangsanstalten, denen jeder Viehbesitzer beitreten muß (z. B. Schlesien, Holland). Die meisten bedürfen einer Staatsgenehmigung. Diese ist besonders bei Zulassung von ausländischen Unternehmungen nothwendig, da zahlreiche Betrügereien vorgekommen sind. Nicht selten entstehen Versicherungsanstalten unter Mitwirkung und Aufsicht von Gemeinden, Amtskörperschaften, Vereinen 2c.

5) hinsichtlich der Unfälle, gegen welche die Versicherung gerichtet ist.

Gewöhnliche Krankheiten und Unfälle, Sterbefälle, Blitz, Ueberschwemmung, Raub im Frieden, Sturz', Erdbeben, Hagel, Schneefall sind als Veranlassungen zur Entschädigung in den verschiedenen Satzungen aufgeführt. Der Brand ist meistens ausdrücklich ausgeschlossen; ebenso sind die Seuchen meistens ausgeschlossen, andere Versicherungsanstalten schließen dieselben mit ein, einzelne sind sogar nur gegen den Schaden durch Seuchen gerichtet.

6) hinsichtlich der Dauer der Versicherung

setzen manche nur eine 3monatliche, andere eine 1/2jährige, eine 1, 2, 3 bis 10jährige Versicherungsdauer fest.

7 u. 8) hinsichtlich des Beitrages und der Entschädigung.

Bei den einfachsten Einrichtungen findet keine bestimmte Einzahlung statt, sondern in jedem einzelnen Falle wird das Fleisch der schlachtbaren Thiere um einen mäßigen Preis (1 bis 2 Thlr. unter der Taxe) an die Vereinsmitglieder verkauft. Das Schlachten und Verkaufen des Fleisches besorgt bald der Thiereigenthümer, bald der Verein; die Abnahme des Fleisches von Seiten der Mitglieder wird bald als ein Recht, bald als eine Pflicht angesehen. Die

Haut und die Abfälle sind entweder Eigenthum der Gesellschaft oder des Thierbesitzers. Kann das verunglückte Thier nicht geschlachtet werden, so hat der Eigenthümer das Recht, bei den Mitgliedern Geldbeiträge einzusammeln oder durch den Verein einsammeln zu lassen. Die Gabe ist entweder in das Belieben der Einzelnen gestellt, oder festgesetzt und richtet sich, wie die Abnahme des Fleisches, meist nach der Stückzahl der versicherten Thiere.

Ist die Einrichtung weniger einfach, so wird der Schaden für jeden einzelnen Fall von Schätzern festgestellt und, nach Abzug des Werths der Haut oder sonst allenfalls verwendbaren Theile, von der Gemeinde ganz oder theilweise bezahlt, oder auf die Viehbesitzer je nach deren Stückzahl umgelegt, oder endlich werden Bauschsummen bezahlt, z. B. für einen Ochsen 50 fl., für eine Kuh 30 fl., für ein 2—3jähriges Rind 20 fl., für ein 1—2jähriges 15 fl.

Anders gestaltet sich die Sache bei vollkommener eingerichteten Versicherungsanstalten. Hier werden alle 1/4, alle 1/2 Jahr oder alljährlich Beiträge eingezahlt, welche sich nach der Höhe des versicherten Capitals richten; dies wird entsprechend alle 1/4, alle 1/2 Jahr, oder alljährlich neu eingeschätzt. Statt dessen kommen für das verschiedene Alter und Geschlecht der Thiere feste, oder nach Jahrgängen wechselnde (Köln-Münster) Beiträge vor. Die Höhe des Beitrages wechselt von 2% (Münsingen) bis 4 1/3 % (Dresden) des versicherten Capitals.

Der Schadenersatz ist meistens kein vollständiger, weil die Sorgfalt der Thiereigenthümer die Verhütung des Schadens anstreben soll. Seine Höhe wechselt von 33% bis 90% der versicherten Summe; 75% kann man als Durchschnitt annehmen. Die Häufigkeit der Todesfälle und deren Ursache verändert häufig die Entschädigungssumme, z. B. wenn Thiere durch Klee gebläht zu Grunde gehen, zahlt man in Münsingen nur die Hälfte der Versicherungssumme, außerdem aber 2/3. — Der Schadenersatz wird manchmal nach Classen festgestellt; so zahlt man in Hannover von

10 Thalern (im Harz) bis zu 25 Thalern (im Lande Hadeln), d. h. kaum die Hälfte des Werthes. Um auszahlen zu können, sind Cassenvorräthe nothwendig, daher müssen bei den meisten Anstalten die Eintretenden einen Vorschuß leisten unter dem Namen Prämie, Caution, Einlage, Legegeld, Haftgeld, Eintrittsgeld, der den Austretenden nicht selten wieder zurückerstattet, häufiger jedoch zu einem Reservefonds gesammelt wird. Die Höhe dieser Zahlung beträgt gewöhnlich 1% des versicherten Werthes.

Ueberblickt man das Schicksal und die Wirksamkeit der verschiedenen Vereine, so fällt sogleich die Thatsache in die Augen, daß 1) die meisten großen, über ganze Länder verbreiteten Vereine nicht bestehen konnten oder ein kümmerliches Dasein fristen. Zu Grunde gegangen sind die Anstalten in Leipzig, Heilbronn, Frankfurt, Waldeck, Darmstadt, Breslau, Oppeln, München, Basel, Triest, Köln-Münster 2c. Nur in Dresden besteht noch eine allgemeine Anstalt, in welcher etwa für 300,000 Thaler Vieh versichert ist; 2) daß Anstalten, welche kleine Länder, einzelne Provinzen umfassen, sich schon etwas lebensfähiger zeigen. Viele sind gescheitert, z. B. Magdeburg, Potsdam, Neckarkreis in Würtemberg, aber 3 dieser Art bestehen noch, nämlich die Pfälzer, die Braunschweiger und Starkenburger Versicherungsgesellschaft; letztere im Großherzogthum Hessen; 3) daß kleine, nur auf einzelne Gemeinden sich erstreckende Vereine mit und ohne Satzungen, in England, Deutschland und der Schweiz zu Tausenden bestehen und segensreich wirken. In Schleswig-Holstein heißen sie Kuhgilden, in England Kuhclubs, in Hannover gibt es deren gegen 500, in Würtemberg 60 mit Satzungen, Hunderte ohne solche.

Die Ursache dieser Erscheinung liegt auf der Hand. Je größer die Ausdehnung eines derartigen Unternehmens wird, um so schwieriger wird die Ueberwachung, daher wachsen die Verwaltungskosten mitunter bis zu 60% der Gesammtausgaben. Je größer der Bezirk ist, um so ungleicher wird zugleich die Gefahr und darum wird günstig gestellten Thierbesitzern zugemuthet werden müssen, eine unverhältnißmäßig hohe Einzahlung zu machen, um den Schaden zu decken, der in andern Gegenden um vieles größer zu sein pflegt. Die Sterblichkeit des Rindviehs ist im Grunde noch wenig gekannt, doch weiß man, daß die Abweichungen nach den verschiedenen Gegenden und Jahrgängen beträchtlich sind. In Frankreich beträgt sie 1,71 %, in Hannover 1,81 % und zwar im Herzogthum Arenberg-Meppen nur 1,11 %, dagegen im Harz 4,11 %. In Würtemberg schwankte sie in den einzelnen Jahrgängen wie folgt:

1841: 1,26 %.	1844: 1,80 %.
1842: 2,25 %.	1845: 3,25 %.
1843: 4,05 %.	1846: 3,00 %.

Im Durchschnitt also 2,65 %. Es leuchtet ein, daß Thierzüchter sich von der Versicherung zurückziehen, sobald sie bemerken, daß sie eine höhere Einzahlung leisten, als ihr jährlicher Verlust beträgt, umgekehrt werden solche eintreten, welche einen größeren Verlust zu erleiden pflegen als die Einzahlung ist, und die somit gewinnen. Die Guten treten also aus, die schlechten bleiben zurück. Die kleinen Vereine erscheinen mithin für die gewöhnlichen Fälle als die zweckmäßigsten, sie veranlassen wenig oder keine Verwaltungskosten und die Ueberwachung geschieht gegenseitig durch die Mitglieder selbst, also abermals umsonst.

Die Hauptschwierigkeit bieten aber offenbar die Seuchen. Durch dieselben werden massenhaft Thiere weggerafft und zwar auf die Gegenden, wo sie gerade hausen, oft beschränkt. Locale Einrichtungen, sonst die besten, sind hier unzureichend; hier wären umgekehrt die größten Bezirke wünschenswerth, um eine möglichst zahlreiche Betheiligung zu erreichen. Man hat schon das Verlangen gestellt, der Staat solle die Versicherung gegen Seuchen in die Hand nehmen, allein der Staat verwaltet bekanntlich nicht zum billigsten; überdies widerstrebt dies dem Sinne tüchtiger Landwirthe. Zweckmäßiger dürfte die Gründung von großen Privatversicherungs-Vereinen gegen Seuchen sein, welche insofern vom Staate unterstützt würden, als derselbe die strengsten medicinalpolizeilichen Vorschriften gäbe und handhabte. Er müßte strenge überwachen, absperren, impfen, tödten lassen, um die Seuchen im Keime zu ersticken. Nur unter dieser Bedingung können große Privatgesellschaften bestehen, dann aber auch mit einer geringen Einzahlung.

Dieser letzte Vorschlag ist es vorzüglich, welchen ich zur Verhandlung und Besprechung empfehlen möchte, indem ich die Einführung kleiner Vereine in den Gemeinden als höchst wünschenswerth ansehe.

Entwürfe zu Satzungen für Viehversicherungsvereine.

I. Einfachste Form für kleine Gemeinden.

§. 1. Die Viehbesitzer einer Gemeinde oder Markung vereinigen sich zu einer Versicherungsgesellschaft, welche den Zweck hat, den einzelnen Viehbesitzern den unverschuldeten Verlust an Vieh weniger fühlbar zu machen.

§. 2. Ausgeschlossen sind Viehhändler, offenkundige Thierquäler, Solche, welche ihr Vieh schon anderweitig versichert haben und Solche, die die Gesellschaft schon betrogen haben.

§. 3. Die Versicherung erstreckt sich auf Rindvieh, das über 6 Monate und nicht über 14 Jahre alt ist. Sie erstreckt sich nicht auf Stell- oder Halbvieh, noch auf neuangekauftes Vieh, so lange die Gewährzeit nicht abgelaufen ist.

§. 4. Für Rindvieh, das an Krankheiten, Unfällen, Blitz, Sturz und dergleichen zu Grunde geht, wird eine Entschädigung gezahlt, welche $^3/_4$ des wirklichen Schadens beträgt. Wiederholen sich bei einem Viehbesitzer öfter Unglücksfälle, so sinkt die Entschädigung auf die Hälfte des wirklichen Schadens herab, desgleichen, wenn Aufblähen die Todesursache ist. Keine Entschädigung wird geleistet bei Seuchen oder Brandfällen, auch nicht, wenn dem Viehbesitzer grobe Fahrlässigkeit nachgewiesen werden kann, z. B. unterlassenes oder verspätetes Hülfesuchen bei dem Thierarzte.

§. 5. Der Schaden wird in jedem einzelnen Falle festgestellt und nach Abzug des Erlöses aus den verwendbaren Theilen des Thierkörpers auf die Viehbesitzer je nach der Anzahl ihrer Thiere umgelegt.

§. 6. Die Schätzung des Schadens geschieht durch einen Ausschuß von 3 Personen. Darunter ist einer der Rechner, welcher die Verwaltung besorgt, nämlich das Schlachten und Verwerthen der verunglückten Thiere, die Berechnung des wirklichen Verlustes, die Höhe der Umlage im Ganzen und für die einzelnen Mitglieder, den Einzug der Gelder und deren Behändigung an den Beschädigten.

§. 7. Der Ausschuß wird von dem Gemeinderath ernannt und empfängt aus der Gemeindecasse eine feste Belohnung. Wird er von der Gesellschaft ernannt, dann muß bei jedem Unglücksfall die Umlage für jedes versicherte Thier um $1/4$ — 1 Thlr. zu Verwaltungszwecken erhöht werden.

§. 8. Alljährlich legt der Ausschuß der Gesellschaft Rechenschaft ab, alljährlich erneuert sich die Gesellschaft. Kein Mitglied darf im Laufe des Jahres austreten.

Beispiele.

1. Es stürzt eine Kuh und muß geschlachtet werden. Der Ausschuß schlägt den Werth der Kuh, wenn sie gesund wäre, auf 100 Gulden an. Das Fleisch wird als genießbar verkauft. Aus dem Erlös desselben und der Haut, Klauen ꝛc. werden rein 40 fl. eingenommen. Der wirkliche Schaden beläuft sich daher auf 60 fl. Davon trägt der Beschädigte 15 fl.; 45 fl. werden umgelegt und dem Beschädigten nebst dem Erlös aus Haut, Fleisch ꝛc. eingehändigt. Er empfängt demnach 85 fl. Angenommen 120 Mitglieder seien mit 500 Stücken Vieh versichert, so beträgt die Umlage auf 1 Stück Vieh 5,4 Kr. Ein Besitzer von 10 Stück hätte demnach 54 Kr. zu steuern. Dazu gesellt sich ein Zuschlag von $1/4$ Kr. für die Verwaltung, also im Ganzen $56 1/2$ Kr. Der Zuschlag bringt 2 fl. 5 Kr. ein.

2. Es fällt wiederholt demselben Manne eine Kuh an Euterentzündung und Bauchfellentzündung. Der Ausschuß schlägt den Werth derselben, wenn sie noch lebend und gesund wäre, zu 100 Gulden an. Das Fleisch ist unbrauchbar, nur Haut und Klauen können verwerthet werden und bringen rein 10 Gulden ein. Der wirkliche Schaden ist daher 90 fl. Davon trägt der Beschädigte

die Hälfte, weil zu vermuthen ist, daß mangelhafte Pflege, fehlerhafte Stalleinrichtung an den wiederholten Verlusten schuldig sei. 45 fl. werden nebst dem Zuschlag umgelegt. Der Beschädigte erhält im Ganzen 55 fl.

Umlage-Liste zu I.

Datum der Umlage.	Name des zu Entschädigenden.	Für wieviel Stück.	Krankheit an der das Thier erlag.	Werth laut Schätzung.	Erlös aus dem Körper.	Wirklicher Schaden.	Höhe der ganzen Umlage.	Name der Umlagepflichtigen.	Zahl ihrer Vieh-Stücke.	Auf das Stück ... Kr. Ersatz thut.	Zahlte.	Rest.	Wurde gemahnt (Datum)

II. Vollkommnere Form für große Gemeinden.

§. 1. In der Gemeinde NN. tritt eine Anzahl Viehbesitzer zur Gründung einer Versicherungsgesellschaft gegen unverschuldeten Verlust an Vieh zusammen, welche so lange bestehen soll, als sich 12 Theilnehmer finden.

§. 2. Von der Theilnahme sind ausgeschlossen: Viehhändler, offenkundige Thierquäler, Solche, welche ihr Vieh schon anderweitig versichert, oder die Gesellschaft betrogen haben.

§. 3. Die Versicherung erstreckt sich auf Rindvieh, das über 6 Monate und nicht über 14 Jahre alt ist. Stell- oder Halbvieh ist ausgeschlossen, desgleichen neue, kranke oder hochträchtige Thiere und solche, deren Gewährzeit noch nicht abgelaufen ist.

§. 4. Für Rindvieh, das an Krankheiten und Unfällen aller Art, wie Ertrinken, Sturz, Blitz u. s. w. zu Grunde geht, wird eine Entschädigung von $^3/_4$ des eingeschriebenen Schätzungswerthes gezahlt. Wiederholen sich Unglücksfälle bei demselben Besitzer öfter, so sinkt die Entschädigung auf die Hälfte herab, ebenso wenn Aufblähen die Todesursache gewesen ist. Der Entschädigung geht verlustig, wer den Tod des Thieres durch grobe Fahrlässigkeit veranlaßt oder begünstigt hat, wer die Krankheit dem Ausschuß anzuzeigen unterläßt oder verzögert, wer den Anordnungen desselben oder des Thierarztes keine Folge leistet oder eigenmächtig und ohne dringende Veranlassung das erkrankte Thier tödtet. Seuchen und Brandfälle sind ebenfalls ausgeschlossen.

§. 5. Alle Vierteljahre kann der Eintritt stattfinden und dieser geschieht mit allen versicherbaren Thieren, der Austritt ist nur alle Jahr gestattet.

§. 6. Jedes zu versichernde Thier wird von dem Ausschusse untersucht, abgeschätzt und in die Listen eingeschrieben. Der ganze Viehstand wird alle Vierteljahre von Neuem eingeschätzt.

§. 7. Die Mitglieder sind verpflichtet, von allen Veränderungen ihres Viehstandes sogleich dem Ausschusse Anzeige zu machen, von dem Kalben der Kühe, von dem Schlachten, Verkauf, Einkauf, Tausch, besonders aber von Krankheiten.

§. 8. Sogleich nach erhaltener Anzeige besichtigt der Ausschuß das erkrankte oder verunglückte Thier und bestimmt, ob ein Thierarzt beigezogen oder das Thier geschlachtet oder dem Abdecker übergeben werden soll.

§. 9. Wird das Thier wiederhergestellt, so trägt der Eigenthümer die Curkosten. Geht es zu Grunde, so trägt die Gesellschaft $^2/_3$ der Curkosten und der Eigenthümer trägt $^1/_3$.

§. 10. Der Ausschuß besteht aus 5 von der Gesellschaft erwählten Mitgliedern, welche aus ihrer Mitte einen Vorstand und einen Rechner ernennen. Die Anwesenheit von 3 Mitgliedern ist zur Vornahme der Geschäfte genügend. Diese bestehen in der Aufnahme und Einschätzung der Thiere, in der Anordnung der Hülfe bei Unglücks- und Erkrankungsfällen, in der Ermittelung der Entschädigungsansprüche nach Maßgabe des §. 4.

§. 11. Der Rechner führt die Listen und die Casse, zieht alle Vierteljahre die Beiträge von den Mitgliedern ein, zahlt die Entschädigungssumme aus der Gesellschaftscasse aus, honorirt den Thierarzt, so weit dies der Verein thun muß, und verwerthet die verunglückten Thiere.

§. 12. Der Beitrag ist für 100 fl. Versicherungscapital 19 Kr. vierteljährlich oder 1 fl. 16 Kr. im Jahre = 1,26 Procent.

§. 13. Der Vorstand erhält keine Belohnung, die Ausschußmitglieder beziehen Taggelder, der Rechner empfängt für jedes versicherte Thier im Jahr 2 Kr. aus der Gesellschaftscasse.

§. 14. Alljährlich stattet der Ausschuß der Versammlung Bericht und legt Rechenschaft ab.

§. 15. Streitigkeiten werden durch ein Schiedsgericht geschlichtet.

Beispiel.

Angenommen, es seien in einer Gesellschaft 500 Stücke Vieh im durchschnittlichen Werth von 80 fl. versichert, so beträgt das Versicherungscapital 40,000 fl. Die Sterblichkeit ist in Würtemberg 2,65 %. Demnach gehen im Durchschnitt dieser Gesellschaft 13,25 Stück Vieh zu Grunde. Der Schaden beläuft sich demnach auf 1060 fl. Davon haben die Mitglieder 1/4 zu tragen = 265 fl.; die Gesellschaft hat 3/4 zu tragen = 795 fl. Zu dieser Ausgabe für Entschädigungen gesellt sich die für die Verwaltung. 16 fl. 40 Kr. erhält der Rechner; die Ausschußmitglieder beziehen 8—10 fl., die Schreibmaterial-, Druck- rc. Kosten belaufen sich mit den Curkosten, welche die Gesellschaft angehen, auf 8—9 fl., so daß die Verwaltung 35 fl. kostet. Die Gesammtausgabe beträgt 830 fl. Die Einnahmen werden gebildet aus den Vierteljahrsbeiträgen der Mitglieder mit 633 fl. Dazu gesellt sich der Erlös aus dem Fleisch, der Haut rc. der verunglückten Thiere. Dieser Erlös kann zu 1/5 des versicherten Werthes dieser Thiere angeschlagen werden, also zu 212 fl. Demnach beträgt

die Gesammteinnahme	845 fl.
die Gesammtausgabe	830 fl.
Es bleibt ein Rest von	15 fl.

Ein Ueberschuß ist wünschenswerth, um für schlimme Jahre einen Sparpfennig zu haben; manchmal steigt die Sterblichkeit auf 4%. Sollte sich im Laufe der Jahre eine geringere Sterblichkeit, als hier angenommen ist, ergeben, so bleibt es der Gesellschaft überlassen, den Beitrag herabzusetzen oder die Entschädigung zu erhöhen, oder einen Geldvorrath anzusammeln, um auch für Seuchen Entschädigung zu leisten.

Bei Vergleichung dieser 2 Formen erscheint die zweite insofern genauer, als die versicherten Thiere 4 Mal jährlich untersucht und eingeschätzt werden, dahingegen bei der ersten die Schätzung erst nach ausgebrochener Krankheit oder gar erst nach dem Tode vorgenommen wird. Andererseits ist hier die Entschädigung eine höhere. Der Erlös von Fleisch, Talg, Haut 2c. kommt außer $^3/_4$ des Schadens dem Eigenthümer völlig zu gute, bei der zweiten Form nur zum Theil, weil die Gesellschaft höhere Verwaltungskosten zu decken hat. Diese betragen bei der ersten Form 2,4% aller Ausgaben, bei der zweiten 4,2% und bei dem Pfälzer Verein 8,5%. Nimmt man ganz gleiche Verhältnisse an, so ist der jährliche Beitrag eines Besitzers von 10 Stück Vieh bei der ersten Form 13 fl. 8 kr., bei der zweiten 16 fl. 36 kr. Der Beschädigte empfängt bei der ersten Form (das Thier zu dem Werthe von 80 fl. angenommen) eine Entschädigung von 64 fl.; bei der zweiten nur 48 fl., aber $^2/_3$ der Curkosten.

Versicherungsliste zu II.

Datum der Anmeldung zur Versicherung.	Name des Versicherten.	Zahl der versicherten Thiere.	Geschlecht, Farbe, Raçe.	Alter.	Werth der Thiere. Einschätzung vom I. Quartal.	II.	III.	IV.	Höhe des Beitrags	Zahlt.	Rest.	Wurde gemahnt am (Datum)

Entschädigungsliste zu II.

Name des zu Entschädigenden.	Für wieviel Stück.	Krankheit, an der das Vieh erlag.	Todestag.	Werth laut der letzten Schätzung.	Erlös aus Fleisch.	Talg.	Haut.	Klauen 2c.	Abfälle.	Curkosten.	Ersatzpflicht der Gesellschaft.	Es wurde vergütet.	Den Empfang bescheiniget

Rechenschafts-Bericht

des

Großherzoglich Hessischen

landwirthschaftlichen Vereins

der

Provinz Starkenburg.

$18^{42}/_{43}$.

I. Stand der Mitglieder.

Nach dem bei Anfang der jetzt ablaufenden Wirksamkeit des Ausschusses auf den 1. November 1840 aufgestellten Verzeichnisse betrug die Zahl der Mitglieder 569
die derzeitige beträgt nach der kürzlich, Behufs der Einladung zur heutigen Versammlung, aufgestellten Liste 625
und sind heute noch an neuen Mitgliedern aufgenommen worden 18

Gesammtzahl der Mitglieder . . 643

wonach sich die Zahl der Vereinsmitglieder in diesen 3 Jahren um 74 vermehrt hat.

Auf die einzelnen Kreise und Bezirke der Provinz vertheilt sich die gegenwärtige Mitgliederzahl wie folgt:

Bensheim	84.	Großgerau . . .	103.
Breuberg	59.	Heppenheim . . .	73.
Darmstadt	89.	Offenbach	60.
Dieburg	107.	Wimpfen	3.
Erbach	49.	Ausland	16.

Hinsichtlich der Theilnahme des Publikums, als Mitglieder des Vereins, zeigen die Kreise rc. unter sich folgende Verhältnisse:

Bei Bensheim, Offenbach und Erbach steht die Zahl der Mitglieder zurück, sowohl im Allgemeinen, als in Bezug auf die Herren Ortsvorsteher, letzteres ganz besonders bei Erbach. Bei Breuberg ist nur die geringe Theilnahme der Großh. Bürgermeister auffallend. In Darmstadt ist die Mitgliederzahl trotz der großen Bevölkerung doch verhältnißmäßig die größte; Dieburg und Heppenheim zeigen, sowohl in Bezug auf die Theilnahme im Allgemeinen, als im Besonderen von Seiten der Großh. Bürgermeister das Durchschnittsverhältniß; bei Großgerau ist sie von Seiten der Großh. Bürgermeister die umfassendste, die der eigentlichen Landwirthe nähert sich dem Durchschnittsverhältniß; bei Wimpfen ist die Theilnahme des Publikums verhältnißmäßig die geringste, was mit der Entlegenheit dieses Bezirks entschuldigt werden muß.

Eine erfreuliche Erscheinung ist die kürzlich, auf Veranlassung des Großh. Bürgermeisters Barthel, zu Büttelborn erfolgte Bildung eines landwirthschaftlichen Ortsvereins aus Bürgern, die sich gegenseitig verbindlich machten, landwirthschaftliche Verbesserungen in ihren Wirthschaften so viel möglich einzuführen. Diese Verbesserungen sind zum Voraus bezeichnet und sehr richtig gewählt. Das Nähere über diesen Verein werden Sie durch die landwirthschaftliche Zeitschrift erfahren. — Auch die kürzlich zu Gernsheim stattgehabte öffentliche Ausstellung von Gegenständen des Garten- und Feldbaues ist das erfreuliche Zeichen eines regen Interesses nicht allein für erhöhete Benutzung des Bodens, sondern auch für seine Verschönerung. Ueberzeugt von dem großen Nutzen von bezirksweise statthabenden Versammlungen der Vereinsmitglieder, in Absicht auf größere Frequenz derselben durch den eigentlichen Bauernstand, als auch genaueres Bekanntwerden mit den lokalen Bedürfnissen, wird der Präsident in Zukunft besondern Bedacht auf noch häufigere Veranstaltung solcher Versammlungen nehmen. Auch wäre billigermaßen im Bezirke Wimpfen, der, seiner Entlegenheit halber, an unsern Versammlungen wie an unsern Preisvertheilungen nicht wohl Theil nehmen kann, im nächsten Jahre eine solche Versammlung mit Vieh-Preisvertheilung abzuhalten.

II. Auszeichnungen durch den Verein.

a. Ehrenmitglieder.

Eine Aufnahme von solchen hat im laufenden Jahre nicht stattgefunden. Im Ganzen hat der Hauptverein an solchen seit seinem Bestehen 49 aufgenommen, von denen noch 40 am Leben sind. Wir führen ihre Namen dießmal einzeln auf, um Ihnen bei etwaigen Anträgen weiterer Aufnahmen die Uebersicht zu erleichtern, ob nicht der einen oder anderen Person, welche dieser Auszeichnung besonders würdig gehalten wird, dieselbe schon zu Theil wurde.

Verzeichniß der Ehrenmitglieder der landwirthschaftlichen Vereine im Großherzogthum Hessen.

Großherzogthum Hessen.

Herr Becker, Oekonom zu Petersau bei Mainz.
„ v. Dörnberg, Freiherr, Oberforstmeister zu Lorsch.
Seine Erlaucht der Herr Graf Albert zu Erbach-Fürstenau.
Herr Dr. Liebig, Professor zu Gießen.
Seine Excellenz der dirigirende Herr Staatsminister Freiherr du Thil zu Darmstadt.
„ Dr. Zeller, Großh. Oekonomierath und beständiger Sekretär der landwirthsch. Vereine des Großherzogthums Hessen.

Großherzogthum Baden.

Herr v. Babo, Freiherr, zu Weinheim, Vorstand der Unterrheinkreis-Abtheilung des Bad. landwirthschaftlichen Vereins.

Herr Bronner, Oekonomierath zu Wiesloch.
" Metzger, Universitätsgarten-Inspector zu Heidelberg.
" Dr. Vogelmann, Ministerialrath zu Carlsruhe.

Königreich Bayern.

Herr v. Camuzzi, Gutsbesitzer zu Dirmstein.
" Geyer, Professor zu Würzburg.
" Baron v. Ginanth, zu Winnweiler im Kreise Pfalz.
" v. Hazzi, Staatsrath zu München.

Stadt Frankfurt.

Herr Dr. Wöhler, Stallmeister zu Frankfurt.

Kurfürstenthum Hessen.

Herr Dr. Cassebeer, zu Bieber bei Gelnhausen.
" Schwarz, Jac. Heinrich, Oeconom zu Fulda.
" Wenderoth, Oekonomierath zu Cassel, Mitvorstand des leitenden Ausschusses des landw. Vereins.

Herzogthum Nassau.

Herr Albrecht, Geheimer Regierungsrath, beständiger Secretär des Herzogl. Nass. landw. Vereins und Director des landw. Instituts zu Wiesbaden.
" v. Greiffenklau-Vollrats, Freiherr, Kämmerer und Major zu Winkel.
" Heckler, zu Eltville im Rheingau, Verwalter des Johannisberges.
" Hofmann, Georg, Gutsbesitzer zu Hochheim.
" v. Kruse, General, zu Wiesbaden, früherer Präsident des landwirthschaftlichen Vereins.
" v. Ritter, Freiherr, Herzogl. Kämmerer und Rechnungskammer-Präsident zu Wiesbaden.
" Schenck, Geheimer Rath zu Wiesbaden, vormals Präsident des landwirthschaftlichen Vereins.

Königreich Preußen.

Herr Block, Amtsrath zu Schirau in Schlesien.
" Jäger, Fürstlich Wittgenstein'scher Forst- und Cameraldomänen-Director zu Laasphe.
" Koppe, Amtsrath auf Wollup im Oderbruch.
" Dr. Pabst, Geheimer Finanzrath zu Berlin.
" Pistorius, Gutsbesitzer zu Weißensee bei Berlin.
" v. Schwerz, früherer Director der Hohenheimer Anstalt, zu Coblenz.
" v. Zetto, Gutsbesitzer zu St. Wendel bei Trier.

Königreich Sachsen.

Herr Dr. Schweitzer, Professor zu Tharandt.

Großherzogthum Sachsen-Weimar.

Seine Excellenz der Freiherr v. Riedesel, Landmarschall zu Eisenbach, zu Neuenhof bei Eisenach.

Königreich Württemberg.

Herr v. Ellrichshausen, Freiherr, Kammerherr, Großh. Badischer Geheimer Rath zu Meisenhelden.

„ v. Gärttner, Excellenz, Geheimer Rath, Präsident der Centralstelle des landwirthschaftl. Vereins, zu Stuttgart.

„ v. Hartmann, Excellenz, Geheimer Rath, früherer Präsident des landwirthschaftlichen Vereins, zu Stuttgart.

„ Dr. Knaus, Professor zu Tübingen.

„ v. Röder, Freiherr, Generallieutenant, Excellenz, zu Ludwigsburg.

„ v. Weckherlin, Geheimer Hof-Domänen-Rath, Director des landwirthschaftlichen Instituts zu Hohenheim.

b. Verleihung der landwirthschaftlichen Verdienstmedaille und öffentliche Belobungen.

In heutiger Sitzung wurden an solchen folgende beschlossen: (Sie sind S. 175 u. folg. der Beilagen bereits veröffentlicht.)

III. Verkehr mit auswärtigen Gesellschaften, Vereinen 2c.

Zu den Gesellschaften und Vereinen, mit welchen der unsrige seither in Verbindung stand, ist im Jahre 18⁴²/₄₃ neu hinzugekommen:

das Königl. Preuß. Landes-Oekonomie-Collegium zu Berlin, und
der Verein gegen Thierquälerei in Berlin.

Eine interessante Erscheinung war ganz besonders im verflossenen Jahre das große Interesse, welches das Ausland unserem Vereine gewidmet hat. Von vielen Seiten erfolgten Anfragen über die Organisation unseres Vereins,*) unsere Kulturgesetzgebung, insbesondere das Wiesenkulturgesetz, unsere Wiesenbauten, das neue Feldstrafgesetz, das Institut des Landesgestüts 2c. — Ja, wir hatten deßhalb viele persönliche Besuche von Ausländern. Der Director der Königl. Württembergischen land- und forstwirthschaftlichen Anstalt zu Hohenheim, Herr v. Weckherlin, verweilte hier im Laufe des verflossenen Sommers mehrere Tage, um die früher an der Weschnitz

*) Sehr rühmlich war desselben kürzlich in einem Artikel des 3. Heftes der Cotta'schen deutschen Vierteljahrsschrift von 1843 erwähnt.

und in neuester Zeit an der Gersprenz, unter der Leitung des landwirthschaftlichen Vereins ausgeführten Wiesenbewässerungen in Augenschein zu nehmen. Bald darauf ordnete derselbe 2 Zöglinge der Hohenheimer Ackerbauschule hierher ab, mit dem Ersuchen, ihnen die Theilnahme an unseren Wiesenbauarbeiten, zu ihrer Einübung darin, zu gestatten. Sie brachten so bei der Wiesenanlage in Großbieberau, Wersau, Fränkisch-Crumbach und Hergershausen an 2 Monaten zu. Ebenso wurde in Folge jenes Besuches unser Wiesenbautechniker, der Geometer Häfener, von den Königl. Württembergischen landwirthschaftlichen Behörden zu Stuttgart und Hohenheim auf einige Monate engagirt, um dort Pläne für größere Bewässerungsanlagen zu entwerfen, und er befindet sich derzeit noch dort. Wiesenbau-Lernbegierige aus dem Auslande finden sich beinahe wöchentlich ein. Wie im verflossenen Spätjahre ein Kurländer, so wünscht auch in diesem Jahre ein Moskowit zu diesem Zwecke an unsern Arbeiten selbst Antheil zu nehmen.

Um diese mancherlei, mitunter interessante Besuche weniger aus dem Gedächtniß zu verlieren, haben wir kürzlich ein Fremdenbuch angelegt, das in der Versammlung zu Ihrer Einsichtnahme aufgelegt ist.

IV. Landwirthschaftliche Zeitschrift.

Ihre Auflage wurde fürs Jahr 1842 um 200 Exemplare erhöht, und sie beträgt jetzt 2600 Exemplare. — Die Kosten derselben betrugen im Jahr 1842 pr. Exemplar 1 fl. 6,44 kr., bei einer Bogenzahl von 46¾ Bogen zum Theil engen Drucks.

Den Mitarbeitern sey hiermit unser freundlichster Dank gesagt.

V. Gemarkungsbeschreibungen.

An solchen sind im Laufe des verflossenen Jahres keine eingekommen, wohl aber einige in Aussicht gestellt worden.

VI. Sammlungen des Vereins.

Die der Großh. Centralbehörde der landwirthschaftlichen Vereine für den Gesammtverein im letzten Jahre gewordenen Geschenke an Büchern sind jedesmal mit den Namen der Herren Schenkgeber in der landwirthschaftlichen Zeitschrift veröffentlicht worden.

An neuen landwirthschaftlichen Werkzeugen und Geräthen sind im letzten Jahre zugegangen:

1 Rheinländischer Wendepflug aus der Gegend von Bonn,
1 Ackerwalzenmodell,
1 Bandage für Kühe mit dem Gebärmuttervorfall,

1 Karst aus Niederrad,
1 Wasserwaage von Fries in Darmstadt,
1 Obst- und Weinpresse, und
1 Kleetrockenpyramide.

VII. Verwendung der Geldmittel des Vereins.

Nach Vorschrift der Statuten werden hiermit vorgelegt:

a) die der Großh. Hauptstaatskasse mitzutheilende Wirthschaftsrechnung über den von ihr bezogenen Staatsbeitrag für 1842, sowie

b) die Rechnung über den durch die Beiträge der Mitglieder gebildeten eigenen Fond des Vereins von demselben Jahre, nebst Urkunden, mit dem Anfügen, daß beide Rechnungen während der nächsten 4 Wochen mit dem Budget und dem dazu gehörigen Berathungsprotokoll auf dem Vereinsbüreau, Hügelstraße Nr. 162, zur Einsicht aufgelegt seyn werden.

Die Kasse und Rechnung über den Vereinsfonds hatte Herr Hofkammerrath Hamm dahier, wie in den letzten Jahren, unentgeltlich und mit bekannter Pünktlichkeit zu verwalten resp. zu führen die Gefälligkeit. Herr Hamm hat den Verein dadurch zu großem Dank verpflichtet.

Das Ergebniß der Rechnungen ist Folgendes:

Einnahme.

	fl.	kr.
Kassenvorrath und Ausstände nach dem Abschlusse der 1841er Rechnung (s. S. 180 der Zeitschriftsbeilagen von 1842) . . .	2689 fl.	59 kr.
Beiträge der Vereinsmitglieder	1880 "	— "
Beitrag aus der Großh. Hauptstaatskasse . .	1748 "	31½ "
Erlös aus Reben	41 "	12½ "
Zinsen aus deponirten Geldern	38 "	27 "
Zusammen . .	6398 fl.	10 kr.

Ausgabe.	Betrag der Credite. fl.	kr.	Wirkliche Ausgabe. fl.	kr.	Mehr Ausgabe. fl.	kr.	Weniger Ausgabe. fl.	kr.
Büreaukosten	120	—	152	41½	32	41½	—	—
Zu Beförderung der Viehzucht	960	—	905	59	—	—	54	1
Prämien für Faselställe und Sprungplätze .	100	—	3	56	—	—	96	4
Prämien für Fohlentummelplätze	80	—	—	—	—	—	80	—
Zu übertragen	1260	—	1062	36½	32	41½	230	5

Ausgabe.	Betrag der Credite. fl.	kr.	Wirkliche Ausgabe. fl.	kr.	Mehr Ausgabe. fl.	kr.	Weniger Ausgabe. fl.	kr.
Uebertrag	1260	—	1062	36½	32	41½	230	5
Für den Unterricht im Hufbeschlag	200	—	282	39	82	39	—	—
Für Urbarmachungen	155	—	75	—	—	—	80	—
Für Verbesserung des Wiesenbaus	570	—	686	22½	116	22½	—	—
Zu Verminderung der Herbstzeitlose	80	—	83	43½	3	43½	—	—
Prämien für Luzerne- und Esparsette-Anlagen	100	—	91	11½	—	—	8	48½
Zur Beförderung d. Weinbaus	50	—	—	—	—	—	50	—
" " Obstbaus	100	—	10	—	—	—	90	—
" " Hopfenbaus	50	—	35	54	—	—	14	6
" " Tabakbaus	80	—	—	—	—	—	80	—
" " Getreidebaus	—	—	10	40	10	40	—	—
Zur Verbreitung von Lein- und Hanfsamen	100	—	154	42	54	42	—	—
Prämien für Feldschützen	150	—	149	—	—	—	1	—
Desgl. für bessere Eintheilung der Gemarkungs-Gewanne und Feldwege	100	—	—	—	—	—	100	—
Zur Verbesserung des ökonom. Bauwesens	50	—	71	46	21	46	—	—
Zur Beförderung des Düngerwesens	350	—	108	42½	—	—	241	17½
Zur Verbreitung besserer landwirthsch. Geräthe	150	—	114	38	—	—	35	22
Zur Beförderung des Torfbaus	100	—	10	—	—	—	90	—
Für Erhebung der Beiträge der Mitglieder	55	—	55	35	—	35	—	—
Kosten der landwirthsch. Zeitschrift	600	—	691	12	91	12	—	—
Für die neue landwirthsch. Verdienstmedaille	—	—	45	50	45	50	—	—
Inexigible Beiträge	—	—	50	18	50	18	—	—
Ausgaben verschiedener Art	—	—	38	9	38	9	—	—
Zusammen	4300	—	3827	59½	548	38½	1020	39

Nach vorstehender Uebersicht ergibt sich ein Ueberschuß von	2570 fl. 10½ kr.
bestehend in:	
1) baarem Vorrathe und liquidirten Ausständen	1519 fl. 43¼ kr.
2) verzinslichem Depositum	1050 „ 27 „

Vergleichung der Ausgabe mit dem Budget.

Das Budget hatte angenommen gehabt an solchen	4300 fl. — kr.
Die wirkliche Ausgabe betrug nur	3827 „ 59¼ „
Mithin wurden weniger verwendet	472 fl. ¼ kr.

Die Ersparnisse bei den Fonds für Faselställe und Faselsprung- auch Fohlentummelplätze, bessere Eintheilung von Gemarkungs-Gewannen und Regulirung der Feldwege, Urbarmachungen, Torf-, Obst-, Hopfen- und Tabaksbau, rühren von geringer Concurrenz um die dafür ausgesetzten Preise her. Die Ueberschreitungen, und zwar die der Kosten der landwirthschaftlichen Zeitschrift beruhen dagegen auf der Verstärkung ihrer Auflage in Folge des Zuwachses von Mitgliedern, die beim Wiesenbau darauf, daß im Jahr 1841 dafür erwachsene Kosten erst im Jahre 1842 zur Verrechnung kamen, wogegen aber auch beim Wiesenbau im Jahre 1841 280 fl. 18 kr. gegen das Budget weniger verwendet worden; beim Hufbeschlag-Unterricht, daß der starken Frequenz desselben halber noch ein zweiter Cursus veranstaltet wurde, und bei dem Aufwand für Lein- und Hanfsamen, daß die Bestellungen darauf stärker als sonst waren; die Ueberschreitung der Büreaukosten endlich rührt hauptsächlich von einer nöthig gewordenen Auflage der Statuten her. Die übrigen Posten mögen von selbst gerechtfertigt erscheinen.

VIII. Ackerbau.

a. Im Allgemeinen.

Bei der hohen Wichtigkeit eines guten Ackerbaues und überzeugt, daß die Kunst des Pflügens bei uns im Allgemeinen noch gar Vieles zu wünschen übrig lasse, glaubte Ihr Ausschuß, durch Veranstaltung von Preispflügen mit gleichzeitiger Belohnung der besseren Pflüger auf ihre Vervollkommnung einzuwirken, nicht unversucht lassen zu dürfen. Außerdem glaubt er, die Bedeutung des Standes der Pflüger auf solche Weise anerkennend, auch in moralischer Hinsicht denselben zu heben. Zu Veranstaltung von solchen Preispflügen, insbesondere zu Prämien mit Ehrenfahnen für die besten Pflüger, sind fürs Jahr 1843 60 fl. vorgesehen worden, und es wird sobald die Witterung es gestattet, das Preispflügen statt haben.

Um auf bessere Eintheilung der Gemarkungs-Gewanne und Feldwege und das Zusammenlegen allzuzerstückelten Besitzes einzuwirken, hat Ihr Ausschuß, zu Belohnung dießfallsiger Verdienste der betreffenden Geometer, Feldgeschwornen ꝛc., Geldprämien auch im letzten Jahre wieder ausgesetzt. Auf unser Ersuchen hat gleicher Zeit der Dirigent des Großh. Katasterbüreaus, Herr Oberfinanzrath Dr. Hügel dahier, die in der Provinz Starkenburg beschäftigten Katastergeometer hierauf aufmerksam gemacht, mit dem Anfügen, wie sehr sie sich um das landwirthschaftliche Interesse verdient machen können, wenn sie jede Gelegenheit zu Bewirkung von Verbesserungen jener Art benutzen.

Ein Verdienst dieser Art und zwar das des Katastergeometers Balzer liegt bereits vor, und zwar in Beziehung auf die Gemarkung Darmstadt, wo unter Beihülfe der Herren Geheimen Oberfinanzrath Schenck, Beigeordneten Böttinger u. A. in einem Theile der Gemarkung, der dessen sehr bedurfte, die Gewanne und Feldwege so regulirt wurden, daß nun die einzelnen Grundstücke wenigstens auf einer Seite von einem Wege aus zugänglich sind, und wo außerdem auch noch einzelne Zusammenlegungen zerstückelten Besitzes zu Stande kamen.*) Ueber das dabei eingehaltene Verfahren wird die landwirthschaftliche Zeitschrift demnächst, unter Zugabe von Karten über den früheren und den jetzigen Zustand der betreffenden Gemarkungsfluren, nähere Nachricht bringen.

Zu allmähliger Verdrängung der im Kreise Offenbach besonders verbreiteten Roggentrespe ist auch in gegenwärtigem Jahre wieder den Orten Jügesheim, Weißkirchen, Obertshausen und Hausen hinter der Sonne besseres Saatkorn angeboten worden, zum Eintausch gegen Korn ihres Erzeugnisses. Es hat davon aber bis jetzt bloß Obertshausen mit 6 Maltern Gebrauch gemacht.

Aus Veranlassung der großen Feldmäuse Vermehrung im vorigen Jahre wurde in der Ausschußsitzung vom 29. März d. J. geltend gemacht, wie unzureichend die dießfallsigen Bemühungen der Grundbesitzer erscheinen, so lange die Vertilgung der Mäuse nicht auch auf die zum Chaussee-Eigenthum gehörigen, sonst nur als Schlupfwinkel dienenden Raine und Gräben ausgedehnt werde. In Folge desselben stellte die Großh. Centralbehörde an die höchste Staatsbehörde den Antrag, daß dazu entweder die anstoßenden Grundeigenthümer legitimirt, oder das Chaussee-Wartpersonal dazu angewiesen werde. Letzteres wurde in Folge dessen von Großh. Oberbau-

---

*) Man vergl. über die vom Ausschusse hierfür Herrn Geometer Balzer zuerkannte Prämie von 50 fl. die Seite 177 dieser Beilagen.

direction höchsten Orts beantragt; glücklicherweise haben aber inzwischen die Mäuse in der regnerischen Witterung des Frühjahrs ihren Untergang gefunden.

b. Im Speciellen.

Zur Beförderung des Luzerne-, Esparsette, Lein- und Hanfbaues sind um ermäßigte Preise im Laufe des verflossenen Frühjahrs an Landwirthe der Provinz abgegeben worden:

Luzernesamen	537¼	Pfund,
Esparsettesamen . . .	21	Malter,
Hanfsamen	31⅛	" und
Leinsamen	15¾	"

Die frühere Einrichtung der Aussetzung von Preisen für Luzerne- und Esparsette-Anlagen in Orten, wo diese Futterkräuter noch wenig verbreitet sind, hat Ihr Ausschuß in der Ueberzeugung verlassen, daß deren vermehrter Anbau weit eher dadurch befördert werden dürfte, daß der nöthige Samen dazu vom Vereine wohlfeil abgegeben wird. Ob der Anschaffung von Hanf- und Leinsamen fernerhin noch Opfer zu bringen sind, nachdem der Verein sie nun eine längere Reihe von Jahren unterstützt hat, und weil es ohnehin nur einzelne Orte sind, die davon Gebrauch gemacht hatten, wird Ihr Ausschuß bei Aufstellung des nächstjährigen Budgets in Berathung ziehen.

Im Hopfenbau ist in Orten, wo solcher nicht betrieben wurde, ein kleiner Fortschritt erfolgt, durch neue Anlagen in Oberramstadt und in Eberstadt, und Ihr Ausschuß hat solche mit den ausgesetzten Preisen belohnt.

Um dahin zu wirken, daß in den größeren, Tabaksbau treibenden Orten die bessere Methode des Erntens des Tabaks, nämlich das Abnehmen des ganzen Stocks und ebenso dessen Aufhängen zum Trocknen, Eingang finde, sind von Ihrem Ausschusse angemessene Preise für größere hiernach behandelte Parthien ausgesetzt worden. Auch würden die Vereinsmitglieder, Gr. Revierförster Herr Reiß zu Virnheim und Herr Grünewald zu Lampertheim, vom Präsidium besonders ersucht, darauf hinzuwirken, daß die Sache wenigstens versucht werde; ihre Bemühungen waren nicht ohne Erfolg, und wird vom Ausschuß über die Vergebung der ausgesetzten Preise noch erkannt werden.

IX. Wiesenbau.

Wir nennen hier einen landwirthschaftlichen Kulturzweig, dessen Beförderung unsere Vermittelung aus den schon oft erwähnten Gründen ganz besonders verdient, und dem wir auch im verflossenen Jahre unsere meiste Thätigkeit zugewendet haben.

Wir freuen uns, Ihnen sagen zu können, daß eine Reihe von größeren Wiesenverbesserungen durch Entwässerung sowohl, als vorzüglich durch Bewässerungs-Einrichtungen, welche wir Ihnen früher entweder blos als projectirt oder als blos angefangen bezeichnen konnten, nun vollendet dasteht. Sie sind:

1) Entwässerungen.

Von Gemeindewiesen zu Oberramstadt, Lengfeld und Umstadt, hier mit gleichzeitiger Einrichtung zur Bewässerung, zusammen 96 Morgen.

2) Eigentliche Bewässerungsanlagen.

Folgende Wiesengründe und zwar:

1) zwischen Münster u. Hergershausen mit ungefähr	600	Morg.
2) von Babenhausen bis zur Harreshäuser Grenze	180	„
3) von der Dieburger Grenze bis Münster . .	80	„
4) zu Fränkisch-Crumbach von der Kirchbeerfurter Grenze bis zur Schmalmühle mit	80	„
5) von Wersau bis Großbieberau auf dem linken Ufer der Gersprenz mit . . .	220	„
Zusammen also . .	1160	Morg.

Eine Bewässerungs-Anlage, zwar nicht durch direkte Geldmittel von Seiten des Vereins, wohl aber ebenfalls unter Leitung des beständigen Sekretärs, wurde ausgeführt für die Gemeinde Großgerau auf circa . . . . . 120 Morg.

Summe an vollendeten Bewässerungs-Anlagen im verflossenen Jahre . . . . 1280 Morg.

Ferner wurde von Seiten des Vereins eine Bachrectifikation und zwar zu Hammelbach projectirt und auch von den Interessenten ausgeführt, die wir besonders aufführen, weil sich ihre Ausdehnung nur der Länge nicht der Morgenzahl nach bestimmen läßt. Jene betrug immerhin ¼ Stunde Weglänge.

Im Bau sind noch begriffen: Eine Bewässerungs-Anlage zu Nauheim, Kreises Großgerau, mit 220, und zu Reisen bei Birkenau mit circa 30 Morgen.

Sodann sind neue Pläne vorbereitet und werden solche im Laufe des gegenwärtigen Spätjahrs, des kommenden Winters und Frühjahrs in Angriff genommen werden: für Ditzenbach, Seligenstadt und Steinheim.

Voruntersuchungen, ob sich Bewässerungen einrichten lassen, sind im Laufe des Jahres 18$^{42}/_{43}$ gemacht worden zu Birkenau, Brensbach, Mörfelden, Virnheim, Lorsch, Kleinhausen, Bürstadt, und für die Hammerau.

In Birkenau will das Wiesen-Consortium den Bau selbst ausführen.

In Brensbach ist die Ausführung an dem Widerspruch der Betheiligten gescheitert — der erste Fall, der uns bis jetzt vorkam. — Uebrigens ist in so fern nichts verloren, als die unterhalb Brensbach für Wersau und Großbieberau von uns angelegten Bewässerungen um so erfolgreicher seyn werden, je länger die Brensbacher die vielen Dungtheile ihres Ortsbaches, der Gersprenz, unbenutzt und damit jenen Wiesengründen zufließen lassen.

Für Mörfelden ist die Sache ausführbar.

Bei Virnheim war das Resultat verneinend.

Bei Lorsch fanden wir, daß einem Theile der dortigen Staubewässerung, welcher derzeit nicht vollständig bewässerbar ist, sich aufhelfen läßt. Was sehr bemerkenswerth, ist der Erfund, daß für die so sehr ausgedehnten Brüche von Kleinhausen und Bürstadt mit ganz wenig Kosten, und für die durch die Rheinrectification sich trocken gelegte Hämmerau von circa 1300 Morgen vermittelst der Weschnitz eine, wenn auch nicht sehr wohlfeile, doch sich immerhin reichlich belohnende Bewässerung einrichten ließe. Mit den Interessenten wird nun darüber das Nähere verhandelt werden.

Ein Wiesenbewässerungsproject von Raibreitenbach, Bezirk Breuberg, welches uns zur Prüfung vorgelegt worden, werden wir dieser demnächst unterziehen.

Von früher gefertigten Plänen ist immer noch nicht ausgeführt:

Die Wiesenwässerungs-Anlage von Mümlinggrumbach gegen Höchst.

Obwohl die Interessenten dafür gestimmt sind, so ist doch immer noch keine Vereinigung über die darüber vorliegenden Pläne zu Stande gekommen. Wir werden den Gegenstand nicht aus dem Auge verlieren.

Noch dürfte Ihnen nicht uninteressant seyn, zu erfahren, daß die vor den Thoren Darmstadts liegende Bessunger Weide, durch die Bemühungen des beständigen Secretärs, allmählig zu höherem Kulturzustand sich erhebt. Bereits wurde die Hälfte derselben in gegenwärtigem Jahr zur Bewässerung eingerichtet, und zu Heugras benützt; ein anderer Theil, unter dem Pfluge liegend, liefert wie der erstgenannte der Gemeinde bereits erhebliche Erträge, neben dem, daß durch die Pflanzung von 900 Stück Weiden und Pappeln auch ein erfreulicher Holzwuchs sich entwickelt.

Leider hat Ungunst der Witterung, bis auf Einzelne, die Ausschußmitglieder verhindert, einer Einladung durch den Präsidenten nach Münster, Hergershausen und Babenhausen auf den 11. dieses Monats, zu Besichtigung der dort unter der Leitung des beständigen Secretärs ausgeführten Wiesenbewässerungs-Anlagen, zu folgen. (Der Präsident war mit dem beständigen Secretär dort erschienen.) Sie hätten sich überzeugen können, wie viel Großes und Gutes bei gutem Willen geschaffen werden kann.

Die dortigen Wiesengründe, mit circa 900 Morgen, waren vor einem Jahr noch nicht einmal abnivellirt und schon stehen sie mit Be- und Entwässerungsanstalten vollkommen ausgerüstet da. Der gute Geist, welcher die Interessenten beseelte, verdient alle Anerkennung und er fand sie auch in einem heutigen Beschlusse Ihres Ausschusses durch die bereits erwähnte Zuerkennung landwirthschaftlicher Verdienstmedaillen und öffentlicher Belobungen.*)

Andernseits zeugt es aber auch nur von einem erfreulichen Vertrauen, wenn es dem leitenden Techniker gelungen ist, die hie und da während der Ausführung sich ergebenden Anstände jedesmal zur Zufriedenheit der Betheiligten von selbst zu lösen.

Um der verehrten Versammlung einigermaßen einen Anhalt zu geben, was dort in so kurzer Zeit geschehen ist, wollen wir hier beispielsweise nur die in Babenhausen und Hergershausen aufgenommenen Verhältnisse mittheilen.

---

*) Man vergleiche Seite 176 der Beil.

	Morgenzahl der Anlagen.	Zahl der Parzellen.	Zahl der Besitzer.	Expropriirtes Land.	Zahl der Besitzer desselben.	Gefertigte Arbeiten und zwar: Große Stauschleusen von Stein.	Größere Wassereinlässe van Stein.	Einlaßschleusen an der Gersprenz.	Wässerungsschleusen von Stein.	Wässerungsschleusen von Holz.
				Klftr.						
Babenhausen . . .	186	346	154	288½	14	1	—	1	12	—
Hergershausen . .	437	1534	213	—	—	—	1	1	24	14

	Gefertigte Arbeiten und zwar: Teichelröhren oder kleine Einlasse für die Beete.	Aquaducte über die Gersprenz von Holz.	Aquaducte über Entwässerungsgräben, von Stein.	Größere Viaducte oder Überfahrten über Wege.	Wasserdurchlässe unter Wegen oder Chausseen.	Gepflasterte Fahrten durch Gräben (Mulden).	Große Zuleitungs-Kanäle und Gräben.	Entwässerungs- oder Abzugsgräben.	Vertheilungsgräben.	Kleinere Be- und Entwässerungsgräben.
							Klftr.	Klftr.	Klftr.	Klftr.
Babenhausen . . .	196	1	—	4	7	5	2181	717	350	6714
Hergershausen . .	910	—	1	—	—	—	2875½	4438	*)	45,786

*) Bei Hergershausen laufen diese unter den Zuleitungsgräben.

So erheblich die in so kurzer Zeit ausgeführten Arbeiten, so geringfügig sind gleichwohl die aufgegangenen, von den Wiesenbesitzern zu bestreiten gewesenen Kosten. Sie betragen, nach den darüber vorliegenden Rechnungen, pr. Morgen circa:

zu Hergershausen und Münster . 6 fl. — kr.
„ Fränkisch-Crumbach . . . . . . 5 „ 30 „
„ Großbieberau . . . . 7 „ — „
„ Babenhausen . . . . 20 „ — „

Hier ist aber dabei wohl zu berücksichtigen, daß eine Schleuse mit circa 1800 fl. zu bauen war, die auch noch zur Bewässerung eines weiteren als des schon eingerichteten Wiesengrundes dienen kann, so daß, wenn auch dieser dazu eingerichtet ist, wozu die Interessenten, dem Vernehmen nach, alsbald schreiten wollen, die Kosten pr. Morgen auf ohngefähr dieselben niederen Beträge sich ermäßigen werden. Bedenkt man, daß diese Wässerungswiesen einer eigentlichen Düngung nun nicht mehr bedürfen, daß manche versumpfte Wiesen entwässert, Erhöhungen abgetragen, Vertiefungen ausgefüllt, Gestrüppe entfernt wurde ꝛc., so läßt sich sicher annehmen, daß durch jenen unbedeutenden Aufwand eine Grundvermehrung, gering gegriffen von nur 100 fl. pr. Morgen, im Ganzen auf obige 1280 zur Bewässerung eingerichtete Morgen von 120,000 fl. erreicht worden ist. Daß aber auch der landwirthschaftliche Verein bei geringerem Opfer in seinen Bemühungen für Verbesserung des Wiesenbaues ungleich weiter kommt, dadurch daß er die Wässerungseinrichtungen selbst projectirt und leitet, als früher, so lange er blos Preise für Wässerungsanlagen aussetzte, dürfte folgende Berechnung darthun.

Bezahlt wurden den Technikern des Vereins für die Anlagen zu Großbieberau, Babenhausen, Hergershausen, Münster und Fränkisch-Krumbach*) circa 660 fl.

Auf die hier ausgeführten 1160 Morgen berechnet, hätte sonach die Vereinskasse ein Opfer gebracht pr. Morgen von circa 36 kr., ein Betrag, der weit unter dem Durchschnitt der früher bezahlten Prämien steht. Im Einzelnen berechnet sich dieses Opfer bald höher bald geringer. — Bei den Anlagen bis zu 200 Morgen ungefähr auf 1 fl. pr. Morgen, bei größeren Compleren sinkt es bis auf 20 kr. pr. Morgen herunter. Außerdem steht der derzeitigen Einrichtung der gewiß erhebliche Vortheil zur Seite, daß die Anlagen selbst viel vollständiger ausgeführt und daß überhaupt mehr erhebliche sichtbare Fortschritte im Wiesenbau erzielt werden.

Auch in einer weiteren Beziehung waren unsere Wiesenbauten von großem Seegen, wir meinen damit die in einer Zeit großen Mangels, selbst den ganzen Winter hindurch, gegebene

*) Wegen des Zusammenhangs mit anderen dortigen Arbeiten lassen sich die Kosten auf den Gulden hin nicht leicht ausscheiden.

Gelegenheit zu Arbeitsverdienst, zu lautem Danke der Arbeiter. Die deßfallsigen Summen erscheinen nicht unerheblich. Sie betrugen in

Großgerau	1728 fl.	47	kr.
Fränkisch-Crumbach	431 „	52	„
Oberramstadt circa	100 „	—	„
Babenhausen circa	4000 „	—	„
Hergershausen circa	3100 „	—	„
Münster circa	700 „	—	„
Großbieberau und Wersau circa	1400 „	—	„
Zusammen wenigstens	11,458 fl.	—	kr.

Welche Opfer der Verminderung der Herbstzeitlose auch im letzten Frühjahre gebracht und auf welche Orte solche ausgedehnt worden, haben Sie seiner Zeit aus der landwirthschaftlichen Zeitschrift*) erfahren. Erfreulich ist es hier, sagen zu dürfen, daß es bei dem, was der Verein that, nicht blos stehen blieb, sondern daß sein Beispiel noch bei vielen Andern auf selbstthätiges Einschreiten gegen diese so verderbliche Pflanze eingewirkt hat. Ueberall hatten wir davon Spuren zu sehen; in hiesiger Gemarkung hat z. B. Herr Posthalter Wiener hierin so viel gethan, daß es hier wohl lobende Erwähnung verdient.

Daß der beständige Secretär die in letzter Generalversammlung geäußerte Absicht der Abfassung einer Schrift über unser Wiesenkulturgesetz, die dazu gehörigen Vollziehungsinstructionen und die sonstigen Mittel und Anstalten zur Beförderung des Wiesenbaus ausgeführt und dieser Schrift die Erfahrungen und Resultate der seit den letzten 12 Jahren ausgeführten größeren Wiesenverbesserungen, auch Winke beigefügt hat in Absicht auf die Beförderung von Wiesenverbesserungen, sowie technische Notizen zum Entwurf und zur Vollziehung von solchen, ist Ihnen wohl bereits bekannt, wie, daß die höchste Staatsbehörde in Anerkennung des Nutzens dieser Schrift, bei gehöriger Anwendung ihrer Lehren, deren Einführung in den Gemeinden den Großherz. Verwaltungsbeamten empfohlen hat. Derselben höchsten Staatsbehörde ist auch eine Verfügung zu verdanken, welche kürzlich im Interesse des Wiesenbaus und zwar zur höheren Belebung des Instituts der Wiesenvorstände erlassen worden ist. Beide Verfügungen finden Sie in der heute erschienenen Nr. 42 der landwirthschaftlichen Zeitschrift wörtlich abgedruckt.

Von jener Schrift wurde jedem Mitglied des Ausschusses, wie Sie aus der landwirthschaftlichen Zeitschrift, Beil. S. 114, ersehen haben werden, 1 Exemplar auf Kosten der Vereinskasse abgegeben.

*) Beilage Nr. 16.

Außerdem wird sie in die Hände der mit Wiesenbau beschäftigten Techniker, überhaupt in die Hände solcher Männer gebracht werden, welche nicht schon von Amtswegen in deren Besitz kommen oder sich solche selbst aus eigenen Mitteln verschaffen können, davon aber einen nützlichen Gebrauch erwarten lassen.

Das Capitel des Wiesenbaus schließend führen wir nur noch an, daß wir denjenigen Wiesenbautechnikern, welche früher Wiesenbauinstrumente vom Vereine zum Gebrauch überlassen bekamen, bei denen der beabsichtigte Zweck aber verfehlt war, solche abforderten und sie in andere Hände brachten.

X. Obstbau.

Die Anlegung von Baumschulen ist, wenn auch nicht so, wie es zu wünschen wäre, doch immerhin etwas im Fortschreiten begriffen.

Zwei Bewerbungen um die dafür ausgesetzten Preise, und zwar für Anlagen zu Rimbach und König, sind nach Verdienst belohnt worden. Hoffen wir, daß die unlängst von der höchsten Staatsbehörde erfolgte Verfügung wegen Anlegung von Ortsbaumschulen recht viele Früchte trage. Zu Unterstützung der ersten Anlage von solchen (gewöhnlich der Stein des Anstoßes) hat sich der Verein bei Publikation des Budgets von 1843 erboten, wenn es gewünscht wird, auf seine Kosten zu näherer Angabe einen Techniker an Ort und Stelle abgehen lassen zu wollen. Der Gr. Bürgermeister von Büttelborn hat bereits hiervon Gebrauch gemacht und wurde derselbe in den letzten Tagen über die Anlage einer Baumschule für diesen Ort durch unsern Techniker an Ort und Stelle belehrt.

Daß die Großh. Centralbehörde, auf Veranlassung der höchsten Staatsbehörde, der Anschaffung von Obstbäumen für Gemeinden wie für Privaten sich unterzieht, ist Ihnen wohl schon bekannt. Obgleich die Sache erst im Beginnen, so wurden doch auf diesem Wege im Spätjahr 1842 und Frühjahr 1843 von ihr für die Provinz Starkenburg besorgt: 1276 Hochstämme*) und sind bei ihr bereits wieder bestellt fürs Spätjahr 1843: 3731 Stück.

Unsere Bemühungen wegen Unschädlichmachung eines gegenwärtig sehr verbreiteten Feindes unserer Obstbaumzucht — des Frostnachtschmetterlings — sind in der landw. Zeitschrift erst vor so kurzer Zeit zur Sprache gekommen, daß es wohl keines weiteren Details darüber bedarf. Nur der Wunsch sey uns erlaubt, daß die Herren Gemeindevorsteher dem vorgeschlagenen Vertilgungsmittel den schnellsten Eingang verschaffen möchten, was sie dadurch könnten, wenn sie die Schutzgürtel

*) Seite 37 der Zeitschriftsbeilagen.

durch, auf Kosten der Gemeindekasse aufgestellte, Personen anlegen ließen. Mit einigen Gulden Taglohn kann möglicherweise das Tausendfache an Obsterlös einem Orte gesichert werden.

Ein Beschluß des Ausschusses, betreffend die Veranlassung zur Einführung der sehr nützlichen Schrift des Herrn Universitätsgarten-Inspectors Metzger zu Heidelberg: „Karl Will, der kleine Obstgärtner," ist noch in der Ausführung begriffen.

XI. Vereins-Rebschule.

Nach der letzten Rechenschaftsablage*) über die Resultate der Rebschule hatte diese zu Ende des Jahres 1840 ein Debet-Saldo von . . . . 25 fl. 58 kr.

Hierzu kommt an Zuschuß, der ihr gemacht wurde, im Jahre 1841. . . . . 8 „ 31 „

		34 fl. 29 kr.
Abgeliefert hat sie dagegen: fürs Jahr 1842	41 fl. 12½ kr.	
„ „ 1843	11 „ 26½ „	
		52 „ 39 „

Verbleibt mithin ein Ueberschuß von . . . . 18 fl. 10 kr., wozu noch ein ziemlich großer Vorrath junger, zum Theil 2jähriger, recht schöner Reben kommt, aus denen ein schöner Erlös sich erzielen läßt, wenn die Weinbauer durch die dießjährige geringe und schlechte Weinernte nicht veranlaßt werden, ihre Weinberge zu vermindern.

Herrn Obereinnehmer Heckler zu Bensheim sind wir für die gefällige Besorgung der Verwaltung der Rebschule zu Dank verpflichtet. Bedauern müssen wir darum um so mehr, daß er von deren ferneren Besorgung dispensirt seyn möchte. Ob der Grund hiervon den Verein zu Aufhebung der Rebschule bestimmen dürfte, nämlich seine Entmuthigung darüber, weil der eigentliche Zweck der Rebschule — Ermunterung zum Weinbau an der Bergstraße, durch unentgeltliche Verabfolgung von Reben an Aermere, bei der schon längere Zeit anhaltenden Ungunst für den Weinbau nicht mehr Platz greifen könne, dieß wollen wir dem neu zu erwählenden Ausschusse zur Erwägung anheim geben.

Die Rebschule von 1 Morgen Land ist jetzt freies Eigenthum des Vereins und kömmt ihn auf 222 fl. 2 kr. zu stehen.

XII. Torfbau.

Von neuen Anlagen in Gegenden, wo dieser früher nicht betrieben wurde, wurde eine in Brandau, Kreises Dieburg, angemeldet, welcher auch von den ausgesetzten Geldprämien eine zuerkannt wurde.

*) Landw. Zeitschriftsbeil. von 1840, S. 184.

XIII. Feldschutz.

Auch für dieses Jahr war für Feldschützen, welche seit länger als 10 Jahren ihr Amt ausgezeichnet gut verwalteten, eine entsprechende Summe zu Preisen ausgesetzt.

Bewerbungen kamen ein . . . . 39.
Von ihnen wurden wegen Unwürdigkeit abgewiesen . 7.

Die Empfänger, an der Zahl 32, sind seiner Zeit durch die landwirthschaftliche Zeitschrift öffentlich genannt worden.

Es gehörten davon

1	dem Kreise	Darmstadt,
6	" "	Bensheim,
8	" "	Dieburg,
3	" "	Großgerau,
7	" "	Heppenheim,
3	" "	Offenbach,
3	" Bezirke	Breuberg, und
1	" "	Erbach.
32.		

Allenthalben sprechen sich die Segnungen des Feldstrafgesetzes, so neu es ist, bereits aus, und so möchte auch der Verein in den zu Belebung der Dienstbeflissenheit der Feldschützen, wovon die Wirksamkeit des Gesetzes so wesentlich abhängt, ausgesetzten Preisen eine schöne Belohnung finden.

Bekannt ist Ihnen wohl die neueste, auf Verbesserung der Lage der Feldschützen gerichtete höchste Verfügung, daß nämlich denselben überall da, wo der Staat oder Gemeinden die Strafgelder zu beziehen haben, ⅓ derselben als Anbringgebühr zufällt.

XIV. Viehzucht.

a. Rindviehzucht.

Die Vertheilung der im gegenwärtigen Jahre für ausgezeichnete selbstgezogene Kalbinnen und für zum öffentlichen Gebrauch dienende gute Zuchtstiere ausgesetzt gewesenen Preise hatte auf den Stationen: Seligenstadt, Erbach, Eberstadt und Dieburg Statt. Mußte man bei den bedeutenden Reductionen, welche der Viehstand der Provinz in Folge der vorjährigen Futternoth erlitt, eine nur geringe Concurrenz fürchten, so war diese im Ganzen doch nicht besonders schwach, in Qualität der Thiere aber um so ausgezeichneter. Es liegt darin der Trost, daß bei jener Reduction das Bessere erhalten wurde und daß die Nachzucht hiervon verhältnißmäßig um so besser seyn, wiewohl freilich auch bei den jetzigen großen Futtermitteln manches Junge groß gezogen werden wird, was sonst dem Messer des Metzgers verfallen wäre. Die Concurrenz mit Bullen war, die Station Erbach und Seligenstadt ausgenommen, ziemlich gering. Mag es seyn, daß der immerhin schwierige Transport dieser Thiere bei der damals sehr heißen Witterung oder die vom Vereine gestellten Bedingungen, wonach die noch auf Weide gehenden Fasel, so wie solche ausgeschlossen sind, deren Unterhaltungsweise nicht eine ganz solide ist, gescheut wurden; jedenfalls glauben wir auch dießmal wieder bemerkt zu haben, daß die Preisvertheilung bezüglich der Fasel kein sicheres Bild des Zustandes der zur Zucht gebraucht werdenden geben kann. — Manche scheinen zu Haus gelassen zu werden, weil man damit, als von geringer Qualität, bei der Preis-Concurrenz durchzufallen fürchtet oder damit gegenüber andern aufzutreten sich schent.

Ob es nicht besser wäre, die zu Zuchtbullen ausgesetzten Gelder zu einer durch die Herren Verwaltungsbeamten zu veranstaltenden, entweder jeden Jahrs oder alle 2 Jahre vorzunehmenden Besichtigung der Farren je eines Kreises, und zwar entweder von Ort zu Ort oder sämmtlicher Farren auf einer oder mehreren Stationen, was Letzteres der Vergleichung derselben unter sich halber von besonderem Nutzen wäre, zu verwenden, oder aber, ob man nicht besser von dem Grundsatz ausgehen soll, durch möglichste Vermittelung des Ankaufs von nur guten Zuchtthieren, dem Ankauf von geringen Bullen überhaupt vorzubeugen, weil damit allerdings die Verlegenheit, eines einmal vorhandenen geringen Bullens los zu werden, sowie auch die Kosten jener Visitationen wegfielen, dieß sind Fragen, welche besondere Erwägung verdienen dürften.

Eine andere Frage von Belang ist die der Einführung von Preis-Medaillen neben den Vieh-Geldpreisen.

Nach unsern Wahrnehmungen kann nämlich von vielen Empfängern der Viehpreise angenommen werden, daß ihre Viehzucht, auch ohne die Aussicht auf die Preise des Vereins, gleich gut bestellt wäre und die Concurrenz um solche für sie mehr eine Ehrensache als die Absicht eines Geldgewinnes war, daß aber auch eben deßhalb eine Preismedaille neben einem angemessenen Geldpreise für Manchen von höherem Werthe wäre, als selbst unsere höchsten Geldpreise, während auf der andern Seite die Vereinskasse weniger dabei in Anspruch genommen würde, als bei den seitherigen Preisen. Es fragt sich deßhalb, ob man nicht eine dahin abzielende Einrichtung treffen und große und kleine Preis-Medaillen als Zugabe zu den Geldpreisen einführen sollte. Im Herzogthum Nassau, in Baden, Würtemberg, Bayern &c. besteht dieselbe Einrichtung.

Daß man eine Medaille zu wählen hätte, die sich rein auf den Gegenstand, wofür sie gegeben worden, bezöge, also nicht auf die Person des Empfängers selbst, versteht sich wohl von selbst.

Die Abhaltung eines Faselmarktes hat, wie im letzten Jahre, so auch dießmal wieder zu Reichelsheim stattgehabt.

Die besondere Qualification dieses Ortes hierzu spricht sich immer mehr aus. Sehr erfreulich war es, zu sehen, wie selbst sehr hohe Preise nicht gescheut würden, sobald man etwas Tüchtiges zu bekommen sicher war. Diese Sicherheit möchte mit in der Leitung der Ankäufe durch den Verein liegen.

Glaubend, daß durch Veranstaltung von An- und Wiederverkäufen von Faseln in Kreisen oder Bezirken, wo zufällig ein größeres Bedürfniß an solchen vorliegt und wo die Großh. Verwaltungsbeamten die betreffenden Gemeinden mit ihren Einkäufen darauf zu verweisen gemeint sind, der Sache der Faselhaltung eine wesentliche Förderung zu Theil werden könnte, dürfte dieß in kommender Zeit versucht werden. Die Verbindung solcher An- und Wiederverkäufe mit den landwirthschaftlichen Preisvertheilungen hat sich auch im gegenwärtigen Jahre wieder auf der dazu gewählt gewesenen Station Erbach als ganz unthunlich erwiesen, da man beim besten Willen nicht so viel Zeit von der eigentlichen Bestimmung des Tags zu gewinnen weiß, um ein solches Geschäft mit der nöthigen Umsicht besorgen zu können.

Einen vom landwirthschaftlichen Verein von Rheinhessen im sogenannten Baulande gemachten Ankauf von Faseln haben wir benutzt, um für unsern Verein einige Stück mit anzukaufen, nachdem der Ausschuß beschlossen hatte, die dießjährige Preisvertheilung nur auf das Bessere zu beschränken und die erübrigten Gelder zu einem solchen Zwecke zu verwenden. Außerdem hatte auch gerade zu jener Zeit eine so starke Nachfrage nach Zuchtstieren statt, die kaum befriedigt werden konnte, ja die derzeit noch nicht befriedigt zu seyn scheint. Die bei jener Gelegenheit angekauften 5 Zuchtstiere sind auf der Preisstation Eberstadt wieder verkauft worden, und sie waren so gesucht und bezahlt, daß an den eigentlichen Ankaufskosten noch ein Uebererlös gemacht, nach Abzug der Transportkosten aber nur Weniges zuzulegen war. Durch die Unterhaltung einer Uebersicht verkäuflicher Bullen durch das Büreau des Vereins ist auch in letztem Jahre der Ankauf von solchen für manche Gemeinde vermittelt worden.

Eine äußerst erfreuliche Erscheinung ist die große Zahl von Gemeindefaselställen, welche im Laufe gegenwärtigen Jahres und zwar größtentheils unter vorgängiger Berathung der betreffenden Baupläne mit uns erbaut worden. Die Orte sind:

Kreis Bensheim:

Zwingenberg, Bensheim, Lorsch und Gernsheim.

Kreis Großgerau:

Crumstadt und Griesheim.

Kreis Heppenheim:

Virnheim und Lampertheim.

In Dreieichenhain, Kreises Offenbach, wird gegenwärtig ein solcher eingerichtet. Fürs künftige Jahr seyen und sind an solchen bereits beschlossen für

Dornheim, Kreises Großgerau,
Großrohrheim, Bürstadt, Biblis und Auerbach, Kreises Bensheim,
Hergershausen und Münster, Kreises Offenbach.

Um die Aufstellung der Pläne dazu zu erleichtern, haben wir deren nach den drei Hauptverschiedenheiten, in denen sie vorkommen, lithographiren lassen und zwar einen Plan zu einem kleinen Stalle ohne Wärterwohnung, einem kleineren Stalle mit solcher und zwar auf dem Dach-Boden, und einem größeren Stalle mit Wärterwohnung zu ebener Erde.

b. Pferdezucht.

Der Unterricht junger Schmiede im Hufbeschlage hat auch im Jahr 18⅖ in 2 Cursen Statt gefunden und haben daran aus der Provinz Starkenburg 17 junge Männer Theil genommen.*) Davon waren:

3 aus dem Kreise Darmstadt,
1 " " " Dieburg,
5 " " " Großgerau,
1 " " " Bensheim,
2 " " " Heppenheim,
2 " " " Offenbach,
2 " " " dem Bezirke Breuberg, und
1 " " " Erbach.

Einer der jedesmal am Schlusse stattgehabten Prüfungen hat Ihr Ausschuß beigewohnt und sich durch den Lehrer, Großh. Marstallspferdearzt Herrn Britsch dahier, wie seine Schüler vollkommen befriedigt gesehen. Nicht minder befriedigend spricht sich auch bereits die öffentliche Stimme über die Leistungen der jungen Leute aus.

Die Kosten des Unterrichts betrugen für uns 282 fl. 39 kr. oder pr. Mann 16 fl. 39 kr., gewiß eine Bagatelle gegen den großen Nutzen der Sache. Abermals ist auch für gegenwärtiges Spätjahr ein neuer Lehr-Cursus ausgeschrieben.

Die erstmalige Abhaltung eines Pferdemarktes in der Provinz Starkenburg zu Gernsheim, dessen Gründung in letzter Generalversammlung zur Sprache kam, da von Großrohrheim aus, dem zuerst projectirt gewesenen Marktorte, kein Interesse für die Sache sichtbar war, ist in Rücksicht der allgemeinen ungünstigen Verhältnisse des verflossenen Frühjahrs auf das Frühjahr 1844 beschlossen und es werden darüber seiner Zeit die nöthigen öffentlichen Bekanntmachungen erscheinen.

*) Landwirthschaftliche Zeitschrift-Beilage Nr. 1 und 8.

Daß in Folge freundlichen Entgegenkommens des Herrn Grafen von Erbach-Wartenberg-Roth, Erlaucht, eine größere eingefriedigte Fohlenweide mit Futterhäusern auf dem gräflichen Gute Roßbach bei Erbach eingerichtet werden wird, haben Sie wohl unter den Nachrichten über die letzte Ausschußsitzung vernommen.

XV. Düngerwesen.

Mit Aufstellung von Plänen für zweckmäßige Düngerstätten, in Verbindung mit den Hofräumen und Stallungen, durch den Maurermeister Scherrer von Pfungstadt und deren Prüfung durch den beständigen Secretär ist auch in diesem Jahre fortgefahren worden. Dießmal waren es hauptsächlich Landwirthe im Kreise Großgerau und zwar 7 Großh. Bürgermeister und 7 sonstige Oekonomen, welche mit dem besseren Beispiel vorangingen und sich ihre Hofraithen nach jenen Mustern einrichten ließen oder noch einrichten lassen wollen.

Von den für Oekonomen im Kreise Heppenheim aufgestellten Plänen ist bis jetzt nur ein Theil zur Ausführung gekommen, wir werden aber Bedacht nehmen, daß es bei den andern auch noch dazu komme. Die Ungunst der Zeit mag freilich zum Theil den seitherigen Verzug entschuldigen.

Die Anwendung des Mergels in der Bieberer Mark werden wir, nachdem bei Bürgel ein Mergellager entdeckt und die forstpolizeiliche Genehmigung zu dessen Ausbeutung von uns erwirkt worden, im Laufe des Winters zu betreiben suchen. Ebenso haben wir die Aufmerksamkeit des Publikums auf Aufdeckung von durch Sand verschütteten gutem Boden an den Sanddünen des ehemaligen Neckar- und Rheinbettes bei Virnheim ꝛc. zu erhalten gesucht.

XVI. Landwirthschaftliches Bauwesen.

Mit Aufstellung von Entwürfen von Musterplänen zu landwirthschaftlichem Bauwesen ist fortgefahren worden. Wir werden die Ehre haben, in dieser Versammlung Ihnen ein 2tes Heft von solchen, gefertigt von Herrn Kreisbaumeister Lerch zu Michelstadt, übergeben zu lassen. Ihnen liegen auch 2 Pläne von Faselställen, entworfen von Herrn Kreisbaumeister Mittermaier zu Bensheim, bei, der eine mit Wärterwohnung auf dem Dachboden, der andere mit solcher auf ebener Erde, nach dem Muster des zu Bensheim erbauten Stalles.

Sehr wünschenswerth wäre, daß die in Gebirgsgegenden verbreitete Einrichtung, den Scheunen oder Futterböden, welche sich an eine Bergwand anlehnen, von hier aus eine Zufahrt auf ihren Dachboden zu geben, was das Abladen so sehr erleichtert, auch in unsern bergigen Gegenden Anwendung finden möge.

Daß die früher ausgegebenen Baupläne nicht ohne Anwendung geblieben, freut uns hier behaupten zu dürfen. Wir verweisen dießfalls auf die in Pfungstadt am Ende des Orts gegen Hahn hin gebauten Wohngebäude mit Kniestöcken mit sehr gefälligem Ansehen, welche nach Plan No. II. des 1ten Heftes erbaut sind. Maurermeister Scherrer von Pfungstadt, ein überhaupt sehr tüchtiger Mann im Baufache, haben wir dießfalls besondere Einwirkung hierauf zu verdanken. Beispiele der Art veranlassen gewiß am mächtigsten die Nachahmung des Besseren.

XVII. Verbreitung besserer landwirthschaftlicher Werkzeuge.

An zweckmäßigen landwirthschaftlichen Werkzeugen brachten wir auf den dießjährigen landwirthschaftl. Preisstationen erstmals zum Verkauf:

Wiesenbeile nach Siegener Art, Rasenstechschippen, Wasserwaagen von Schreiner Fries dahier, Hahn'sche Haushaltungswaagen, sowie Ackerwalzen;

außerdem aber dieselben Werkzeuge, wie in den vergangenen Jahren.

Abgesetzt wurden: *)

17 Ruchadlo-Wendepflüge,
1 Untergrundpflug,
3 Häufelpflüge,
3 Ackerwalzen,
14 Baumrinden-Kratzen,
17 Wiesenbeile,
1 Rasenstechschippe,
5 Wasserwaagen,
5 Haushaltungswaagen,
2 Viehentblähungsröhren,
23 Paar eiserne Halbjoche,

mit einem budgetmäßigen Opfer, einschließlich des Transports und der Reisekosten des zum Verkauf zugezogenen Wagnermeisters Benner, von nur 154 fl. 29 kr.

Außerdem wurde noch eine größere Parthie Raupenscheeren um den Selbstkostenspreis abgesetzt.

Sehr erfreulich war der große Anklang, den dieser Werkzeugverkauf auf der Station Seligenstadt fand; es wurden dort unter andern 10 Ruchadlo-Pflüge, 3 Ackerwalzen und 5 Paar Halbjoche verkauft, und es läßt sich erwarten, daß nach diesem Vorgang unsere besseren landwirthschaftlichen Werkzeuge auch in diesem Kreise mehr und mehr Eingang finden werden.

Die Halbjoche, welche wir nun im dritten Jahre zu verbreiten suchen, verdrängen das peinigende Doppeljoch mehr

*) Zeitschriftsbeil. S. 164.

und mehr. Die Sache des Ruchadlo-Wendepflugs scheint in den Gegenden, für welche er paßt, gewonnen zu seyn. Nach Nr. 19 der landw. Zeitschrift sind davon allein im Kreise Großgerau seit den 5 Jahren seines Bekanntseyns bei uns 965 Stück mit einem Anschaffungs-Capital von 14,475 fl. in Gebrauch genommen worden.

Stiftungen und Vermächtnisse.

Wir berühren hier einen Gegenstand, der zwar nicht speciell den Verein von Starkenburg berührt, den aber doch die Gr. Centralbehörde hier zur Sprache bringen wollte. Er betrifft die Fuhr'sche Stiftung.

Die vorerst beabsichtete Aufstellung eines Muster-Obst-Trockenofens aus dieser Stiftung ist nunmehr im Laufe des Jahres hier in Darmstadt, und zwar in den Räumen des städtischen Hospitals, nicht nur erfolgt, sondern es sind auch damit selbst Trockenversuche mit Kirschen, Heidelbeeren und Zwetschgen angestellt worden.

Das Resultat derselben geht dahin, daß

1) das Obst durchaus nicht verbrennen kann;
2) daß es, wenn es nicht verletzt war, nicht ausläuft;
3) daß es keinen Nebengeschmack bekommen, weil z. B. kein Rauch hinzutreten kann;
4) daß sich die Dörre auch theilweise benutzen läßt, ohne darum mehr Brennmaterial zu bedürfen, sowie, daß man ihr jede beliebige Ausdehnung geben kann;
5) daß der Brennmaterial-Aufwand sich in keinem Falle höher berechnet, als bei den gewöhnlichen Dörren, und daß
6) schon der Vortheil, durch Nichtanbrennen nicht im Mindesten Verlust zu erleiden, überhaupt aber Qualität und Geschmack in ihrer ganzen Fülle zu erhalten,

den Bau solcher Dörren vollkommen belohnt.

Die hier aufgestellte Dörre wird an das städtische Hospital käuflich abgetreten, und im nächsten Jahre einer der vieles Dörr-Obst erzeugenden Gemeinden des Odenwaldes ein entsprechender Beitrag aus dem Fonds der Fuhr'schen Stiftung, zum Bau einer großen Gemeinde-Obstdörre nach unserem Muster, angeboten werden.

Den Bericht über die Leistungen des Vereins schließend, setzen wir sie noch in Kenntniß von den in der Versammlung niedergelegten oder aufgestellten Gegenständen.

Sie sind:

I. Eine Normal-Sonnenuhr von Herrn Oberfinanzrath Dr. Hügel dahier. *)

II. Ein Apparat zur Untersuchung des Weines auf schädliche Metalle, von Herrn Medicinal-Assessor Büchner zu Mainz. **)

III. Die Pflügerfahnen, welche zur Vertheilung bei den nächsten Preispflügen bestimmt sind.

IV. Drucksachen:

Ein Heft Musterzeichnungen für Techniker und die verschiedenen Zweige des Gewerbebetriebs, vom Großh. Gewerbverein dahier.

Entwürfe von Musterplänen zu landwirthschaftlichem Bauwesen für die Provinz Starkenburg. 2tes Heft zur Fortsetzung der im Jahr 1841 erschienenen Sammlung. (Es wurde jedem anwesenden Vereinsmitgliede 1 Heft davon zugestellt.)

Der Catalog über die Bibliothek der Großh. Centralbehörde und über die Modellsammlung derselben, für diejenigen verehrlichen Mitglieder, welche denselben nicht schon früher erhielten.

V. Landwirthschaftliche Produkte:

Kirschen und Zwetschgen, auf dem Muster-Obst-Trockenofen getrocknet.

Von der Samensammlung der Gr. Centralbehörde die Abtheilung: „Getreidearten Europas.“

Von Herrn Dekan Clotz zu Stockstadt: eine große weiße Rübe.

Von Herrn Dr. Möbus zu Dieburg: moussirender Obstwein.

Von Herrn Distrikts-Steuereinnehmer Bang zu Gundernhausen: ein Sellerieкopf, 2½ Pfund schwer, eine Welschlauchzwiebel, 1½ Pfund schwer.

*) Ein Vortrag hierüber folgt.

**) Man vergl. die landw. Zeitschrift Nr. 40 und 43.

VI. Landwirthschaftliche Geräthschaften:

das Modell eines amerikanischen beweglichen Wehrs,
eine Bandage für Kühe mit dem Gebärmuttervorfall,
eine Pyramide zum Kleetrocknen,
eine Malzschrotmühle von der Ludwigshütte,
ein verbessertes Wiesenbett,
ein Grabenspätchen (Stechschippe),
eine Wasserwaage von Fries in Darmstadt,
ein Karst von Niederrad,
Hufeisen verschiedener Formen, von den Zöglingen des Hufbeschlagunterrichts.

VII. Das Fremdenbuch des landwirthschaftlichen Vereins.

Zuletzt wurde noch vorgelegt eine

Uebersicht der Geldverwendungen des landwirthschaftlichen Vereins der Provinz Starkenburg in den Jahren 1832 bis 1839, 1840, 1841 und 1842.

Gegenstände der Verwendung.	In den Jahren 1832—1839.		Im Jahre 1840.		Im Jahre 1841.		Im Jahre 1842.		Zusammen in den 11 Jahren.	
	fl.	kr.	fl.	kr.	fl.	kr.	fl.	kr.	fl.	kr.
I. Büreaukosten.										
Schreibmaterialien, Copialien, Porto rc.	857	27	134	14	121	28	152	41½	1265	50½
II. Beförderung der Viehzucht.										
1) Prämien für Sprungbullen	3989	—	226	30	283	—	300	—	4798	30
2) " " junge Bullen	842	51	—	—	—	—	—	—	842	51
3) Verlust beim An- und Wiederverkauf von Bullen u. Kosten der Bullenmärkte	667	22	122	45	40	—	46	39	876	46
4) Prämien für Kalbinnen	1238	21	340	—	450	45	433	—	2462	6
5) " " Eber	288	51	—	—	—	—	—	—	288	51
6) Verlust beim An- und Wiederverkauf von Ebern	85	28	—	—	—	—	—	—	85	28
7) Unkosten der Preisvertheilungen und Wegentschädigungen	165	34	92	47	94	43	126	20	479	24
8) Anlegung von Faselställen und Sprungplätzen	449	—	—	—	—	—	3	56	452	56
9) Unterricht von Thierheilgehülfen und Hufschmiede-Bildung	216	—	—	—	201	30	282	39	700	9
III. Beförderung des Düngerwesens.										
Unterricht von Maurern, Prämien für Dungstätten u. Stallungen, sowie Belohnung der Techniker für die Aufnahme u. Pläne	5926	31½	247	—	252	40	108	42½	6534	54
IV. Beförderung des Wiesenbaues.										
1) Unterricht von Wiesenbauern, für Instrumente, Prämien für Wiesenverbesserungen und für Anfertigung von Plänen zu größeren Wiesenbau-Arbeiten	4445	33	389	7	219	42	686	22½	5690	44½
2) Verminderung der Herbstzeitlose	—	—	—	—	57	44	83	43½	141	27½
V. Prämien für Feldschützen.	—	—	—	—	287	—	149	—	436	—

VI. Beförderung des künstlichen Futterbaues.										
Prämien f. Luzerne- u. Esparsetteanlag. u. Anschaffung v. Luzernesamen	901	36	25	—	10	—	91	11½	1027	47½
VII. Verbreitung besserer Ackergeräthe.										
Anschaffung v. Musterwerkzeugen u. Verlust bei deren Wiederverkauf	369	5	210	54	143	23	114	38	838	—
VIII. Für den Handelsgewächsebau.										
1) Unterstützung d. Anschaffung v. Lein-, Hanf- u. Runkelrübensamen	1092	45½	75	35½	101	23	154	42	1424	26½
2) Prämien für Hopfenanlagen und zu Anschaffung von Setzlingen	692	6	45	—	—	—	35	54	773	—
3) Zur Beförderung des Tabaksbaues	100	—	—	—	1	5	—	—	101	5
IX. Für den Weinbau.										
Anschaffung u. Vertheilung v. Reben, Unterhaltung einer Rebschule rc.	207	43	156	25	8	31	—	—	372	39
X. Für den Obstbau.										
1) Anschaffung eines Obstsortiments zur Abgabe v. Pfropfreisern rc.	40	57	20	—	—	—	—	—	60	57
2) Prämien für Obstbaumschulen von Privaten	45	—	—	—	15	—	10	—	70	—
XI. Beförderung des Seidenbaues	27	43	—	—	—	—	—	—	27	43
XII. Für den Torfbau	—	—	22	18	40	—	10	—	72	18
XIII. Für Urbarmachungen, Prämien rc.	—	—	—	—	126	—	75	—	201	—
XIV. Für Verbesserung des ökonomischen Bauwesens	—	—	—	—	135	20	71	46	207	6
XV. Für Beförderung des Wollmarkts zu Offenbach	11	15	—	—	—	—	—	—	11	15
XVI. Für landwirthschaftliche Verdienstmedaillen .	207	10	—	—	95	44	45	50	348	44
XVII. Außerordentliche Aufmunterungsprämien und Unterstützungen	45	—	—	—	—	—	10	40	55	40
XVIII. Kosten d. landw. Zeitschrift f. d. Vereinsmitglieder	4828	44½	622	15	738	49	691	12	6881	½
XIX. Verbreitung nützlicher Schriften, einschließlich der Gemarkungsbeschreibungen	175	12	—	—	—	—	—	—	175	12
XX. Verschiedenes.										
a) Einkassirung der Beiträge der Vereinsmitglieder . .	—	—	46	15	53	36	55	35	155	26
b) Kleine Unkosten	147	53	—	—	—	—	38	9	186	2
c) Inexigible Beiträge	267	—	48	30	39	—	50	18	404	48
Zusammen . . .	28331	8½	2774	35½	3516	23	3827	59½	38450	7

[illegible]	[illegible]	[illegible]	[illegible]	[illegible]	[illegible]
[illegible]	[illegible]	[illegible]	[illegible]	20 [illegible]	[illegible]
[illegible]	142 [illegible]			[illegible]	[illegible] 5
[illegible]		30 12	[illegible]	92 30	122 [illegible]
[illegible]	182 15				182 15
[illegible]	[illegible] 11		[illegible] 10	[illegible] 35	[illegible]
[illegible]				10 [illegible]	[illegible] 0
[illegible]	[illegible]		[illegible] 11	12 [illegible]	[illegible]
[illegible]	17 12				
[illegible]			[illegible] 30	[illegible]	[illegible] 0
[illegible]				[illegible]	30
[illegible]		[illegible]	[illegible]	[illegible]	[illegible]
[illegible]			12	10	[illegible]
[illegible]	[illegible]	[illegible]			10
[illegible]	203 [illegible]	[illegible]	[illegible]		[illegible]
[illegible]	[illegible]		1 2		101
[illegible]	[illegible]	[illegible]		3[illegible]	[illegible]
[illegible]	[illegible]	[illegible]	[illegible]	124 [illegible]	[illegible]
[illegible]	[illegible]	5 0 [illegible]	173 33	11[illegible]	[illegible]
[illegible]	201 20	8 [illegible]	10	[illegible]	[illegible]

Rechenschafts-Bericht

des

Großherzoglich Hessischen

landwirthschaftlichen Vereins

der

Provinz Starkenburg.

1843/44.

I. Stand der Mitglieder.

Nach der für die letzte Generalversammlung aufgestellten Liste betrug ihre Zahl		643
Neu aufgenommen sind seit der Zeit worden:		
a) in der Sitzung vom 13. März 1844	52	
b) desgl. vom 26. August 1844	11	
c) in der heutigen Ausschußsitzung	16	79
Zusammen		722
Abgegangen sind bis zum Schlusse des Jahres 1843	39	
Von da bis heute und zwar: durch Tod	12	
durch Austritt	11	62
Verbleiben		660

Es ergiebt sich mithin eine Zunahme von 17 Mitgliedern.

So erfreulich diese Zahl ist, bei der Concurrenz so vieler anderer bereits bestehender, theils sich immer neu bildender Vereine, so können wir doch nicht unbemerkt lassen, daß die Provinz Oberhessen im Verhältniß ihrer Bevölkerung mehr Vereinsmitglieder zählt, als die unsrige. Auf circa 298,000 Seelen jener Provinz kommen deren 777, während die unsrige, bei 300,000 Seelen, deren 117 weniger zählt. Ohne allen Zweifel hat jene höhere Theilnahme dort das Institut der Bezirksvereine hervorgerufen. Dieß ist auch leicht erklärlich, wenn man bedenkt, wie viel mehr Interesse deren Wirksamkeit, als mehr mit Lokalverhältnissen sich befassend, bei Manchem finden muß. Benutzen wir diese Erscheinung und lassen wir uns dadurch zu häufigeren Versammlungen unserer Bezirksvereine ermuntert sehen.

II. Landwirthschaftliche Bezirksvereine.

Der einzige Bezirk, in welchem Versammlungen derselben dermalen regelmäßig statthaben, ist der seit einem Jahr bestehende von Erbach. Seine Statuten und Geschäftsordnung sind in der dießjährigen landwirthschaftl. Zeitschriftsbeilage Nr. 10 veröffentlicht worden. Ueber seine Wirksamkeit im letzten Jahre brachte die landwirthschaftliche Zeitschrift schon einige interessante Mittheilungen, wie z. B. über die Wahl einer besseren Fruchtfolge für den Odenwald.

Die Statuten des seit einem Jahre bestehenden Lokalvereins zu Büttelborn, sowie Nachrichten über seine recht practische Thätigkeit hat die Nr. 4 der landwirthschaftl. Zeitschrift dieses Jahrs gebracht. Neu gegründet hat sich ein solcher Verein zu Hahn, Kreises Bensheim. Seine Statuten enthält die Zeitschrift Nr. 17. Von seiner Thätigkeit ist uns unter Andern der Antrag auf ein Gemarkungsstatut bezüglich des Gebrauchs beim Umschlagen der Pflugfurchen bekannt geworden.

III. Auszeichnung durch den Verein.

a) Ehrenmitglieder.

Zu den 40 noch lebenden Ehrenmitgliedern des Vereins im letzten Jahre wurden deren im laufenden, nach der Zeitschriftsbeilage Nr. 9, neu aufgenommen 8. Dazu wurde heute weiter ernannt:

der Königl. Sächsische Oekonomierath Reuning zu Dresden, (m. s. Seite 1 dieser Beilage).

b) Verleihung der landwirthschaftlichen Verdienstmedaille.

In der heutigen Sitzung des Ausschusses wurde eine solche beschlossen. (Siehe die deßfallsige Bekanntmachung auf der 1ten und 2ten Seite dieser Beilage.)

IV. Verkehr mit auswärtigen Gesellschaften, Besuch durch Fremde ꝛc.

Jener vermehrt sich mehr und mehr. Im letzten Jahre wurde eine neue Verbindung angeknüpft mit der Kaiserl. freien ökonomischen Gesellschaft zu St. Petersburg.

Der Besuch unserer landwirthschaftlichen Schöpfungen durch Ausländer war in keinem Jahre so stark, als in gegenwärtigem (die Namen der Besucher sind bis zum August d. J. in der landwirthschaftl. Zeitschrift erwähnt worden). Hier heben wir davon besonders hervor den Besuch des Professors der Land- und Forstwirthschaft an der Königlich württembergischen Universität Tübingen, des kürzlich verstorbenen Dr. Knaus, der mit einer Anzahl Studirender des Regiminal- und landwirthschaftlichen Faches von jener Universität, sowie von dem Institute Hohenheim, einen Theil unserer Provinz bereiste, um die Glanzpunkte ihrer land- und forstwirthschaftlichen Zustände, sowie die Leistungen der Verwaltung überhaupt kennen zu lernen.

Zur Instruction im Wiesenbau war ein Forstbeamter aus dem Fürstenthume Waldeck von dem dortigen landwirthschaftlichen Vereine abgesandt. Zu gleichem Zwecke findet sich noch dermalen hier ein Wirthschaftsbeamter aus Liefland, als Abgesandter der dortigen Ritterschaft.

V. Landwirthschaftliche Zeitschrift.

Ihre Auflage betrug im letzten Jahre 2600 Exemplare. Die Kosten pr. Exemplar betrugen bei einer Bogenzahl von 51 Bogen 1 fl. 28,27 kr., pr. Bogen also 1,73 kr.

Wir empfehlen sie auch hier den Vereinsmitgliedern zur gefälligen Unterstützung durch geeignete Beiträge.

VI. Pflanzenbau.

a) Wiesenbau.

In Beförderung des Wiesenbaues wurde nach den seitherigen Grundsätzen fortgefahren. Sie beschränkt sich hiernach hauptsächlich auf größere Wiesenflächen von Consortien oder Gemeinden, wozu die Pläne nicht nur von Seiten des Vereins entworfen, sondern auch in der Ausführung geleitet wurden.

Neue Anlagen wurden seit letztem Jahre gefertigt:

1) zu Seligenstadt auf einem Gemeindegrundstück mit flachem Beetbau	60 Morg.
2) zu Dieburg, die Dornwiese, nach gleichem System, Privaten gehörig	195 „
3) zu Richen, der Rödergrund, Privaten von 10 verschiedenen Gemeinden gehörig, ehemals zur Rödermark, vor einem Jahre noch ein totaler Sumpf, größtentheils nur Moos liefernd, Entwässerung durch 2 starke Hauptabzugskanäle und Bewässerung nach dem schon genannten System, circa	531 „
4) zu Raibreitenbach, Bezirks Breuberg, Privaten gehörig, flacher Rückenbau und theilweise Hangbau, circa	50 „
5) zu Zell, Bezirks Erbach, Privaten gehörig, derselbe Bau auf circa	60 „
6) zu Bessungen, der Gemeinde gehörig, Hangbau, auf einem ausgeholzten Waldstücke, circa	25 „
7) zu Umstadt, der Gemeinde gehörig, hoher u. flacher Rückenbau auf circa	60 „
im Ganzen . .	981 Morg.

oder nahe 1000 Morgen.

Ein Plan, über den aber erst noch entschieden werden muß, wurde entworfen für eine Wiesenfläche von 60 Morgen, Privaten gehörig, zu Rimbach.

Unser Erbieten zur Leitung der Entsumpfung der höchst versumpften Wiesen zu Olfen und Finkenbach, auf Vereinskosten, wurde von den Interessenten mit dem Bemerken zurückgewiesen, daß sie dazu der Hülfe des landwirthschaftlichen Vereins nicht bedürften. Wie steht es aber gerade um diese

Orte? Sie sind, dem Vernehmen nach, beinahe creditlos. Kein Stück Vieh von dem, was aus diesen Orten auf die Preisstation zu Beerfelden kam, war preiswürdig.

In der Verhandlung sind noch begriffen: die Entwässerung der Gemeindebrüche zu Kleinhausen und Bürstadt und eine große Bewässerungsanlage aus dem Rhein zu Erfelden. Das Project der Bewässerung der Hammerau mit circa 1300 Morgen wurde nicht fortgeführt, weil in neuerer Zeit der Rhein ihr sehr wohlthätige Fluthen zuführte und darum das Bedürfniß einer solchen Anlage weniger fühlbar machte.

Die in vorigem Jahre unvollendet gewesene Bewässerungsanlage zu Nauheim, Kreises Großgerau, wurde im Laufe des Jahres in der Hauptsache beendigt.

Um ein Beispiel aufzustellen über die Art der Rectificationen starker Fluß- und Bachkrümmungen, die Kosten davon und andernseits die Vortheile, wurde dazu eine der Rectification sehr bedürfende Stelle an der Mümling in der Neustadt ausgesucht, hierzu Plan und Kostenvoranschlag entworfen und solcher dem Großh. Landrathe daselbst mit dem Erbieten zugestellt, daß man zur Leitung der Ausführung auf Vereinskosten erbötig seye. Die Gemeinde hat sich erboten, das in die Rectificationslinie fallende Gelände anzukaufen und die weiteren Kosten der Ausführung zu bestreiten. Um aber die Erwerbung des Geländes zu vereinfachen und an den Gerichtskosten zu sparen, hat die Großh. Centralbehörde vorerst noch bei der höchsten Staatsbehörde um Verfügung nachgesucht, daß über das Ganze nur ein Kaufbrief gefertigt werden darf, und sobald hierüber Resolution erfolgt ist, wird die Sache zur Ausführung kommen. Wir hoffen dadurch für ähnliche Fälle, deren so viele vorliegen, einen nützlichen Fingerzeig zu geben.

Von den erst im vorigen Jahre vollendeten Anlagen zeigten sich in gegenwärtigem bereits sehr erfreuliche Resultate, wo man es an gehöriger Wartung der Anlagen und ihrer Benutzung zu Wässerung nicht fehlen ließ, wie z. B. zu Babenhausen, Hergershausen, Münster und Fränkisch-Crumbach. Wo man sonst düngen mußte, um einen Ertrag zu erzielen, kann nun der Dünger für das Ackerland benutzt werden. Die Kraft der Wirthschaften muß dadurch sich unfehlbar heben. Bereits sieht man schon sehr erfreuliche Anfänge im gänzlichen Umbau der Wiesen, namentlich zu Babenhausen. Unser System, bei Wiesenflächen von Consortien vorerst hauptsächlich nur für die Möglichkeit der Be- und Entwässerung zu sorgen, jedoch so, daß sich die innere Veredlung der Wiesenstücke durch Umbau an jene anschließen kann, diesen Umbau aber der Privatindustrie der einzelnen Besitzer zu überlassen, bewährt sich daher vollkommen. Es werden so nach und nach selbst große Wiesenflächen in musterhaften Stand gesetzt werden, während, hätte man auf den Umbau gleich von vorn herein gedrungen, der großen Kosten halber, von den Privaten wohl zu Nichts oder nur zu Wenigem die Hand geboten worden wäre. Ganz erfolgreich zeigten sich auch die vom Vereine geleiteten Entwässerungen zu Oberramstadt, Lengfeld und Umstadt.

Da wir die Erfahrung zu machen hatten, wie viel mehr Wiesenverbesserungen schon zu Stande gekommen wären, hätten die Betheiligten die vorgelegten Pläne verstanden, so schien uns nöthig, auf ein Mittel zu denken, wodurch künstliche Anlagen am besten versinnlicht werden könnten. Wir fanden dieß in der Anfertigung der Modelle von Wässerungsanlagen nach den verschiedenen Systemen, also von Stau-, Hang-, flachem Beet- und hohem Rückenbau. Sie sind in der Versammlung aufgelegt. Um deren möglichst viel verbreiten zu können, haben wir nur noch größere Wohlfeilheit ihrer Anfertigung herbeizuführen. In nächster Zeit werden wir uns mit Lösung dieser Frage befassen.

Die Opfer, welche dem Wiesenbau von Seiten des Vereins gebracht wurden, berechnen sich pr. Morgen, je nach der Größe der Wiesenfläche, auf 20 kr. bis höchstens 1 fl. Es bestätigt sich aufs Neue, daß man so, abgesehen von der höheren technischen Vollkommenheit der Anlagen, bei gegenwärtigem Systeme, die Verbesserungen vom Vereine selbst zu leiten, statt solche durch Preisaussetzung, wie früher, hervorzurufen, auch mit den Kosten ungleich weiter kommt, indem hierbei der Morgen beinahe auf das Zehnfache kam.

Ein Segen besonderer Art von unsern Wiesenbauten ist auch die Anbildung gewandter Erdarbeiter hierin. Dieß hatte z. B. zur Folge, daß deren gegen 50 Mann für Wiesenbauten in der Provinz Oberhessen, insbesondere zu Gießen, verschrieben wurden, namentlich aus Kleinzimmern und Eppertshausen, die dort guten Verdienst hatten.

Auf eine der höchsten Staatsbehörde durch die Centralbehörde gemachte Anzeige, daß manche Müller und andere Wasserwerkbesitzer auf den Art. 3 der Verordnung vom 2. April 1841 hin, die Sonntagsfeier betreffend, auch während der ganzen Zeit, in welcher das Mahlen an Sonn- und Festtagen nicht verboten ist, also auch während der Zeit, wo das Wasser seither zum Bewässern der umliegenden Wiesen benutzt werden konnte, dasselbige ganz für sich in Anspruch nehmen zu dürfen, sich berechtigt wähnten, hat die höchste Staatsbehörde den Verwaltungsbeamten eröffnet, daß durch jene Verordnung an den Berechtigungen der Wiesenbesitzer, in Beziehung auf die Benutzung der Mühlbäche zur Wiesenwässerung, nichts geändert worden sey.

Hoffen wir, daß die Sache des Wiesenbaues von Seiten der Wiesenpolizei künftig mehr gefördert werde. An Material zu ihrer Belehrung und Instruction ist nun auf eine Weise gesorgt wie in keinem andern Lande. Im laufenden Jahre hat die höchste Staatsbehörde eine neue Wiesenpolizeiordnung eingeführt. Von Seiten des Vereins wurde die Instruction für Wiesenwärter mit einer Belehrung über die Behandlung des Wässerns abgefaßt, in der landwirthschaftlichen Zeitschrift veröffentlicht und in besondern Abdrücken verbreitet. Ferner hat der Verein von Starkenburg beschlossen, ausgezeichnete Wiesenwärter mit Preisen zu belohnen. In andern Ländern würde man dem Himmel danken für ähnliche Fürsorge. Nicht genug beherzigen kann man, welche höchst wohlthätige Rückwirkung ein so sicherer Futterbau, wie der auf Wiesen, ein guter Futterbau überhaupt auf die Hebung der Viehzucht, diese wieder auf die Kraft des Ackerbaues und die Casse des Landmanns überhaupt äußert. Wie kann z. B. ein Landmann bestehen, der alljährlich ein kleines Kapital für Brennmaterial aufwenden muß, um durch Kochen das harte sauere Futter oder das, in Ermangelung von anderem, als Futter gegebene Stroh seinem Viehe gedeihlich zu machen ꝛc.

b) Pflanzenbau überhaupt.

Zu Beförderung des Lucerne- und Esparsettebaues sind im laufenden Frühjahre um ermäßigte Preise an Landwirthe der Provinz abgegeben worden:

Luzernesamen 900 Pfd., Esparsettesamen 52 Simmer, zusammen mit einem Opfer von 46 fl. 26 kr.

Die Vermittelung zum Bezug von russischem Lein- und Oberländer Hanfsamen hat Ihr Ausschuß verlassen zu müssen geglaubt, nachdem diese Unterstützung schon eine Reihe von Jahren und immer denselben Orten gewährt war.

Zu Hopfenanlagen zu Häuserhof, Wersau und Büttelborn sind Fechser aus der Pfalz beschrieben und unter Uebernahme der Transportkosten-Auslagen auf die Vereinskasse an die Besteller abgegeben worden.

Die zur besseren Behandlung des Tabaks bei der Ernte und dem Trocknen gegebene Anregung blieb nicht ohne Erfolg, und zwar in Virnheim unter dem lobenswerthen Vorangehen des Herrn Revierförsters Reiß. Die von uns in jener Gegend eingeführte Tabakssorte findet so allgemeinen Beifall, daß alle anderen dadurch unterdrückt werden.

Zur Verminderung der Melde, eines in den sandigen Theilen der Provinz sehr üppig vegetirenden und die Felder gar sehr verunstaltenden Unkrauts, sind die Großh. Verwaltungsbeamten dießfalls um polizeiliche Einschreitung ersucht worden. Wegen ihrer Entfernung von den Eisenbahndämmen, an denen sie im laufenden Jahre so üppig vegetirte, daß die Zerstreuung ihres reichen Samens viel Uebel hätte befürchten lassen, haben wir uns an die Großh. Eisenbahnbaudirection gewendet, welche auch Abhülfe zusagte.

VII. Obstbau.

Die Anlegung von Gemeinde-Obstbaumschulen, in neuester Zeit von der höchsten Staatsbehörde besonders empfohlen, wurde durch den Verein im laufenden Jahre mehrseitig unterstützt. In einem Ausschreiben an sämmtliche Großh. Verwaltungsbeamte der Provinz erbot man sich nicht nur zur unentgeltlichen Absendung eines Technikers, zum Zwecke der Berathung bei der ersten Anlage der Baumschule, sondern auch zur Vermittelung des Bezugs von Obstbaumsämlingen. Von beiderlei Erbieten hat der Großh. Kreisrath zu Großgerau für beinahe sämmtliche Orte, der Großh. Kreisrath zu Dieburg für mehrere Orte seines Kreises Gebrauch gemacht. Dorthin wurden circa 5480 Sämlinge, hierher deren 800 besorgt.

Für die Anlage einer Privatbaumschule zu Raibach, Kreises Dieburg, wurde in diesem Jahre ein Preis ausgegeben.

Mehrfache Beschwerden über den Baumsatz an den Staats- und Provinzialstraßen, bezüglich der Entfernung von fremdem Eigenthum, haben den Ausschuß in seiner Sitzung vom 13. März d. J. veranlaßt, durch die Großh. Centralbehörde bei Großh. Ministerium des Innern und der Justiz um Abhülfe in der Sache bitten zu lassen. Es ist dieß seiner Zeit geschehen, zugleich mit einer Darstellung der so mangelhaften Behandlung des Baumsatzes selbst und der aus dem dießfallsigen üblen Beispiele erfolgenden Nachtheile. Die Entschließung hierauf wird wohl demnächst erfolgen.

VIII. Vereinsrebschule zu Bensheim.

In der Ausschußsitzung vom 13. März 1844 wurde auf den Antrag des Obereinnehmers Heckler zu Bensheim die Veräußerung der dortigen, dem Vereine gehörigen, 1 Morgen großen Rebschule sammt den Rebvorräthen beschlossen, weil in Folge der Zeitverhältnisse kein Grund mehr vorliege, durch Unterhaltung der Rebschule zu Rebenanlagen aufzumuntern. Der Ankauf dieses Stücks kostete den Verein einstens 200 fl., einschließlich einiger Meliorationen aber 222 fl. 2 kr. Bei der letzten Versteigerung hätten 244 fl. erlöst werden können. Der Zuschlag ist noch nicht erfolgt, unter Anderm, weil sich in neuerer Zeit verschiedene Stimmen für den Fortbestand der Rebschule erklärt haben, die man früher im Ausschusse zu vernehmen nicht Gelegenheit hatte.

IX. Feldschutz.

An 18 Feld- und Wiesenschützen, welche wenigstens 10 Jahre lang ihr Amt ausgezeichnet gut verwalteten, wurden im laufenden Jahre Preise mit im Ganzen 146 fl. ausgegeben. Davon gehörten an

dem	Kreise	Bensheim	2
„	„	Dieburg	3
„	„	Großgerau	2
„	„	Heppenheim	5
„	„	Offenbach	4
„	Bezirk	Breuberg	1
„	„	Erbach	1
		zusammen . . .	18.

[illegible] Mann konnten Unwürdigkeit und anderer Umstände halber nicht berücksichtigt werden.

Schon vielen Segen hat das neue Feldstrafgesetz und die neue Organisation des Feldschutzdienstes gewährt, Vieles ist aber noch zu wünschen, das nur durch bessere Stellung der Feldschützen sich erreichen läßt. Im Vergleich gegen die Forstschützen sind sie noch gar gering bezahlt; gar gering im Verhältniß der ihrem Schutze übergebenen Feldfläche und des Werthes der darauf jährlich stehenden Erzeugnisse. Nur mit Verbesserung ihrer Lage läßt sich erwarten, daß sich zu diesem Dienste mehr und mehr ganz unabhängige, zuverlässige Leute gebrauchen lassen werden. Möchten die Gemeinden hierin doch ja nicht zu sparsam handeln.

Ein Antrag des Herrn Oekonomen **Ewald** zu Rehbach, in Betreff der Verordnung über die Lieferung von Sperlingen, in der Ausschußsitzung vom 13. März d. J. von dem Ausschusse unterstützt, wurde Großh. Centralbehörde zur Vorlage an die höchste Staatsbehörde empfohlen. Diese ist erfolgt und es steht wohl demnächst die höchste Entschließung zu erwarten, nachdem kürzlich auch die übrigen Provinzialvereine die ihrerseits verlangte Erklärung abgegeben haben.

X. Viehzucht.

a) Viehzucht überhaupt.

In Folge Antrags des Herrn Rentamtmanns Bergsträßer in der vorjährigen Generalversammlung hat Ihr Ausschuß unterm 13. März d. J. zu Berathung der in Vorschlag gebrachten Viehversicherungsanstalt für die Provinz Starkenburg eine Commission ernannt, bestehend aus den Ihnen durch die Zeitschriftsbeilage S. 65 bereits bekannt gewordenen Herren.

Diese hat der ihr gestellt gewesenen Aufgabe kürzlich entsprochen. Sie hat sich für die Gründung einer solchen Anstalt als Provinzialanstalt entschieden und auch einen Entwurf von Statuten für sie vorgelegt. Die Umsicht, womit die Commission den Gegenstand behandelte, ihre der Sache gewidmete Mühe, sowie ihre schriftliche Vorlagen, hervorgegangen aus der Redaction des Herrn Rentamtmanns Bergsträßer, verdienen alle Anerkennung.

Die Statuten werden nun noch vom Ausschusse geprüft und dann der höchsten Staatsbehörde zur Genehmigung vorgelegt werden.

b) Rindviehzucht.

Wir sind in der angenehmen Lage, Ihnen von diesem landwirthschaftlichen Betriebszweige erfreuliche Fortschritte im letzten Jahre anzeigen zu können. Auf den Antrag der Großh. Centralbehörde hat die höchste Staatsbehörde unterm 28. Februar 1844 zu ihrer Verfügung vom 2. October 1839, in Betreff der Unterhaltung des Faselviehs in den Gemeinden, einige sehr wohlthätige Zusätze ergehen lassen. Wir rechnen hierher die Bestimmung, daß die Anschaffung und Unterhaltung der Fasel Solchen nicht übergeben werden darf, welche einen nachtheiligen Wechsel durch Handel mit den Faseln befürchten lassen, daß die Accorde über die Unterhaltung derselben jedesmal vorerst zur Ratification durch den betreffenden Verwaltungsbeamten vorzulegen sind und daß das für den öffentlichen Verkehr ohnehin gefährliche Austreiben der Fasel mit der Heerde bei Strafe künftig verboten ist. Gewiß wurde seither manches Vieh, weniger des Futters halber, sondern nur darum auf die Weide getrieben, um es mit dem Fasel zusammen zu bringen. Viel einfacher und mit weit größerer Schonung des Fasels läßt sich aber dieses durch besondere Sprungplätze erreichen, wobei ja das sonst so wohlthätige Austreiben des jungen Viehes in die freie Luft ohnehin nach wie vor statthaben kann.

Die Einrichtung eigener Stallungen zur Verpflegung der Fasel von Seiten der Gemeinden selbst nimmt einen erfreulichen Fortgang. Neu in's Leben treten solche Anstalten dermalen zu Wolfskehlen, Kr. Großgerau, und Seeheim, Kr. Bensheim, sowie zu Bessungen. Wir können hierbei nicht unberührt lassen, wie nun auch in diesem Orte dermalen ein reger Sinn für landwirthschaftliche Verbesserungen erwacht ist. Der seitherige Weidegang im Wald hat mit diesem Jahre ganz aufgehört. Der öde Waldboden mit einzelnen Waldbäumen in der Umgebung der Residenz gegen Osten wurde mit Kiefern angesäet, ein Theil davon zu landwirthschaftlicher Kultur überwiesen, mit welch letzterer auch bereits begonnen ist. Daß ein Theil der Nachtweide durch den beständ. Secretär zur Wässerung eingerichtet wurde, wissen Sie schon aus dem vorjährigen Rechenschaftsberichte. Die Gemeinde zieht durch diese Verbesserung eine neue, reine jährliche Geldeinnahme von circa 800 fl.

Für die Wärter von Gemeindefaselställen hat der beständ. Secretär kürzlich eine Instruction entworfen und durch die landwirthschaftltche Zeitschrift veröffentlicht.

Ein Faselmarkt hat am 8. April zu Reichelsheim stattgehabt.

Eine Uebersicht verkäuflicher Fasel wird fortwährend in der landwirthschaftlichen Zeitschrift unterhalten.

Auch hier sehen wir uns übrigens zu der Erklärung veranlaßt, daß die dießfallsigen Anzeigen aufgenommen werden, wie sie uns zukommen und damit keineswegs gesagt ist, als seyen die Thiere vom Vereine für tüchtig erklärt.

Zu Vermehrung unserer Viehzucht durch ausgezeichnete Zuchtstiere resp. Veredelung derselben, hat Ihr Ausschuß die Einfuhr von weiblichen und männlichen Zuchtthieren von Schweizervieh beschlossen. Bei den weiblichen Thieren geschah sie auf feste Bestellung und ganz auf Rechnung und Gefahr der Besteller, übrigens mit Uebernahme der Reisekosten des Einkauf-Commissärs auf die Vereinskasse, bei den männlichen Thieren auf die gewöhnliche Weise des An- und Wiederverkaufs.

Die Wahl der Race fiel für dießmal auf die Schwytzerrace. Der Ankauf von rothem Vieh, der Berner Race, dem von anderer Seite, als mehr im Geschmack der Odenwälder liegend, das Wort gesprochen, wurde, als mit jenem Ankauf der Entfernung der Heimath beiderlei Viehes von einander halber nicht wohl vereinbarlich, auf eine andere Zeit verschoben.

Zu Besorgung des Ankaufs war der best. Secretär ersucht, der ihn auch im September d. J., zugleich als Commissarius des landwirthschaftlichen Vereins von Oberhessen, mit einem gleichen Ankauf der Vereine von Rheinhessen und Oberhessen, mit dem Herrn Gutsbesitzer Wernher zu Nierstein und dem Herrn Verwalter Krebs zu Neuhof ausführte.

In die Hände von Privaten unserer Provinz kamen hierdurch 15 junge Kühe und Kalbinnen, an Gemeinden und Private 8 Zuchtstiere, zusammen 23 Stück.

Ueber die schöne Qualität der Thiere und die Wohlfeilheit des Einkaufs, ganz besonders des Transportes, war nur eine Stimme;*) im Durchschnitt kam 1 weibliches Zuchtthier auf 150 fl., 1 Stier auf 100 fl.; der Transport pr. Stück bis Gernsheim auf 16 fl. 48 kr.

Bei der Wiederabgabe resp. Wiederverkauf der Zuchtstiere wurde die Auslage des Vereins wieder gedeckt, so daß das ganze Opfer, welches der Vereinskasse durch die Einfuhr jener 23 Zuchtthiere erwächst, sich nur auf den Antheil an den Kosten der Einkaufs-Commission, Wechselspesen und sonstigen allgemeinen Unkosten mit circa 200 fl. oder etwa 9 fl. pr. Stück belaufen wird.

Die Einkaufsrechnung wird in dieser Versammlung den dabei betheiligten Privaten zur Einsicht übergeben werden.

Ein Bericht über die ganze Reise von dem best. Secretär wird aber noch in der Zeitschrift erscheinen. Hier heben wir daraus nur die so sehr wichtige Thatsache hervor, daß der dem Aeußeren nach sonst so schönen Berner Race gerade in der nächsten Umgegend ihrer Heimath dermalen die Schwytzer Race

*) Beim Wiederverkauf von 4 Kalbinnen, auf welche die Gemeinde Umstadt subscribirt hatte, machte sie einen Ueberlös von 185 fl. (ein Stück wurde mit 221 fl. bezahlt). Herr Bürgermeister Ittmann meldete dieß mit folgenden Worten: „Nicht des pecuniären Vortheils wegen, sondern des Anklangs halber, den die Bemühungen der Einkaufscommission gefunden, zeige ich dieß an."

allgemein vorgezogen und so diese letztere seit schon längerer Zeit (statt jener, wie früher) zur Veredelung eingeführt wird. Von dem großen schäckigen Viehe sollen nur die Franzosen dermalen noch Liebhaber seyn. Ein kleinerer Schlag der Berner Race, das rothe Simmenthaler Vieh, sey zwar in der Milchergiebigkeit und den Futteransprüchen etwas besser, stehe übrigens aber auch dem Schwytzer Viehe hierin nach, was man auch nach Nachrichten aus Württemberg, wohin in den letzten 6 Jahren starke Ankäufe gemacht wurden, bereits bemerkt haben will.

Da voraussichtlich der günstige Verlauf des dießjährigen Ankaufs viele neue Bestellungen zu Folge hat, so wird bei Zeiten das Nöthige dazu eingeleitet werden.

Die Preisvertheilungen für Rindvieh hatten auf den Stationen Höchst, Beerfelden, Lorsch und Langen statt, und zwar nach ausdrücklicher Bestimmung des Ausschusses unter Beschränkung auf nur mehr Ausgezeichnetes. Unter ihnen excellirte die Station Lorsch. Etwas gering fiel aus die Station Beerfelden. Sehr zu bedauern ist, daß in letzterer Gegend der ärmere Landwirth bei seinem Viehzuchtbetrieb noch gar sehr in den Händen der Händler liegt. Die Gründung einer Leihkasse mit Sparkasse würde hier, nach anderweitigen Erfahrungen, sehr bald Abhülfe verschaffen. Leider ist der Bezirk Erbach unter allen Kreisen und Bezirken der einzige, wo diese so wohlthätige Anstalt noch fehlt.

Bedauerlich war für die im Betrieb der Viehzucht weniger begünstigten Gegenden, wie z. B. die vom Bezirk Breuberg, die starke Concurrenz ihrer Nachbarn aus den besseren Gegenden, wie z. B. der Gegend von Reinheim und Umstadt, worin diese namentlich durch die guten Straßen gegen früher unterstützt worden seyn mögen.

c) Pferdezucht.

Der Unterricht junger Schmiede im Hufbeschlag hatte auch im Winter 18$\frac{44}{45}$ statt und haben daran aus der Provinz Starkenburg 9 junge Männer Antheil genommen. Die auf einen Mann verwendete Summe betrug für die Vereinskasse im Ganzen 26 fl. 12$\frac{1}{2}$ kr., die gegen den großen Nutzen dieses Unterrichts gewiß gar nicht in Betracht kommt. Herr Marstallpferdearzt Britsch hat den Unterricht, wie bisher, mit gewohnter Gründlichkeit und Umsicht ertheilt resp. geleitet.

Im Ganzen sind jetzt in dieser Anstalt 35 der Provinz Starkenburg Angehörige geschult worden. Davon gehen an den

Kreis	Bensheim .	3	Kreis	Heppenheim .	7
„	Darmstadt .	4	„	Offenbach .	3
„	Dieburg . .	5	Bezirk	Erbach . .	4
„	Großgerau .	6	„	Breuberg . .	3

Für den neuen Cursus haben sich bereits 11 Hufschmiede angemeldet.

Die Gründung eines Pferdemarktes zu Gernsheim ist im Laufe des Frühjahres mit Abhaltung eines solchen durch eine Commission des Vereins eingeleitet worden. Welch schönes Resultat derselbe für den ersten Anfang gewährte, welch besonderen Beifall der Ort auch bei den auswärtigen Pferdehändlern fand, darüber hat seiner Zeit die Landeszeitung berichtet.

Die Aussichten zu einem guten Fortgange des Marktes sind so begründet, daß der Markt im nächsten Jahre wieder abgehalten werden wird. Ob es nöthig ist, daß sich der Verein noch einige Zeit dafür interessire, wird eine darüber im Ausschusse noch stattfindende Berathung ergeben. Sehr erwünscht wäre es, wenn sich über die Wahl des geeigneten Zeitpunktes zu Abhaltung des Marktes aus der Mitte unserer Pferdezüchter Stimmen hören ließen. Bei dem erstmals abgehaltenen Markte hatte man zu bedauern, daß die meisten ihre zum Verkaufe bestimmten Pferde schon abgesetzt hatten, an Käufern und guten Preisen hätte es ihnen auch auf dem Markte nicht gefehlt.

XI. Düngerwesen.

Daß der Verein fortan erbötig ist, denjenigen, welchen es um zweckmäßige Dungstätten und Hofraithe-Einrichtungen zu thun ist, die Pläne dazu fertigen zu lassen, wurde unterm 16. Januar 1844 in Nr. 3 der landw. Zeitschrift und durch die Kreis- ꝛc. Anzeigeblätter öffentlich bekannt gemacht. Von diesem Erbieten wurde von den Kreisen Großgerau, Dieburg und dem Bezirk Erbach aus Gebrauch gemacht.

XII. Landwirthschaftliches Bauwesen.

Die Verbreitung der vom Vereine ausgegebenen Entwürfe zu Musterplänen für landwirthschaftliches Bauwesen unter solchen Bauhandwerkern, die davon einen entsprechenden Gebrauch hoffen lassen, wird immer noch fortgesetzt.

Die Normal-Sonnen-Uhren, nach der Einrichtung des Herrn Oberfinanzraths Dr. Hügel, finden vielfach Eingang. Für sämmtliche Orte des Kreises Großgerau z. B. sind solche bestellt worden. Auch manche Private in der Provinz Starkenburg bezogen deren.

XIII. Verbreitung besserer landwirthschaftlicher Werkzeuge.

Auch auf den dießjährigen Preisvertheilungen hat ein Wiederverkauf von solchen stattgefunden. Abgesetzt wurden:

12 Ruchadlo-Pflüge,	2 Häufelpflüge,
2 Schwerzische Pflüge,	2 Untergrundpflüge,

6 Ackerwalzen,	11 Paar Halbjoche,
19 Wiesenbeile,	3 Bullenkappenzäume,
15 Wiesenschippchen,	28 Haushaltungswaagen,
19 Baumrindekratzen,	2 Wasserwaagen;

außerdem eine große Parthie Raupenscheeren um den Selbstkostenspreis.

Als besonders erfreulich müssen wir die vermehrte Anwendung von Ackerwalzen und die Verdrängung des Doppeljoches durch die bequemen Halbjoche hervorheben.

Die schon im vorigen Jahre beschlossene Veranstaltung von Preispflügen bei Gelegenheit der landwirthschaftlichen Preisvertheilungen hatte im laufenden Jahre zum erstenmale statt. Die Sache fand auf einzelnen Stationen so viel Anklang, daß sie fortgeführt und mehr und mehr ausgebildet zu werden verdient. Die Kunst des Pflügens ist in ihrer großen Bedeutung bei uns noch viel zu wenig erkannt, und wir müssen dafür jedenfalls etwas Durchgreifendes thun, wenn wir nicht gegen Andere zurückbleiben wollen. Wir werden bei andern Veranlassungen auf den Gegenstand zurückkommen.

Um Prüfung einer von dem Schlossermeister Wenzel zu Großgerau construirten Malzschrotmühle ist das Ausschußmitglied Herr Kaufmann Chelius daselbst ersucht worden. Ueber das Resultat steht der Bericht noch aus.

Bei der landwirthschaftlichen Preisvertheilung zu Langen wurde von einem Ackersmann zu Geinsheim ein Pflug aus Wien vorgezeigt und angewendet, der neben sehr leichtem Gang recht brave Arbeit machte und den in Westhofen gefertigten amerikanischen Pflügen zur Seite gestellt werden kann.

XIV. Verwendung der Geldmittel des Vereins.

Nach Vorschrift der Statuten werden hiermit vorgelegt:

a) die der Großh. Hauptstaatskasse mitzutheilende Wirthschaftsrechnung über den von ihr bezogenen Staatsbeitrag für 1843, sowie
b) die Rechnung über den durch die Beiträge der Mitglieder gebildeten eigenen Fond des Vereins von demselben Jahre, nebst Urkunden,

mit dem Anfügen, daß beide Rechnungen während der nächsten 4 Wochen mit dem Budget und dem dazu gehörigen Berathungsprotokoll auf dem Vereinsbureau, Hügelstraße Nr. 162, zur Einsicht aufgelegt seyn werden.

Die Kasse und Rechnung über den Vereinsfond hatte Herr Hofkammerrath Hamm dahier, wie in den letzten Jahren, unentgeltlich und mit bekannter Pünktlichkeit zu verwalten und resp. zu führen die Gefälligkeit. Herr Hamm hat den Verein dadurch aufs Neue zu großem Danke verpflichtet.

Das Ergebniß der Rechnung ist folgendes:

Einnahme.

Kassenvorrath und Ausstände nach dem Abschlusse der 1842er Rechnung (s. S. 187 der Zeitschriftsbeilagen von 1843) . . .	2570 fl. 10½ kr.
Beiträge der Vereinsmitglieder	1877 „ — „
Beitrag aus der Großh. Hauptstaatskasse . .	1650 „ — „
Erlös aus Reben u. s. w.	7 „ 6 „
Zinsen von deponirten Geldern	18 „ 6 „
Zusammen . .	6122 fl. 22½ kr.

Ausgabe.

Ausgabe-Rubriken.	Betrag der Credite.		Wirkliche Ausgabe.		Gegen das Budget mehr.		Gegen das Budget weniger.	
	fl.	kr.	fl.	kr.	fl.	kr.	fl.	kr.
Büreaukosten	120	—	176	49	56	49	—	—
Prämien zur Beförderung der Viehzucht	810	—	809	36	—	—	—	24
Kosten der Faselmärkte u. des An- u. Wiederverkaufs von Bullen . . .	340	—	107	18	—	—	232	42
Zur Beförderung der Anlegung von Fohlentummelplätzen	80	—	19	51	—	—	60	9
Zur Unterstützung der Einführung eines Pferdemarkts	100	—	100	—	—	—	—	—
Zur Beförderung der Einrichtung v. Faselställen mit Sprungplätzen . .	100	—	63	21	—	—	36	39
Kosten des Unterrichts junger Schmiede im Hufbeschlage	250	—	235	53	—	—	14	7
Prämien f. Urbarmachung öden Landes	100	—	61	—	—	—	39	—
Zur Beförderung des Wiesenbaues . . . . / Zur Verminderung der Herbstzeitlose	700	—	638	36	—	—	61	24
Zur Verbreit. einer Schrift über die Wiesencultur-Gesetzgebung	60	—	60	—	—	—	—	—
Zu übertragen	2660	—	2272	24	56	49	444	25

Ausgabe-Rubriken.	Betrag der Credite.		Wirkliche Ausgabe.		Gegen das Budget			
					mehr.		weniger.	
	fl.	kr.	fl.	kr.	fl.	kr.	fl.	kr.
Uebertrag .	2660	—	2272	24	56	49	444	25
Verlust beim An- u. Wiederverkauf von Luzerne- u. Esparsette-Samen .	100	—	46	26	—	—	53	34
Zur Beförderung des Obstbaues .	160	—	43	51	—	—	116	9
Desgl. des Hopfenbaues	50	—	9	16	—	—	40	44
Desgl. des Tabaksbaues	80	—	56	57	—	—	23	3
Zur Beförderung der Verbreitung liefländischen Lein- und oberländer Hanfsamens	130	—	313	2¼	183	2¼	—	—
Prämien für gute Pflüger	60	—	67	6	7	6	—	—
Dergl. für ausgezeichnete Feldschützen	266	—	266	—	—	—	—	—
Dergl. für bessere Eintheilung der Gemarkungsgewanne nnd Feldwege	100	—	50	—	—	—	50	—
Zur Verbreitung guter Muster zu ländlichen Bauten	50	—	147	27	97	27	—	—
Zur Beförderung des Düngerwesens	250	—	37	36	—	—	212	24
Zur Verbreitung besserer und neuer landwirthschaftlicher Werkzeuge und Maschinen	150	—	164	59	14	59	—	—
Preise für neue Torfstiche	50	—	—	—	—	—	50	—
Für Eincassirung der Beiträge	64	—	56	5¾	—	—	7	54¼
Kosten der landwirthsch. Zeitschrift	750	—	720	24	—	—	29	36
Für 4 landwirthsch. Verdienstmedaillen 2. Klasse	—	—	19	52	19	52	—	—
Inexigible Beiträge . . .	—	—	12	—	12	—	—	—
Ausgaben verschieden. Art	47	—	85	15	38	15	—	—
Zusammen	4967	—	4368	42	429	30¼	1027	49¼

Abschluß.

Die Gesammt-Einnahme beträgt . . . . . 6122 fl. 22¼ kr.
Die Gesammt-Ausgabe . . . . 4368 „ 42 „

Ergab sich mithin ein Ueberschuß von . 1753 fl. 40¼ kr.

Dieser besteht 1) in baarem Vorrathe . .	1677 fl. 20½ kr.
2) in Ausständen	76 „ 19¾ „
	1753 fl. 40¼ kr.

Dieser Ueberschuß besteht übrigens zum größten Theil in nach und nach gesammelten Betriebsfonds, denn ohne einen entsprechenden Betriebsfond käme die Kasse, deren Ausgaben zum Theil früher eintreten, als ihre Einnahmen, in Verlegenheit.

Den eigentlichen Ueberschuß bildet die

Vergleichung der Rechnung mit dem Budget.

Das Budget hatte an Ausgabe angenommen gehabt	4967 fl. — kr.
Die wirkliche Ausgabe betrug, wie schon gesagt .	4368 „ 42 „
Mithin wurden weniger verwendet	598 fl. 18 kr.

Was die Abweichungen gegen das Budget im Einzelnen betrifft, so beruhen

a) die Ersparnisse, und zwar die an dem Fond für Fohlentummel- und Faselsprungplätze, für Urbarmachungen, für Obst-, Hopfen- und Tabaksbau, für bessere Feldeintheilung und neue Torfstiche, auf mangelnder Concurrenz um die für jene Zweige ausgesetzt gewesenen Preise. Die Ersparniß an dem Fond für das Düngerwesen wurde gemacht, weil der Pläne für verbesserte Düngerstätten weniger verlangt wurden, die an dem für Bullen: weil der An- und Wiederverkauf von solchen gegen Erwarten günstig ausfiel; die übrigen Posten beruhen auf eigentlichen Ersparnissen;

b) die Ueberschreitungen, und zwar die an den Büreaukosten, auf der mehr und mehr sich bildenden Geschäftsausdehnung, die für Verbreitung von Lein- und Hanfsamen darauf, daß die Nachfrage größer, als angenommen, war, und daß nach Ausschußbeschluß den Beziehern von liefländ. Leinsamen im Jahre 1843, der ihrer Behauptung nach nicht keimfähig gewesen seyn soll, ½ ihrer Auslage mit 95 fl. 50 kr. wieder ersetzt wurden; die 97 fl. 27 kr. für das landwirthschaftliche Bauwesen darauf, daß sich die Kosten für die Musterbaupläne nicht genau veranschlagen ließen.

Die freie

Agrarverfassung.

Von

Peter Franz Reichensperger,

königl. Appellations-Gerichtsrath, Mitglied des Preußischen Hauses der Abgeordneten.

Regensburg.

Verlag von G. Joseph Manz.

1856.

Die

freie Agrarverfassung.

Die freie

Agrarverfassung.

Von

Peter Franz Reichensperger,

königl. Appellations-Gerichtsrath, Mitglied des Preußischen Hauses der Abgeordneten.

Regensburg.

Verlag von G. Joseph Manz.

1856.

Vorbemerkung.

Die hohe Wichtigkeit der Agrarfrage in ökonomischer, politischer und sozialer Beziehung bedarf wohl keines Nachweises, indem diese Frage im gegenwärtigen Augenblicke die Gesetzgebung der meisten deutschen Staaten, namentlich auch Preußens und Oestreichs auf's Ernstlichste beschäftigt. Eine spezielle Erörterung jener Frage dürfte aber um so angemessener erscheinen, wenn dieselbe nicht blos die theoretischen Gesichtspunkte der Materie, sondern ganz besonders auch die thatsächlichen Resultate vorführt, welche die Befreiung des Grundes und Bodens von den im Laufe der Jahrhunderte demselben auferlegten Lasten und Fesseln in den hervorragendsten Kulturstaaten Europas bisheran herausgestellt hat. Von diesem Gesichtspunkte aus ist nachstehende Abhandlung geschrieben; sollte dies mit Erfolg geschehen seyn, so wird man auch die encyklopädische Form derselben mit dem Umstande entschuldigen, daß die Abhandlung ursprünglich für die demnächst unter die Presse kommende „Allgemeine Real-Encyklopädie, 3te Aufl., redigirt von Dr. A. Heising" (Regensburg, G. J. Manz) bestimmt und aus derselben besonders abgedruckt worden ist.

Agrarverfassung. Das Wort, dessen Stamm dem Lateinischen (ager, Acker, agrarius, das Ackerwesen betreffend) entnommen ist, bezeichnet die Gesammtheit derjenigen gesetzlichen Bestimmungen, welche aus allgemeinen, der Nationalökonomie und der Politik angehörigen Gründen die Besitz- und Vertheilungsverhältnisse des zu landwirthschaftlichen Zwecken benutzten Grundeigenthums regeln. Es sind wesentlich zwei scharf ausgeprägte Systeme, welche sich in dieser Beziehung sowohl in der Wissenschaft, als auch in den Gesetzgebungen der verschiedenen Länder Europa's gegenüberstehen, nämlich das System der rechtlichen Freiheit und das der prinzipiellen Gebundenheit des Grundes und Bodens. Bis gegen das Ende des vorigen Jahrhunderts hatte thatsächlich das letztere System vorherrschende, wenn auch nicht ausschließliche Geltung behauptet, obgleich nicht blos das römische, sondern auch das gemeine deutsche Recht auf den entgegengesetzten Prinzipien beruhte. Die Gesetzgebung des alten Roms hatte namentlich durch das Prinzip des gleichen Erbrechts, durch ihre eingreifenden Bestimmungen über den Pflichttheil, sowie durch das positive Verbot der Familien-Fideikommisse eine möglichst gleiche Vertheilung des Besitzthums zu erhalten gestrebt; allein gegen das Ende der Republik fanden sich dennoch in Folge der fast ausschließlichen Aneignung der eroberten Staatsländereien Seitens weniger einflußreicher Adelsgeschlechter, in Verbindung mit dem Umstande, daß diese Familien selber durch die nicht endenden Kriege und schließlich durch die Proscriptionen immer mehr gelichtet wurden, ungeheuere durch Sklaven bebaute Gütermassen in wenigen Händen vereinigt, *) während ein nicht minder kolossaler Geldreichthum vermittelst der Verpachtung der Staatseinkünfte der römischen Ritterschaft zufloß.

Schon Plinius der Aeltere hatte in jener ungebührlichen Anhäufung des Grundeigenthums in wenigen Händen und der daraus hervorgehenden Vernachläßigung des Ackerbaues selber den beginnenden Untergang Roms erkannt („latifundia perdiderunt Italiam, imo et provincias!"), allein seine Warnung ward überhört, ja es fehlte wohl damals schon bei dem gänzlichen

---

*) Nero ließ sechs Patrizier tödten, welche die Hälfte des römischen Afrika's ihr Eigenthum nannten. Plin. hist. nat. l. 18. c. 7.

Mangel eines freien Bauernstandes an allen Bedingungen der Rettung und der Rückkehr zu naturgemäßerer Organisation des Grundeigenthums; — der einst so fruchtbare Boden Italiens war längst zur kümmerlichen Viehweide herabgesunken und entvölkert, als die germanische Völkerwanderung ihm neue Herren und Bebauer wiedergab.

Das Recht der Eroberung begründete demnächst zwar eine neue Vertheilung des Grundeigenthums, indem jedem wehrigen Manne ein zureichendes Gut zugewiesen ward, dessen Besitz zum Kriegsdienste verpflichtete; allein nicht blos dies ächtnationale Institut des Heerbannes ward hinwiederum im Laufe weniger Jahrhunderte durch das partikularistische Gefolgewesen und das aus demselben erwachsene Feudalsystem verdrängt, sondern es gelang schließlich dem konsequent geübten Drucke der großen Grundherren, über die Gesammtheit des ursprünglich freien Grundeigenthums ein so enges Netz von Beschränkungen zu werfen, daß die Freiheit des Grundes und Bodens die seltene und streng zu beweisende Ausnahme, dagegen die Unfreiheit desselben hinsichtlich der Benutzung, sowie der Vertheilung, Vererbung und Veräußerung des Bodens, endlich dessen Belastung mit unzähligen dinglichen und persönlichen Dienstbarkeiten und Abgaben aller Art die Regel ward. Erst seit dem Ende des achtzehnten Jahrhunderts hat sich nicht blos die Macht der Thatsachen, welche unter dem Namen der französischen Revolution dem gesammten öffentlichen Leben Europa's eine andere Gestalt gegeben, sondern auch die Wissenschaft und die gesunde Ueberzeugung der Völker immer bestimmter und energischer den Prinzipien der freien Agrarverfassung zugewandt. Diese Prinzipien liegen dermalen nicht allein der bürgerlichen und politischen Gesetzgebung Frankreichs, Belgiens und Hollands, sondern ihrem wesentlichen Inhalte nach auch der des Königreichs Preußen und der meisten übrigen deutschen Staaten, endlich seit dem Jahre 1848 der des Oestreichischen Kaiserstaates zu Grunde, wenn auch in den letztgenannten Ländern viele aus denselben abzuleitende Konsequenzen ihrer endlichen Verwirklichung noch immer entgegensehen.

Dies freie Agrarsystem beruht prinzipiell auf dem im Naturrecht begründeten Fundamentalsatze, daß das Eigenthum als solches die von ihm zu erwartenden Segnungen nur unter der Bedingung zu gewähren im Stande ist, daß dasselbe nicht blos im Gegensatze zur sozialistischen Gemeinschaft der Güter als individuelles, sondern auch im Gegensatze zu den ältern partikularistischen Formen der Gebundenheit von Rechtswegen als ein absolutes, d. h. an sich unumschränktes und ausschließliches Recht anerkannt werde, so zwar, daß jenes absolute Recht des aktuellen Eigenthümers jederzeit in dem nicht minder absoluten, mithin ebenfalls unverkümmerbaren Rechte jedes künftigen Erwerbers seine naturgemäße Beschränkung finden müsse.

Eine jede durch das Gesetz anzuordnende oder der Privatautonomie zu gestattende dauernde, d. h. dingliche Beschränkung dieses wesentlich freien und vollen Eigenthums ist hiernach als Ausnahme von der Regel zu behandeln und darum nur kraft einer vom Gesetze anerkannten allgemeinen und objektiven Nützlichkeit zu gestatten. Dies System der freien Agrarverfassung erkennt mithin zwar die Zuläßigkeit der durch die natürliche Lage der Grundstücke und durch das dauernde Interesse ihrer Benutzung bedingten gesetzlichen oder vertragsmäßigen Servituten, keineswegs aber auch die Spaltung des Eigenthums in das sogenannte Ober- und Nutzeigenthum, oder dessen ewige Vinkulirung auf dem Wege autonomischer Dispositionen, noch auch die ewige Ausschließung der Veräußerlichkeit, der Theilbarkeit oder des gleichen Erbrechtes hinsichtlich gewisser Gütermassen als im Rechte der Einzelnen und im Interesse der Gesammtheit begründet an, weil eben nach den Forderungen des Rechts und nach dem Wesen und Zwecke des Eigenthums nicht blos der einmalige aktuelle Besitzer jenes Eigenthumsrecht mit sultanischer Schrankenlosigkeit zum Schaden der künftigen Generationen auszuüben hat, vielmehr ein ebenso freies und umfassendes Eigenthums- und Verfügungsrecht über den Grund und Boden auch jedem künftigen Besitzer desselben von Rechtswegen gesichert werden muß. So wenig es selbst innerhalb der unfreien Agrarzustände dem zeitweisen Eigenthümer jemals gestattet worden ist, kraft seiner autonomischen Willensbestimmung die Bebauung eines Grundstücks schlechthin für alle Zukunft zu verbieten, dasselbe also unmittelbar zur ewigen Unfruchtbarkeit zu verurtheilen, ebensowenig können nach den Gesetzen der Konsequenz und nach den Prinzipien des freien Agrarsystems die vorbezeichneten Beschränkungen des freien Verfügungsrechts über Grund und Boden als rechtlich zuläßig anerkannt werden, wenn und inwiefern dieselben thatsächlich der Bodenkultur als solcher, mithin der möglichst wirthschaftlichen Benutzung des Grundeigenthums wesentliche Hindernisse bereiten. Dies freie Agrarsystem geht nicht minder von der theoretischen Voraussetzung und der praktischen Behauptung aus, daß bei voller Freiheit der Veräußerung und Erwerbung von Grund und Boden der letztere durchweg in den jederzeit geeignetsten Größeverhältnissen demjenigen Besitzer zugeführt werde und werden müsse, welcher persönlich und sachlich zu dessen wirthschaftlicher Benutzung am meisten befähigt und gewillt sey, mithin voraussichtlich dem Boden den höchsten Ertrag abzugewinnen vermöge. Es beruft sich endlich darauf, daß die Erfahrung aller jenem Agrarsysteme huldigender Staaten die größten ökonomischen und sozialen Fortschritte bekunde und namentlich den

Beweis liefere, daß die daran geknüpften und vom Partheigeist ausgebeuteten Besorgnisse eines Uebermaaßes der Bodenzertheilung im großen Ganzen völlig unbegründet sind, und daß diejenigen lokalen Uebelstände, welche etwa durch Mißbrauch der Freiheit ausnahmsweise einmal herbeigeführt werden möchten, gerade innerhalb des freien Agrarsystems und kraft seiner Prinzipien ihre eigenen Heilmittel sofort mit sich führen.

Das entgegengesetzte System der agrarischen Gebundenheit glaubt dagegen, jene für das Grundeigenthum als solches, d. h. nicht blos für einen einmaligen, sondern auch für jeden künftigen Besitzer in Anspruch genommene Freiheit der Benutzung und Verfügung als die unheilvolle Quelle fortschreitender Uebervölkerung und Verarmung der Länder bezeichnen zu müssen, und erblickt gerade in der dauernden Beschränkung des freien Verfügungsrechts über dasselbe kraft unmittelbarer Verbotsgesetze oder auf dem Wege autonomischer Willensbestimmung eines zeitweiligen Eigenthümers die unerläßliche Bedingung einer gesicherten Zukunft der Staaten und Familien in ökonomischer, sozialer und politischer Beziehung. Eine eigentliche rationelle Begründung dieser Anschauungen vom Standpunkte der Staats- und Wirthschaftslehre ist bisheran kaum versucht worden; die Vertheidigung hat sich vielmehr durchweg auf die apodiktische Aufstellung gewisser mystisch-dogmatischer Axiome und Analogien beschränkt und diese letzteren sodann namentlich zum Zwecke ihrer Empfehlung bei den Regierungsgewalten als die allein konservativen, auf ächt historischen Grundlagen beruhenden Staatsprinzipien qualifiziren zu dürfen geglaubt. Im Gefühle der gänzlichen theoretischen und praktischen Unhaltbarkeit hat man hierbei zwar das allzu starre Prinzip des getheilten Eigenthums (Ober- und Nutzeigenthum) stillschweigend aufgegeben, um so dringender dagegen auf der Forderung der Untheilbarkeit der Bauerngüter und auf der Nothwendigkeit von Verbotsgesetzen hinsichtlich der Theilung des Grundeigenthums unter einem zu bestimmenden Minimum bestanden, indem man behauptet, daß die unbeschränkte Freiheit der Verfügung über Grund und Boden nothwendig und unaufhaltsam zu stets fortschreitender Zersplitterung, ja zur Mobilisirung des einzig beständigen Elementes im Staatsleben führe. Das Grundeigenthum, sagte man, zerfalle in Staub, es mindere sich in demselben Verhältnisse sein Ertrag, während die Bevölkerung selber fort und fort wachse, mithin unabweisbar in Proletariat und Massenarmuth versinke und den Staat selber zu Grunde richte.

Der Gegensatz jener zwei Agrarsysteme ist hiernach ein direkter und allgemeiner, er kann nicht ignorirt, muß vielmehr einer bestimmten Entscheidung entgegengeführt werden, weil er die wichtigsten Fragen der Gesetzgebung unmittelbar berührt. So wie der Staat nach seinem äußern territorialen Daseyn mit dem Grundeigenthume zusammenfällt, so ist hinwiederum die das Grundeigenthum normirende Gesetzgebung und die hierdurch vermittelte Art der Benutzung und Vertheilung des Grundes und Bodens der zutreffendste Maaßstab seiner innern Zustände, und bedingt heute noch, wie seit den Anfängen der Geschichte, die wesentlichsten Beziehungen des gesammten Staats- und Volkslebens.

Die Agrarfrage berührt hiernach zwar alle Gebiete der Staats- und Rechtslehre, allein die wesentlichsten und durchgreifendsten Momente ihrer Lösung müssen immerhin der Wirthschaftslehre entnommen werden, weil auf dem Ertrage des Grundeigenthums die physische Existenz der Gesellschaft zunächst beruht, mithin der günstigere oder ungünstigere wirthschaftliche Einfluß der beiderseitigen Agrarsysteme zunächst und bis zum bestimmten Nachweise anderweiter, einer höhern Ordnung angehörender Schädlichkeiten für den Werth dieser Systeme selber entscheidend seyn muß.

Wendet man sich nun dieser materiellen Seite der Frage zu, so tritt dem Beobachter sofort die Erscheinung entgegen, daß das System der freien Agrarverfassung bisheran vorherrschend zur Theilung des Grundes und Bodens, d. h. zur Umwandlung der großen Güterkomplexe in mittlere und kleine Besitzungen geführt hat. Diese thatsächliche Erscheinung ist auffallender Weise nicht selten zur Feststellung eines Verdammungsurtheils gegen die freie Agrarverfassung für genügend erachtet worden, indem man sich eben nur zu sagen schien, daß ein Gut von tausend Morgen doch wohl besser und wünschenswerther sey, als eines von hundert Morgen; allein es leuchtet ein, daß diese Frage es nicht ist, welche die Wirthschaftslehre beschäftigen kann, sondern vielmehr nur die, ob von einem Areale von tausend Morgen ein höherer Ertrag erzielt wird, wenn dasselbe vermittelst einer einzigen, durch gesetzlichen Zwang zusammengehaltenen Großwirthschaft, oder in einer entsprechenden Zahl kleinerer Güter bewirthschaftet wird, und zwar Letzteres nicht einmal schlechthin und unter allen Umständen, sondern nur insofern, als jene kleinern Wirthschaften lediglich kraft der natürlichen Wirkung des freien Verkehres sich gebildet haben. Wird in dieser allein zuläßigen Weise die Frage gestellt, so steht ihr im Allgemeinen schon die Vermuthung zur Seite, daß die oben konstatirte fortschreitende Theilung des Grundeigenthums den wahrhaften Interessen der beiderseitigen Kontrahenten wirklich entspricht, weil eben jene Operation lediglich das Resultat der freien Willensbestimmung derselben ist, und weder an deren Absicht, ein günstiges Geschäft zu machen, noch auch an deren Befähigung zu einem sachgemäßen Urtheile über die Nützlichkeit oder

Schädlichkeit ihrer Handlungsweise bei dieser Operation eher, als bei jedem andern Geschäfte des bürgerlichen Lebens gezweifelt werden kann. Jene allgemeine Vermuthung wird aber im vorliegenden Falle noch in hohem Grade durch den Umstand verstärkt, daß einestheils die vorbezeichnete Erscheinung nicht blos lokal und vorübergehend, sondern bis zu einem gewissen, durch die jedesmaligen Boden- und Kulturverhältnisse bedingten Maaße der Theilung konsequent hervortritt, und daß anderntheils die entgegengesetzte Strömung des Verkehrs in demselben Augenblicke wirklich beginnt, in welchem ausnahmsweise ein Uebermaaß der Zersplitterung eingetreten und die ökonomische Nützlichkeit der Zusammenlegung, d. h. der Erwerbung Seitens eines größern Besitzers fühlbar geworden ist. Durch diese wohlbegründete, die gesammte Wirthschaftslehre beherrschende Vermuthung wird die Beweislast den Gegnern der freien Agrarverfassung auferlegt; es bedarf wohl ihrerseits sehr positiver Gründe und Beweise, um im Widerspruche mit allen Grundprinzipien der Nationalökonomie gerade beim Grundeigenthum eine Aufhebung der freien Bewegung der Betheiligten zu rechtfertigen und an deren Stelle ein System der Bevormundung treten zu lassen.

Zur Rechtfertigung dieses Bevormundungssystems wird von den Gegnern der freien Agrarverfassung ausgeführt, die kleine Kultur möge wohl, wie kaum zu bezweifeln sey, den größern Rohertrag gewähren, dieser letztere werde indessen wiederum von der größern Zahl der Produzenten selber verzehrt und komme daher der Gesammtheit nicht zu Gute; — die kleinere Kultur liefere dagegen, — und dies sey allein entscheidend, — allen Anzeichen nach einen geringern Reinertrag, als die Großwirthschaft, weil die letztere mit einem verhältnißmäßig kleinern Betriebskapitale an Ackergeräthschaften, Viehstand und Aufbewahrungslokalen, mithin wohlfeiler produzire; — die Großwirthschaft sey sodann auch allein im Stande, eine rationelle, den Fortschritten der Wissenschaft entsprechende Landkultur zu begründen, Versuche anzustellen und bewährte Verbesserungen einzuführen; — bei Begründung großartiger Kulturanlagen, namentlich zur Be- und Entwässerung, sei die Superiorität großer Güter unverkennbar, hiermit aber zugleich die Vermuthung gerechtfertigt, daß das so wichtige Interesse der Viehzucht durch dieselbe am sichersten gefördert werde; — bei einbrechender Hungersnoth und andern Landeskalamitäten seyen endlich die Besitzer großer Güter, welche ohnehin durch rechtzeitigen Ein- und Verkauf durchweg bessere Preise erlangten, überhaupt größern Kredit verdienten und besäßen, leichter im Stande, sich selber und das Gemeinwesen zu retten, als dies bei einer großen Anzahl kleiner Eigenthümer der Fall sey.

Ein näheres Eingehen in das Wesen der Landwirthschaft und eine unbefangene Würdigung der durch die Statistik festgestellten Thatsachen wird die Unhaltbarkeit jener Voraussetzungen und Behauptungen darthun und die Ueberzeugung begründen, daß die der Kleinkultur eigenthümlichen Vorzüge bedeutend genug sind, um bei normalen Verhältnissen, d. h. bei zwangloser Entwicklung der Volkswirthschaft, die Großkultur bei weitem zu überflügeln.

Daß der vorbezeichneten Kleinkultur der Vorzug des größern Rohertrags wirklich zur Seite steht, kann wohl für's Erste als eine definitiv festgestellte und unbestreitbare Thatsache bezeichnet werden. Dieser Vorzug beruht vorzüglich darauf, daß bei der Kleinkultur dem Grund und Boden ein verhältnißmäßig größeres Quantum menschlicher Arbeitskraft zugewendet, hierdurch aber die sogenannte intensive Bewirthschaftung begründet und die Möglichkeit gewonnen wird, neben den einfachen Cerealien ansehnliche Massen weit werthvollerer Produkte, z. B. Farb-, Oel- und Gespinnstpflanzen, Tabak, Gemüse, Obst, Eier, Geflügel u. s. w., zu erzielen. Denn „eine mit vieler Arbeit verknüpfte Kultur paßt sehr gut für einen Mann, der das Meiste selbst mit Frau, Kind und dem gewöhnlichen Gesinde vollführt, der daher die Vermehrung der Arbeit wenig oder gar nicht in Anschlag bringt; da er keine baaren Auslagen zu machen hat, so sieht er jede Vermehrung der Produktion für reinen Ertrag an. Er jätet, er hackt, er schafft mit nicht zu ermüdendem Fleiße, weil es ihm selbst, und denen, die ihm dabei zur Seite stehen, gilt. Anders verhält sich die Sache bei einem größern, und noch anders bei einem Areale von sehr großer Ausdehnung. Alles kostet hier Geld, der Rückschlag jeder Art ist daher für den Betreiber baarer Verlust, er muß also mit der größten Umsicht bei der Ausgabe zu Werke gehen." *) Die nationalökonomische Bedeutung dieser intensiven Wirthschaft im Allgemeinen ergibt sich sehr deutlich aus einem im französischen Moniteur vom 3. Januar 1853 enthaltenen Nachweise, wonach in der Nähe von Paris auf 1378 Hektare (zu 3,9 Magdeb. Morgen) täglich 10,000 Arbeiter und 1550 Pferde, also auf einen Hektare täglich 7 Arbeiter und $1\frac{12}{100}$ Pferde kommen, während in der Provinz Berry bei sehr guter Großkultur auf 1 Hektare täglich nur $\frac{45}{1000}$ Arbeiter und $\frac{2}{100}$ Pferde lohnende Beschäftigung finden.

Der umfassendste Beweis für den größern Rohertrag der Kleinkultur liegt in der Thatsache selber, daß sie

*) Schwarz, Anleitung zum praktischen Ackerbau. Bd. 3, S. 112.

überall, wo sie besteht, eine verhältnißmäßig dichte Bevölkerung hervorruft und ernährt; — die allein in Zweifel gezogene Frage, ob diesem größern Rohertrage auch ein höherer Reinertrag entspreche, wird aber im Allgemeinen durch die nicht minder offenbare Wahrnehmung erhärtet, daß jene dichten Bevölkerungen, welche die Kleinkultur im nördlichen und östlichen Frankreich, in Belgien, den Rheinlanden, in Würtemberg, der Schweiz u. s. w. hervorgerufen, hinsichtlich der Ernährung, Bekleidung und Wohnung, überhaupt in Beziehung auf fortschreitenden Wohlstand hinter der dünnen, meist taglöhnernden Bevölkerung der auf Großkultur basirten Länder nicht blos nicht zurückstehen, sondern daß dieselben gleichzeitig eine große Anzahl starkbevölkerter Städte mit Rohprodukten reichlich versorgen und durch den eigenen Verbrauch von Manufakturwáaren hinwiederum das industrielle Gedeihen der letzteren möglich machen. Die hohen Preise, welche für diesen zur intensiven Kleinkultur verwendeten Boden durchweg bezahlt werden, bestätigen jene Annahme im vollsten Maaße und liefern einen vollgültigen Beweis, daß jener Kleinkultur auch eine verhältnißmäßige Vermehrung des Reinertrags entspricht. Wäre dies nicht der Fall, so würde nach den Gesetzen der Nothwendigkeit mit dem Ertrage alsbald auch der Preis der Parzellen sinken und deren Eigenthum schließlich von dem der großen Grundbesitzer absorbirt werden, weil dieselben alsdann ihrerseits einen höhern Reinertrag erzielen, mithin auch den höchsten Kaufpreis zahlen könnten und würden. Es mag hierbei vollständig anerkannt werden, daß der Preis kleiner Besitzungen und Parzellen eine gewisse Steigerung durch den Umstand erfährt, daß dabei die Konkurrenz der Nachfrage vermehrt und dem wirklichen Erwerber die Gelegenheit geboten wird, auf eigener Scholle sich einen regelmäßigen Tagelohn zu sichern, anstatt denselben bei einem Dritten suchen zu müssen; nicht minder gewiß ist es aber auch, daß die hierdurch begründete Kleinkultur durch vermehrte Handarbeit und reichliche Düngung eine wachsende Ertragsfähigkeit des Bodens, ja eine Vermehrung des Grundvermögens selber vermittelt, indem der so bebaute Boden schließlich alle Eigenschaften des Gartenlandes wirklich erlangt, und demzufolge nicht blos von den auf Lohnverdienst ausgehenden kleinen Leuten, sondern auch von den größern Grundbesitzern und Gärtnern durchweg zu den erwähnten hohen Preisen erworben und bezahlt wird. Hinsichtlich der Rheinprovinz mag namentlich auf die unläugbare Thatsache hingewiesen werden, daß in der Nähe der Städte, beziehungsweise der Eisenbahnen, schon zwei bis drei Morgen Landes eine Gärtnerfamilie reichlich nähren, indem dieselbe einen täglichen Markterlös von etwa 20 Sgr. und überdies den Milchertrag von 1 bis 2 Kühen daraus bezieht, zu deren Unterhalt nur ausnahmsweise noch $\frac{1}{4}$ Morgen Kleeacker hinzugepachtet wird. *)

Die Grundsteuer-Gesetzgebung aller Länder geht ebenwohl von der Voraussetzung aus, daß der Reinertrag des Grundes und Bodens keineswegs von seiner Zubehörigkeit zu einer größern oder kleinern Wirthschaft, sondern vielmehr von seiner mehr oder weniger intensiven Bewirthschaftung abhängt; denn nur unter dieser Voraussetzung ist es gerechtfertigt, daß die Katastralabschätzungen lediglich nach den Boden- und Kulturverhältnissen der einzelnen Parzellen und ohne Rücksicht darauf vorgenommen werden, ob jene Parzellen einer Groß- oder Klein-Wirthschaft angehören. Kraft jener objektiven Bonitirung des Reinertrags ist beispielsweise in der Preußischen Rheinprovinz das Garten- und Weinland, welches daselbst $\frac{1}{38}$ des gesammten Areals einnimmt, während es in der weit fruchtbarern, aber minder parzellirten Provinz Sachsen nur $\frac{1}{78}$, in Westphalen $\frac{1}{85}$, in Schlesien, welches hinsichtlich der Bodenverhältnisse nach den Erklärungen der Preußischen Staatsregierung selber der Rheinprovinz gleichsteht, $\frac{1}{150}$,

*) Hartstein, Topographie des Kreises Bonn. 1850. S. 126. Vgl. auch v. Lengerke, Bericht über den Kongreß der Vertreter sämmtlicher landwirth. Hauptvereine aller Preuß. Provinzen &c. 1850. Bd. 1. S. 139.

in Preußen $\frac{1}{180}$, in Pommern $\frac{1}{201}$, in Posen $\frac{1}{286}$, endlich in Brandenburg nur $\frac{1}{251}$ beträgt *), mit einem Durchschnitts-Reinertrage von 136 Sgr. per Morgen eingeschätzt, während das Ackerland nur zu 67 Sgr. und das Weideland zu 48 Sgr. bonitirt ist. Es ergibt sich hieraus unwidersprechlich, daß die durch die Kleinkultur vermittelte Erhebung des Ackerlandes zur Gartenkultur nationalökonomisch weit wichtiger ist, als selbst die Umwandlung des Weidelandes in Ackerboden.

Wenn trotz allem dem die Behauptung des höhern Reinertrags auf Seiten der Großkultur von den Bewunderern der letztern festgehalten wird, so scheint dieselbe in der That weniger auf eine positive Würdigung der Thatsachen, als vielmehr auf die vermeintliche Analogie der Großkultur mit der großen Fabrikindustrie und auf die wirkliche Superiorität der letzteren gegenüber dem kleinen Handwerke gestützt zu werden. Allein diese Analogie trifft schlechthin nicht zu, weil das Prinzip der Arbeitstheilung, welcher die große Industrie ihre Uebermacht verdankt, bei der Landwirthschaft theils gar nicht, theils nur in untergeordnetem Maaße angewendet werden kann. Denn es ist unthunlich, daß ein Arbeiter immerfort säe, oder ackere, oder erndte und sich so die unglaubliche Technik eines Fabrikarbeiters aneigne, welcher

*) Vergl. Statistik des Preuß. Staates. Berl. 1845. S. 91.

z. B. in Verbindung mit neun andern Arbeitern täglich 48,000 Stück Nadeln anfertigt, während ein Einzelner ohne Arbeitstheilung höchstens 20 Nadeln zu liefern im Stande wäre.

Der nothwendige Wechsel der Beschäftigungen und Operationen des Landbauers macht es durchaus unmöglich, daß derselbe, wie jener Fabrikarbeiter, eine bloße Maschine oder gar ein einzelnes Rad derselben werde; der hieraus erwachsende ökonomische Verlust dürfte übrigens auch nicht einmal zu beklagen seyn, weil er durch den moralischen Vortheil reichlich aufgewogen wird, daß jene zahlreichste und wichtigste Klasse der menschlichen Gesellschaft gerade vermöge jener Eigenthümlichkeit immerdar ihren Menschenrang und ihre Menschenwürde behauptet, weil sie eben nicht blos mechanisch arbeitet und produzirt, sondern auch denkt und urtheilt.

Bei der Großkultur ist allerdings eine gewisse Kostenersparung an Wirthschaftsgebäuden und Geräthschaften zu erzielen, allein dieselbe wird bei der Kleinkultur durch die weit erheblichere Ersparung des Aufsichtspersonals und durch die unmittelbare energische Betheiligung des kleinen Eigenthümers und seiner andernfalls unbeschäftigten Angehörigen anstatt der weniger leistenden und mehr kostenden Lohnarbeiter, endlich durch weise Sparsamkeit und sorglichste Benutzung jedes günstigen Momentes, sowie durch größere Düngergewinnung, durch Vervielfältigung und Behackung der Gewächse, durch Verpflanzen, Jäten u. s. w. reichlich aufgewogen. Der Staatsrath Albrecht Thaer *) spricht daher wohl mit vollem Rechte der Kleinkultur auch den Vorzug des größern Reinertrages zu, und Rau **) faßt im vollen Einklange mit den besten Autoritäten der Wissenschaft, mit Ad. Smith, Malthus, Sismondi, Passy u. A., die Gesammtheit aller einschlägigen Momente in folgendem Schlußsatze zusammen: „Mittlere und kleinere Güter liefern dann, wenn sie wirklich, so wie sie es fähig sind, mit größerm Eifer und Fleiße bewirthschaftet werden, nicht blos einen größern Rohertrag, sondern auch einen stärkern Reinertrag von gleicher Fläche, also mehr Grundrente, als große Besitzungen.“ — Wenn auch dieses auf umfassenden Beobachtungen beruhende Urtheil des größten Agronomen Deutschlands nicht schlechthin mit mathematischer Gewißheit begründet werden kann, indem Ertragsberechnungen überhaupt nach der Natur der Sache auf unsichern Grundlagen beruhen, so hat dasselbe doch in Beziehung auf Frankreich durch eine Reihe genau konstatirter Thatsachen bereits die vollste Bestätigung erhalten. Hyp. Passy hat nämlich auf Grund amtlicher

---

*) Grundsätze der rationellen Landwirthschaft. Bd. 1. S. 92.

**) Volkswirthschaftslehre. Bd. 1. § 371.

Materialien die im franz. Departement de l'Eure in der Periode von 1800 — 1837 zufolge der neuen Agrargesetzgebung eingetretenen landwirthschaftlichen Veränderungen mit größter Genauigkeit untersucht und hierbei festgestellt, daß der Durchschnittspreis der Jahresernbte bei gleichen normalen Verhältnissen im Jahre 1800 den Werth von 47,614000 Frks., 1837 dagegen von 72,428000 Frks. gehabt, sowie daß der Reinertrag im Jahre 1800 die Summe von 4,512000 Frks., im Jahre 1837 dagegen von 9,176000 Frks. betragen, mithin eine Vermehrung von 203% erfahren hat, während die Bevölkerung in derselben Zeit nur um 6% gestiegen ist. *)

Die Arbeiten des berühmten Statistikers Moreau de Jonnés haben noch weiter zurückgegriffen und in umfassender Weise eine Vergleichung der französischen Zustände vor und nach der Revolution möglich gemacht. Es ergibt sich hieraus **), daß im Jahre 1700 in Frankreich an Cerealien (Weizen, Spelz, Mangkorn, Roggen, Gerste, Hafer und Mais) 92,856000 Hektoliter erzeugt worden sind, und daß auf den Kopf der Bevölkerung 472 Litres kamen. Im Jahre 1788 fand

*) Journal des Economistes, 1842. p. 44.

**) Annuaire de l'économic politique et de la statistique pour 1850. p. 368.

sich beinahe noch dasselbe Verhältniß unverändert vor, indem 115,816000 Hektoliter produzirt wurden und auf den Kopf 484 Litres kamen; im Jahre 1840 dagegen betrug jene Produktion 182,516000 Hektoliter, und es kamen auf den Kopf der erheblich angewachsenen Bevölkerung 541 Litres. Nach einem durch H. Passy in der Akademie der Wissenschaften erstatteten Berichte ertrug im Jahre 1700 der Hektare Landes 8 Hektoliter Cerealien, im Jahre 1788 bestand dieses Verhältniß ebenwohl fast unverändert fort, wogegen im Jahre 1840 jener Ertrag auf 13,14 Hektoliter gestiegen war. Nach einer im Moniteur vom 10. September 1854 enthaltenen Nachweise haben die fortgesetzten statistischen Arbeiten die fernere hochwichtige Thatsache ergeben, daß von 1836 — 1851 der mittlere jährliche Zuwachs in der Produktion aller Cerealien 3,141917 Hektoliter im Werthe von 30 Mill. Frks. betragen hat. Der durchschnittliche Jahresbedarf Frankreichs berechnet sich endlich nach den amtlichen Ermittlungen auf 146,876000 Hektoliter, so daß für die Saat u. s. w. durchschnittlich ¼ mit 35,640000 Hektoliter zur Verfügung bleibt. Wenn nichtsdestoweniger bei wiederholten mangelhaften Erndten Frankreich sich mehr, als andere Staaten des Festlandes, auf fremde Zufuhr angewiesen sieht, so darf dies um so weniger als ein Beweis unzureichender Produktion des Landes überhaupt bezeichnet werden, weil Frankreich bekanntermaßen einen großen Theil seines Areals, namentlich im

Süden, zur Produktion von Wein, Seide und Oel verwendet und gerade dieser intensiven Bodenkultur einen großen Theil seines Wohlstandes verdankt. *)

Nach dem Vorstehenden dürfte zwar die Behauptung, daß die der freien Agrarverfassung entsprechende kleine Kultur nicht blos einen höhern Rohertrag, sondern auch einen größern Reinertrag gewähre, als vollständig erwiesen betrachtet werden können; nichtsdestoweniger muß hierbei noch mit Entschiedenheit darauf hingewiesen werden, daß zunächst nur vom Standpunkte des Einzelinteresses der Reinertrag eine eigentlich entscheidende Bedeutung hat, — daß dagegen in volkswirthschaftlicher Beziehung immerhin das Hauptgewicht auf den Rohertrag zu legen ist. Denn dieser Rohertrag ist es ja, welcher sämmtliche Produktionskosten, mithin auch den Arbeitslohn, repräsentirt, und da der kleine Eigenthümer selbst mit seinen Angehörigen eben die Bebauer des Bodens sind, so werden durch jenen Rohertrag unmittelbar die Subsistenzmittel der Grundbesitzer, d. h. der überwiegenden Mehrheit der Landbevölkerung, gedeckt. In

*) Es werden 2 Mill. Hektare zum Weinbau benutzt, welche etwa 40 Mill. Hektoliter Wein geben. Das Departement der Gironde allein sendet 700,000 Hektoliter Wein im Werthe von 12 Mill. Frks. in's Ausland.

dieser, von keinem dritten Arbeitsgeber abhängigen, auskömmlichen Existenz einer zahlreichen Klasse von Eigenthümern kann selbstredend nicht blos ein mehr oder weniger geeignetes Mittel zum Zwecke der allgemeinen Reichthumsvermehrung erkannt werden, — sie ist vielmehr die Erreichung des wichtigsten Wirthschaftszweckes selbst, indem gerade die vorbezeichnete freie, aus Eigenthümern bestehende Bevölkerung („gens dura experiensque laborum") vom nationalen, politischen und sozialen Standpunkte aus als die wünschenswertheste anerkannt werden muß.

Zu den im höhern Rohertrage der Kleinkultur repräsentirten Produktionskosten gehören aber nicht allein die eigentlichen Nahrungsmittel, sondern auch die dem Arbeiter zukommenden und durch den Lohn zu bestreitenden Kleidungsstücke, Werkzeuge und Waaren aller Art, deren massenhafter Verbrauch Seitens einer dichten Landbevölkerung hinwiederum die Industrie und den Handel belebt und bereichert. Vermittelst jenes größern Rohertrags werden endlich die betreffenden öffentlichen Abgaben bestritten und die Kapital- oder Pachtzinsen gedeckt, es wird mithin die Gesammtheit des volkswirthschaftlichen Organismus im Verhältnisse des reichlichern Rohertrags gefördert, während der auf Kosten jenes Rohertrags vielleicht um einen kleinen Bruchtheil vermehrte Reinertrag des Bodens unmittelbar nur dem

Eigenthümer zu Gute kommen würde. Sismondi *) hat den großen Unterschied zwischen jenem individuellen Interesse und dem der Gesammtheit sehr zutreffend bezeichnet, indem er sagt: „Wenn der Eigenthümer eines Gutes, welchem die rationellste und kostbarste Bewirthschaftung zu Theil wird, 100 Thlr. Pacht bezieht, während der Rohertrag des Gutes 1000 Thlr. werth ist, und nachher findet, daß er 110 Thlr. Reinertrag erzielen kann, wenn er das Gut unbebaut liegen läßt und es ohne Kostenaufwand zur Viehweide verpachtet, so wird er vielleicht kein Bedenken tragen, seinen Gärtner oder Winzer zu entlassen. Er wird allerdings 10 Thlr. dabei gewinnen, aber die Gesammtheit 890 Thlr. verlieren; die Kapitalien, welche bisher zu jener reichlichen Produktion mitgewirkt haben, bleiben ohne Verwendung, folglich ohne Gewinn; alle Taglöhner, deren Arbeiten durch jene Produktion repräsentirt wurden, verlieren ihre Beschäftigung, folglich ihr Einkommen, selbst der Fiskus wird mehr verlieren, als der Eigenthümer gewinnt!" **)

*) Nouveaux principes, t. III. ch. 1.

**) Die Herzogin von Sutherland hat jenes Verfahren im größten Maaßstabe wirklich zur Anwendung gebracht, indem sie in den Jahren 1811 — 1820 von ihrer 1,560000 Morgen betragenden Herrschaft im schottischen Hochlande 3000 Pächterfamilien ver-

Wenn hiernach feststeht, daß das Prinzip des unbeschränkten Verfügungsrechts über Grund und Boden keineswegs zur Verminderung, sondern vielmehr zur Erhöhung der Ertragsfähigkeit des Bodens führt, so könnte die weitere Behauptung der Gegner, daß vorzugsweise auf großen Gütern rationelle Wirthschaftssysteme eingeführt, nützliche Versuche angestellt und agronomische Fortschritte vorbereitet würden, lediglich dahin gestellt bleiben, weil einerseits alle diese Thatsachen, wenn sie wirklich in Wahrheit beruhten, doch nicht an und für sich, sondern nur als Mittel zur Hebung der Produktion einen Werth haben können, und weil andererseits durch die oben erörterten Thatsachen bereits festgestellt ist, daß das erforderliche Moment des Fortschrittes auch der freien Agrarverfassung nicht blos in ausreichendem, sondern in überwiegendem Maaße wirklich beiwohnt. Der innere Grund dieser Erscheinung ist aber auch nicht minder einleuchtend, als die Thatsache selber. Denn die Behauptung der Gegner könnte nur unter der dreifachen Voraussetzung als begründet erscheinen, daß die großen Gutsbesitzer nicht blos die Neigung, sondern auch die Befähigung und das zu jenen Unternehmungen erforderliche Kapital besitzen, —

---

trieb und das Land von 130,000 Schafen beweiden ließ. Ihr Reinertrag wurde dadurch in der That vermehrt!

Voraussetzungen, welche zwar in ihrer Totalität bei allen Wirthschaftssystemen nur ausnahmsweise zusammentreffen, durch die freie Agrarverfassung aber in keiner Weise gehemmt, vielmehr auf's Entschiedenste gefördert werden, weil es eben in dem Wesen derselben begründet ist, daß sie kraft des Prinzips der freien Bewegung das Grundeigenthum vorzugsweise und in den jedesmal angemessensten Größenverhältnissen Demjenigen zuführt, welcher durch Neigung, Befähigung und Kapitalbesitz im Stande ist, den besten Gebrauch davon zu machen. Das unfreie Agrarsystem besteht dagegen gerade darin, daß es ohne jede Rücksicht auf jene persönlichen und sachlichen Eigenschaften zum Eigenthümer, oder vielmehr zum unfreien, in seiner Dispositionsbefugniß überall beschränkten und zu Veräußerungen nicht berechtigten Nutznießer Denjenigen macht, welchen Gesetz oder Statut in starrer Abgeschlossenheit dazu beruft. Hält sich dieser, ohne sein Zuthun berufene Gutsbesitzer, wie dies so häufig der Fall ist, in der Stadt auf, so wird er die von ihm gehegten Erwartungen sicherlich nicht erfüllen; gewiß ist alsdann nur das Eine, daß der Ertrag des Gutes regelmäßig und ohne die Möglichkeit einer Rückströmung in die Stadt abfließt und dem städtischen Wesen, keineswegs aber, wie bei der Kleinkultur, dem Grundeigenthume selber wieder zu Gute kommt. Wenn aber auch jener Gutsbesitzer auf dem Lande wohnt; —

wenn es ihm weder an der Lust, noch an der persönlichen und sachlichen Befähigung zu jenen Unternehmungen fehlt, so ist derselbe immerhin nur auf Lohnarbeiter angewiesen, welche theuer und mangelhaft arbeiten und nur selten diejenigen reellen Erfolge erzielen, die den intelligenten kleinen Gutsbesitzer belohnen, der zwar weniger von den neuesten chemischen und physiologischen Doktrinen versteht, aber um so sorgfältiger arbeitet, beobachtet, aufsieht und rechnet. „Der kleine Eigenthümer, der jeden Fleck seines Gütchens auf's Genaueste kennt, der es mit aller der Zuneigung ansieht, die man für Eigenthum, besonders für kleines und freies Eigenthum natürlicherweise fühlt, und der deswegen ein Vergnügen darin findet, es nicht nur anzubauen, sondern auszuschmücken, ist daher, wie Kraus *) sagt, gemeiniglich unter allen Landwirthen, wenn es darauf ankommt, Verbesserungen zu machen, der Betriebsamste, der Einsehendste, und der, dem Alles am sichersten gelingt." Ein in dieser Hinsicht gewiß partheiloser Kenner der Landwirthschaft, v. Lengerke, rühmt namentlich nicht ohne Grund die Intelligenz der rheinischen Landwirthe, nicht allein derer im Jülich'schen Lande, „welches vielleicht unter allen deutschen Provinzen dasjenige ist, wo der Fruchtwechsel am richtigsten ver-

*) Staatswirthschaft, Th. 3. S. 316.

standen wird," sondern auch in den übrigen Landestheilen, namentlich der Moselgegend, wo „jener famöse englische Fruchtwechsel, über den man so lange gestritten hat und noch streitet, der uralte, gemeinübliche Schlendrian ist". *) Gleiche Ursachen rufen selbstredend allenthalben gleiche Wirkungen hervor, und es darf namentlich als eine offenkundige Thatsache bezeichnet werden, daß auch im übrigen Deutschland, besonders in Belgien, die kleinen Landwirthe nicht zurückbleiben, sondern im bewährten Guten unabläßig fortschreiten.

Fragt man weiter, ob denn in der That bei großen Wirthschaften ein verhältnißmäßig größerer Kapitalvorrath als bei kleinen Besitzungen vorauszusetzen sey, so spricht hierfür mindestens nicht die Vermuthung, indem schon die Erwerbung großer Güter hohe Kaufpreise oder Abfindungen in Anspruch nimmt, mithin das verfügbare Betriebskapital schwächt. Bei demjenigen großen Grundbesitze aber, welcher nicht durch die natürlichen Verkehrsverhältnisse, sondern durch gesetzliche oder autonomische Veräußerungs- oder Theilungs-Verbote begründet wird (und von diesem ist ja hier zunächst nur die Rede), fehlt es selbst an dem erforderlichen Kredite,

*) Vergl. Annalen der Landwirthschaft in den Preuß. Staaten. Bd. 9. H. 2. S. 349.

um das fehlende Kapital zu ergänzen, weil das Gut selber dem Darleiher wegen der bestehenden Unveräußerlichkeit keine wirksame Hypothek, also keine Sicherheit darbietet. Es war in der That, wie Sismondi sagt, ein Problem möglichst schlechter Agrarverfassung, den wirklichen Reichthum möglichst kreditlos zu machen; das Fideikommißsystem hat jenes Problem gelöst. Vermittelst der freien Agrarverfassung gelangt dagegen durchweg das jedesmal geeignete Maaß des Grundeigenthums in den Besitz der geeignetesten Persönlichkeit, welcher überdies der dem Besitzthum entsprechende naturgemäße Kredit zur Seite steht. *)

Sieht man aber auch hiervon gänzlich ab, so ist nicht minder klar, daß schon die bloße Existenz der Kleinkultur dem Grund und Boden unmittelbar ein wesentliches Surrogat des Kapitales in der vermehrten Arbeitskraft der zahlreichern Klasse der selbstbewirthschaftenden Eigenthümer und deren Familienglieder zuführt und hierdurch eine intensive und schwunghafte Be-

*) Diese Gründe erklären es, warum man in England zwei Staatsanlehen von 5 und 3 Mill. Pfd. Sterl. aufnehmen mußte, um die Grundbesitzer durch Vorschüsse zur Drainage zu ermuntern und sie in Stand zu setzen, durch verbesserte Kultur auch ohne den Schutz der Korngesetze zu bestehen.

wirthschaftung hervorruft, während die Großkultur sich gerade auf Arbeitsersparung und darum nur allzuoft auf die unwirthschaftlichen Kulturmethoden der Schlag- und Koppelwirthschaft, oder gar der Dreifelderwirthschaft mit Brache angewiesen sieht.

Was die Anwendung gewisser kostspieligen Maschinen zum Säen, Drillen und Dreschen anlangt, so muß allerdings anerkannt werden, daß dieselbe auf großen Gütern leichter zu bewerkstelligen ist, als auf kleinen; indessen ist jene Anwendung auch den letztern vermittelst gemeinschaftlicher Anschaffung und Benützung nicht ganz unerreichbar, insofern dieselbe nicht blos einen relativen oder scheinbaren Nutzen gewährt. In demselben Augenblicke aber, wo die durch blosen gesetzlichen Zwang und nicht durch das aktuelle Interesse zusammengehaltenen großen Güter nicht mehr vom Eigenthümer selbst bewirthschaftet, sondern, wie dies so häufig geschieht, im Einzelnen und gar auf kurze Perioden verpachtet werden, ist es einleuchtend, daß alle Schädlichkeiten beider Agrarsysteme ohne ihre Vorzüge bei jenen großen Besitzungen zusammentreffen.*) Denn die möglichste Ausmergelung des Bodens ist das stets erstrebte und trotz aller Vertragsklauseln meist erreichte Ziel

*) Rau a. a. O. S. 377.

jener kleinen Zeitpächter, während „die Verbesserung des Gutes die Freude des Eigenthümers ausmacht". (Thaer.) Diejenigen großen Güter aber, welche nicht durch das wirkliche Interesse der Besitzer, sondern durch beschränkende Agrargesetze oder durch politische Institutionen zusammengehalten werden, verfallen am leichtesten und sichersten jenem schädlichen Zeitpachtverhältnisse und rufen allmählich, aber sicher irische Zustände hervor. *)

Allerdings finden sich in den Ländern des unfreien Agrarsystems auch vortrefflich bewirthschaftete große Güter, welche nicht blose Paradewirthschaften darstellen, sondern allen rationellen Erwartungen entsprechen; allein dieselben finden sich ebenso gewiß nicht ausschließlich in

---

*) Auf dem Wege der Konfiskation ist bekanntlich das Gesammtareal Irlands mit geringer Ausnahme (1½ Mill. Morgen, welche 52,000 Freeholders gehören) Eigenthum der anglikanischen Geistlichkeit und der englischen Großen geworden und hiemit theils der todten Hand verfallen, theils durch Substitutionen vinkulirt worden. Da die eigene Bewirthschaftung mit Großkultur sich sehr bald als minder einträglich erwiesen, so ward das Land an Großpächter, von diesen an die sogenannten Mittelmänner und durch sie endlich an die kleinen Leute selber verpachtet, die dann zu Folge der übermäßigen Konkurrenz der Nachfrage und der Monopolisirung des Angebots die „Folterrente" zu zahlen gezwungen sind.

jenen Ländern, sondern allenthalben, wo die obenbezeichneten Voraussetzungen, nemlich Neigung, Befähigung und Kapitalbesitz zusammentreffen.

Hinsichtlich der sachgemäßesten Benützung, beziehungsweise Entfernung des Wassers, stehen den großen Gütern nach Maaßgabe ihres Areals ebenfalls gewisse Vortheile zur Seite, welche den kleinen Besitzungen nur vermittelst erhöhter Anstrengung zugewendet werden können. Aber die Erfahrung liefert auch hier den Beweis, daß jene Möglichkeit nicht blos eine theoretische ist, sondern in überwiegendem Maaße ihre thatsächliche Verwirklichung findet. Die durchgebildeteste Benutzung und Beherrschung des Wassers findet sich in der That in den Ländern der Kleinkultur, in der Ebene von Valencia, im Mailändischen, in Piemont und Toskana, im südlichen Frankreich, im Siegen'schen Lande, während in der Heimath der Großkultur, in Kastilien, der römischen Campagna, in Ungarn, Irland u. s. w. Wasserleitungen entweder nie bestanden, oder, wo sie unter besonders günstigen Verhältnissen gegründet wurden, ihrem gänzlichen Verfalle überlassen werden. Solche großartige Wasserleitungen übersteigen an und für sich die Kraft der Einzelnen und können auch bei vorherrschender Großkultur in der Regel nur vermittelst nachhelfender oder zwingender Gesetze auf dem Wege der Assoziation zu Stande gebracht werden. Die Erlassung solcher zwingender

Gesetze, und mehr noch deren Ausführung, scheitert aber weit häufiger an dem einflußreichen Widerstande der großen, als an der schwierigern Organisation der kleinen Eigenthümer. Hinsichtlich der Preußischen Monarchie steht es wenigstens fest, daß die durch das Gesetz vom 28. Februar 1843 gestattete Begründung von Wiesenverbänden in der Rheinprovinz leicht und erfolgreich in's Leben getreten ist.

Die vergleichende Betrachtung des jedesmaligen Standes der Viehzucht je nach Verschiedenheit der Wirthschaftssysteme bietet ebenwohl wichtige Momente zur Beurtheilung der ökonomischen Vorzüge jener Systeme, weil die Viehzucht nicht blos an und für sich einen bedeutenden Bruchtheil des landwirthschaftlichen Gesammtertrages bildet *), sondern auch die größere oder geringere Düngergewinnung, hiermit aber den Werth und den Ertrag

*) In der Statistik des Preuß. Staates, Berlin 1845. S. 362, wird der Jahreswerth der Fleischnutzung auf 35,796000, die Milchnutzung der Kühe allein auf 75,300000, die sonstigen Viehnutzungen an Wolle, Talg, Häuten 2c. ohne den Dünger auf 28,904000, zusammen auf 140 Mill. Thlr. berechnet. Nach der amtlichen Statistik von Frankreich beträgt dort der Gesammtwerth der jährl. Bodenerzeugnisse 3,479,583000 Frks., der Jahresertrag des Viehstandes allein 767,251851 Frks., mithin über 22 § des Gesammtertrages.

des Ackerbaues im Allgemeinen bedingt. Diese Wechselwirkung zwischen dem vorhandenen Viehstande, der vermehrten Düngererzeugung und der Ertragsvermehrung der Landwirthschaft gibt, wie Thaer sagt*), „das große Schwungrad in jeder regulären Wirthschaft ab, und die Beschleunigung seines Umlaufes, sie geschehe zuerst, in welchem Punkte sie wolle, theilt sich dem Ganzen mit und erhöht die Kraft der Maschine und ihren Effekt."

Auch in Beziehung auf diesen Hebel der Landwirthschaft sprechen die Zahlen für die Superiorität der kleinen Kultur, indem der Viehstand (Rindvieh und Pferde) in den einzelnen Provinzen Preußens auf die □ Meile sich nach Dieterici **) folgendermaßen herausstellt: Brandenburg hat 1027 Stück, Pommern 1058, Posen 1234, Sachsen 1247, Preußen 1272, Schlesien 1445, Westphalen 1729, die Rheinprovinz 1845. Faßt man den Rindviehstand allein in's Auge, so finden sich auf der □ Meile in der Provinz Preußen 900, in Posen 980, in Brandenburg 780, Pommern 790, Schlesien 1210, Sachsen 1040, Westphalen 1390, in der Rheinprovinz

*) Bd. 1. S. 252.

**) Statistische Tabellen. 1845.

1640 Stück.*) Wollte man etwa das Gewicht dieser Zahlen durch das Bedenken entkräften, daß jene Superiorität vielleicht lediglich der höhern Fruchtbarkeit der Rheinprovinz und nicht ihrer Agrarverfassung zuzuschreiben sey, so ist hierauf nur zu erwiedern, daß es eine notorische, in der Denkschrift des Finanzministers Motz von 1830 amtlich festgestellte Thatsache ist, daß „Sachsen und Schlesien hinsichtlich der Fruchtbarkeit des Bodens und der klimatischen Verhältnisse den westlichen Provinzen das erstere vor-, das zweite gleichsteht". Von besonderem Interesse ist hierbei noch die in den westlichen Provinzen Preußens vorhandene verhältnißmäßig große Stückzahl derjenigen nützlichsten Thierklasse, welche unmittelbar mit der kleinen Kultur zusammenhängt. Es beträgt nämlich im Preußischen Staate die Anzahl der Kühe auf der □ Meile im Regierungsbezirk Marienwerder 271, in Köslin 308, Königsberg 337, Danzig 342, dagegen in den vorzugsweise parzellirten Regierungsbezirken Koblenz 839, Aachen 1021, Köln 1165, im Regierungsbezirk Düsseldorf endlich 1200.**) Selbst dann noch, wenn man den Rindviehstand mit der Gesammtbevölkerung der einzelnen

*) Statistik des Preuß. Staates. S. 346.

**) v. Lengerke, landwirth. Statistik. Bd. 2. Abth. 2. S. 384.

Provinzen vergleicht, bewährt sich die hohe Superiorität der Kleinkultur, deren Ertrag gewissermaßen mit den Fortschritten der Industrie gleichen Schritt hält. Denn in Preußen kommen überhaupt auf 10 Menschen $3,^{28}$ Stück Rindvieh, während in der Rheinprovinz, mit Ausschluß des am dichtesten bevölkerten, überwiegend industriellen Regierungsbezirks Düsseldorf (fast 9000 Menschen auf der □ Meile!) jene Zahl auf $3,^{3}$ steigt; in dem vorbezeichneten Regierungsbezirk Düsseldorf sinkt dieselbe auf $2,^{05}$, steigt dagegen im höchst parzellirten Regierungsbezirk Koblenz auf $3,^{57}$. Was die Qualität des Rindviehstandes anbelangt, so ist nur zu bemerken, daß derselbe hauptsächlich aus der vortrefflichen holländischen und Birkenfelder Race besteht, und daß die Resultate der Mahl- und Schlachtsteuer ergeben, daß das Stück Schlachtvieh in den Rheinischen Städten schwerer ist, als in den meisten andern Provinzen.

Der wesentliche Zusammenhang, welcher zwischen einer durch die Kleinkultur vermittelten dichten Bevölkerung und einem hohen Viehstand besteht, ist nicht minder hinsichtlich des Königreichs Bayern durch die

---

Hoffmann, der Volkswohlstand im Preuß. Staat. S. 184 und 202.

von Rudhart *) mitgetheilten Zahlen in schlagender Weise dargethan.

Wenn nun nach dem Vorstehenden der Großkultur weder der Vorzug des größern Roh- oder Reinertrages, noch auch der des schwunghaftern Betriebes zur Seite steht, so könnte die schließliche Behauptung, dieselbe biete den Grundbesitzern, beziehungsweise der Gesammtheit, einen höhern Schutz gegen allgemeine Kalamitäten, selbstredend nur noch unter der Voraussetzung zutreffen, daß sich regelmäßig bedeutendere Vorräthe von Früchten auf den großen Gütern, als auf den Speichern der kleinen Grundbesitzer desselben Gesammtareals vorfänden. Hiergegen ist indessen zu bemerken, daß im Allgemeinen und bei wohl geordneter Wirthschaft der Verkauf der Landprodukte in bestimmten Perioden und zu gleichmäßigen Raten zu geschehen pflegt, indem durch dies Verfahren mit möglichster Wahrscheinlichkeit der Mittelpreis des ganzen Jahres erzielt wird. Jedes andere, auf Ansammeln von Vorräthen abzielende Verfahren würde schon den Charakter einer gewagten merkantilen Spekulation an sich tragen, welche der Gutsbesitzer sicherlich wohlthut, andern Berufsstellungen zu überlassen; denn mit jener Spekulation Seitens der Land-

*) Ueber den Zustand des Königreichs Bayern.

wirthe geht es nach dem Ausdrucke von Thaer, „wie mit der Spielsucht, die jedes andere Bestreben zum Erwerbe unterdrückt.“ Wenn es sich aber nur noch darum handelt, ob der große oder der kleine Gutsbesitzer bei sonst analogen Verhältnissen wirklich eingetretene Kalamitäten leichter übertrage, so fällt unzweifelhaft die Antwort zu Gunsten des Letztern aus. Denn diese kleinen Eigenthümer können und werden sich alsdann mit den Ihrigen auf's Aeußerste einschränken, „sie strecken sich nach der Decke,“ suchen Nebenverdienste und darben selbst, wenn es seyn muß, — während der große Gutsbesitzer, dessen Wirthschaftssystem auf Lohnarbeit angewiesen ist, weder am Lohne, noch an der Verpflegung irgend erhebliche Ersparnisse eintreten lassen kann, auch bei seinen Gläubigern um so weniger Nachsicht wegen seiner Verbindlichkeiten erwarten darf, je größer eben die Beträge sind, auf welche der Gläubiger seinerseits ebenwohl rechnet. Abgesehen davon, daß die kleinen Eigenthümer manche, den großen Gutsbesitzer schwer treffende Unfälle gar nicht fühlen *), arbeiten die Erstern sich erfahrungsmäßig auch leichter

*) Wegen der nassen Witterung zur Zeit der Ernte verdarb im Jahre 1805 sehr viel Getreide auf den großen Gütern in Preußen, während die kleinen Eigenthümer dasselbe in günstigen Augenblicken einbrachten und selbst unter Dach trockneten. Vergl. Kraus, Staatswirthschaftslehre V. S. 79.

aus den Schulden heraus, wie dies namentlich in Preußen eine Vergleichung der auf den Rittergütern haftenden Schulden mit denen der kleinern Güter auf's Deutlichste ergibt. *)

Allerdings muß anerkannt werden, daß, wenn im Falle von Mißerndten die kleinen Eigenthümer nicht einmal soviel produziren, um ihren eigenen, noch so sehr beschränkten Bedarf zu decken, mithin nichts zum Verkaufe bringen können, ihre Lage gegenüber dem großen Gutsbesitzer eine relativ sehr schlimme ist, indem der Letztere für die geringern Quantitäten, die er zu Markte bringt, verhältnißmäßig sehr hohe Preise erhält, wie sich aus den wenigstens annähernd zutreffenden Verhältnißzahlen von G. King ergibt. Hiernach steigt nämlich, wenn $\frac{1}{10}$ der Mittelerndte fehlt, der Preis des Getreides um $\frac{3}{10}$; fehlt $\frac{2}{10}$, so steigt er um $\frac{8}{10}$, bei $\frac{3}{10}$ um $1\frac{6}{10}$, bei $\frac{4}{10}$ um $2\frac{8}{10}$, bei $\frac{5}{10}$ sogar um $4\frac{5}{10}$. Allein obige Voraussetzung trifft auch innerhalb des freien Agrarsystems bei normalen Verhältnissen nur ausnahmsweise zu, indem die Mehrzahl des Areals überall

*) Nach dem Kriegsunglücke des Jahres 1806 wurden in Anbetracht der schwierigen Lage der großen, nicht der kleinen, Grundbesitzer General-Indulte bewilligt und unter verschiedenen Modifikationen wiederholt ausgedehnt.

in solchen Gutskomplexen gebaut wird, daß auch bei Mißerndten durchschnittlich noch verkäufliche Produkte vorhanden sind. Diejenigen ganz kleinen Eigenthümer, welche hierzu wirklich außer Stande sind, nehmen innerhalb des freien Agrarsystems lediglich diejenige Stelle ein, welche bei vorherrschendem Großbesitze die blosen Taglöhner ausfüllen. Diesen letztern gegenüber stehen sie aber unbestreitbar und in allen Beziehungen auf einer ungleich höhern Stufe der menschlichen Gesellschaft. Gerade der Umstand, daß die Großkultur eine große Anzahl von Taglöhnerfamilien nöthig macht, bei welchen jeder ökonomische und soziale Fortschritt durch die ihnen eigenthümliche Indolenz und Gedankenlosigkeit ausgeschlossen ist, bildet eine wesentliche Schattenseite jener Wirthschaftsordnung und stellt dieselbe auch in moralischer und politischer Beziehung weit unter das System der freien Agrarverfassung.

Es ist häufig die Behauptung aufgestellt worden, daß diese freie Agrarverfassung wegen der ihr entsprechenden Vertheilung und Parzellirung des Grundeigenthums zur steten Vermehrung der Bevölkerung und schließlich zur Uebervölkerung führe. Diese Behauptung ist nun wohl in so weit als richtig anzuerkennen, daß in denjenigen Ländern, in welchen die Parzellirung und die Kleinkultur vorherrscht, zwar eine dichte, keineswegs aber jene elende, dem Zufall preisgegebene Bevölkerung angetroffen wird, welche die Keime des Proletariates und des Pauperismus in sich trägt, sondern vielmehr jene gesunde, tüchtige Landbevölkerung, welche den eigentlichen Kern der Staaten im Frieden, wie im Kriege bildet.

Es sind eben nicht blos gut- und heimathlose Taglöhner, sondern ächte Bürger und Eigenthümer, deren Fleiß und Energie durch die ihnen gebotene Möglichkeit weiterer Erwerbungen unabläßig gespornt wird, und welche einerseits in dieser Hoffnung, anderseits in der ehrenwerthen Furcht, zur Klasse der Besitzlosen hinabzusinken, jenen mächtigen moralischen Halt finden, in welchem schon Malthus die einzige wahre Garantie gegen wirkliche Uebervölkerung erkannt hat. Der *blose* Taglöhner, welcher eben „aus der Hand in den Mund lebt", kann nicht mehr auf eine tiefere Stufe hinabsinken, er begründet daher sorglos und rücksichtslos eine Familie und vermehrt ebenso gedankenlos die Zahl ihrer Mitglieder, weil er ja jedem seiner Kinder immerhin dieselbe Existenz zuweist, über welche er selber nicht hinauskann, — mit demselben Kapitale zweier Hände, welche auch ihn ernähren müssen. Nur der Besitzende sorgt für die Zukunft; jener Nichtbesitzende ist im vollsten Sinne des Wortes „Proletarier". Daher überall die verhältnißmäßig große Zunahme derjenigen Bevölkerungsklassen, welche auf dem platten Lande oder in der Industrie schlechthin auf Tagelohn angewiesen sind, oder wie in Irland es nicht zum Eigenthumserwerb, sondern kraft der Untheilbarkeit des Grundeigenthums nur zu kleinen Pachtungen bringen können. Diesen Kategorien gegenüber beträgt die Bevölkerungszunahme in den Ländern des freien Agrarsystems einen bei weitem geringern, der wirklichen Zunahme des Nationalvermögens entsprechenden Prozentsatz. Es kommt z. B. in Belgien eine Geburt auf 32,9, in Frankreich sogar nur auf 36 Lebende, während in England schon auf 28,9, in Preußen auf 25,62, in Oestreich auf 25,04, in Rußland schon auf 22,4 Lebende eine Geburt kommt. In den östlichen Regierungsbezirken Preußens, z. B. von Königsberg, Gumbinnen, Marienwerder und Bromberg, kommt eine Geburt schon auf 18 bis 19 Lebende, in den Rheinischen Regierungsbezirken dagegen erst auf 26 bis 28 Lebende. *)

Nimmt man hinwiederum zum Schutze der Staatsgesellschaft gegen diese Folge der zwangsweisen Zusammenhaltung des großen Grundbesitzes zu dem weitern Zwangssysteme seine Zuflucht, daß nur Derjenige zur

*) Vgl. Tabellen und amtliche Nachrichten über den Preuß. Staat für das Jahr 1849. II. S. 377.

Eingehung einer Ehe zugelassen wird, welcher den Besitz eines Bauerngutes oder eines gesicherten Auskommens nachweist, so straft sich dies neue Unrecht seinerseits durch Ueberhandnehmen der Immoralität und der unehelichen Geburten, deren Anzahl nicht selten auf 20, ja 50 und mehr Prozente sämmtlicher Geburten steigt. In den nicht einmal ausschließlich, sondern nur vorzugsweise auf der Großkultur basirten ältern Provinzen Preußens erreichen die unehelichen Geburten nach den amtlichen Tabellen immerhin noch die Höhe von 13 %, während sie in der Rheinprovinz bis zu 3½ herabsinken. In Rheinbayern, wo im Gegensatze zu den übrigen Bayerischen Kreisen hinsichtlich der Eheschließung keine gesetzlichen Beschränkungen bestehen, soll die Armenlast, mit der Bevölkerung verglichen, nur 34,^{6} % von dem Durchschnitte der andern 7 Kreise betragen, und die Verhältnißzahl der unehelichen Geburten stellt sich um die Hälfte günstiger, als dort. *) In Mecklenburg ist es eine unverkennbare Folge der Niederlassungs- und Ehe-Erschwerung, wenn auf 4,^{7} eheliche Geburten 1 uneheliche kommt, in Oestreich erst auf 8,^{86}, in Hannover auf 11,^{9}, in Preußen auf 14, in England auf 14,^{7}. **)

---

*) Roscher, die Grundlagen der Nationalökonomie. 1854. S. 492.

**) Otto Hübner, Jahrbuch für Volkswirthschaft. 1854. S. 177.

Mecklenburg war zugleich der einzige deutsche Staat, welcher im Jahre 1848 einen blutigen Aufstand der Taglöhner erfuhr.

Die hier vorgeführten Thatsachen und Zahlen verdienen um so größeres Vertrauen und berechtigen um so mehr zu den aus ihnen gezogenen Schlußfolgerungen, da sie sich kraft ihres unverkennbaren kausalen Zusammenhanges gegenseitig unterstützen und erklären, und insbesondere mit dem von Malthus vermittelst der Spekulation gewonnenen Satze im vollen Einklange stehen, daß die Bevölkerungen vermöge des in ihnen wirkenden natürlichen Gesetzes jederzeit nicht blos die dem mittlern Jahresertrage der Landwirthschaft entsprechende Höhe erreichen, sondern demselben zu ihrem eigenen Schaden regelmäßig in etwa voranzueilen tendiren, wenn sie sich nicht über jenes rein physische Gesetz erheben und sich selber jene moralischen Schranken ziehen, welche die Rücksicht auf das eigene wohlerwogene Interesse und auf die künftige Lage der anwachsenden Familie einzuhalten befiehlt. Das freie Agrarsystem ruft allerdings, sobald es an die Stelle des gebundenen tritt, für's Erste eine dichtere Gesammtbevölkerung auf dem Lande hervor; allein es vermehrt zu gleicher Zeit in noch stärkerem Verhältnisse den Roh- und Reinertrag des Bodens, und führt zugleich die der unfreien Agrarverfassung fehlenden moralischen Garantieen gegen jedes Uebermaaß mit sich. Eine derartige dichte Bevölkerung ist darum als eine Kalamität durchaus nicht anzusehen, vielmehr erreicht gerade die volkswirthschaftliche Entwicklung ihren Höhepunkt da, wo die größte Menschenzahl gleichzeitig die vollste Befriedigung ihrer Bedürfnisse findet. *) Wo endlich dennoch aus besondern lokalen Gründen eine zu weit gehende und darum schädliche Zertheilung des Grundes und Bodens hervortritt, da liegt eben wieder im Prinzipe der Freiheit das sicherste Korrektiv jenes Mißbrauchs, indem das zum Nachtheil der Produktionskraft übermäßig getheilte Eigenthum auf dem Wege des Vertrages oder des Zwangsverkaufs in die Hände eines größern oder geeignetern Besitzers, meist des Grenznachbarn, zurückgeführt wird, weil er sie am besten nutzen und am theuersten bezahlen kann.

Zum Beweise des Gegentheils beruft man sich nicht selten auf die angeblich ungeheuere, stets wachsende Zahl der 123 Millionen Grundbesitzungen, welche das Kataster in Frankreich nachweise, sowie darauf, daß jene Anzahl Parzellen nach den Steuerregistern 10 bis

---

*) Roscher, die Grundlagen der Nationalökonomie. 1854. S. 478.

11 Millionen Eigenthümern zugehöre. Vergegenwärtigt man sich indessen, daß einestheils nach dem Zwecke des Katasters auch vollkommen zusammenliegende Besitzungen in eben so viele verschiedene Parzellennummern zerfallen und zerfallen müssen, als verschiedene Kulturen und Bonitäten sich auf denselben vorfinden, und daß anderntheils in obiger Zahl von 10 bis 11 Millionen Eigenthümern nahe an 7 Millionen Häuserbesitzer einbegriffen sind, so ergibt sich, daß im Durchschnitt auf jeden der verbleibenden eigentlichen Grundbesitzer, 3 bis 4 Millionen an der Zahl, 23 sogenannte Parzellen mit 50 Preußischen Morgen Grundfläche, und nach Abzug alles unproduktiven Landes, sowie des gesammten Wald-, Weide- und Wiesen-Areals, noch 23 Morgen eigentlichen Kulturbodens kommen, — eine Zahl, welche mit Rücksicht auf die im Süden von Frankreich vorherrschende, nur eines sehr geringen Areals bedürftige Produktion von Wein, Oel, Seide, Hopfen, Farbstoffen u. s. w. sicherlich nicht als eine besonders niedrige erachtet werden kann. Was sodann weiterhin die wachsende Zunahme der Parzellennummern anlangt, so bringt es die formelle Einrichtung des Katasters mit sich, daß jede fernerweite Theilung einer eingetragenen Parzelle eine neue Katasternummer nothwendig macht, während die durch jene Theilung und jedwede andere Veräußerung herbeigeführte Arrondirung und Zusammenlegung jener Theilparzelle mit einem benachbarten

Grundstücke durch die blose Ueberschreibung auf den Namen des Erwerbers eine entsprechende Verminderung der Katasternummern in keiner Weise zur Folge hat. Aus diesem Grunde kann der wirkliche Stand der Parzellenvertheilung nur durch besondere Untersuchungen oder bei Revisionen des Katasters annähernd ermittelt werden. Solche Untersuchungen sind in Frankreich durch H. Passy und A. Legoyt vorgenommen worden und Ersterer hat hierbei das Resultat gewonnen, daß in den von ihm untersuchten 58 Kantonen, welche 33 verschiedenen Departementen angehören, die Zahl der Parzellen sich in den Jahren von 1810 bis 1843 von 2,936755 auf 3,020025, mithin um nur 2,8 % vermehrt hat. Der Letztere hat seinerseits 122 Kantone, deren Kataster vollständig revidirt worden war und welche 27 verschiedenen Departementen aus allen Theilen des Landes angehören, verglichen und hierbei konstatirt, daß von 1815 bis 1847 in 48 Kantonen die Zahl der Parzellen von 2,754885 sich vermindert hat auf 2,438062, also um 13 % innerhalb 32 Jahren, während sie sich in den andern 74 Kantonen von 2,846971 auf 3,096235, also um 8,7 % vermehrt hat. In der Gesammtheit jener 122 Kantone hat sich eine Verminderung der Parzellenzahl um 1,72 % herausgestellt. *) Eben dieselbe Erscheinung

*) Dictionnaire de l'économie politique de Coquelin et Guillaumin. 1853. v. Morcellement.

ist auf amtlichem Wege auch in der Rheinprovinz festgestellt worden, indem sich bei einer in den Jahren 1836 bis 1838 in 4 Kantonen des Regierungsbezirks Koblenz vorgenommenen Katasterrevision eine Verminderung der Parzellenzahl um nicht weniger als 20% ergeben hat.

Ein Blick auf die Agrarzustände des Königreichs Belgien, dessen Bodenkultur anerkanntermaßen den ersten Rang in Europa einnimmt, liefert endlich den anschaulichsten Beweis, daß die freie Agrarverfassung nicht schlechthin zur Theilung und Parzellirung führt, sondern nur in sofern, als diese Operation den realen Verhältnissen und Interessen nach Maaßgabe der Lokalitäten wirklich entspricht. In den Wallonischen Landestheilen und im mittlern Hennegau, wo schwerer, besonders zum Getreidebau und zur Viehzucht geeigneter Thonboden vorherrscht, finden sich nur verhältnißmäßig große Güter und von Parzellirung ist bei aller Freiheit des Verkehrs heute so wenig wie vor Jahrhunderten die Rede. In den Bezirken von Termonde und St. Nikolas dagegen, welche einen leichten, von Natur nicht besonders fruchtbaren Sandboden haben, finden sich nur ganz kleine, höchst parzellirte Besitzungen von wenigen Morgen, welchen die kleine Kultur vermittelst sorgfältiger Spatenwirthschaft und trefflich geordneter Düngerbereitung und Fruchtfolge den reichsten Ertrag abgewinnt, den die Landwirthschaft überhaupt aufzuweisen hat, — auf einem Hektare nicht selten 1200 bis 1500 Frks. an Flachsertrag. *) Im übrigen Brabant und einem Theile von Flandern, dessen Bodenqualität die Mitte hält zwischen den vorgenannten Landestheilen, bilden ebenso naturgemäß die mittlern Güter die Regel, und es bedarf bei dem klaren und mächtig wirkenden Interesse der Eigenthümer nirgends hemmender Gesetze, um diese wünschenswerthen Zustände aufrecht zu erhalten

*) von Lengerke, landwirthschaftl. Jahresschrift. 1852. S. 22. Die Kleinkultur wendet sich überall dem leichten, armen Boden zu, weil es zu dessen Bebauung keines starken Gespannes bedarf. Dieser Umstand erklärt den großen Aufschwung der Ertragsfähigkeit, welcher gerade bei dem schlechtern Lande unter der freien Agrarverfassung eingetreten ist. Durch den Kataster von 1810 ward in Frankreich das Land in 5 Hauptklassen nach dem Reinertrage eingetheilt und letzterer per Hektare folgendermaßen fixirt: 1te Kl. zu 58 Frks.; 2te 48; 3te 34; 4te 20; 5te 8 Frks. Nach den dermaligen Pachtpreisen stellt sich dagegen der Reinertrag jener 5 Klassen jetzt folgendermaßen heraus: 1te Kl. 80 Frks.; 2te 70; 3te 60; 4te 50; 5te 40 Frks.; so daß im Laufe eines Menschenalters die Ertragsfähigkeit der 1ten Klasse um 38 %, die der 4ten und 5ten dagegen um 250 — 500 % zugenommen hat. Vgl. H. Passy, révue de législation. 1844. p. 488.

und wirklichen oder vermeintlichen Mißbräuchen zu wehren. Könnte es noch eines direkten Beweises bedürfen, daß die Landkultur Belgiens, welche seit Jahrhunderten auf der freien Agrarverfassung beruht, auch heute noch in unaufhaltsamem Fortschritte begriffen ist, so würde dieser Beweis durch die neueste Denkschrift des Ministers des Innern über den Erndteertrag von 1855 geliefert werden. Hiernach hat sich nämlich von 1847 bis jetzt die Mittelproduktion des Weizens um $4,^{88}$, des Roggens um $5,^{02}$, des Spelzes um $7,^{91}$, der Kartoffeln um $18,^{11}$ % vermehrt, während die Bevölkerung nur um 3 % gewachsen ist.

Diese Erfahrungen finden ihre umfassende Erklärung in den vorstehenden Erörterungen und dienen denselben hinwiederum zu voller praktischer Bestätigung, indem sie die beruhigende Gewißheit begründen, daß auch ohne positiven Zwang die Ordnung mit der Freiheit Hand in Hand zu gehen vermag. Eine jede Gesetzgebung dagegen, welche bevormundend die Bahnen des Zwanges einzuschlagen versucht und klüger zu seyn vermeint, als sämmtliche Betheiligte, ist wohl stark genug, um manches Unheil zu stiften und manches Gute zu hemmen, ihre Endabsicht wird sie aber nimmer erreichen, weil und in wiefern sie mit den Interessen Aller im Widerspruche steht.

Diesen wohlbegründeten Prinzipien und Thatsachen gegenüber verschwinden auch alle jene eitlen Schreckbilder von unendlicher Zertheilung, von Mobilisirung, ja von Verflüchtigung des Grundes und Bodens, von dessen Zerfallen in Staub, von Atomisirung der Staaten, wie sie nicht selten der Partheigeist zur Förderung chimärischer Reaktionsgelüste als die entsetzlichen Folgen der freien Agrarverfassung heraufbeschwört. In Wahrheit führt dieselbe gerade das Gegentheil der angeblichen Mobilisirung des Grundeigenthums herbei; denn in demselben Verhältnisse, in welchem bei naturgemäßer Entwicklung die großen Besitzungen in mittlere und diese hinwiederum in kleine umgewandelt werden, wird eine um so größere Masse von Arbeit dem Boden bleibend zugewendet; das flüchtige und bewegliche Besitzthum wird dem Grund und Boden inkorporirt, mithin immobilisirt, wie dies auch der wachsende Werth jenes Grundeigenthums bezeugt.

Während endlich die kleinen Pächter und blosen Taglöhner, jenes eigentliche besitzlose Landproletariat, nach dem Zeugnisse aller Geschichte von dem römischen Sklaven- und dem deutschen Bauern-Kriege an bis herab zu den jüngsten Ereignissen in Galizien jeden Bestand auf's Ernsteste bedrohen, sind die kleinen freien Eigenthümer eben so viele Stützen der Ordnung, weil sie eben, wie bereits J. Möser in seinen patriotischen Phantasieen sagte und der französische Pair de Barante wiederholte, Aktionäre des Staats geworden sind. Daß dies nicht blos eine Phrase oder eine theoretische Voraussetzung, sondern eine der Wirklichkeit entsprechende Wahrheit sey, wird in Beziehung auf Frankreich durch die vom General Canrobert in seiner Eigenschaft als Regierungskommissar angestellten Ermittlungen über Veranlassung und Zusammenhang des jüngsten Sozialistenaufstandes im südlichen Frankreich auf's Vollständigste erwiesen. In dem amtlichen Berichte desselben ist nämlich auf Grund unmittelbarer Untersuchung an Ort und Stelle konstatirt, daß der Sitz des Sozialismus sich in denjenigen Departementen finde, in welchen entweder die Fabrik-Industrie oder aber die großen Güter noch vorherrschen. „Man wird," sagt der General in letzter Beziehung wörtlich, „die Erklärung des sozialistischen Geistes ohne Zweifel in der dort noch bestehenden geringen Zerstücklung des Grundeigenthums und in jener bequemen, aber gefährlichen Gewohnheit vieler großen Grundeigenthümer zu suchen haben, ihre Güter, von denen sie entfernt leben, an Spekulanten zu verpachten, deren einziger Zweck darin besteht, aus dem Boden so viel als möglich zu ziehen, ohne sich darum zu bekümmern, ob sie auf unmenschliche Weise die kleinen Bewohner des Landes arm machen und ausbeuten, die, ohne allen Besitz, genöthigt sind, jede ihrer Forderungen zu erfüllen."

Zum Beweise des Gegentheiles hat man nicht selten auf die Zustände Englands hingewiesen und in ihnen die vollste Rechtfertigung der unfreien Agrarverfassung zu finden geglaubt. Allein jenseits des Kanals selber ist schon längst ein ernstes Mißtrauen an die Stelle jener früheren Zuversicht getreten, und es gewinnt immer mehr die Erkenntniß Raum, daß dem stolzen Inselreiche die dringendste Gefahr gerade aus dem Umstande erwächst, daß es nur eine so geringe Zahl der vorbezeichneten Staatsaktionäre besitzt. Gerade darum, weil das Grundeigenthum in Folge des Substitutionswesens und der darauf beruhenden Großkultur in wenigen Familien fixirt und dem Verkehre entzogen ist, fehlt es dort an einem zahlreichen Stande freier Eigenthümer, die Bevölkerung wird gewaltsam in die Städte gedrängt und so der naturgemäße Schwerpunkt jedes wohlgeordneten Staates vollends verrückt. Während die ländliche Bevölkerung in Frankreich und Oestreich $\frac{3}{4}$, in Preußen $\frac{3}{4}$ bis $\frac{4}{5}$ der Gesammtbevölkerung bildet, beträgt dieselbe in England nur $\frac{1}{4}$ und befindet sich dabei in einer so kläglichen Lage, daß sie großentheils auf die Armentaxe angewiesen ist, welche in einzelnen Distrikten bereits den gesammten Reinertrag des Grundeigenthums absorbirt hat.*) Schon W. Scott,

*) Die Zahl der Armen beträgt in England 16 %, in Frankreich 5 %, in Preußen $3\frac{1}{2}$ %.

jener ächte Repräsentant Alt-Englands im besten Sinne des Wortes und der Neuerungssucht nicht verdächtig, hat warnend auf diese zunehmende Entvölkerung des Landes und auf die Analogie jener Erscheinungen mit denjenigen hingewiesen, welche dem Sturze des römischen Weltreiches vorhergingen. „Man muß," so sagt er wörtlich, „zu dem Systeme der Kleinwirthschaften zurückkehren und das Land nach flamändischer Weise gartenmäßig vermittelst des Spatens anstatt des Pfluges bebauen. Drei Acre Landes in jener Art mit Futterkräutern bestellt, werden dreimal mehr Vieh ernähren, als eine gleich große Wiese nach der gewöhnlichen Methode." — „Alle andern Gegenmittel sind erfolglos; die Wunde des Pauperismus frißt zerstörend um sich; sie vergrößert, sie erweitert sich, und wenn ihr nicht rasch entgegengearbeitet wird, so muß sie zuletzt das ganze Land bedecken und furchtbare Explosionen herbeiführen". In der jüngsten Zeit hat selbst Lord Stanley, ein Führer der Hochtorypartei, die Unveräußerlichkeit des Grundeigenthums in Folge des Substitutionswesens als die Quelle vielfachen Verderbens bezeichnet und die Nothwendigkeit anerkannt, zu freiern Prinzipien überzugehen. Er fordert, daß das durch Substitutionen und Abfindungslasten beschwerte Grundeigenthum vermittelst theilweiser Veräußerung frei gemacht werde, damit es ordentlich bewirthschaftet werden könne, was jetzt nicht geschehe. Er erklärt einen Jeden, der freiwillig in dieser beschwerten Lage verbleibe, für einen Uebelthäter, da er sich außer Stand setze, das Land zu verbessern.

Die bedeutendste nationalökonomische Zeitschrift Englands *) fragt nicht minder, warum ungeachtet des nicht fehlenden Kapitals und Unternehmungsgeistes die Landkultur Englands so weit hinter allen andern Fortschritten zurückgeblieben sey und gibt dieselbe Antwort: darum, weil das Grundeigenthum nicht frei besessen, nicht frei erworben wird, weil seine Bebauer nicht freie Eigenthümer sind. In Irland, wo die Gefahr am schärfsten hervorgetreten, hat man übrigens schon längst die Entbürdung des Grundeigenthums von jenen Lasten gesetzlich ermöglicht. — Was den dermaligen Körnerertrag Englands anbelangt, so wird derselbe von den bewährtesten Schriftstellern um 2 Millionen Quarters niedriger angegeben, als ihn im Jahre 1770 Arthur Young schätzte. **)

*) The Economist, 15. September 1855.

**) Vergl. von Lengerke, landwirthschaftliche Jahresschrift. 1852. S. 133.

Erkennt man die vorstehend aufgestellten Prinzipien der freien Agrarverfassung als berechtigt an, so sind damit selbstredend alle weitern Fragen über die wünschenswertheste Größe der Güter oder der Besitzungen, sowie über die Mittel, jene Größe zu erzielen und zu erhalten, wenigstens für das Gebiet der Gesetzgebung vollständig erledigt und fallen lediglich der Erwägung der Betheiligten anheim. In demselben Maaße, als die Einsicht, der Fleiß und der Wohlstand eines Volkes wächst, wird bei vorhandener Freiheit des Verkehrs das jedesmal zweckmäßigste Größeverhältniß auf dem Wege des Angebots und der Nachfrage hergestellt. „Diese Nachfrage nach großen, mittlern und kleinen Besitzungen wird am sichersten anzeigen, welche Größe nach dem Kulturstande des Volkes und der ackerbautreibenden Klasse nach Art des Grundes und Bodens und nach der Lokalität die nutzbarste ist." *)

Wollte demungeachtet eine Gesetzgebung das zuläßige Minimum einer sogenannten Ackernahrung zwangsweise fixiren, so würde man sich sofort davon überzeugen müssen, daß ein solches Minimum weder nach

---

*) Thaer, Rationelle Landwirthschaft. Bd. 1. S. 92. Rau l. c. I. §. 373, II. §. 80.

der Ausdehnung des Areals, noch nach der Größe der Bespannung, noch nach einem andern allgemeinen Kriterium festgestellt werden kann; es würde vielmehr nach dem Geständnisse der eifrigsten Vertheidiger der geschlossenen Güter nur übrig bleiben, für jeden einzelnen Hof den untheilbaren Bestand feststellen zu lassen, d. h. schlechthin das Prinzip der Willkühr zu proklamiren und die Idee des Rechtsstaates preiszugeben. Hierdurch ist indessen keineswegs ausgeschlossen, daß die Gesetzgebung und die Verwaltung das Zusammenlegen, das sogenannte Konsolidiren der Grundstücke, nach Kräften befördere und dahin mitwirke, daß aus den vielen zerstreuten Parzellen eines Eigenthümers immer wieder größere Ackerflächen gebildet werden; ein positiver Zwang dürfte aber auch hierin weit mehr schaden, als nützen, und jedenfalls nur unter ganz besondern Voraussetzungen als gerechtfertigt erachtet werden können. *)

Wenn die vorstehende Darlegung ihrem Resultate nach gewissermaßen den Charakter einer Apologie der freien Agrarverfassung angenommen hat, so möge zum Schlusse noch ein Blick auf die Literatur und die administrativen Dokumente derjenigen Länder, in welchen

---

*) Hierüber vergleiche den Artikel: Konsolidation.

dieselbe schon längst ihre Verwirklichung gefunden, die Ueberzeugung begründen, daß jenes Urtheil kein blos subjektives ist, sondern durch die Wissenschaft und die Praxis jener Länder fast ausnahmslos getheilt wird, während die Gegner der freien Agrarverfassung fast ebenso ausschließlich denjenigen Ländern angehören, in welchen dieselbe entweder noch gar nicht, oder nur theilweise und erst in jüngerer Zeit in's Leben getreten ist. Diese Gegnerschaft geht zudem unverkennbar nicht so sehr aus national-ökonomischen, als aus gewissen politischen Beweggründen hervor, indem jene freie Agrarverfassung die reaktionären Bestrebungen der Gegenwart vielfach durchkreuzt.

Was für's Erste Frankreich anlangt, so haben die bewährtesten Repräsentanten der verschiedenen Gebiete der Staatswissenschaften, von denen nur die Namen Sismondi, de Tracy, Droz, Say, Ch. Giraud, Chevalier, Ch. Dupin, Tissot, Graf Chaptal, Buret, Mathieu de Dombasle, de Carné, de Barante, H. Fonfrède, Morel de Vindé, Troplong, Graf Rossi, Graf Villeneuve-Bargemont, Becquerel genannt werden mögen, sich auf's Entschiedenste für dieselbe erklärt und ungeachtet ihrer entgegengesetzten Partheistellung die in Deutschland laut gewordenen Angstrufe vor wachsender Uebervölkerung, Verarmung und Zerrüttung des sozialen

Lebens in Frankreich nirgend bestätigt gefunden. Die Gesetzgebung selber hat ungeachtet der manchfachen politischen und sozialen Schwankungen und Wechsel, welchen Frankreich seit zwei Menschenaltern ausgesetzt war, unwandelbar die Ueberzeugung von der hohen Nützlichkeit derselben getheilt, und sie wird dort auch heute noch nur von Denjenigen bekämpft, die das Eigenthum überhaupt für Diebstahl erklären. *) Diese wissen sehr wohl, daß gerade die Freiheit des Eigenthumserwerbs die beste Garantie gegen jene sozial-politischen Epidemieen ist, welche diese Freibeuter des Gedankens über den Kontinent verbreitet haben; — man kann in der That das Eigenthum nicht unmittelbarer gefährden, als wenn man die Zahl der Eigenthümer zwangsweise beschränkt, weil jene geringe Zahl es nicht tragen und vertheidigen kann gegen die Enterbten und Ausgeschlossenen. Sismondi, dessen hochkonservative Anschauungen in der Nationalökonomie, wie in den Staatswissenschaften überhaupt, selbst von den Gegnern anerkannt werden, äußert sich über die Agrarverfassung Frankreichs folgendermaßen: „Der Ruf, welcher an die Bauern erging, Eigenthümer zu werden, ward allerdings durch eine große Gewaltthat, durch die Konfis-

*) Z. B. in der Démocratie pacifique, Sept. 1846; früher auch in dem Organe des Fourierismus, der „Phalange“.

kation und Veräußerung der Nationalgüter jeder Art veranlaßt. Allein der Jammer der Kriege, der auswärtigen sowohl, als der Bürgerkriege, sind Uebel, welche unserer Natur ebenso ankleben, wie Ueberschwemmungen und Erdbeben. Sobald die Geißel vorüber ist, muß man die Vorsehung preisen, wenn etwas Gutes daraus entstanden ist; das wirklich daraus entstandene Gute konnte aber ohne Zweifel nicht kostbarer oder dauerhafter seyn! Alltäglich setzt sich die Zerstücklung der großen Güter fort, alltäglich werden große Landstrecken mit Nutzen an bisherige Pächter verkauft, welche sie verbessern. Die Nation ist noch weit davon entfernt, alle Früchte, welche sie von der Eigenthumsvertheilung erwarten kann, gepflückt zu haben, weil Gewohnheiten sich nur langsam bilden und weil der Sinn der Ordnung, der Oekonomie, der Reinlichkeit und Eleganz erst das Resultat eines längern Genusses seyn muß!" *) Troplong, der berühmteste Rechtsgelehrte Frankreichs und Präsident des französischen Senates, bezeichnet das Resultat der französischen Agrarveränderungen „als ein glückliches aus dem Gesichtspunkte der Politik, der Oekonomie und der Civili-

*) Siemondi, nouveaux principes, livre III. chapitre 3 und chapitre 8.

sation;" — „es ist gut," sagt er, „daß die Arbeit auch ihre Früchte erndte; es ist gut, daß der Produzent eine Stellung erlange, welche gegen Unsicherheit und Mißgeschicke geschützt ist; es ist besonders in einer von demokratischer Bewegung ergriffenen Gesellschaft gut, daß feste Stützpunkte, daß Interessen des Widerstandes sich bilden. Diese Eigenthum besitzende Landbevölkerung hat nun aber ganz den Geist der Land-Aristokratie ohne ihren verderblichen Luxus und ihre Verschwendung; sie hat ihre ganze Fähigkeit ohne ihre ehrgeizigen Prätensionen. Kein anderer Stand hat in dem blutigen Spiel der Revolutionen soviel zu verlieren, und der Staat ist stets sicher, in ihm die Elemente der Ordnung und den Geist der Arbeitsamkeit und des Friedens zu finden!" *)

Graf Chaptal **) sagt: „Die wunderbare Größe des Eigenthumswechsels, der seit 30 Jahren stattgehabt, und die Schöpfung einer größern Anzahl von Eigenthümern mußten nothwendig zur Verbesserung der Land-

*) Troplong, traité de l'échange et de louage. Préface XXXI.

**) De l'industrie française. Tom. I. p. 132. Und doch klagte A. Young schon im Jahre 1787 über zu große Zersplitterung des Grundeigenthums in Frankreich, bevor die ungeheure Masse der Nationalgüter in den Verkehr geworfen war!

wirthschaft beitragen. Eine lange Erfahrung hat gezeigt, daß der neue Besitzer eines Grundstücks weit eifriger auf dessen Kultur bedacht ist, als der frühere; er trachtet, dessen Ertrag zu erhöhen, und scheut nichts, dies zu erreichen. Er macht urbar, was irgend den Anbau lohnt, er ruht nicht, bis er alle möglichen Verbesserungen vollführt hat. Es gab ehemals in Frankreich Güter von ungeheurer Ausdehnung, deren Ertrag kaum eine Familie nährte: die Ereignisse haben deren Theilung herbeigeführt, es ward Alles in Kultur genommen und die Erndten haben sich verzehnfacht. Die Beweise dafür zeigen sich in allen Theilen Frankreichs." — — „Wenn man die gegenwärtige Landwirthschaft mit der von 1789 vergleicht, so erstaunt man über die Verbesserungen, die sie erfahren; Erndten aller Art bedecken das Land, ein zahlreicher kräftiger Viehstand bearbeitet und düngt den Boden. Gesunde und reichliche Nahrung, reine und bequeme Wohnungen, einfache, aber anständige Bekleidung ist dem Bewohner des Landes zu Theil geworden, das Elend ist verbannt und allgemeiner Wohlstand ist aus der freien Disposition über den Ertrag des Bodens hervorgegangen!" *)

---

*) Nach Ch. Dupin kamen in Frankreich während der gesundheitlich günstigen Periode von 1774 — 1778 auf jede Million

Der als Theoretiker und Praktiker gleich hoch gefeierte Mathieu de Dombasle sagt: „Seit einem halben Jahrhundert hat die französische Landwirthschaft im Allgemeinen erhebliche Verbesserungen erfahren und der Beweis würde sich, wenn es nöthig wäre, in der einen Thatsache finden, daß sie heute 33 Millionen Einwohnern eine reichlichere und bessere Nahrung gewährt, als ehemals den 25 Millionen Einwohnern des Königreichs. Die Jahreszunahme der landwirthschaftlichen Produktion betrug mindestens 1500 Millionen Frks. im Vergleich mit dem Anfange dieses Jahrhunderts. Allein der Nationalreichthum hat sich noch in weit höherm Verhältnisse durch die Fortschritte der Landwirthschaft vermehrt, denn wir haben bisheran nur den Jahresertrag berücksichtigt; die landwirthschaftlichen Verbesserungen haben aber das Eigenthümliche, daß sie in noch größerem Maaße den eigentlichen Bodenwerth erhöhen, weil sie das Kapital, welches die Zunahme des Jahresertrages repräsentirt, immobilisiren und dem Lande selber inkorporiren."

Einwohner 33,773 Todesfälle, dagegen in dem schlimmsten Jahre des 19. Jahrhunderts (1832) nur 27,977, — der beste Beweis erhöhten Wohlstandes. Vergl. Roscher, Nationalökonomie. §. 10.

Graf Villeneuve-Bargemont, langjähriger Präfekt in den verschiedensten Theilen Frankreichs vor und nach der Julirevolution, sagt endlich: „Wenn man die Landbaudistrikte des größten Theils von Frankreich durchwandert, selbst diejenigen, wo der Grund und Boden am meisten parzellirt ist, so wird man dort wenig Arme, wenig Bettler, wenig unbeschäftigte Menschen finden. Die Bevölkerung ist daselbst überdies kräftiger, der Unterricht nicht weniger verbreitet und die guten Sitten besser bewahrt. Es gibt wohl keinen Präfekten, der sich nicht vielfach davon überzeugt hat, wie nützlich es für den Staat sowohl hinsichtlich der Rekrutirung der Armee, als der Steuererhebung und der Achtung vor dem Gesetze ist, ackerbautreibende Bevölkerung zu besitzen. Wir verkennen nicht die hohe Wichtigkeit der Erhaltung der Familie durch Erhaltung ihres Grundeigenthums; allein dieser Vortheil würde wohl allzu theuer durch Verminderung der landbauenden Bevölkerung zum Vortheil der industriellen erkauft werden. Das zu lösende Problem besteht darin, das Prinzip der freien Theilbarkeit des Grundeigenthums in richtigen Grenzen zu halten: dasselbe scheint uns durch die That gelöst zu seyn." *)

*) Villeneuve - Bargemont, économie politique chrétienne. T. I. p. 305.

Diesen lauten Zeugnissen steht, wie gesagt, durchweg die Zustimmung der gesammten staatswirthschaftlichen Literatur Frankreichs zur Seite; sie mögen genügen, um den wahrhaften Stand der öffentlichen Meinung in jenem Nachbarlande zu bezeichnen.

Werfen wir nun einen Blick auf die Lage der Landwirthschaft in Preußen vor und nach Proklamirung der freien Agrarverfassung, so drängt sich hier, wo möglich, noch unzweideutiger die Ueberzeugung auf, daß diese Gesetzgebung nicht blos die politische Wiedergeburt, sondern auch den wachsenden Wohlstand der Monarchie begründet hat. Schon im Edikte vom 9. Oktober 1807 war erwogen worden, daß es „ebensowohl den unerläßlichen Forderungen der Gerechtigkeit, als den Grundsätzen einer wohlgeordneten Staatswirthschaft gemäß „sey, Alles zu entfernen, was den Einzelnen bisher „hinderte, den Wohlstand zu erlangen, den er nach „dem Maaße seiner Kräfte zu erreichen fähig sey", und daß „die vorhandenen Beschränkungen theils im Besitz „und Genuß des Grundeigenthums, theils in den persönlichen Verhältnissen des Landarbeiters der wohlwollenden landesväterlichen Absicht vorzüglich entgegenwirkten und der Wiederherstellung der Kultur eine „große Kraft seiner Thätigkeit entziehen, jene, indem sie „auf den Werth des Grundeigenthums und den Kredit

„des Grundbesitzers einen höchst schädlichen Einfluß „haben, diese, indem sie den Werth der Arbeit ver„ringern". Das fernere Edikt vom 14. September 1811 stellt in seiner Einleitung und in §. 1 die maaßgebenden Gründe der großen Agrarreform mit so einfach klaren und edeln Worten zusammen, daß dieselben hier lediglich folgen mögen: „Das platte Land Unserer Mon„archie befand sich bisher im Ganzen in einem un„günstigen Zustande. Um ihn zu verbessern, haben Wir „die Unterthänigkeit aufgehoben und die große Last des „Vorspanns und der Fouragelieferung erlassen. In„zwischen reichen diese Wohlthaten und andere, die aus „der Gewerbefreiheit entspringen, immer noch nicht hin, „das Wohl der Landbewohner gründlich und dauernd „zu befördern. Mit Ausnahme Niederschlesiens fehlt dem „größten Theile derselben das Eigenthum, und da, „wo es vorhanden ist, unterliegt es großen Be„schränkungen." — „Die durch Unsere Edikte vom „9. Oktober 1807 und 27. Oktober v. Jrs. gegebene „Verheißung wegen allgemeiner Verleihung des Eigen„thums geht durch das Edikt vom heutigen Tage wegen „Regulirung der gutsherrlichen und bäuerlichen Ver„hältnisse in Erfüllung. Auch werden theils durch solches, „theils durch die nächstens ergehende Gemeinheitsthei„lungsordnung Bestimmungen gegeben, wie die Ab„hängigkeitsverhältnisse der bäuerlichen Grundbesitzer ab-

„gelöset und die Servituten, welche der Kultur hin-„derlich sind, ausgeglichen werden können.“

„Um nun die noch übrigen Hindernisse völlig aus „dem Wege zu räumen und Unsere getreuen Unterthanen „in die Lage zu setzen, ihre Kräfte frei anzuwen-„den, und Grund und Boden, soweit solche „reichen, nach bester Einsicht benutzen zu kön-„nen, verordnen Wir, wie folgt: §. 1. Zuvörderst „heben wir im Allgemeinen alle Beschränkungen des „Grundeigenthums, die aus der bisherigen Verfassung „entspringen, hiermit gänzlich auf, und setzen fest:

„daß jeder Grundbesitzer ohne Ausnahme befugt „seyn soll, über seine Grundstücke insoferne frei „zu verfügen, als nicht Rechte Dritter dadurch „verletzt werden.“ — —

„Demgemäß kann mit Ausnahme dieser Fälle jeder „Eigenthümer sein Gut oder seinen Hof durch Ankauf „oder Verkauf, oder sonst auf rechtliche Weise willkühr-„lich vergrößern oder verkleinern. Er kann die Zube-„hörungen an einen oder mehrere Erben hinterlassen. „Er kann sie vertauschen, verschenken, oder sonst nach „Willkühr im rechtlichen Wege damit schalten, ohne zu „einer dieser Veränderungen eine besondere Genehmi-„gung zu bedürfen.“

„Diese unbeschränkte Disposition hat vielfachen und „großen Nutzen. Sie ist das sicherste und beste Mittel, „die Grundeigenthümer vor Verschuldungen zu „bewahren, ihnen ein dauerndes und lebendiges In„teresse für Verbesserung ihrer Güter zu geben und die „Kultur aller Grundstücke zu befördern."

„Ersteres geschieht dadurch, daß bei Erbtheilungen „oder sonst entstehenden außerordentlichen Geldbedürf„nissen des Annehmers oder Besitzers eines Hofes so „viel einzelne Grundstücke verkauft werden können, daß „derselbe schuldenfrei bleibt oder es wird."

„Das Interesse gibt die für Eltern so wünschens„werthe und wohlthätige Freiheit, ihr Grundeigenthum „unter ihre Kinder nach Willkühr zu vertheilen, und „die Gewißheit, daß diesem eine jede Verbesserung „zu Gute kommt."

„Die Kultur endlich wird eben hierdurch und zu„gleich dadurch gesichert, daß die Grundstücke, welche „in der Hand eines unvermögenden Besitzers eine Ver„schlechterung erlitten hätten, bei dem Verkauf in „bemittelte Hände gerathen, die sie im Stande er„halten. Ohne diesen einzelnen Verkauf wird der Be„sitzer sehr oft tiefer verschuldet und der Acker ent„kräftet."

„Durch die Veräußerung wird er schulden- und „sorgenfrei, und erhält Mittel, das ihm verbleibende „Land gut zu kultiviren. Es bleibt also alles „Land bei diesem beweglichen Besitzstande in guter „Kultur und deren einmal erreichter Punkt kann durch „Industrie und Anstrengung wohl noch höher gebracht „werden, ohne äußere störende Einflüsse aber ist ein Zu- „rücksinken nicht leicht zu besorgen."

„Aus der Vereinzelung entspringt noch ein anderer „sehr beachtenswerther Vortheil, der Unserem landes- „väterlichen Herzen besonders angenehm ist. Sie gibt „nämlich den sogenannten kleinen Leuten, den Köth- „nern, Gärtnern, Büdnern, Häuslern und Tagelöhnern „Gelegenheit, ein Eigenthum zu erwerben und solches „nach und nach zu vermehren. Die Aussicht hierauf „wird diese zahlreiche und nützliche Klasse Unserer Un- „terthanen fleißig, ordentlich und sparsam „machen, weil sie nur dadurch die Mittel zum Ankauf „von Landeigenthum erhalten können. Viele von ihnen „werden sich emporarbeiten und dahin gelangen, „sich durch ansehnlichen Landbesitz und Industrie auszu- „zeichnen. Der Staat erhält also eine neue schätzbare „Klasse fleißiger Eigenthümer, und durch das Streben, „solches zu werden, gewinnt der Ackerbau mehr Hände, „und durch die vorhandenen in Folge der freiwilligen „größern Anstrengung mehr Arbeit, als bisher....."

Daß diese ehrenden Voraussetzungen des Königs vollauf in Erfüllung gegangen sind, wird in amtlicher Weise durch eine Denkschrift des Staatsministeriums vom Jahre 1843 im Allgemeinen nachgewiesen, indem dieselbe konstatirt: „daß die Landkultur-Gesetzgebung Friedrich Wilhelm's III., die auf die geistige und sittliche Entwicklung des Landvolks einen so entschiedenen Einfluß geübt, auch ihren materiellen Zweck nicht verfehlt hat und schon jetzt ihre Früchte in der unverkennbaren Zunahme landwirthschaftlicher Betriebsamkeit und in einem sittlich wachsenden Wohlstande trägt.“

Wenn auch die günstigen Erfolge wegen der höhern Industrie und Intelligenz der größern Gutsbesitzer „bei Letztern bemerkbarer sind, als bei den kleinern Wirthen, so fangen doch auch die Letztern jetzt an, sich des wahren Werthes der ihnen erwiesenen großen Wohlthaten einigermaßen bewußt zu werden“.

Wo möglich noch bestimmter haben sich mehrfache Ministerial-Denkschriften, besonders die dem achten Rheinischen Landtagsabschiede beigefügte, über den wohlthätigen Einfluß der freien Agrarverfassung in der Rheinprovinz ausgesprochen. Es wird darin konstatirt, daß „Ackerbau und Viehzucht in den zum Theil rauhen und von der Natur wenig begünstigten Gebirgen des Hunsrückens, der Eifel, des Hohen-Veens und des Westerwaldes gleichzeitig mit dem Aufschluß des Landes durch fahrbare Straßen einen bis dahin kaum geahnten Aufschwung gewonnen haben und in Gegenden gedrungen sey, die man kaum für kulturfähig gehalten. Daß aber auch die fruchtbaren Gegenden der Provinz, in welchen sich die Landwirthschaft schon von frühen Zeiten her eines blühenden Zustandes erfreute, bei diesem Aufschwunge nicht zurückgeblieben sind, das beweisen am sichersten die Güterpreise, welche nach den Behufs künftiger Berichtigung der Grundsteuer-Kataster in großer Ausdehnung und mit großer Sorgfalt geführten Registern in allen Theilen der Provinz seit 25 Jahren im raschen Steigen begriffen sind, so daß der Werth der Güter sich in dem Zeitraume von 1828—1843 durchschnittlich um 75 % gehoben hat." — — „Die Agrarverfassung hat in dem größten Theile der Rheinprovinz die wichtigsten Hindernisse der landwirthschaftlichen Kultur längst beseitigt; was davon noch übrig ist, wird im Wege der Gesetzgebung nach und nach entfernt werden." — „Bei fortdauerndem Frieden und ohne Störung durch Naturereignisse dürfte demnach," nach den Schlußworten jener Denkschrift, „die Rheinische Landwirthschaft nicht dem Verfall, sondern einer wachsenden Blüthe entgegengehen."

Die Richtigkeit dieses Urtheils wird in vollem Maaße durch die unbefangene Betrachtung des Landes und seiner Bewohner bestätigt. Das bewährte Mitglied des Landes-Oekonomie-Kollegiums Koppe bekundet dasselbe, indem er die Resultate jener Gesetzgebung als ebenso erfreulich für den Menschen- und Vaterlands-Freund, als interessant für den wissenschaftlichen Landwirth bezeichnet. „Dem Ersteren," sagt er, „geben sie die Beruhigung, daß durch die steigende Bevölkerung das Wohlbefinden der Einwohner keineswegs gefährdet wird, sondern daß es nur an den Menschen selbst liegt, sich eine glückliche und zufriedene Existenz zu schaffen. Den Letzten muß es mit Freude erfüllen, daß durch richtige Anwendung der physikalischen Kenntnisse und durch sinnige Benutzung der Erfahrungen beim Ackerbau es gelungen ist, den als unfruchtbar verschrieenen Boden der Mark Brandenburg zu einer ungeahnten Ertragsfähigkeit zu erheben. Als vor 30 bis 35 Jahren die Umwandlung der Ackerverhältnisse begonnen wurde, hatten sich wohl Wenige ein Ziel gesteckt, wie sie es jetzt erreicht haben. Aber es ist auch leicht begreiflich, daß bei den großen Flächen, die zu kultiviren und zu verbessern waren, für jetzt nur der kleinste Theil sich in einem solchen Zustande befindet, der erstrebt wird." — „Daß die neuere Agrargesetzgebung ihre Zwecke in Bezug auf die größern Güter nicht verfehlt hat, bedarf kaum eines Beweises." — „Aber auch bei den bäuerlichen Wirthen und den Besitzern von Acker-Nahrungen in den kleinen Landstädten beginnen nunmehr die günstigen Folgen der neuen Verhältnisse, und zwar hier als unzweifelhafte und alleinige Wirkungen der Gesetzgebung, sich immer deutlicher und entschiedener zu offenbaren." In der kleinen Schrift: „Sind große oder kleine Güter zweckmäßiger für das allgemeine Beste?" *) spricht Koppe sich aus rein praktischen Gründen namentlich dahin aus, daß die freie Dispositionsbefugniß über das Grundeigenthum das Gedeihen der Landwirthschaft wesentlich fördere. E. Hartstein **) bekundet nicht minder die überwiegend segensreichen Folgen der freien Agrarverfassung.

Dönniges in Berlin sagt: „Die so vielfach bekämpfte Theilbarkeit des Bodens hat zu erfreulichen Resultaten geführt. Sie ist zur Verkleinerung, Vergrößerung und Arrondirung der Güter, zur Bildung einer Stufenleiter von kleinen bis zu den größten Besitzungen benutzt worden, ohne auf Generationen hinaus der Besorgniß eines Uebermaaßes Raum zu geben." Der Chef des statistischen Bureau's, Professor Dieterici, bestätigt diese Urtheile durch unwiderlegliche Zahlen

*) Berlin 1847.

**) Statistisch-landwirthschaftliche Topographie des Kreises Bonn. 1850. S. 199.

und datirt den Aufschwung der Monarchie von der neuen Agrargesetzgebung. Selbst v. Bülow-Cummerow legt lautes Zeugniß für sie ab; auch er erkennt in ihren Prinzipien das wirksamste Mittel, das Wohl des Gutsherrn und der Bauern zu heben, indem es nach seiner Ueberzeugung den Erstern in Stand setzt, ohne Kapitalaufwand die entfernten Gutstheile durch Abtretung nutzbar zu machen und der arbeitenden Klasse Gelegenheit gibt, sich mittelst ihrer Ersparniß ein Eigenthum zu erwerben. „Allein," fügte er sehr richtig hinzu, „es ward dadurch noch ein anderer großer Zweck gefördert. Die frühere Verfassung und Alles, was ihr anhing, hatte das Land nicht nur unbevölkert gelassen, sondern es fehlte ganz an den kleinen Grundbesitzern, an diesem gesunden, fleißigen Theil der Bevölkerung, die jedem Lande so unentbehrlich sind und aus welchem sich nicht nur das Heer, sondern auch die Städte mit gesunden und kräftigen Menschen rekrutiren können."

Der Präsident des landwirthschaftlichen Revisions-Kollegiums, Lette, sprach sich endlich bei der siebenten Versammlung folgendermaßen aus: „Allerdings hat die Gesetzgebung in Preußen, — diese Folge einer bessern Einsicht und der fortschreitenden Geschichte, — die Verhältnisse, welche früher zwischen den Rittergutsbesitzern und Bauern existirten, gelöst und auseinander gerissen!

Wir Alle sind indessen mit jener Gesetzgebung ausgesöhnt; ihre wohlthätigen Folgen haben alle Ueberzeugungen mit fortgezogen.“ *)

Daß auch in Rheinbayern durchweg dieselben erfreulichen Erscheinungen hervorgetreten sind, wird nicht blos durch die unbefangene Betrachtung des blühenden, starkbevölkerten Landes, sondern auch durch die bewährtesten Autoritäten erhärtet, besonders durch die Untersuchungen von Müller, Kolb und L. Rau. **)

Faßt man hiernach in einer Totalanschauung die Gesammtheit aller Gründe, Thatsachen und Autoritäten

*) Die Landeskultur-Gesetzgebung des Preußischen Staates von A. Lette und L. v. Rönne, 2 Bde. 1853 und 1854, enthält eine vollständige Darlegung der Preußischen Agrarverfassung.

**) Vergl. Kolb im Arch. der politischen Oekonomie von Rau, Bd. 1, neue Folge, S. 98; und Dr. L. Rau, Studien über süddeutsche Landwirthschaft. 1852. S. 84 – 95. — — Hinsichtlich der einschlägigen Literatur im Allgemeinen, sowie wegen der weitern Ausführungen in der Sache selber mag auf die größere Schrift des Verfassers verwiesen werden: „Die Agrarfrage, aus dem Gesichtspunkte der Nationalökonomie, der Politik und des Rechts. Von Peter Franz Reichensperger. Trier, 1847.“

zusammen, welche der freien Agrarverfassung zur Seite stehen, so ist dieselbe wohl berechtigt, Vertrauen in die Zukunft zu erwecken und an die bisheran noch zurückgebliebenen Länder die Aufforderung zu richten, das Versäumte nachzuholen und auch ihrerseits der unermeßlichen Vortheile theilhaftig zu werden, welche sie dem Westen Europa's bereits in so reichem Maaße zugewendet hat.

Druck von C. Fr. Meyer in Weissenburg.

Rodet, Question des f

SIMPLE EXPOSITION

DE LA

QUESTION DES SUCRES.

IMPRIMÉ CHEZ PAUL RENOUARD,
rue Garancière, n. 5.

14

EXTRAIT DE LA PHALANGE

(Numéros du 3 et du 5 Mai 1843.)

SIMPLE EXPOSITION

DE LA

QUESTION DES SUCRES

PAR

D.-L. RODET.

PARIS,

AU BUREAU DE LA PHALANGE,

RUE DE TOURNON, 6.

Mai 1843.

SIMPLE EXPOSITION

DE LA

QUESTION DES SUCRES.

I.

DES PRINCIPES DE LA LÉGISLATION.

Lorsqu'une question comme celle de la législation des sucres se représente à des intervalles aussi courts devant le pays ; lorsque la décision par laquelle on croit être arrivé à une solution est si rapidement démontrée impuissante, c'est, sans aucun doute, que les termes posés dans la discussion n'étaient pas complets, ou que les faits n'avaient pas été suffisamment médités. Tant que l'on a pu concevoir l'idée que la France était disposée à faire le sacrifice des Colonies qu'elle possède encore; tant que l'on a pu penser qu'elle méconnaissait l'importance de ces postes avancés qui gardent la foi et le langage de la patrie, ses mœurs et sa civilisation, sur les divers points du globe où notre puissance a été si grande ; on a dû craindre que des résolutions funestes ne vinssent terminer les débats. Mais quand l'opinion publique, mieux éclairée, comprend enfin que des Colonies sont des éléments de force et non de faiblesse, qu'elles aussi ont payé, avec honneur, leur tribut de courage dans ce demi-siècle de lutte européenne, et qu'un bon système de relations politiques en ferait encore, au besoin, des auxiliaires formidables, si une lutte nouvelle devait surgir, on ne peut désespérer de leur avenir. Les Colonies doivent subsister pour aider à la prospérité et à la gloire de la mère-patrie, et la raison publique leur en fournira les moyens.

Les Colonies sont des membres du corps social : elles sont, à la vérité, régies par des *lois particulières*; mais le premier principe des lois est qu'elles soient justes et faites dans un esprit de protection et de conservation. Le législateur de la métropole est tenu à une attention d'autant plus scrupuleuse quand il délibère sur le sort des Colonies, qu'il le fait en leur absence et sans leur concours; la justice qui leur revient, comme à une fraction de la nation, doit avoir un caractère de générosité et d'équité tel qu'il appartient à la règle des gardiens de la Société humaine (1). Mais nous concevons que, pour être juste, le législateur ait besoin de connaître les faits dans leur stricte réalité, d'être éclairé sur la valeur des arguments divers qui lui sont présentés. Il lui faut démêler le vrai du spécieux, se rendre compte des résultats économiques de ses déterminations : plus que cela, il faut qu'il se garde de l'influence de ceux qui décident non par conviction, mais par l'entraînement de leur propre intérêt, ainsi que le disait M. Royer-Collard à l'une des anciennes Chambres.

Au point où la discussion sur les sucres est arrivée, il y a réellement bien peu de chose à dire qui n'ait été dit, et nous aurions hésité à rentrer dans les débats de cette importante question, si nous n'avions cependant jugé utile de chercher à la dégager le plus possible des intérêts particuliers, et à

---

(1) ....*Hanc, quam dico, societatem conjunctionis humanæ munificè et æquè tuens, justitia dicitur.* (Cicero. — De Finibus, V, 23.)

la simplifier par une appréciation plus exacte des circonstances sous lesquelles elle s'est développée.

Plus la discussion s'est prolongée, plus l'embarras des gens de bonne foi est devenu grand. Au milieu d'allégations contradictoires, dans un sentiment bienveillant, mais mal entendu, de conciliation, on cherche à résoudre un problème insoluble. On ne se trouve pas suffisamment averti par la chute successive de tous les systèmes essayés jusqu'à ce jour, et dont aucun n'a pu durer, parce qu'en les adoptant, on n'avait pas songé à poser une base fixe, à atteindre un but bien déterminé, et que l'on s'était borné à vouloir *faire quelque chose*, afin d'apaiser momentanément la lutte des intérêts opposés : — nous disons bien la lutte des intérêts particuliers ; car de l'intérêt général de la France, de sa puissance, il était peu question. Les débats se sont constamment rapetissés à la maigre hauteur de cette politique bâtarde intérieure, qui compte au nombre de ses plus grands succès, l'adhésion plus ou moins intime au système gouvernemental de quelques votes conquis au moyen d'une satisfaction accordée aux vœux de certaines localités ou de certaines industries.

Ce n'est pas que, dans l'état actuel du globe, avec les tendances particulières de chaque nation, une loi sur les sucres soit bien facile à faire. L'Angleterre a, dès le principe du mal, déclaré, que le sucre de betteraves et celui de pommes de terre paieraient un droit égal à celui que paie le sucre des plantations britanniques et de l'Inde anglaise ; mais elle n'a rien innové dans la législation du sucre étranger. La Hollande, dans la vue de favoriser ses colonies de l'Orient, a consacré, pour l'exportation des produits des raffineries de la métropole, un système de restitution de droits qui fait que la consommation de la mère-patrie va tout-à-l'heure coûter des sacrifices au revenu public. Placée entre l'intérêt du propriétaire du sol et les exigences d'un commerce naissant, la Belgique, irrésolue et incertaine, s'en tient à des mesures provisoires. L'Union allemande voudrait à-la-fois ménager le revenu sur le sucre étranger, qui doit se partager entre tous les Etats, et satisfaire aux exigences de ceux d'entre eux qui ont entrepris la culture de la betterave; elle entre à cet effet dans une voie de variations sans cesse renaissantes, mais que sa position commerciale et sa position politique lui permettent de tolérer. Nulle part nous ne trouvons de solution complète, parce que nulle part il n'y avait autant qu'en France une absolue nécessité de créer une législation définitive.

Le tarif des douanes de la France pour les droits sur les articles importés repose sur deux principes différents : l'un est le revenu affecté aux besoins de l'Etat; l'autre, la protection due au travail national. Sous ce dernier rapport, le tarif prend de plus en considération, au moyen de droits différentiels, l'intérêt de la navigation française. Quand un article est imposé dans la vue du *Revenu*, l'impôt reçoit une aggravation si l'importation a lieu sous pavillon étranger. Cet impôt, motivé sur le revenu, dégagé de toute autre cause, est celui qui a toujours frappé les denrées dont une production similaire n'a pas lieu chez nous, et dont l'aisance des citoyens règle seule la consommation. C'est une des ressources du Gouvernement, qui ne s'arrête pas même devant les productions indigènes; on frappe au même titre, par exemple, les boissons, le sel, dont la taxe atteint les classes les plus pauvres, et nombre d'objets dont le besoin s'est créé avec le développement de la richesse. Les articles divers des contrées éloignées, comme les épiceries, le thé, le tabac, ont été d'autant moins épargnés, que leur usage ne nuit pas à la consommation des produits indigènes, et quelquefois même y vient aider. L'impôt, en élevant leur prix, en restreint, il est vrai, quelque peu l'usage; mais cet inconvénient est regardé comme supportable, même par les classes qui en éprouvent des privations, car elles auraient souvent à souffrir davantage par une autre répartition des charges publiques, et elles trouvent préférable que le revenu dérive de préférence des jouissances des classes riches.

L'impôt sur le sucre des colonies françaises, si faible sous les lois de l'ancienne monarchie française, qu'il serait aujourd'hui à peine appréciable, n'a grandi avec les révolutions et les développements de nouveaux systèmes de finances, que comme taxe de consommation. Lorsque la loi du 28 avril 1816 vint faire revivre le tarif de l'année 1806, la France était dans un état de détresse qui justifiait l'élévation du chiffre. Depuis lors le prix de la production coloniale s'est considérablement abaissé, et relativement le droit est aujourd'hui exorbitant; mais les besoins du fisc se sont accrus outre mesure, et la réduction des taxes a paru une impossibilité. Ce droit, au reste, n'était destiné à décourager la production, ni l'importation; la réduction du prix de revient d'un côté et l'accroissement de la richesse publique de l'autre ont favorisé la consommation; mais en continuant à vouloir imposer au prix de revient des diminutions nouvelles, on peut le ramener à des termes tels que la production devienne impossible. Cette époque est depuis longtemps arrivée; bien plus, elle est dépassée de beaucoup, et la situation des Colonies à l'égard de leurs créanciers en fait foi.

La législation adoptée sous la Restauration avait eu pour but de protéger les colonies par la surtaxe des sucres étrangers; de protéger la navigation française par un abaissement du tarif en faveur des provenances de Bourbon, et encore en lui réservant exclusivement la navigation coloniale, et la garantissant ensuite par des surtaxes d'un autre genre contre les pavillons étrangers. Les droits plus élevés sur les sucres blancs ou terrés devaient protéger le travail des raffineries, de la métropole. Prévoyant encore le cas où les cultures des colonies pourraient ne pas être absorbées en entier par la consommation jusqu'alors fort réduite de la France, elle accorda à la réexportation des produits de nos raffineries, des primes qui dépassaient de quelque chose le droit payé à l'importation du sucre brut. Tout avait été combiné pour obtenir à-la-fois la prospérité de nos colonies, et par conséquent la sécurité de nos commerçants dans leurs rapports avec elles, un grand essor dans notre navigation coloniale et une activité proportionnée dans nos armements de pêche, qui s'y lient d'une manière si intime. L'industrie et l'agriculture devaient trouver leur part dans ce système par l'emploi des articles manufacturés, et par l'exportation de nos farines, de nos vins, des mulets, et de tant de denrées diverses. Quelques années prospères se passèrent, et les prévisions semblaient sur le point de se réaliser, lorsqu'une crise nouvelle surgit par une cause dont on n'avait pas assez calculé l'importance.

II.

IMMUNITÉS DU SUCRE DE BETTERAVE.

La consommation du sucre en France, bornée à 24 millions de kilogr. dans l'année 1816, si désastreuse sous le rapport de l'intempérie des saisons et de la situation politique, s'était fixée à 36 millions dans les deux années suivantes ; à près de 40 millions en 1819, à 47 millions et demi pour 1820 et 1821 ; elle offre pour les six années suivantes, 1822 à 1827, l'acquittement total de :

Sucre colonial..........	329,607,743 kilogr.
Sucre étranger	15,309,292
	344,917,035 kilogr.
Dont il faut déduire la réexportation du sucre raffiné, exporté avec prime pour 12,192,685 kil. représentant, à raison de 70 pour 100..................	17,418,035
laissant dans le pays............	327,499,000
ou en moyenne pour une année.	54,583,000

Au Havre le prix du sucre brut bonne 4e était descendu de 92 fr. 25 c. (les 50 kil.), en avril 1816, à 61 fr. 50 c. en janvier 1822, par la concurrence du sucre étranger, et à ce prix nos colonies ne pouvaient exister. Le Pouvoir vint à leur aide, et l'effet de la loi du 27 juillet 1822 fut de reporter le cours, sauf les variations imprimées par quelques circonstances, au taux à-peu-près normal de 75 fr. Sous l'influence assez constante de ce prix, la production du sucre de betterave, dont la législation de 1822 n'avait pas tenu compte, s'est insensiblement développée. Après avoir fourni, suivant ce que l'on a pu évaluer, 50 mille kilogr. en 1820, 100 mille en 1821, elle a fini par livrer progressivement, dans les six années suivantes, 1822 à 1827, 6 millions de kilogr. à la consommation dont le chiffre s'est accru d'autant, et a donc ainsi dépassé moyennement 55 millions de kilogr.

L'enquête de 1828, en révélant la gravité de la situation qu'allait créer une production intérieure, favorisée jusque là, non-seulement par la plus complète immunité, mais encore par des encouragements locaux de toute espèce, aurait dû déterminer le Gouvernement à prendre un parti sérieux et tel que, depuis, le Gouvernement britannique n'a pas craint de l'aborder franchement. Il était dès-lors évident que l'*impôt de consommation* avait agi comme *impôt de protection*, contrairement aux intentions du législateur, et qu'il continuerait ainsi, en opposition au bon sens et à l'équité. Qui eût pu parler de se *protéger* contre les productions des colonies, n'achetant et ne vendant que sous le bon plaisir de la métropole et n'employant d'autres navires que les siens? La Grande-Bretagne, lorsqu'elle a eu à s'occuper de ce problème, en a trouvé promptement la solution, en déclarant que le sucre des plantations britanniques payant un droit de 24 sh., ce droit serait appliqué au sucre que le cultivateur anglais voudrait produire en Europe, qu'il provînt de la betterave, de la pomme de terre ou de toute autre plante.

Vers l'époque où parut le rapport sur l'enquête de 1828, les évènements politiques se pressaient en France, et la nation, inquiète sur ses droits menacés, prêtait déjà peu d'attention à la discussion d'intérêts plus matériels. Des circonstances graves se succédèrent pendant plusieurs années, et dans les intervalles de tranquillité, des enquêtes sur une vaste échelle avaient permis la discussion de tous les intérêts particuliers, sans conduire à aucune solution. Aussi lorsque, vers 1835, l'attention se porta vers la législation des sucres, on reconnut que la production de la betterave n'avait cessé de se développer, et qu'elle s'était accrue chaque année de plusieurs millions de kilogr. En l'absence de documents vérifiables, on ne put cependant évaluer la production à moins de 30 millions de kilog. pour cette année 1835. Elle avait été calculée seulement à environ 5 millions de kilog. pour l'année 1828-29, et l'ensemble des huit années n'avait pas donné moins de 91 millions 600,000 kilog.

Si l'enquête de 1828, qui faisait pressentir le mal futur, eût été immédiatement suivie d'une mesure législative analogue à celle que l'Angleterre a depuis adoptée, ou cette quantité de sucre n'eût pas été produite, ou elle eût rapporté au trésor une somme de 45,342,000 francs. On comprend que cette grande immunité ait fait porter les capitaux et l'industrie vers une fabrication que le fisc paraissait oublier. Le pays se ressentait encore de l'ébranlement qu'avait produit la révolution de 1830. Le pouvoir nouveau cherchait, en se consolidant, à se rendre favorables tous les hommes dont l'influence pouvait le servir, et plus que tous les autres les propriétaires du sol lui paraissaient devoir être ménagés, tandis que des Colonies il avait peu à attendre. Ce n'est donc que tardivement, et lorsque les embarras ne purent plus être dissimulés sous l'abri d'embarras politiques d'une tout autre importance, que le Gouvernement porta quelque attention aux doléances des armateurs et des colons.

La loi d'avril 1833, en régularisant le tarif des sucres coloniaux, avait bien voulu remédier au dommage que le trésor éprouvait par l'exportation avec prime des sucres raffinés, exportation dans laquelle le sucre de betterave entrait, en dépit de toute stipulation, pour une grosse part. Cette loi avait réduit à un simple drawback la restitution accordée, mais elle n'avait rien innové dans la situation du sucre de betterave, seule cause de ce désordre financier. On n'avait pas voulu voir que le mal était ailleurs que dans les primes, et il fallut une grande perturbation dans les rapports de la France avec ses colonies pour vaincre la répugnance des hommes politiques à chercher un remède qui devait conduire à l'impôt du sucre indigène.

Dès 1832, les producteurs de ce sucre indigène, menacés, avaient engagé avec les défenseurs des Colonies et du commerce maritime une polémique qui dure encore, et dont la seule analyse formerait de gros volumes. Appelées à se prononcer, les Chambres, renversant d'abord le système de dégrèvement mis en activité par une ordonnance et que le Ministère leur proposait de consacrer définitivement, préférèrent, dans la loi du 18 juillet 1837, imposer le sucre indigène, et ajouter, dans celle du 5 juillet 1840, au chiffre de cet impôt. Elles reculèrent devant l'égalité de droits pour les sucres des deux origines, seule mesure qui eût pu trancher le débat, et clore enfin une discussion qui, de nouveau reproduite, accuse l'imprévoyance du législateur, s'il n'est plus exact de dire que c'est volontairement qu'il s'est abusé.

La protection, en France, pour le sucre de betterave était et est encore par le fait une protection accordée au propriétaire de terres, dans les départements du Nord, contre le producteur de blé et le minotier du Languedoc, le vigneron du Bordelais, l'éleveur de mulets du Poitou, le manufacturier de Rouen, d'Amiens, de Mulhausen, les armateurs de navires de tous nos ports, qui trouvaient leurs consommateurs dans nos colonies aujourd'hui ruinées. Serait-ce à dire cependant, comme on l'a prétendu, que cette culture nouvelle avait placé dans une situation meilleure les classes pauvres et laborieuses dans les cantons où elle s'était introduite? Quels bienfaits a-t-elle réellement produits? C'est ce qu'il est intéressant d'examiner.

L'arrondissement de Valenciennes, et principalement le territoire d'Anzin, renfermait, il y a une quinzaine d'années, un nombre assez considérable de petits cultivateurs, exploitant chacun de 7 à 8 hectares. Ils affermaient les bonnes terres au prix de 18 à 20 fr. la mancaudée (mesure de 22 1/3 ares), quelquefois même à 15 ou 16 fr., en traitant avec la compagnie des mines pour le sol qu'elle possède. Ces petits tenanciers, actifs, laborieux, travaillant avec leur famille sur une étendue restreinte, trouvaient, dans le besoin, à se faire aider par des journaliers, au salaire modique de 1 fr. 25 c. à 1 fr. 50 c. pour les hommes, et de 60 à 75 centimes pour les femmes. Ils variaient leurs cultures dans la vue de la consommation de Valenciennes et des autres petites villes du voisinage. L'existence, le chauffage, tout était à bas prix, et ces populations vivaient heureuses et satisfaites.

La culture de la betterave, en s'accroissant, a eu pour résultat de faire hausser, vers 1834, le prix du fermage à 35 ou 40 fr. la mancaudée; puis, en deux ou trois ans, à 60 ou 65 fr., et même au-delà. Les salaires s'élevaient proportionnellement à 2 fr. et 2 fr. 25 c. pour les hommes, et à 1 fr. et 1 fr. 25 c. pour les femmes, sans que le sort des journaliers en devînt meilleur, toutes les choses nécessaires à la vie ayant subi une augmentation bien plus grande.

Aucun des petits tenanciers, dont nous avons parlé, n'a pu continuer son exploitation aux conditions nouvelles qui étaient imposées à la terre. Ces familles de cultivateurs, aisées par leur travail, indépendantes et sur la voie du progrès, sont retombées dans la classe des familles d'ouvriers journaliers, vouées à un salaire précaire, comme l'industrie à laquelle elles se sont rattachées.

L'établissement d'une première taxe sur le sucre indigène, l'incertitude de l'avenir, les mécomptes des hommes à entreprise ont pu modifier cet état de choses qui se reporte à quatre ou cinq ans. Nous l'ignorons; mais il est hors de doute qu'une partie intéressante de la population est redescendue d'un degré dans l'échelle sociale, et que le propriétaire de la terre a seul conquis sans risque, ni mauvaise chance, une augmentation énorme de revenu et un accroissement de fortune qui ne devrait être la récompense que du travail et de l'activité.

Hélas! peut-être est-ce à cette cause qu'est due l'opposition si vive qui depuis long-temps combat pour les immunités plus ou moins étendues en faveur du sucre de betterave. Accroissement de fortune sans travail, par l'élévation du fermage des terres. — Est-ce là ce qui fait dire à M. Dupin qu'il est presque sauvage, à l'époque où nous vivons, de flétrir le sol et le travail français, comme si le commerce avec les Colonies était anti-national? comme si les Colonies elles-mêmes n'étaient pas françaises, et que l'on pût appliquer à la situation actuelle le fameux axiome : *chacun chez soi, chacun son droit.*

Lorsqu'un hasard heureux vient donner une valeur inespérée à un capital d'une évaluation plus faible, la Société n'a pas à s'en inquiéter, elle impose le propriétaire favorisé suivant sa nouvelle fortune apparente; mais quand l'augmentation de valeur est le résultat de l'affranchissement d'un impôt qui devra être supporté par d'autres, ou d'un privilège abusif, les pouvoirs doivent y veiller : car la part que le fisc aurait à prendre, dans cette chance de la fortune, ne serait pas proportionnée au dommage matériel qu'il en éprouverait d'ailleurs, encore moins au dommage de l'injustice qu'il consacrerait.

Diverses causes locales ont contribué à développer la culture du sucre indigène dans le nord de la France : l'esprit industrieux de ses habitants, la fertilité du sol, la proximité du combustible, et enfin le voisinage des lieux de grande consommation. Et encore cependant est-ce à l'absence d'un impôt que l'on doit en attribuer la plus grande part! Tant que l'Etat n'a rien demandé au sucre indigène, l'impôt sur le sucre colonial agissait comme une prime de 742 fr. 50 c. accordée par hectare à la culture de la betterave. Chaque hectare produisant 30,000 kil. de racines, et à 5 p. 0[0 de rendement 1,500 kil. de sucre, aurait dû payer cette somme comme représentant l'impôt, soit 49 fr. 50. Aujourd'hui même l'immunité se résume encore par 330 fr. de prime à l'hectare pour la différence entre le droit colonial et la taxe *du sucre indigène*, de 27 fr. 50 imposée à la production intérieure.

Nous nous sommes arrêtés à l'année 1835 sur le chiffre des

sacrifices faits par le trésor à l'égard du sucre de betterave, et nous l'avons calculé à plus de 45 millions de francs ; la production de la betterave dans les années 1836, 1837 et 1838 est calculée avoir dépassé 100 millions de kilog. qui auraient pu produire encore 50 millions de francs. L'abandon depuis 1828 n'a donc pas été moindre de 95 millions. Pendant cette période de onze années, le prix des sucres coloniaux a été constamment au-dessous des limites les plus basses que les calculs de rémunération puissent lui assigner. En octobre 1839 la perception d'un droit minime sur le sucre de betterave a commencé, et dans le dernier trimestre de cette année 12 millions de kilog. y ont été soumis.

Nous allons examiner les résultats de cette ère nouvelle.

III.

DES CONSOMMATIONS RELATIVES.

Peu d'articles de commerce ont aujourd'hui autant d'importance que le sucre. Nous avons ailleurs (1) calculé la production générale du sucre de canne vers l'époque de 1835, et nous avons évalué à 705 millions de kilog. la quantité qui entrait alors dans le commerce des peuples soumis au système européen. Depuis, quelques-uns des faits se sont modifiés; mais en attendant que nous nous occupions à cet égard de nouvelles recherches, nous devons considérer ici quelle est au vrai, en ce moment, la consommation annuelle de la France.

Les tableaux dressés par l'administration des douanes, supérieurs en clarté et en méthode à tous ceux que font dresser les peuples étrangers, doivent cependant être consultés avec une connaissance préliminaire des usages de perception, des tares omises et des tares déduites, du mouvement des entrepôts entre eux et de toutes les causes accidentelles qui peuvent altérer les chiffres inscrits, pour ramener ces précieux documents à exprimer le véritable poids net du sucre consommé.

En tenant compte de ces anomalies nous avons trouvé que nos colonies produisaient réellement :

---

(1) Dictionnaire du commerce.

	En sucre au poids net.
La Guadeloupe, près de	30,500,000 kil.
La Martinique	23,000,000
La Guyane	1,500,000
(A l'occident)	55,000,000 kil.
Bourbon (à l'orient)	25,000,000
Ensemble	80,000,000 kil.

Nous supposons que l'approvisionnement intérieur de la France en sucre acquitté, chez le raffineur, le négociant et le consommateur, était à-peu-près la même au 1er janvier 1839 et au 31 décembre 1842. Nous admettons encore l'identité du chiffre pour les sucres en cours de mutation d'entrepôt, aux mêmes époques, que l'on ne peut vérifier. Nous trouvons ensuite que pour les quatre années 1839 à 1842 la consommation de la France aura été, en se basant sur les acquittements et les emplois, en moyenne annuelle de

105,438,666 kil.

Et voici les calculs par lesquels nous faisons concorder les chiffres du commerce général et ceux du commerce spécial avec nos évaluations. Nous devons d'abord avertir que nous ne nous occupons pas du mouvement des entrepôts pour le sucre étranger, qui ne sont d'aucun intérêt dans la question. Les entrepôts renferment des sucres de toutes provenances, de toutes nuances et de toutes qualités, principalement des sucres terrés arrivés sous pavillons divers, et le plus souvent destinés à une réexportation future. En conséquence, nous ne ferons entrer en compte que les sucres étrangers acquittés, et qui certainement l'ont été pour être réexportés après le raffinage. Ainsi :

Pour les sucres coloniaux,

Il y avait en entrepôt, au 1er janvier 1839,	21,043,589 kil.
Les arrivages pend. 4 ans, 1839-1842, ont été de	338,113,381
En total,	359,156,970 kil.

Il restait en entrepôt, le 31 décembre 1842,	28,178,421 kil.
Reste,	330,978,549 kil.
Dont il faut déduire le sucre réexporté en nature,	9,078,140
Total,	321,900,409 kil.
Sur quoi il faut faire emploi pour les tares non réglées lors des déclarations et les déchets, de	19,884,850
Les acquittements en douane ont été de	302,015,559 kil.
Mais on a réexporté en sucre raffiné au droit colonial, 6,888,025 kil., qui, d'après l'échelle de rendement, représentent en matière brute,	9,105,327
Il est donc resté, dans la consommation de la France,	292,910,232 kil.

Pour le sucre étranger,

Il a été acquitté dans la période des quatre années 1839-42,	27,511,403 kil.
Et réexporté en sucre raffiné 17,400,228 kil., au droit étranger, faisant en matière brute,	24,018,003
Ce qui a laissé dans la consommation de la France,	3,493,400 kil

Pour le sucre indigène,

Les droits ont été payés dans la même période de quatre années sur	125,351,032 kil.
employés en entier dans la consommation intérieure.	
Les trois éléments réunis :	
Sucre colonial,	292,910,232 kil.
— étranger,	3,493,400
— indigène,	125,351,032
donnent un total, pour 1839-42, de	421,754,664 kil.
et une moyenne annuelle de	105,438,666

Nous pensons, avec tout le monde, qu'une certaine proportion du sucre de betterave trouve moyen d'entrer sans droits dans la consommation, mais nous sommes convaincus qu'il y a une grande exagération dans l'évaluation de la quantité, et nous regardons comme une appréciation suffisante de porter à 107,500,000 kil., ou au plus 108 millions, le chiffre de la consommation annuelle de la France.

Les diverses phases de la population de la France ont été

en 1822 de	31,465,000 habitants.
1827 —	31,581,000
1832 —	32,561,000
1837 —	33,541,000
1842 —	34,194,000

Ainsi, avec une augmentation de 12 p. 0[0 en vingt ans, la consommation du sucre a presque doublé ; car la progression de bien-être et de l'aisance a été grande.

La population du royaume-uni de la Grande-Bretagne a marché plus rapidement sans que l'on puisse dire qu'il y ait eu une amélioration matérielle dans les classes inférieures, ou peut-être même par rapport à cette cause, car la misère donne plus d'enfants que la richesse.

Elle était :

En 1821	pour la Grande-Bretagne.	14,353,800 hab.	
	L'Irlande	6,847,000	
			21,200,800
En 1831	pour la Grande-Bretagne	16,366,011	
	L'Irlande (évaluée)	8,500,000	
			24,866,011
En 1841	pour la Grande-Bretagne	18,664,761	
	L'Irlande (évaluée)	9,500,000	
			28,164,761

Comme de certaines consommations ne se font que dans les classes assez aisées pour y atteindre, on remarquera, en procédant par année moyenne, qu'en Angleterre le sucre passé chez le consommateur, indépendamment des exportations, a été annuellement :

De 1821-1825,	de 159,674,663 kil.
De 1826 à 1830,	de 180,555,399
De 1831 à 1835,	de 189,779,992
De 1836 à 1840,	de 190,661,685
Et en 1841 seul,	de 206,087,126

C'est, assurément, eu égard aux populations respectives des deux pays, un tout autre rapport de consommation. Si l'Irlande, pauvre et affamée, n'entre pas pour beaucoup dans le marché du sucre, il y a aussi, en France, des départements où l'usage en est peu commun; mais la différence entre les deux nations provient, avant tout, du régime particulier de nourriture. Comme substance alimentaire, le sucre peut recevoir de nombreuses applications; mais son emploi principal est dans l'édulcoration des boissons chaudes qui entrent pour une si grande partie dans l'hygiénique des peuples du nord.

De l'année 1839 à 1841 la Grande-Bretagne a consommé 104,055,582 livres de thé, ou 15,726,267 kil. par an, ce qui indique pour ce seul objet l'emploi de 64 à 70 millions de kilog. de sucre.

La moyenne annuelle de la consommation du thé en France a été :

De 1827 à 1831,	de 104,548 kil.
De 1832 à 1836,	de 133,970
De 1839 à 1841,	de 115,743
En 1842,	de 231,880

Malgré cette grande consommation de thé, la Grande-Bretagne consomme proportionnellement plus que la France de café et de cacao. Elle a absorbé de 1839 à 1841, 88,820,708 livres de café ou 12,668,102 kilog. année moyenne, et 5,577,325 livres de cacao, ou 842,919 kil. année moyenne.

La consommation de la France, a été, en café :

Année moyenne de

1827 à 1831 —	de 9,299,344 kil.
1832 à 1836 —	10,440,843
1837 à 1841 —	12,814,351

et en cacao pour les mêmes périodes,

1827 à 1831 —	709,645 kil.
1832 à 1839 —	908,359
1837 à 1841 —	1,427,658

L'exposé de ces faits suffit pour démontrer que la consommation du sucre ne paraît pas appelée à prendre un développement exagéré en France. Il faudrait pour cela que l'usage des boissons chaudes se substituât petit à petit dans nos provinces centrales et dans le midi au vin et aux fruits qui font la base de la production et la richesse de ces contrées. Les progrés de la population sont très-lents chez nous, et se sont bornés en 20 ans à $\frac{612}{1000}$ p. 0[0 par an, tandis que l'Angleterre, dans la même période, progressait dans la raison de $1\frac{643}{1000}$. Les estimations que l'on peut faire de l'avenir ne résultent donc que du progrés de la richesse publique; mais toutes les années n'apportent pas avec elles un accroissement bien certain de la prospérité. Les époques où elle est stationnaire sont faciles à reconnaître, mais seulement par ceux qui sont à portée d'apprécier le mouvement tout entier du corps social, et qui s'occupent d'en étudier les ressorts.

IV.

CONCLUSION.

Lorsqu'un Etat se trouve consommateur d'une denrée dont il peut produire une partie, mais non toute la quantité qui suffirait à ses besoins, il règle l'admission de l'autre partie, qu'il lui faut recevoir du travail étranger, sur des considérations de diverses natures. Il évalue les frais de la production nationale, et cherche à la protéger contre une invasion illimitée qui en amènerait l'anéantissement. Il impose la denrée étrangère et cependant il modère l'impôt, afin que la part du consommateur soit faite, et que la protection ne dégénère pas en exclusion de manière à créer le monopole. Ainsi les houilles, les toiles, mille articles divers sont imposés, quand ils viennent de l'étranger, de manière à ce que le producteur français puisse exister. Cette législation est difficile; elle exige une grande surveillance, et elle est dans le cas d'éprouver de fréquents changements. Le travail du Gouvernement s'en augmente, mais au bout du compte il n'est Gouvernement qu'à ce prix. C'est à lui à interroger tous les besoins et à pourvoir à ce qu'ils soient satisfaits autant que possible.

Si le sucre colonial eût existé seul, comme il est insuffisant pour nos besoin actuels, le législateur n'aurait eu qu'à régler l'admission du sucre étranger sur les mêmes bases qui servent à déterminer les autres tarifs : conservation du travail acquis, modération du prix pour le consommateur. Dans cette discussion, la lutte pourrait être vive, mais, à quelque point qu'elle s'arrêtât, le dommage ne pourrait devenir grand, car le remède serait toujours prompt et facile à appliquer. La France choisirait dans les pays producteurs ceux qu'il lui conviendrait le mieux de favoriser, ceux dont elle attendrait des concessions de quelque valeur, et les Colonies feraient valoir les droits qu'elles pourraient avoir à être plus ou moins protégées, suivant les accidents divers de leur situation relative. Tel n'est pas le cas aujourd'hui que le débat existe entre le sucre colonial et le sucre indigène.

La Commission, dont nous avons aujourd'hui le rapport, en renversant le projet présenté par le Ministère, vient d'y substituer des dispositions que les esprits les moins prévenus s'accordent à regarder comme inexécutables. Il dépendrait du plus léger accord instinctif des fabricants de betterave, et sans coalition aucune, pour paralyser le revenu et détruire toutes les prévisions du ministre des finances. La Commission a été conduite à ce but déplorable, on peut le dire, par l'influence d'un parti pris à l'avance. Elle n'a plus recherché la vérité ni des principes économiques ni des faits, mais seulement les arguments qui devaient corroborer des opinions formées *à priori*. Sous ce point de vue, on ne peut disconvenir que son rapport est présenté avec un certain degré d'habileté. Les questions mêmes qu'elle s'est posées sont placées dans un ordre inverse de celui qui se présentait naturellement; car il nous a semblé qu'elle aurait dû se demander :

Qu'est-ce que l'impôt sur le sucre colonial? Est-ce un impôt de consommation? Est-ce un impôt de protection en faveur de la métropole contre ses Colonies? et à quel titre cette protection?

Le trésor consent-il à l'abaissement de l'impôt normal qui forme une des ressources de l'Etat? Y a-t-il de graves motifs pour cet abaissement, en faveur de l'une des industries?

Si l'impôt doit être maintenu à un taux élevé, n'y a-t-il pas injustice et oppression à ce que, des deux sucres *obligés* de se rendre sur le même marché, l'un soit taxé plus haut que l'autre?

La production réunie des deux natures de sucre ne dépasserait-elle pas les besoins de la consommation? Et pourquoi alors favoriser celui qui a continué à se développer, lorsque l'effet de la concurrence est de réduire l'autre à un prix tel que la fortune du producteur et celle de ses créanciers en sont compromises?

La France doit-elle vouloir la conservation de ses Colonies, qui n'ont de ressources que dans la production du sucre?

L'Etat est-il intéressé au maintien d'un haut prix pour le loyer des terres?

Le fabricant de sucre de betterave peut-il se refuser à l'égalisation immédiate ou presque immédiate du droit entre les deux natures de sucre?

Sous quel point de vue faut-il envisager l'indemnité proposée par le Gouvernement?

Quels sont les faits dont il faut s'éclairer pour la solution de ces questions?

Quelles conséquences devront résulter d'un nouveau système à adopter?

Pour nous, ce que nous venons d'exposer répond déjà à une partie de ces questions.

La consommation du sucre en France ne dépasse pas 107 à 108 millions de kilogrammes. Elle est susceptible de s'accroître, mais beaucoup plus lentement qu'elle ne l'a fait jusqu'à présent. Faut-il que cet accroissement ait lieu au moyen d'un bas prix, si ce bas prix est le résultat d'une perte faite par le producteur colon sur son prix de revient? Nul ne peut le prétendre. Or, le bas prix naît forcément de la concurrence quand il y a excès de production, et il ne faut qu'un faible excédant pour déterminer une réaction considérable des cours; nos années d'abondance et de disette dans les céréales peuvent à cet égard nous servir d'enseignement.

Sous l'empire d'une législation uniforme, c'est-à-dire à égalité de droits, les Colonies ne peuvent élever de plaintes.

Elles éprouvent, il est vrai, le désavantage de leur éloignement du marché de consommation, qui devrait, en bonne justice, leur faire appliquer un droit moindre qu'au sucre métropolitain; mais enfin elles doivent essayer de lutter. Si elles ne venaient pas alors à bout de se soutenir, leur émancipation commerciale deviendrait le seul remède. Mais tant qu'elles seront sous l'empire d'un droit différentiel, ne peuvent-elles pas dire, et cela avec raison, que la surtaxe qu'elles endurent est plus que leurs produits ne peuvent supporter; que la production de la métropole les écrase sans qu'elles se puissent défendre? Il est impossible que l'on espère d'elles les perfectionnements de fabrication que la Commission paraît attendre; car, quelle portion de capital pourront-elles appliquer à des améliorations, lorsque la réalisation de leurs produits rend chaque jour leur ruine plus sûre et plus complète?

Si nous passons de là à quelques questions de détail, nous conviendrons avec M. Lavollée que le coût de revient est une chose fort difficile à établir. Ainsi, lors de l'enquête de 1828, on estimait que le colon des Antilles devait retirer de son sucre en moyenne le prix (par 50 kil.) de

de	fr. 30 »
que le fret, les assurances, les déchets et les différences de conditions de vente s'élevaient à	17 »
Le droit perçu	24 75
Ce qui faisait un coût de revient au port du Havre de	fr. 71 75
Aujourd'hui de nouveaux efforts et des améliorations de culture font que les enquêtes et ce même rapport si consciencieux de M. Lavollée ne portent plus la rémunération du colon qu'à	23 50
On estime les frais jusqu'au Havre à	13 50
Le droit reste fixé à	24 75
En total	fr. 61 75

Pour que le sucre soit vendu meilleur à marché, il faut au moins que l'un des trois termes que nous venons d'indiquer soit affecté d'une réduction. Or, le trésor résiste à l'abaissement du droit; le chapitre des frais jusqu'au Havre se compose presqu'en entier du fret, à 75 fr. par tonneau, des assurances et des commissions qui ne peuvent guère être amoindries : reste le coût dans la colonie.

De ce que les colons sont parvenus à diminuer les frais de manière à pouvoir, non s'enrichir, mais exister et trouver un mince prix de fermage pour le capital des sucreries avec un prix moyen de 23 fr. 50 c. dans la colonie (roulant de 22 à 25 fr., suivant la qualité), il ne s'ensuit certainement pas qu'après une réduction de plus de 25 pour cent dans douze ans, leur coût de revient puisse encore indéfiniment se réduire. Sous le poids de la législation actuelle, le cours du sucre au Havre est descendu jusqu'à 52 fr. et n'est guère en ce moment qu'à 56 fr. 50 c. Or, comme la qualité de bonne 4e vaut au moins 2 fr. de plus que la qualité moyenne des importations générales, c'est donc de 11 fr. 75 à 7 fr. 25 que le prix de vente est resté au-dessous du coût de revient, c'est-à-dire à une perte de 50 à 35 pour cent supportée par le colon ou par le négociant armateur.

Cet état de choses est celui que la Commission propose de perpétuer en maintenant un droit différentiel entre le sucre colonial et le sucre de betterave. Les 30 millions de *kilogr.* qu'elle alloue à la production indigène sont déjà, en y joignant la production coloniale, de quelque chose en excès sur la consommation actuelle de la France ; et si la production dépasse ce chiffre, comment disposera-t-on du surplus sans une effroyable baisse dans les cours de notre marché ?

Nous avons vu que depuis l'enquête de 1828 jusqu'au moment de l'établissement d'une taxe sur le sucre de betterave, cette industrie avait profité d'une immunité de droits de plus de 95,000,000 fr.

Depuis 1838 jusqu'à la fin de 1842, 137,264,310 kil. de sucre indigène auraient dû, à 49 50, payer 67,945,833 f.
ils n'ont versé au trésor que 23,696,582

C'est donc encore 44,249,251 fr.
alloués au développement de cette culture, qui coûte ainsi 140 millions et bien au-delà, et devrait continuer à être avantagée de 6,600,000 francs par an.

Le remède singulier et si généralement reconnu impraticable de droits suivant progressivement la production aurait encore pour inconvénient de maintenir cette instabilité qui paralyse tout mouvement commercial, et en cela nous ne pouvons mieux dire que de répéter les paroles de M. d'Argout dans le rapport sur l'enquête de 1828 :

« Le commerce et l'industrie ont surtout besoin de con-
» fiance. Une loi qui renferme en elle-même la condition de
» modifications successives éloigne toute idée de stabilité;
» elle semble indiquer qu'il n'y a rien de fixe dans l'état de
» choses qu'elle prétend régler, et que cet état de choses est
» destiné à subir de fréquents changements. Opinion fausse
» peut-être, mais qui n'en est pas moins faite pour produire
» une impression défavorable sur les esprits. »

Nous ne nous arrêterons pas à faire justice des erreurs de faits et d'aperçus dont est semé le rapport de la Commission de 1843; ce serait un long et fastidieux travail. Seulement nous ferons remarquer que le droit différentiel sur le sucre de Bourbon n'est point une faveur accordée à cette colonie, mais bien une prime de navigation, un encouragement à l'armateur, destiné à mettre autant que possible dans des conditions égales les navires envoyés à nos diverses colonies. Le tarif exceptionnel des marchandises de l'Orient, au-delà du détroit de la Sonde, n'avait certainement pas pour but de favoriser les pays où nous devions trafiquer.

On veut encore tirer quelque avantage du droit imposé aux produits alcooliques des Colonies; mais que l'on remarque que la métropole était bien avant ses Colonies en possession de cette industrie, et qu'au rebours de l'époque actuelle, elle entendait conserver les droits acquis.

Cherchant enfin la vérité de bonne foi, et mettant à part ce qu'on appelle les intérêts particuliers, ne prenant en considération que la puissance de la France et les éléments de la justice à laquelle tout le monde peut prétendre, nous résumerons cet exposé nécessairement incomplet, et nous dirons :

Que les Colonies ont droit de demander que le sucre indigène supporte la taxe de 49 fr. 50 c. par 100 kil. qui est imposée à celui qu'elles produisent; que c'est *arbitrairement*, sans bases valables, que l'on propose contre elles un droit différentiel; que la métropole leur doit, comme à tous, justice et protection, car elles sont membres du corps national;

Que vis-à-vis du sucre étranger, elles ont droit au même système de protection qui est appliqué aux autres industries françaises, et cela dans des termes équitables.

Nous ne pouvons cependant terminer sans parler de la question d'indemnité, et, à cet égard, nous serons explicites. Cette mesure serait une mesure grande et politique, ne pouvant avoir d'influence comme *précédent*, ni d'analogue dans l'avenir. Sauf un petit nombre de dissidents, qui sont mus, sans doute, par un double intérêt, les fabricants sont favorables à la cessation de leurs exploitations; ils comprennent qu'il est impossible de résister à l'équité qui demande l'égalisation des droits qu'eux-mêmes, il y a longues années, avaient déclaré pouvoir supporter. Ils craignent, à cette heure, que la mesure ne leur soit trop onéreuse.

La résistance vient des propriétaires du sol, qui voudraient conserver les prix élevés du fermage, prix qui sont défavorables à la Société entière dans l'intérêt d'une seule classe. Les propriétaires mettent en avant les Académies de provinces, les Sociétés d'Encouragement, toutes les réunions dont ils font partie; ils font valoir l'industrie, la science, l'intérêt de l'ouvrier, tout cela pour conserver l'immunité qui leur est si profitable et qui ne profite qu'à eux.

Le Gouvernement, appréciateur de tous les intérêts, et qui comprend quels sont ceux qui importent à l'Etat, ceux qui souffrent, et à l'aide desquels il faut venir; qui, d'un autre côté, veut adoucir la transition, propose la suppression et l'indemnité. Il ne peut éviter que le fermage de la terre n'éprouve quelques échecs; mais celui-ci avait acquis, au moyen de la betterave, une progression inespérée. Le Gouvernement a souci des capitaux engagés dans l'industrie et qui peuvent devenir improductifs, et reconnaissant que les gouvernants, qui se sont succédé, ont eu tort d'encourager et même de laisser faire, il vient en aide à ces capitaux. Il explique que cette indemnité ne sera pas une mesure mauvaise, parce qu'elle sera payée par une augmentation considérable de droits acquis au trésor, et que de ces droits on n'en détournera, pour s'acquitter, qu'une fraction, et cela pendant un temps très limité.

Qui pourrait, comme homme politique, dire que le Gouvernement n'a pas raison ? Certainement ce ne sera pas nous, et nous n'aurions que des louanges à donner aux Chambres, si, en définitive, elles consacraient par leur adhésion le projet qui leur a été soumis et sur lequel la Commission est venue à bout de faire un travail dont la qualification serait trop dure.

FIN.

La PHALANGE, *en insérant le travail de M. Rodet, y a joint la note suivante qui réserve la solution développée par elle dans plusieurs articles antérieurs :*

« En terminant la publication de cet excellent résumé historique et statistique de la question des sucres, nous rappelons à nos lecteurs que notre conclusion, d'accord dans le but et dans le fond avec celle de M. Rodet, en diffère dans la forme et dans les moyens; nous voulons comme lui qu'on ne s'obstine pas, contre toutes les données de la justice, du bon sens, de l'économie, et contre la nature même des climats, à faire du sucre en France. Nous avons demandé, il y a quelques années, comme M. Rodet, la suppression et l'indemnité; mais nous croyons avoir amélioré notre solution en demandant le rachat et l'exploitation progressivement décroissante par le Gouvernement. C'est, suivant nous, le seul moyen de garantir d'une perturbation très grave tous les intérêts engagés aujourd'hui dans la question, surtout ceux des ouvriers et des contremaîtres, et ceux des industries connexes à la sucrerie indigène. »

IMPRIMÉ CHEZ PAUL RENOUARD,
rue Garancière, n. 5.

Studien

über die

Hebung der Landeskultur

im

Königreich Belgien.

Nebst einem Anhang

über die

innere Einrichtung des Ackerbau-Ministeriums

in

Frankreich.

Von

Dr. Eduard Stolle.

Studien

über die

Hebung der Landeskultur

im

Königreich Belgien.

Nebst einem Anhang
über die
innere Einrichtung des Ackerbau=Ministeriums
in
Frankreich.

Von
Dr. Eduard Stolle.

Berlin, 1850.
Gebauer'sche Buchhandlung (J. Petsch).

Vorwort.

Angeregt durch meine frühere amtliche Beschäftigung im Königl. Preuß. Ministerium für die landwirthschaftlichen Angelegenheiten, hatte ich mir vor zwei Jahren die Aufgabe gestellt, alle diejenigen Maßnahmen genau zu studiren, welche im Auslande zur Förderung der Landwirthschaft zur Ausführung gekommen waren.

Die nächste Veranlassung dazu wurde mir durch die Aussicht geboten, daß das neu geschaffene Ackerbau-Ministerium auf der Bahn der materiellen Neuerung und Organisation rüstig vorwärts schreiten wolle, und daß für diesen Fall jegliche Kenntniß über die anderwärts bereits gemachten Erfahrungen für unsere eigenen Versuche zum wesentlichsten Vortheil gereichen würde.

Es handelte sich daher bloß darum, eine richtige Auswahl für diese Studien zu treffen, um nicht die Zeit in unnützen Forschungen zu vergeuden.

Wohl wußte ich, daß die englische Regierung vor einer langen Reihe von Jahren durch die Errichtung des Board of agriculture unter Lord Sinclair den Interessen des Ackerbaus eine kräftige und wohlthuende Theilnahme zugewendet hatte, daß auch in Würtemberg seit längerer Zeit viel des Lobenswerthen zur Förderung der Landeskultur geschehen, daß neuerdings selbst Frankreich begonnen hatte, den Agricultur-Angelegenheiten die gebührende Aufmerksamkeit zu schenken und durch Errichtung von landwirthschaftlichen Vereinen, Ackerbauschulen u. dgl. den besten Willen an den Tag legte, um den bei weitem größten Theil seiner Staatsbürger auf eine höhere Stufe der Intelligenz zu heben *), daß sogar Spanien, wo früher nur seltene und ganz vereinzelte Verbesserungseinrichtungen auf diesem Gebiet (La real Junta de fomento de Agri-

*) Ich gebe im Anhang eine gedrängte Uebersicht der innern Einrichtung des französischen Ackerbau-Ministeriums.

cultura y Commercio) getroffen worden waren, in neuester Zeit unglaubliche Anstrengungen machte, die Landwirthschaft zur gebührenden Geltung zu bringen; aber diese mannigfachen Bestrebungen waren doch theils veraltet, theils auch zu prinziplos, vereinzelt und ohne Zusammenhang unternommen worden, als daß sie zu einem fruchtbringendem Resultat hätten führen können.

Ich sah mich deshalb nach einem günstigeren Terrain für meine Studien um und fand solches gar bald in dem gesegneten Nachbarländchen jenseits des mächtigen Rheinstroms, wo, umbraust von den Stürmen der Revolution, ein stammverwandtes Volk unter der weisen Obhut eines hochherzigen deutschen Fürsten das herrliche Schauspiel der Zucht, edlen Sitte und ruhigen Fortentwicklung dem erstaunten Europa zeigte.

Unstreitig gebührt auf dem Festlande, Würtemberg etwa ausgenommen, wo seit Jahrzehnten für eine wissenschaftliche Vervollkommnung des Ackerbaues das Meiste und wirklich Anerkennungswerthes geschehen ist, zunächst und vor Allen der Regierung des neuen Königreichs Belgien das Verdienst, für die Förderung der Landeskultur mit väterlicher Fürsorge eine außerordentliche und konsequente Thätigkeit entwickelt zu haben, und glaube ich somit einer theuren Pflicht gegen die Heimath nachzukommen, wenn ich hier als Ergebniß meiner Forschungen, diejenigen Maßregeln ihrem wesentlichen Inhalt nach bezeichne, durch deren Anwendung die Belgische Landesbehörde dem einheimischen Ackerbau möglichst unter die Arme zu greifen suchte, größtentheils preiswürdige Einrichtungen, die ich auf meinen jüngsten Reisen nach Frankreich, und neuerdings während einem mehrwöchentlichen Aufenthalt zu Brüssel in ihrem Zusammenhange und durch eigene Anschauung genauer zu studiren bemüht war. Ich erlaube mir noch ein Wort des Danks hinzuzufügen für die bereitwillige Offenherzigkeit, mit welcher die hohe belgische Regierung meiner Wißbegier entgegenkam.

Berlin, im August 1850. St.

Vor dem Jahre 1830, d. h. vor der belgischen Revolution, in deren Folge das anmuthige gewerbfleißige Flandern mit Brabant zu einem selbstständigen Reiche unter einem Könige aus dem Hause Sachsen-Coburg sich erhob, war von Seiten der dortigen Machthaber wenig oder gar nichts für den Landbau geschehen, auch gab es zu dieser Zeit in Belgien noch keine specielle Behörde für die landwirthschaftlichen Angelegenheiten, da nur Handel, Schifffahrt und Industrie die ausschließliche Fürsorge der holländischen Regierung in Anspruch zu nehmen schienen. Man kümmerte sich kaum um den Boden und seine Bebauer, und kam ein Augenblick, wo man sich derselben einmal erinnern wollte, so geschah es eben nur mit Rücksicht auf jene vorwaltenden Interessen des holländischen Handels-Staates.

Zwei Maßregeln, welche für Holland ganz zweckmäßig erschienen, wurden erst später auf die südlichen Provinzen, das heutige Belgien, ausgedehnt, zunächst nämlich die Versicherungs-Anstalt, um der Viehseuche entgegen zu wirken; sodann eine aus Ackerbauern bestehende Kommission, welche in den Provinzen genaue Nachrichten über den Ertrag der Aerndten einzuziehen und darüber Bericht an die Regierung zu erstatten hatte. Für das futterbauende und handeltreibende Holland war diese Maßregel vollkommen geeignet; — daß man sie aber deshalb auch für die anderen Landestheile als zweckdienlich erachtete, lag in der eigenthümlichen Logik der „Mynheers."

Belgien, seit 1830 selbstständig geworden, verharrte noch einige Jahre in den Verwaltungs-Irrthümern, welche hauptsächlich in Bezug auf das nächstliegende Interesse vom Haag aus herüber gepflanzt worden waren, obgleich es durch seine Trennung von den Niederlanden, insofern es dadurch theilweise von dem großen Weltmarkt abgeschlossen wurde, sein Haupt-Augenmerk einer kräftigen Entwicklung des Ackerbaues um so mehr hätte zuwenden müssen, als es vor der jüngsten, beinahe riesenhaft zu nennenden Entfaltung seiner Industrie fast ausschließlich auf den Ertrag seiner Scholle angewiesen war. Die politischen Verhältnisse hatten kurz nach der Umwälzung die Aufmerksamkeit der neuen Machthaber von den materiellen Bedürfnissen des Landes abgelenkt, aber bald gewann man die Ueberzeugung, daß Belgien nach seiner Losreißung vom Mutterlande auf eine neue Bahn gedrängt worden, und daher auch einen anderen Wirkungskreis für seine inneren Bedürfnisse aufsuchen müsse. Das beginnende Interesse für den Ackerbau führte im Verlaufe einiger Jahre zu verschiedenen Maßregeln, welche die Beförderung desselben im Auge hatten.

Der ursprüngliche oberste Ackerbaurath (Conseil supérieur d'agriculture) wurde mittelst Gesetzes vom 29. November 1834 eingesetzt, hat sich aber nur einmal seit 1838 und zwar im Jahre 1841 versammelt, und wurde seitdem als aufgelöst nicht nur betrachtet, sondern mittelst Gesetz vom 31. März 1845 wirklich aufgelöst. Dies letztgenannte Gesetz bestimmte jedoch zugleich über die Organisation eines neuen obersten Ackerbau-Rathes, der bestehen sollte aus je einem jährlich zu wählendem Mitgliede der neun Provinzial-Kommissionen, aus 9 vom Könige auf drei Jahre ernannten Mitgliedern, zusammen also aus 18 Mitgliedern, aus denen wiederum der König einen Präsidenten und einen Vicepräsidenten zu ernennen hatte. Der Minister des Innern präsidirte jedoch die General-Sitzungen, sobald er es für nöthig erachtete.

Die schon früher mittelst Verordnung vom 28. Juni 1818 errichteten Provinzial-Kommissionen haben im Laufe der Zeit sehr verschiedenartige Modificationen erleiden müssen, doch wurden sie gleich den polizeilichen Maßregeln zum Schutze gegen die Ausbreitung der Viehseuche durch die neue Verwaltung in Kraft erhalten. Man versuchte durch einige Mauthgesetze der Landwirthschaft wesentliche Vergünstigungen zuzuwenden. Man gründete eine Thierarzneischule in Brüssel. Beschälereien mit Vollblut- und englischen Halbblut-Hengsten wurden eingerichtet. Aus England wurden Stiere von der Durham-Rage (mit kurzen Hörnern) angeschafft, die man in den verschiedenen Provinzen vertheilte u. s. w.

Alle diese Maßregeln bildeten indessen noch kein zusammenhängendes Ganze, und standen noch weniger mit dem Plan der Gründung einer eigentlichen Centralbehörde für landwirthschaftliche Angelegenheiten in Berührung.

Es erfolgte eine neue Eintheilung des Landes in Ackerbau-Distrikte durch Verordnung vom 12. November 1845.

Die Gründung des obersten Ackerbau-Rathes und die der Provinzial-Kommissionen kamen erst durch Verordnung vom 31. März 1845 zur praktischen Ausführung. Die Reglements zum ersteren vom 9. Dezember 1846, zum letzteren vom 31. Dezember 1845 vervollständigten diese Maßregeln.

Zur Gründung einer höchsten Centralbehörde für den Ackerbau schritt man jedoch erst im Jahre 1846, indem nämlich im Oktober dieses Jahres die Regierung einen eigenen Verwaltungszweig im Ministerium des Innern, unter der Bezeichnung „Abtheilung für den Ackerbau" bildete, und dieser Behörde die ausschließliche Besorgung aller in das ökonomische Fach einschlagenden Angelegenheiten übertrug. Gleichzeitig wurde eine strenge Sonderung derselben von den übrigen Verwaltungsgegenständen angeordnet, da sie früher in Bausch und Bogen unter einer Direktion im Ministerium des Innern abgehandelt worden waren.

Das innere Getriebe dieser neuen Verwaltung, welche allerdings theilweise noch in einem Entwicklungsprozesse begriffen, ist dem Wesentlichsten nach aus folgenden Bestandtheilen zusammengesetzt.

Es wurde, wie bemerkt, im Ministerium des Innern eine Abtheilung gebildet, in welcher ein Abtheilungs-Direktor, ein Büreauchef und drei Unterbeamte angestellt sind, von denen einer die Registratur oder das Eingangs- und Ausgangs-Journal zu besorgen hat, so daß, streng genommen, nur vier Beamte vorhanden sind, denen die Erledigung der laufenden Geschäfte obliegt.

Dieser Abtheilung für den Ackerbau sind folgende Befugnisse und Geschäfte zugewiesen:

1. Das Departement des landwirthschaftlichen Unterrichts. Dieser Unterricht ist zum Theil noch als Projekt vorhanden. Die Beilagen A. B. C. und D. enthalten die bezüglichen Gesetzesvorlagen, wie sie im Jahre 1846 den beiden gesetzgebenden Kammern überreicht wurden. Inzwischen hat dieser Plan noch an Ausdehnung gewonnen. Man hat in den Normalschulen (d. h. in den Anstalten, wo die Volksschullehrer gebildet werden) überdies den Gartenbauunterricht eingeführt, zwei specielle Gartenbauschulen wurden in Gent und Brügge, neun Ackerbau-(Elementar-)schulen in den Provinzen errichtet, eine Handwerkerschule für die landwirthschaftliche Maschinenlehre soll demnächst in der Umgebung von Lüttich ins Leben treten. Außer diesen Anstalten, die, wie schon bemerkt, nur im Keime vorhanden oder seit Kurzem erst gegründet worden, besteht bereits eine Thierarzneischule zu Brüssel, die ungefähr 60 Zöglinge zählt, und welcher gleichfalls eine Umgestaltung bevorsteht; man geht sogar mit der Absicht um, sie einer der Universitäten des Landes unterzuordnen, was meines Bedünkens ein sehr gewagtes Unternehmen ist. Neben diesen, theils ausgeführten, theils noch in der Ausführung begriffenen Anstalten beschäftigt sich das Gouvernement mit der Veröffentlichung der „landwirthschaftlichen Bibliothek", einer Sammlung der ausgezeichnetsten Elementarbücher, welche speciell vom Ackerbau handeln und nun in einer volksthümlichen Fassung dem Landmanne zugänglich gemacht werden.

Die Herausgabe dieser, über alle Zweige der Landwirthschaft sich verbreitenden Schriften, hat sich zumal für Belgien um so mehr als ein längst empfundenes Bedürfniß herausgestellt, da es in der flämischen Sprache eigentlich kein gutes Werk giebt, welches die Anfangsgründe des Ackerbaues vom rationellen Standpunkte aus bespricht.

Die Regierung hat nun zu obigem Zweck mit einem Buchhändler einen Vertrag geschlossen, laut welchem sie ihm die Manuscripte zu der landwirthschaftlichen Bibliothek **unentgeltlich** liefert, und dem Verfasser gegenüber die Zahlung des Honorars übernimmt, jener dagegen sich anheischig macht, in jeder Gemeinde ein Kommissionslager dieser Bücher zu halten, und jedes Bändchen zu einem durch gegenseitige Uebereinkunft festgesetzten Preise, der einige Groschen nicht übersteigen darf, zu verkaufen.

2. **Die Oberleitung der Ackerbaugesellschaften** ꝛc. ꝛc. Die größere Zahl dieser Gesellschaften in Belgien ist ganz neuen Ursprungs; die meisten sind sogar erst vor kaum drei Jahren, und zwar auf Veranlassung der Behörde und unter ihrer direkten Einwirkung ins Leben gerufen worden. Absonderung und Mißtrauen sind zwei Untugenden, welche hauptsächlich dem belgischen Landmanne eigen sind, und ihn längere Zeit jeder Neuerung, so wie jeder äußern Anregung zur Verbesserung seiner Lage absperrten; nur der Associationsgeist, der zum Theil durch künstliche Mittel geweckt werden mußte, konnte diesem tiefeingewurzelten Uebel Einhalt thun, — der Köder des Eigennutzes und der Eitelkeit mußte angewendet werden, um die heutige Generation aus der Gleichgültigkeit emporzureißen, welche ihr eigentliches und wahres Interesse mit vollständiger Vernachlässigung bedrohte. Auf gewöhnlichem Wege wären wenigstens zehn Jahre erforderlich gewesen, um ein ähnliches Resultat zu erzielen, d. h. das ganze Königreich mit landwirthschaftlichen Vereinen zu bedecken, wie dies heute nach kaum 1½ Jahren der Fall ist*). Hier die genaue Anweisung des Ver-

*) Die Ackerbauvereine (Comices agricoles) in Belgien zählen gegenwärtig schon 6634 wirkliche Mitglieder, welche sich auf die Provinzen folgendermaßen vertheilen:

Antwerpen	251	Mitglieder	Lüttich	1332	Mitglieder
Brabant	1560	„	Limburg	342	„
Westflandern	813	„	Luxemburg	500	„
Ostflandern	591	„	Namür	549	„
Hennegau	896	„			

Man ersieht daraus, daß der Associationsgeist in den Provinzen Brabant und Lüttich schon am meisten Wurzel geschlagen hat. Auch wird im Allgemeinen

fahrens, welches die belgische Regierung schon zu diesem Ende zu befolgen für gut erachtete, und das sich auch in seiner Wirkung als höchst zweckmäßig erwiesen hat. Vorerst wurde zu Brüssel eine große, von 5 zu 5 Jahren stattfindende öffentliche Ausstellung aller Ackerbauerzeugnisse gestiftet, bei welcher Gelegenheit immer unter feierlichem Gepränge eine Vertheilung von Ordenskreuzen, Ehrenmedaillen und Prämien stattfindet, welche Se. Majestät der König mit dem ganzen Hofe durch seine Gegenwart zu verherrlichen, niemals verabsäumt. Mit dieser Ausstellung hat man die vorerwähnten Ackerbaugesellschaften in Verbindung gesetzt, ihnen dadurch ein Ziel vorgehalten und ein kräftiges Leben eingehaucht, indem man ihren Wetteifer neben dem Ehrgeiz der verschiedenen Gemeinden und ihrer Vorstände zugleich rege zu machen wußte. Für die Folge hofft man dieser Thätigkeit noch eine nützlichere Richtung dadurch geben zu können, daß man sie auf die Verbesserungen hinzuleiten trachtet, welche bei jeder Oertlichkeit wünschenswerth erscheinen und im Wirkungskreise der verschiedenen Vereine liegen.

In der Beilage Littera E. ist die innere Einrichtung dieses Gesellschaftsverbandes, der sich über ganz Belgien erstrecken soll, jetzt aber noch kaum seine ganze Ausdehnung erhalten hat, des Näheren auseinandergesetzt. Es liegt in der Absicht der Regierung, diese Vereine, wenn sie einmal gehörig Wurzel gefaßt haben und über die Anfangsgründe ihrer Thätigkeit hinaus sind, mit größeren Befugnissen auszustatten und sie namentlich aufzufordern, aus Urwahlen hervorgegangene Stellvertreter an die Provinzial-Ackerbauvereine abzuordnen und aus diesen wieder durch freie Wahl ein Gremium von Repräsentanten zu einem Central-Vereine zusammentreten zu lassen. Obgleich schon seit früher ein Schattenbild dieser doppelstufigen Vertretung des Landbaues in Belgien besteht, so hat sie doch nicht volksthümlich werden können, und auch nicht den zu erwarten-

---

wahrgenommen, daß die Landbewohner mehr und mehr Theilnahme für die Berufsarbeiten der gedachten Vereine an den Tag legen, und den praktischen Nutzen, welche sie bezwecken und theilweise schon stiften, auch zu würdigen beginnen.

den Nutzen gestiftet, weil sie nicht aus der freien und direkten Wahl der Betheiligten hervorgegangen ist; — es bestehen in der That heute schon, sowohl bei der höchsten Behörde, wie auch bei den Provinzial-Regierungen berathende Instanzen von leider nur geringem Einfluß, bei diesen die Ackerbau-Kommissionen, ein Erbstück aus der holländischen Zeit, im letzten Jahrzehend nach Kräften umgemodelt und verbessert, bei jener der höchste Landeskultur-Rath, zu dessen Einrichtung das Preuß. Landes-Oekonomie-Kollegium als Vorbild gedient zu haben scheint.

Jede der neun Provinzen besitzt nach einer früheren Anordnung (s. Beil. F.) eine Ackerbau-Kommission, die aus eben so viel Mitgliedern zusammengesetzt ist, als diese Provinz Ackerbau-Distrikte enthält, als deren Repräsentanten diese Mitglieder zu betrachten sind — im Ganzen 109 solcher Distrikte auf das ganze Reich. Was nun die höchste Instanz, jenes früher schon genannte Landeskultur-Ober-Kollegium betrifft, so besteht dies zunächst aus neun Mitgliedern, welche von den neun Provinzial-Ackerbau-Kommissionen gewählt werden, dann aus neun anderen von der Regierung ernannten Mitgliedern und einem General-Sekretär. Die Beilage Littera F. giebt übrigens genauere Kunde über die Organisation dieser Kollegien, deren Einrichtung sich, wie gesagt, durch ihre veraltete und nicht mehr zeitgemäße Form als unstatthaft erwiesen, und eine Reform im früher angedeuteten Sinne als unabweislich zu erkennen gegeben hat. Uebrigens ist jede dieser Kommissionen gehalten, über ihre Wirksamkeit und den Stand des Landbaues in den Provinzen alljährlich einen umständlichen Bericht abzustatten. Aus diesen von sämmtlichen Provinzen einlaufenden Referaten wird ein Gesammtbild zusammengestellt und mit den Protokollen des von 6 zu 6 Monaten sich versammelnden höchsten Ackerbau-Kollegiums in einem Quartbande publizirt.

Die Stufenleiter der landwirthschaftlichen Vertretung ist demnach übersichtlich folgende:

In jedem Ackerbau-Distrikt befindet sich ein Verein, zu welchem mindestens ein Mitglied aus jeder Gemeinde gehört; den Vorsitz führt meistentheils derjenige, welcher als Deputirter des ganzen Distrikts bei der Provinzial-Ackerbau-Kommission fungirt. Außerdem besteht in jeder Provinz eine Kommission, welche aus so viel Mitgliedern zusammengesetzt als Distrikte in dieser Provinz vorhanden, und die stets durch eine Wahl erneuert wird, welche die Regierung unter drei von der Kommission selbst vorzuschlagenden Kandidaten zu treffen für gut findet, — endlich sehen wir am Hauptsitz der Regierung, an der Seite der Central-Verwaltungs-Behörde einen obersten Rath, der sich zweimal im Jahre versammelt, und der einerseits aus 9 Abgeordneten der 9 Provinzial-Kommissionen, und andererseits aus 9 Mitgliedern gebildet wird, welche der König nach seinem Gutdünken ernennt.

Die Geschäfte und Befugnisse der genannten Dikasterien sind in den Beilagen weitläufiger erörtert.

Außerhalb dieser Kollegien giebt es in Belgien noch eine nicht unbedeutende Anzahl freier Gesellschaften, welche sich zunächst mit dem Gartenbau, der Thierarzneikunde, der Veredlung der Hausthiere u. s. w. beschäftigen, die zum größten Theile von der Regierung Unterstützung genießen, und als Ersatz für diese Aushülfe folgenden Bedingungen sich unterwerfen: 1) einen Abgeordneten der Behörde ihren Sitzungen und Berathungen beiwohnen zu lassen, 2) ein Verzeichniß ihrer Mitglieder und eine Uebersicht ihrer Ausgaben und Einnahmen abzuliefern, und 3) über ihre Leistungen jährlich einen gewissenhaften Bericht zu erstatten.

Um endlich Alles, was auf diese Art der Aufmunterung Bezug hat, ausführlich mitzutheilen, muß noch der Unterstützungen Erwähnung geschehen, welche das Gouvernement vielen Städten zufließen läßt, um diesen bei den Preisausschreibungen behülflich zu sein, welche häufig zur Aneiferung einer größeren Fleischproduktion vorgenommen werden.

3. In das Ressort dieser Abtheilung des Ministeriums gehört auch die Sorge für die Veredlung der Hausthiere. Die Regierung unterstützt diese auf mannigfache Weise; vorerst durch die Beschälereien, welche jährlich 65 Zuchthengste in die verschiedenen Provinzen aussenden, und im Verein mit den Beschälern, welche den Privatleuten angehören, zur Deckung der

einheimischen Bedürfnisse ausreichend sind, so lange das Heer nicht einen besondern Ersatz beansprucht.

Diese Beschälereien waren in Gefahr einzugehen, weil die Pferdezüchter für ihre Erzeugnisse früher keinen gesicherten Absatz hatten, jetzt aber werden sie nicht bloß sich halten, sondern wahrscheinlich noch an Ausdehnung gewinnen können, seitdem das Kriegs-Ministerium mit dem Ministerium des Innern sich dahin verständigt hat, daß nun alle Kavallerie-Regimenter ermächtigt werden, ihren Ergänzungs-Bedarf das ganze Jahr hindurch bei den belgischen Pferdezüchtern einzukaufen. Die Beilage Littera H. enthält die Königl. Verordnung über die Einrichtung und das Statut der Beschälereien. Die gekreuzten Thiere sind übrigens nur ein geringfügiger Bestandtheil der belgischen Pferdezucht. Was die Grundlage und den Kern dieser landwirthschaftlichen Produktion ausmacht, ist das Zugpferd. Die Regierung hat nichts außer Acht gelassen, um auch hier für die Veredlung dieser kostbaren Race bestens Sorge zu tragen — durch ihren Einfluß wurden die Provinzial-Räthe (mit Ausnahme des Lüttichers) bewogen, die polizeilichen Vorschriften in Ausführung zu bringen, welche das Bespringen durch schlechte Hengste zu verhindern trachten. Unter Littera I. findet sich ein solches Reglement ausführlich mitgetheilt.

Aehnliche Vorkehrungen wurden zur Verbesserung der Rindvieh-Racen getroffen. — Es werden jährlich zwei Regierungs-Kommissarien nach England geschickt, um dort 50—60 tüchtige Stiere von der Durham-Race (mit kurzen Hörnern) einzukaufen, die dann in die Provinzen an zuverlässige Landleute vertheilt werden, um dort gegen ein festgesetztes und sehr mäßiges Sprunggeld bei inländischen Kühen zugelassen zu werden. Der Ankaufspreis dieser Stiere wird zur Hälfte vom Fiskus, zur andern Hälfte von den Provinzialkassen getragen. In einzelnen Provinzen kauft man noch Färsen von derselben Race hinzu und befördert auf diese Weise die Veredlung und Fortpflanzung an Ort und Stelle, ohne alljährlich zu neuen Anschaffungen von englischen Zuchtstieren gezwungen zu sein. Die Provinzen, welche dieses Mittel mit Ausdauer und im größeren Maßstabe anzuwenden sich befleißigten, befinden sich heute ganz wohl dabei;

indem ihre Racen sich merklich verbessert haben, namentlich was die schleunige Mästung anbelangt. Uebrigens giebt es über die Art und Weise, das Rindvieh durch Inzucht zu veredeln, Vorschriften, welche von den Provinzialbehörden ausgegangen sind, und die Hebung der Pferdezucht gleichfalls ins Auge fassen. Die Beilage Littera K. giebt einen umständlichen Beleg dafür. Zu diesen Mitteln hat man in neuester Zeit noch folgende beizugesellen sich veranlaßt gefunden. a) Zahlreiche Preisausschreibungen, welche auf allen Hauptpunkten des Königsreichs stattfinden. b) Ein- und Verkäufe (ohne Aufschlag) besonders ausgewählter Thiere durch Vermittelung der landwirthschaftlichen Vereine. c) Eine allgemeine Versicherungsanstalt, um der Ausbreitung der Viehseuchen unter den Hausthieren möglichst vorzubeugen. Folgende Notiz mag über die Einrichtung dieser Anstalt noch weiteren Aufschluß geben. Die Viehsteuer hatte unter der holländischen Regierung eine beträchtliche Summe aufgebracht, welche sich bei der belgischen Revolution im Jahre 1830 im Haag noch in Kasse befand. Bei der endlichen Lostrennung Belgiens von den Niederlanden und nach erfolgtem Friedensschlusse, bis wohin jene Summe durch aufgehäufte Zinsen sich noch bedeutend vermehrt hatte, wurde eine Liquidation dieses Fonds vorgenommen und der auf die belgischen Provinzen entfallende Antheil an den Staatsschatz des neuen Königsreichs herausbezahlt. — Die Zinsgefälle dieses, dem Fiskus anvertrauten Kapitals erscheinen nun jährlich auf dem Ausgabe-Budget und dienen dazu, um als Entschädigungsgelder an die Eigenthümer solcher Thiere gegeben zu werden, welche, sobald sie von irgend einer Seuche oder unheilbaren ansteckenden Krankheit befallen werden, aus Gesundheitsrücksichten sogleich getödtet und bei Seite geschafft werden müssen. In diesem Falle wird gesetzlich ⅓ des Werths der gefallenen Thiere vergütet. In jedem Ackerbau-Distrikt befindet sich ein von der Regierung angestellter Thierarzt, der speciell beauftragt ist, solche Ansteckungsfälle zu erforschen, nachzuweisen und die Tödtung derjenigen Thiere zu beantragen, die von einer gefährlichen Krankheit befallen oder bedroht erscheinen; auf seine Veranlassung verordnet der Gouverneur der Provinz, der Distrikts-Kommissär und bei dringenden Fällen sogar der Bürgermeister der Gemeinde die Abschlachtung des kranken Thieres an. Diese Thierärzte empfangen keine feste Besoldung vom Staate und haben nur eine durch eine Taxe regulirte Schadloshaltung zu beanspruchen. Verschiedene auf diesen Verwaltungszweig Bezug habende Königliche Verordnungen sind unter den Beilagen sub L. aufzufinden, und dürften um so mehr Beachtung verdienen, als daraus hervorgeht, daß auch hier schon die Nothwendigkeit tief eingreifender Reformen sich fühlend gemacht, weil verschiedene Mißbräuche sich eingeschlichen hatten. Belgien ist, wenn nicht Alles trügt, bis heute noch der einzige Staat, wo ein so väterliches vorsorgendes Institut besteht und in Thätigkeit geblieben ist. In Holland, von wo diese Einrichtung sich her schreibt, hat man sie in jüngster Zeit eingehen lassen — aus welchen Gründen dies geschehen, ist mir unbekannt und steht deren Auflösung mit dem wahrhaft günstigen Erfolge des belgischen Instituts im grellsten Widerspruche.

4. Eine der Hauptaufgaben der Abtheilung für den Ackerbau besteht in der Beförderung der Urbarmachung unbebauter Sand- und Haideflächen, von denen sich in Belgien noch über 200,000 hectares (circa 780,000 Magdeb. Morgen) befinden.

Die Mehrzahl dieser nutzlos liegenden Gründe gehört den Gemeinden. Diese Urbarmachung wird durch allerlei Mittel bezweckt, deren Auseinandersetzung hier zu weit führen würde, um so mehr, als es fast unmöglich wäre, sie alle einzeln aufzuzählen. Das Gesetz vom 25. März 1847 (das nebst der Debatte, zu welcher es in der belgischen National-Versammlung Veranlassung gegeben hat, in einem besondern, beinahe 40 Bogen starken Abdruck zu Brüssel erschienen ist), ermächtigt die Regierung einerseits, den Verkauf solcher unangebauter Gemeindegründe anzuordnen, andererseits aber, dieselben im Wege der Expropriation (Entäußerung zum allgemeinen Besten) Behufs der Urbarmachung unter ihrer eigenen Leitung oder durch Dritte den früheren Besitzern zu entziehen.

Bis jetzt hat die belgische Regierung kaum nöthig gehabt, zu der Anwendung dieses Gesetzes ihre Zuflucht zu nehmen, weil es ihr fast durchgängig gelungen ist, auf dem Wege gütlichen Abkommens mit den Gemeinden, diese dahin zu vermögen, in einem einzigen Jahre über 8000 hectares *) Landes zu bebauen oder zum Anbau vorzubereiten. Man verfuhr dabei auf folgende Weise: die Hälfte dieser todten Gründe liegt in den Provinzen von Antwerpen und Limburg in fast ausschließlich sandigen Gegenden, die andere dagegen befindet sich in den Provinzen von Luxemburg, Namür und Lüttich, einem kalten steinigten Hochlande, vertheilt.

Jener sandige Landstrich kann nur bei gleichzeitiger Gestellung von Bewässerungsvorrichtungen urbar gemacht werden, da das Wasser allein diesem trocknen und unfruchtbaren Boden die nöthige Feuchtigkeit und salzigen Bestandtheile, welche ihm abgehen, zuzuführen vermag. Es wurde daher ein großartiger Kanal begonnen, welcher diese Sandwüste, gemeinhin die „Campine" genannt, durchschneiden soll, mehrere Abtheilungen desselben sind bereits vollendet, und soll, wenn die Zeitverhältnisse es gestatten, binnen wenigen Jahren dieses ganze künstliche Gewässernetz, welches über den ziemlich umfangreichen Distrikt sich ausbreitet, so weit fertig werden, daß immer genug Wasser vorhanden sei, um mindestens 20,000 hectares Land hinreichend bewässern und diese demnach in künstliche Rieselwiesen umgestalten zu können. Mit dem, was bereits vom Kanal vollendet ist, können heute circa 8000 hectares unter Wasser gesetzt und somit auch in Betrieb genommen werden. Die Rieselarbeiten wurden im vorigen Jahre begonnen und sind heute bis auf 12 oder 1300 hectares schon gediehen. Diese Arbeiten werden auf folgende Weise ausgeführt: Ein Ingenieur mit einem Unter-Ingenieur und einigen Gehülfen werden mit den nöthigen Vorbereitungsstudien beauftragt und haben diejenigen liegenden Gründe in der Gemeinde anzugeben, welche zu Rieselwiesen umgewandelt werden sollen; sie bezeichnen dem Minister des Innern diejenigen Strecken Landes, auf welchen mit den Arbeiten vorgegangen werden könne, der Minister wendet sich darauf an den betreffenden Gemeinderath, von welchem jene Gründe abhängig sind, und

*) 1 hectare = 3,916 Preuß. Morgen à 180 □R.

trifft mit demselben ein Uebereinkommen, laut welchem die Gemeinde an den Staat vorläufig jenes unfruchtbare Land zu einem festgesetzten Preise abgiebt; die Regierung läßt dann durch ihre Ingenieure ohne Verzug mit den vorbereitenden Arbeiten beginnen, welche zunächst in der Eröffnung eines Verbindungsgrabens mit dem großen Kanal, in der Ausschaufelung von Speise- und Abzugsgräben, in Kunstbauten, wo solche von Nöthen und in der Anlegung von Kommunikationswegen bestehen. Sobald diese Vorarbeiten ausgeführt sind, laßt der Staat das von der Gemeinde erworbene Land an die Meistbietenden öffentlich versteigern, und legt nun dem Erwerber die Verpflichtung auf, die begonnene Arbeit zu vollenden und binnen kurzer Zeit die Haiden und Sandstrecken i.. urbares Land, Wiese u. s. w. umzuwandeln, was dadurch geschieht, daß der neue Eigenthümer sogleich mit der Nivellirung des Bodens, dem Umgraben desselben, Ziehen von Berieselungsgräben und mit der Besaamung vorwärts schreitet. Das Angebot richtet sich immer nach dem Preise, welchen der Staat der Gemeinde, die früher die Grundstücke besaß, vergütet hat, und werden nur die Auslagen für die zur ferneren Benutzung des Terrains ausgeführten Arbeiten hinzugeschlagen. Wenn nun der Verkaufspreis, zu welchem die Regierung losschlägt, den Ankaufspreis nebst den Kosten um das Doppelte übersteigt, so wird der Ueberschuß zwischen dem Staate und der Gemeinde so vertheilt, daß ersterer 20 pCt. davon, letztere den Rest erhält. Auf diese Weise können die Gemeinden, so wie auch der Staat sicher darauf rechnen, nicht zu Schaden zu kommen, und während jene einen unter allen Umständen annehmbaren Preis für ihre ganz werthlosen Ländereien erzielen, läuft der Staat zum mindesten keine Gefahr, durch seine Vorauslagen Einbuße erleiden zu müssen; auch haben alle diese Operationen bisher einen günstigen Erfolg gehabt, so daß es nicht zu verwundern ist, wenn die Gemeinden aus den früher bezeichneten Distrikten ihre wüsten Sandsteppen und wilden Haidekrautpflanzungen der Regierung förmlich an den Hals schleudern, weil diese für deren Urbarmachung väterliche Fürsorge trägt und unter ihrer Leitung jene unfruchtbaren Strecken binnen Jahresfrist zu vollständigen Rieselwiesen, deren günstige

Resultate offen genug daliegen, umgewandelt werden, und nun einen Ertrag liefern, der den früheren oft um das Zwanzigfache übersteigt.

Es liegen genug Beispiele vor, daß schon die ersten Erwerber solcher durch die Regierung vorbereiteten Aecker und Gründe bereits im ersten Jahr zehn Prozent von ihrem Anlagekapital gezogen haben, was nicht wenig dazu beitrug, einen löblichen Wetteifer im Ankauf dieser Terrains hervorzurufen, so daß heute schon die Kolonisation und Urbarmachung jener früher so traurigen Landesstrecken als eine abgemachte Sache zu betrachten ist, so stark ist der Andrang von kleinen, nicht ganz unbemittelten Leuten, welche auf diese Weise zu einem kleinen Besitzthum zu gelangen sich bemühen. Uebrigens wird, sobald einmal jene projectirten 20,000 hectares Rieselwiesen vollendet sein werden, die Urbarmachung der übrigen Strecken, selbst da, wo keine Bewässerung stattfinden kann, nicht gar lange auf sich warten lassen, der wachsende Viehstand und die daraus erfolgende Düngungsvermehrung werden das ihrige schon dazu beitragen. Indessen beschränkten sich die Bemühungen der Obrigkeit nicht bloß darauf, die Einrichtung von künstlichen Wiesen ins Leben zu rufen und dazu überall möglichst aufzumuntern, sondern sie ließ es sich auch angelegen sein, die Wiederbeholzung aller dazu geeigneten Strecken eifrig zu betreiben, was jedoch weniger geschah, um neue Wälder, als vielmehr da, wo es nöthig, Schutz für die Feldmark zu gewinnen; die Fichte und der Lerchenbaum (pinus larix) werden gemeinhin zu diesem Zwecke verwendet.

Die Wiederbeholzung bildet in den hochgelegenen Gegenden der Ardennen, welche sich durch die Provinzen Luxemburg, Limburg und Namür hinziehen, die Grundlage der Urbarmachung. Bei dieser Methode stößt man auf größere Hindernisse von Seiten der Unterthanen, weil die Beforstung eine Maßregel ist, deren Vortheile erst späteren Generationen zu statten kommen werden; daher rührt es denn, daß die Gemeinderäthe, die heute die Nutznießung der Viehweiden haben, welche kümmerlich genug auf den unbebauten Flächen angetroffen werden, sich natürlich nicht sehr beeilen, darüber in einer anderen Weise zu verfügen, welche ihnen nicht nur nichts einträgt, sondern obendrein zu neuen Kosten Veranlassung werden soll, für die sie auch nicht einmal einen augenblicklichen Ersatz in Aussicht haben. Daher kommt es auch, daß es der belgischen Regierung nur mit großer Mühe gelingen wollte, in dieser Beziehung den Widerstand einzelner Gemeinden, zumal im Luxemburgischen, zu besiegen, und sie dahin zu vermögen, ihre unbebauten Gründe mit Waldsaamen zu bestellen. Man mußte deshalb theilweise zum Aeußersten schreiten und mit der Anwendung des Expropriationsgesetzes drohen, andererseits ihnen auch provisorisch noch die Benutzung der den Wohnungen zunächst gelegenen Strecken überlassen, und endlich bei mehreren, von Staatswegen einen Theil der Kosten decken helfen, ohne Aussicht auf sofortige Wiedererstattung oder weitere Entschädigung. Nur so brachte es das Ministerium, welches in der Ausführung einer nothwendigen Maßregel eine wahrhaft löbliche Beharrlichkeit an den Tag legte, dahin, daß binnen kurzer Zeit nahezu 4000 hectares unbebauten Bodens umgebrochen und beholzt wurden.

Wiewohl dies nun der einzige und vernünftigste Weg war, um jene kalten und hochgelegenen Gebirgs-Distrikte in nutzbares Erdreich umzuwandeln und ihnen einen Werth zu verleihen, was um so mehr wünschenswerth, da von den Privatleuten fast täglich bedeutende Strecken Waldes niedergeschlagen und ausgerodet werden, um sie dem Getreidebau zuzuwenden, so beschränkte sich die Regierung noch nicht einmal auf die Anwendung der schon bezeichneten Mittel, sondern versuchte noch ein Anderes, um die Kultur des Bodens nach Möglichkeit zu heben. Bekanntlich giebt es für einen kalten und feuchten Boden kein besseres Düngmittel als gebrannten Kalk; um ihn rasch zu bessern, muß man starke Quantitäten und öfters Kalk aufführen. — Leider aber findet sich dies kräftige Arcanum nicht überall vorräthig, noch weniger aber giebt es eine ausreichende Zahl von tauglichen oder passenden Oefen um ihn gar zu brennen. Hier suchte nun die Regierung abermals helfend und vermittelnd einzuschreiten, indem sie große Niederlagen von gebranntem Kalk aller Orten errichtete, wo sich das Bedürfniß zeigte, und dabei die humane Einrichtung traf, daß auch der ärmste Ackerbauer sich seinen Bedarf anschaffen konnte, da der Hektolitre Kalk, etwa $1\frac{1}{2}$ Centner wiegend, um dreißig bis höchstens fünfzig Centimes, circa 3—4 Silbergroschen, überlassen wird. — Die nächste Folge war, daß die Anwendung dieses Düngmittels in Jahresfrist sich außerordentlich gesteigert, beinahe verzehnfacht hat, und dadurch auch eine weit größere Ergiebigkeit des Bodens, bessere Früchte und reichlichere Erndten erzielt wurden, daß man endlich, ohne sich zu sanguinischen Hoffnungen dahin zu geben, jetzt schon auf einen doppelten Cerealien-Ertrag jenes Theils der Provinzen, wo die gedachte Maßregel zur Ausführung gekommen ist, rechnen darf.

Um jene Arbeiten 2c. 2c. behufs der Urbarmachung ins Werk setzen zu können, wurde im Jahre 1847 von den gesetzgebenden Kammern Belgiens der Regierung eine Summe von 500,000 Fr. (in 5 Jahren zu verausgaben) unter der Bedingung jährlicher Rechnungslegung zugestanden; es versteht sich übrigens von selbst, daß diese Geldmittel keineswegs ausreichen werden, wenn zugleich jenes großartige Uebersiedelungs-Projekt zur Ausführung kommen sollte, demzufolge aus den übervölkerten Bezirken Flanderns Kolonisten nach der öden und wenig bewohnten „Campine" hinübergeschafft werden sollen, um da neue Dörfer anzulegen und die Ansiedelung auf jede Weise zu begünstigen. Die Behörde ist jetzt noch mit den auf dies Projekt bezüglichen Studien und Vorarbeiten beschäftigt, und ist alle Wahrscheinlichkeit vorhanden, daß demnächst mit der Uebersiedelung von 12 bis 1800 der unglücklichsten flämischen Familien wird begonnen werden können, in welchem Falle jedoch die Kammer der Volksvertretung um neue Zuschüsse angegangen werden muß.

Alles was die Kolonisation im Innern anbelangt, gehört in das Bereich der öfter erwähnten Abtheilung für den Ackerbau, aber da dieser Zweig der Mühwaltung erst im Entstehen ist, so läßt sich über sein Wirken noch sehr wenig mittheilen.

5. Es liegt im Prinzip der belgischen Staats-Verfassung, daß die Gemeinderäthe als minorenn betrachtet werden, und demgemäß keine selbstständige Handlungen begehen, keinen Beschluß fassen oder ausführen können, zumal was die Entäuße-

rungen, Theilung der Gemeinde-Besitzungen, Abänderung in deren Benutzung und Verwerthung anbetrifft, ohne daß diese zuvor der Zustimmung ihres gesetzlichen Vormundes, des Königs, unterbreitet werden. Die Anordnungen, welche auf die **Urbarmachung** von unangebauten Strecken Bezug haben, gehen alle von der Abtheilung für den Ackerbau aus, wie dies schon laut ihren Befugnissen für die Hebung der Landeskultur ihr zukommt.

6. Außerdem liegt der Abtheilung für den Ackerbau die Sorge über die Mauthgesetze und alle Maßregeln ob, welche eine hinreichende Verproviantirung des Landes bezwecken — eben so hat sie auf die Einrichtung der Messen, Märkte u. s. w. (hauptsächlich für den Getreidehandel) ihr Augenmerk zu richten.

7. Endlich gehört noch zu den Amtspflichten der Abtheilung für Ackerbau, neben jenen schon früher erwähnten Geschäften, die Aufgabe, die gute Ausführung aller Bewässerungs- oder Berieselungsarbeiten im Lande zu überwachen, die Petitionen der Privatleute, welche zu genanntem Zwecke das Begehren stellen, Schleusen zu errichten, Bäche und Kanäle benetzen zu dürfen, zu begutachten, dabei mit Rath und That an die Hand zu gehen, damit das Unternehmen zweckmäßig ausgeführt werde (die Regierung beabsichtigt der National-Versammlung demnächst einen Gesetzentwurf vorzulegen, der sie ermächtigen soll, ein großes Gebiet mit dem Wasser der Schelde, das durch Dampfmaschinen auf die erforderliche Höhe gehoben wird — bewässern zu dürfen).

Zuletzt muß ich noch einer Obliegenheit der öfters gedachten Abtheilung erwähnen, welche in der zweckmäßigen Verwendung und Vertheilung eines Spezial-Fonds besteht, der im belgischen Budget unter der Firma „Non Valuta" (**fonds de non valeur**) erscheint, und der dazu bestimmt ist, den Unglücklichen, welche von irgend einer Calamität betroffen, ohne eigene Schuld an den Bettelstab gerathen, schnell zu Hülfe zu kommen.

Allen diesen Arbeiten die Stirn zu bieten, sind, wie ich schon früher bemerkte, nur fünf Beamte angestellt; einer derselben hat mit der Einschreibung und Classificirung alle Einläufe unerledigter Arbeiten vollauf zu thun, den zweiten nimmt das Kassen- und Rechnungswesen vollständig in Anspruch, so daß also genau genommen nur drei Beamte zur Erledigung der schriftlichen Arbeiten übrig bleiben. Diese bestehen aus einem sogenannten Schreibgehülfen (Commis) 2ter Klasse, einem Büreau-Chef und dem Vorsteher der Abtheilung, welche sich somit in die verschiedenen Arbeiten zu theilen haben, zu deren Decernirung natürlich immer mehr auf die Wichtigkeit der Sache, als auf andere Umstände Rücksicht genommen werden muß. Wenn es nicht in Abrede gestellt werden kann, daß es gut ist, wenn man Special-Beamte zu seiner Verfügung hat, so leuchtet es noch mehr ein, daß es vorzuziehen sei, mit Leuten zu thun zu haben, welche die mannigfaltigsten Geschäfte zu erledigen im Stande sind. Dies System wurde demnach auch in der Ackerbau-Abtheilung vorzugsweise angewendet; jeden Morgen werden die Einläufe dem Direktor der Abtheilung zugehändigt, der dann mit Bleistift am Fuße der Vorlagen die Beamten bezeichnet, denen die verschiedenen Angelegenheiten zur Bearbeitung übertragen werden sollen und mit wenigen Worten dazu bemerkt, in welcher Weise dies zu geschehen habe — dann erfolgt die Eintragung in das Journal und die Vertheilung — nach vollendeter Arbeit kehren dieselben Stücke in die Hände des Direktors zurück, der sie abermals liest, nöthigenfalls die Erledigung verbessert oder abändert, und sodann dem Unterbeamten übergiebt, der sie in das Ausgangs-Journal zu verzeichnen und mit der Adresse zu versehen hat; die minder wichtigen Angelegenheiten gehen nämlich an den General-Sekretär des Ministeriums, die übrigen an den Minister selbst. Am Morgen darauf kommen diese mit der Unterschrift des Ministers oder General-Sekretärs versehen, an den Direktor der Abtheilung zurück, der sie dann in das Expeditionsbüreau zur Weiterbeförderung abgiebt. Solchergestalt läuft jedes Stück dreimal durch die Hände des Direktors; das Original der Erledigung wird jedesmal von dem concipirenden Beamten unterzeichnet.

Was nun den Modus anbelangt, der in den Mittheilungen des Ministers an Fremde und Nichtbehörden befolgt wird, so kommt es nur selten vor, daß der Minister direkt mit den Privatleuten in Verkehr tritt; meistens gehen die Bescheide des Ministers an die Provinzial-Regierungen, welche sich ihrerseits der Vermittelung der Bezirks-Kommissäre (Unterpräfekte) bedienen, um sie an die Gemeinderäthe, landwirthschaftlichen Gesellschaften oder auch an Privatleute gelangen zu lassen. Das belgische Verwaltungsgetriebe ist dergestalt eingerichtet, daß eine starke Centralisation daraus erfolgen mußte, wiewohl die politischen Verhältnisse dieselbe zu verhindern scheinen, woraus denn natürlich manche Verwirrung und Reibung entsteht. Indeß bequemt man sich doch zu dieser Einrichtung, und wenn auch der eingeschlagene Verwaltungsweg vielleicht nicht eben einer übermäßigen Kürze beschuldigt werden kann, so führt er denn doch zum Ziele, wenn man sich dabei nur mit der nöthigen Geduld ausgerüstet hat.

Nachträglich muß ich noch zu obigem Berichte über die von der belgischen Regierung zu Gunsten ihrer einheimischen Agrikultur seit 1846 getroffenen Maßregeln einige kurze Notizen über das in derselben Richtung seit Jahresfrist Geleistete hinzufügen.

Vorerst sind inzwischen zehn Ackerbauschulen (ungefähr eine für jede Provinz) gegründet worden, in welchen der landwirthschaftliche Unterricht an einheimische Bauernsöhne unentgeltlich ertheilt wird. Ich nenne als die vorzüglicheren die zu Ostin, Thourout, Tirlemont u. s. w. (s. Beil. M.). Die Regierung hat sich behufs der Gründung dieser Anstalten mit reichen patriotischen Gutsbesitzern, je einem in jeder Provinz, in der Weise geeinigt, daß letztere die Räumlichkeiten für die Lehranstalten hergeben, die Beköstigung und Aufsicht der Eleven übernehmen und ihnen Gelegenheit gewähren, die in ihr Fach einschlagenden Arbeiten praktisch kennen zu lernen, wogegen das Ministerium die Verpflichtung übernommen hat, für jeden in der betreffenden Ackerbauschule mit seiner Genehmigung aufgenommenen Zögling ein allerdings sehr mäßiges Kostgeld zu entrichten, die nöthigen Lehrer zu besolden und überhaupt nur die Kosten für den theoretischen Unterricht zu tragen.

Die Veröffentlichung der „bibliothèque rurale“ ist schon bis zum 8ten Bande vorgeschritten und findet erfreulichen Eingang beim Landvolk. Diese in mancher Beziehung recht empfehlungswerthen Schriften werden auch als Lehr- und Lesebücher in den eben erwähnten Ackerbauschulen benutzt, und als Prämie an fleißige Dorfkinder verschenkt (s. Beil. N.).

Aber es läßt die in ihrem Eifer für den landwirthschaftlichen Fortschritt unermüdliche belgische Regierung bei diesen Anstrengungen es nicht bewenden. Von der Ueberzeugung ausgehend, daß, um die Agrikultur zu heben, auch für Herbeischaffung guter landwirthschaftlicher Maschinen und deren wohlfeile Vervielfältigung Sorge getragen werden müsse, kauft das Ministerium aus allen Ländern neue vortreffliche Ackergeräthschaften und andere in dies Fach einschlagende nützliche Werkzeuge zusammen und betreibt deren Nachahmung im eigenen Lande. Eine Königliche Verordnung vom 19. April 1850 ermächtigt den Minister des Innern (dem die Abtheilung für Ackerbau untergeordnet ist) zur Abschließung eines Vertrags mit einer der tüchtigsten Maschinenbau-Anstalten Belgiens (les forges de Haine St. Pierre), laut welchem die Regierung die Modelle oder Zeichnungen der neuen landwirthschaftlichen Maschinen oder Instrumente *unentgeltlich* der genannten Anstalt überläßt, diese dagegen sich *anheischig* macht, darnach ganz gutgebaute Exemplare *zu mäßigen* Preisen an die Landwirthe zu liefern, wobei sich *aber* die Regierung keineswegs die Hände gebunden hat, falls sie später anderweitig besser und billiger bedient würde. Außerdem hat sie sich das Recht vorbehalten, in den Werkstätten dieser Maschinenbau-Anstalt eine entsprechende Zahl von Lehrlingen unterzubringen, denen von der Anstalt der praktische Unterricht in der Wagnerei und landwirthschaftlichen Maschinenbaukunst drei Jahre lang unentgeltlich ertheilt werden soll, während die Regierung auch hier nur die Kosten für den theoretischen Unterricht zu bestreiten sich herbeiläßt.

Durch diese Vorkehrung hat das Ministerium wohlweislich dafür gesorgt, daß in Bälde eine Pflanzschule von tüchtigen Maschinenarbeitern und gewandten Gewerbsleuten unter den Bewohnern des flachen Landes sich ausbildet, daß zugleich der Geschmack am Gebrauch rationeller und finnreicher Werkzeuge unter dem höchst ungern von seinen Gewohnheiten abgehenden und gegen Neuerungen überhaupt mißtrauischen Bauernvolke sich ausbreite. Es sollen nämlich zu Lehrlingen für die letztgedachte

Anstalt vorzugsweise diejenigen Zöglinge der Ackerbauschulen bestimmt werden, welche sich für diesen Beruf besonders zu qualificiren scheinen.

Eine permanente, aus den tüchtigsten Fachmännern gebildete Kommission ist bei dem Museum der Industrie zu Brüssel eingesetzt, theils um die Ordnung der dort befindlichen Ackerwerkzeuge und Modelle landwirthschaftlicher Maschinen zu übernehmen, hauptsächlich aber, um immerwährend nach solchen neuerfundenen Agrikultur-Geräthschaften und Maschinen zu forschen, deren Verbreitung in Belgien wünschenswerth erscheint, und geeignetenfalls deren Ankauf dem Ministerium vorzuschlagen.

Indem jedoch die Regierung sich dergestalt um die Anschaffung ausländischer, für den Ackerbau zweckmäßiger Maschinen bemühte, war sie zugleich darauf bedacht, geeignete Individuen in die technischen Schwierigkeiten ihres Gebrauchs einweihen zu lassen. So wurden neuerdings u. A. mehrere Maschinen zur Fabrikation irdener Röhren, sogenannter underdrains (einer vortrefflichen Einrichtung zur Ableitung unterirdischer Gewässer) in England angekauft und auf dem Lande an einige Ziegeleibesitzer zur Benutzung und Verbreitung dieser Neuerung überlassen *).

---

*) Ich darf nicht versäumen, bei diesem Anlaß auch das größere Publikum auf eine jüngst im Haag bei C. Bloomendael erschienene preiswürdige Abhandlung meines hochgeschätzten Freundes, des um die Landwirthschaft Oesterreichs wohlverdienten Freiherrn Anton v. Doblhoff, dermaligen k. k. österr. Gesandten beim niederländischen Hofe, aufmerksam zu machen, die unter dem Titel: „Ueber die Drainage, ein Beitrag zur wissenschaftlichen Begründung und zur praktischen Ausführung dieses Systems andauernder Bodenverbesserung und vermehrten Pflanzenbaus" — alle Vorzüge dieses agronomischen Fortschritts hervorhebt, und eine praktische Anleitung zur erfolgreichen Ausführung an die Hand giebt. Außerdem kann ich noch als vortreffliche Wegweiser auf diesem Gebiete bezeichnen:

1) Conrad de Gourcy. Notes sur l'assainissement complet des terres humides ou draining des Anglais. Paris, bei Bouchard.

2) Henry R. Dearsly. The drainage Act together with a summary, the evidence taken before a Committee of the house of Lords. London, bei Elsworth.

und endlich aus der belgischen mehrerwähnten „Bibliothèque rurale" den

3) Manuel pratique de Drainage nach H. Stephens' bekanntem Werk übersetzt und mit den neuesten Erfahrungen von Leclerc bereichert.

Nach diesen Modellen (die größere von Clayton und die kleinere von Williams) wurde im Lande selbst noch ein Dutzend nachgebaut und gleich jenen in den großen Töpfereien aufgestellt, welche nun das Tausend solcher gebrannter Röhren (circa 11 bis 12″ lang und 1″ Durchm.) zu 15 Fr. (circa 4 Thaler) liefern. Gleichzeitig wurde ein Ingenieur auf Staatskosten zu den ausgezeichnetsten brittischen Oekonomen gesandt, die in der Anwendung der Drainage anerkannt die größten Fortschritte gemacht haben, damit er da theoretisch wie praktisch sich mit den Vortheilen dieser Erfindung vertraut mache, um dann als Apostel dieser Neuerung unter den heimischen Landwirthen auftreten und für die schleunige Nutzanwendung derselben in Belgien wirken zu können. Auch hat die Regierung nicht versäumt, sich von den mannigfachen, zum Ziehen der Gräben nothwendigen Handgeräthschaften die vorzüglichsten Modelle anzuschaffen und dieselben in einer heimischen Maschinenwerkstätte (forges Haine St. Pierre) vervielfältigen zu lassen, so daß nun jeder Landwirth gleich das ganze Assortiment derselben zu dem billigen Preise von 75 Fr. oder circa 20 Thlr., d. h. halb so theuer als in England, erwerben kann. Diese Werkzeuge wurden zur Verfügung des gedachten Ingenieurs gestellt, der sich ein Corps intelligenter und tüchtiger Hülfsarbeiter ausbildete, mit denen er nun auf allen Punkten des Königsreichs, d. h. überall wo seine Hülfe und sein Rath in Anspruch genommen werden, operirt. Da ihn die Regierung mit lobenswerther Uneigennützigkeit zur Disposition aller Grundeigenthümer und Ackerbaugesellschaften gestellt hat, die mit solchen Verbesserungen als gutes Beispiel voranleuchten wollen, und zwar ohne die geringste Schadloshaltung dafür in Anspruch zu nehmen, so begreift sich, daß die Zahl derer, die sich zu Drainanlagen entschlossen haben, mit einemmale so sehr überhand nehmen konnte, daß der Ingenieur trotz seiner aufopfernden Thätigkeit und ungeachtet der großen Zahl seiner Adjutanten, doch kaum allen Einladungen zu genügen im Stande ist. Schon sind bedeutende Strecken Landes nach dem Parks'schen System eingerichtet und hat sich bereits die Erfahrung festgestellt, daß sich hier die Kosten für das Drainiren eines hectare Landes (einschließlich der Drains,

Vorarbeiten und Röhrenlegung) kaum höher als 100 Fr. (also etwa $5\frac{1}{2}$ bis 6 Thaler für den Magdeburger Morgen), mithin weit niedriger als in England belaufen.

Endlich hat es sich die Regierung noch angelegen sein lassen, für die Besaamung der von der Natur so stiefmütterlich behandelten Wüsteneien und Sandsteppen der Campine eine Futterpflanze aufzutreiben, deren Gedeihen nach mehrjährigen Versuchen dort vollkommen gesichert erscheint, — ich meine nämlich die Serradella (Ornithopus satirus), eine in Spanien und Portugal schon längst gebaute Futterpflanze, die geeignet ist, ganz dürren sandigen Haideboden in künstliche Wiesen umzuwandeln — während. sie auf üppigem Erdreich verfault oder zum mindesten, im Vergleich zum Klee oder zur Luzerne, gar keinen Vortheil gewährt. Ihr Hauptnutzen besteht in der Möglichkeit, durch sie auch den unergiebigsten und gänzlich verwahrlosten Sand- oder Kiesboden zu einem mäßigen Ertrag zu zwingen. Bereits hat sie sich in Belgien acclimatisirt, und verspricht für die Urbarmachung der gedachten Einöden der Provinzen Antwerpen und Limburg sehr ersprießliche Dienste zu leisten. Neulich hat auch die Regierung öffentlich verkünden lassen, daß sie für diejenigen Landwirthe, welche den Anbau der Serradella versuchen wollen, entsprechende Quantitäten von neu aus Portugal bezogenem Saamen zur Verfügung stelle.

Durch Cirkular an die Gouverneure der neun Provinzen kündet endlich der Minister des Innern unterm 29. Juni 1850 einen neuen Gesetzentwurf für landwirthschaftliche Kredit-Anstalten an, durch welche man, aufgemuntert durch Englands erfolgreiches Beispiel, den mittellosen kleinern Landwirthen für Aufnahme von Meliorationen zu Hülfe zu kommen wünscht.

Bekanntlich hat das brittische Parlament unlängst in der löblichen Absicht, den hartbedrängten heimischen Ackerbau zu einer durchgreifenden Reform, zur Trockenlegung von feuchten sumpfigen Strecken, zur Ausrodung, Urbarmachung und ähnlichen kostspieligen Unternehmungen anzueifern, dem Ministerium eine bedeutende Geldunterstützung (3 Millionen Pfd. Sterling — also mehr als 20 Millionen Thaler) gewährt, um daraus an solche Landwirthe, welche ernstlich für die Besserung ihres

Grund und Bodens Schritte thun wollen, unter sehr humanen Zins- und Rückzahlungs-Bedingungen Vorschüsse leisten zu können, ja man geht dort sogar, durch die jüngsten Erfahrungen über die Zweckmäßigkeit der gedachten Maßregeln belehrt, mit dem Gedanken um, diesen Fonds noch bedeutend zu vermehren. Die belgische Regierung wünscht nun, natürlich mit besonderer Rücksicht auf ihre beschränkteren Mittel, zu gleicher Werkthätigkeit von den Kammern die Ermächtigung zu erlangen, und läßt darum im ganzen Lande die nöthigen Nachforschungen über den Umfang der zu beantragenden Maßregel anstellen. Auch werden gleichzeitig die Provinzialräthe und Gemeindeverwaltungen zu Beiträgen für den Unterhalt der Ackerbauschulen aufgefordert, damit diese nicht länger dem Staate allein zur Last fallen dürfen.

Daß bei so mannigfachen verdienstvollen Bemühungen der belgischen Regierung zu Gunsten der heimischen Landeskultur wohl auch einmal ein Mißgriff, eine Uebereilung stattfinden konnte, wie wir sie im Laufe des vorigen Jahres in Bezug auf die berüchtigte sogenannte Erfindung des Herrn Melsens erlebt haben, darf daher auch nicht so sehr in Erstaunen setzen und verdient zweifelsohne eine nachsichtige Beurtheilung, besonders wenn man die dabei obwaltenden eigenthümlichen Umstände berücksichtigt, die das belgische Ministerium unbewußt in eine arglistig gelegte Falle gelockt haben mögen. Der innige Zusammenhang, in welchem die Rübenzucker-Industrie als landwirthschaftlich-technisches Gewerbe zu dem Hauptgegenstande dieser Abhandlung steht, veranlaßt mich noch einige Worte über dies seltsame Ereigniß hier einzuschalten. Man wird sich wohl des lächerlichen Aufhebens erinnern, das vor Jahresfrist durch ministerielle Programme und offizielle Zeitungsartikel von einer dem Herrn Melsens, Professor an der Thierarzneischule in Brüssel, zugeschriebenen Entdeckung, welche in der gesammten Zucker-Industrie eine vollständige Umwälzung hervorbringen sollte, gemacht wurde. Hinterdrein klärte sich's auf, daß Herr Melsens nur meine eigene, seit 1838 in den bedeutendsten Staaten Europa's patentirte und von der französischen Regierung bereits publizirte Erfindung (siehe Vol. 67 der Description des brevets expirés) wieder aufgewärmt, oberdrein mißverstanden und, was das Schlimmste daran, auch schlecht ausgeführt hatte, denn die durch Melsens im Fabrikbetrieb gewonnenen Resultate kamen den von mir zwölf Jahre früher, auf demselben Wege erzielten, noch nicht einmal an Güte gleich. Das Auffallendste an der Geschichte aber war, daß man, ohne eine unpartheiische gewissenhafte Voruntersuchung über den *praktischen* Werth und die Beweise der Authenticität der Erfindung abzuwarten, den *angeblichen* Urheber derselben mit Ehrenbezeugungen aller Art überhäufte. Ein berühmter einflußreicher Naturforscher zu Paris manövrirte nämlich bei der eigenen Behörde so glücklich zu Gunsten seines geliebten ehemaligen Zöglings, des obgedachten Herrn Melsens, daß die französische Regierung es für Pflicht erachtete, sich die Erwerbung eines, wie behauptet wurde, so köstlichen *Geheimnisses* zum allgemeinen Besten nicht entgehen zu lassen. Das belgische Ministerium, eifersüchtig auf die Zuvorkommenheit der Nachbarregierung in Anerkennung der Verdienste eines eingebornen Beamten, in der Angst vielleicht von der immer schlagfertigen Opposition Vorwürfe über ihre Saumseligkeit hören zu müssen, und ohnehin durch geschickte Ohrenbläser, welche in den Büreaux umherintriguirten und die bei der Sache vermuthlich ihr Schäfchen scheeren wollten, gehörig bearbeitet und zum Aeußersten getrieben, glaubte nichts Eiligeres zu thun zu haben, als dem Herrn Melsens zur Belohnung für seinen glücklichen Fund das Ritterkreuz des königl. Leopold-Ordens in das Knopfloch zu heften.

Später, als der hinkende Bote kam, Herr *Melsens* in seinen Experimenten fiasco machte *), und nicht bloße Gerüchte,

---

*) *Anmerkung des Verfassers.* Trotz seiner angeblich im geheimen Laboratorium verrichteten Großthaten und Wunderdinge, ließ Herr Melsens nachher alle Industriemänner, die sich durch seine Vorspiegelungen hatten zu Fabrik-Experimenten verleiten lassen, muthlos und feig im Stiche und bereitete denselben dadurch große Verlegenheit und empfindliche Verluste. Eines dieser Schlachtopfer der rührendsten Leichtgläubigkeit wendete sich später, als die öffentliche Stimme mich als den eigentlichen und wahren Urheber der Erfindung bezeichnete, persönlich an mich, um für die Fortsetzung der seit mehreren Monaten nach Melsens' Anweisung auf einer westindischen-Zucker-

sondern unbestreitbare Dokumente ihn des Plagiats bezüchtigten, merkte man höhern Orts gar wohl, daß man sich von einem künstlichen Enthusiasmus hatte hinreißen lassen — doch wollte man sich vor der Welt kein noch größeres Dementi geben, man ließ daher, auf die Gefahr hin, sogar ungerecht zu erscheinen, die Sache ruhig einschlafen — und wird sich vermuthlich daraus die weise Lehre entnommen haben, in Zukunft vorsichtiger bei der Anpreisung und Belohnung einheimischer Erfinder zu verfahren.

Hiermit beende ich nun meine skizzirte Darstellung derjenigen Anordnungen, welche im benachbarten Königreich Belgien zu Nutz und Frommen des interessantesten Gewerbzweiges, nämlich der Landwirthschaft, in jüngster Zeit getroffen worden sind, und schließe mit dem aufrichtig gemeinten Wunsche, daß sich nach dem Kernspruch des wackern Heidenbekehrers Paulus: „Prüfet Alles und das Beste behaltet", manche meiner dort gemachten und hier ohne Rückhalt mitgetheilten Erfahrungen im geliebten Vaterlande einer baldigen Nutzanwendung erfreuen möge — dies wäre der segensreichste Lohn für meine vielleicht noch sehr mangelhafte Arbeit, die ich hiermit der nachsichtigen Beurtheilung des sachkundigen Lesers übergebe.

Berlin, im August 1850.

Dr. Eduard Stolle.

---

plantage ohne allen Erfolg mühselig begonnenen Versuche meinen Rath und meine Hülfeleistung in Anspruch zu nehmen. Ich machte ohne Rückhalt auf die begangenen Fehler aufmerksam, gab eine systematische Anleitung, wie meine Methode aufzufassen und anzuwenden sei, und hatte jüngst die freudige Genugthuung zu erfahren, daß die seitdem gewonnenen glänzenden Resultate für die Richtigkeit meiner Lehre den unwiderlegbarsten Beweis geliefert haben. Ellis Caymanas heißt die Pflanzung auf Jamaika, wo im Beisein zahlloser unverwerflicher Zeugen, der praktische Erfolg abermals für mich und mein Recht entschieden hat. Ich brauche keinen Anstand zu nehmen, mich zur Beglaubigung dieser Thatsache auf das unparteiische Zeugniß des Eigenthümers der vorerwähnten Plantage, Sr. Excellenz Lord Howard de Walden and Seaford, des königl. brittischen Gesandten am belgischen Hofe, öffentlich zu berufen.

Beilagen.

Anlage A.

Die älteren Bestimmungen für das belgische landwirthschaftliche Unterrichtswesen.

Für das landwirthschaftliche Unterrichtswesen besteht in Belgien ein provisorisches Gesetz vom 26. November 1840, welches die mit der Thierarzneischule verbundene Anstalt für Agrikulturwissenschaft betrifft.

Ein Direktor ist mit der Verwaltung dieser Doppel-Anstalt in Bezug auf Unterricht, Oekonomie, Disciplin, Rechnungswesen und bauliche Unterhaltung beauftragt. Derselbe wacht über die Ausführung des Reglements und speciell über den Gang des Unterrichts, präsidirt allen Konferenzen, kontrolirt die Behandlung und Aufnahme der Eleven, entscheidet über nöthige Verbesserungen und erstattet alle halbe Jahre einen Generalbericht an den Minister.

Ihm untergeordnet ist ein Inspektor, der aus der Zahl der Professoren gewählt wird, die Details des Unterrichts zu beaufsichtigen hat, die Lektionspläne entwirft und in einigen Fällen den Direktor vertritt. Die Professoren bilden mit jenen das Lehrkollegium, halten in solchem wöchentliche Konferenzen und führen darüber Protokolle.

Die Lektionspläne werden alljährlich entworfen, vom Minister geprüft, genehmigt und dann öffentlich ausgehängt.

Nach den Professoren kommen die Studienmeister und Aufseher für das polizeiliche Fach der Anstalt. Sie überwachen die genaue Ausführung der Aufgaben der Eleven und sind angewiesen, etwaige Verstöße gegen Zucht und Sitte abzuwenden; auch sind die Büchersammlungen ihrer Obhut anvertraut.

Ein Oekonom besorgt das Hauswesen, die Ausgaben und Einnahmen, die Unterhaltung des Personals. Andere Aufseher bestehen für die landwirthschaftlichen Arbeiten, das Stallwesen, noch andere für die Gärten. An sie reiht sich das Gefolge der Tagelöhner, Stallknechte, Hülfsarbeiter u. dgl.

Die Aufnahme der Eleven geschieht durch Anmeldung bei dem Direktor und nach vorangegangener Prüfung. Die letztere begreift für die Eleven der Landwirthschaft die Anfangsgründe der französischen und flammändischen Sprache und Literatur, Arithmetik, belgische Geschichte, Geographie; für die Eleven der Thierarzneiwissenschaft aber noch außerdem Algebra in den niederen Graden.

Die Zöglinge sind sämmtlich Pensionäre und werden auf Kosten der Anstalt verpflegt, wofür sie jährlich bis 500 Fr. zu zahlen haben. Sie haben im Sommer zweimonatliche Ferien und alle halbe Jahre Versetzungsprüfungen nach Klassen.

Anlage B.

Landwirthschaftliches Unterrichtswesen. Die neuen Vorschläge für die landwirthschaftliche Akademie und die Provinzial-Ackerbauschulen.

Die von der belgischen Regierung den Kammern im Jahre 1846 vorgelegten Gesetzentwürfe für Organisation des landwirthschaftlichen Unterrichtswesens hatten zweierlei im Auge:

1) Die Bildung eines allgemeinen landwirthschaftlichen Instituts, einer Akademie.

2) Die Gründung von Provinzial-Ackerbauschulen.

Beides auf Kosten des Staats.

Der Unterricht auf der Akademie soll begreifen: Elementar-Geometrie, Linear-Zeichnen, Feldmessen, Nivelliren, Physik, Chemie, Mineralogie, Geologie, Botanik, eigentliche Landwirthschaft, Gartenbau, Forstwirthschaft, Baumzucht, Zoologie, Thierarzneikunde, Mechanik, ländliche Architektur, bäuerliche und bürgerliche Oekonomie, Rechnungswesen, praktische Agrikultur, landwirthschaftliche Gesetzgebung und Administration, landwirthschaftliches Gewerbewesen.

An die Akademie soll sich eine Domaine für die praktische Wirthschaftsführung anschließen, die Studien aber sind auf einen dreijährigen Kursus berechnet. Plan und Vertheilung der Unterrichtsgegenstände behielt sich die Regierung vor. Das Lehrerpersonal, auf etwa sieben Professoren mit 4000 Fr.

jährlichen Gehalts und drei Repetitoren mit 2000 Fr. Gehalt berechnet, sollte besonders ausgewählt sein, auch sich der Anstalt ein Pensionat anschließen, worin Kost und Unterricht zusammen den Preis von 500 Fr. nicht übersteigen sollten. Das Verwaltungspersonal der Anstalt besteht nach dem Entwurf aus 1 Direktor, 1 Inspektor, 1 Almosenier, 1 Oekonomen und verschiedenen Beamten für den inneren Dienst. Die Ernennung der Ersteren so wie der Professoren und Hülfslehrer behielt sich der König vor. Sie sollen ohne Erlaubniß der Regierung kein Geschäft betreiben, noch anderweitigen Unterricht ertheilen dürfen.

Der Aufnahme der Zöglinge muß eine Prüfung vorangehen; zu dieser sollen sich aber nur junge Leute zwischen 17 bis 25 Jahren melden dürfen. Außerdem sollen jährliche Prüfungen stattfinden, die Eleven nach Klassen eingetheilt und je nach Maßgabe ihrer Kenntnisse versetzt werden, wobei Preise an die ausgezeichneteren vertheilt werden sollen. Als Strafen dürfen laut dem Entwurf verhängt werden: die geheime und öffentliche Censur, Haus- oder Stubenarrest und Ausweisung aus der Anstalt. Alle übrigen Bestimmungen bleiben der Special-Gesetzgebung vorbehalten.

Die ferner beabsichtigten Provinzial-Ackerbauschulen, wovon in jeder Provinz eine projektirt, wurden nach dem Entwurf für einen Etat von jährlich 4000 Fr. für jede berechnet.

Anlage C.

Die Regulirung der thierärztlichen Praxis.

Mit dem Entwurfe für die Organisation des Unterrichtswesens überhaupt, verband die belgische Regierung im Jahre 1846 noch besondere Pläne für die Regulirung der thierärztlichen Praxis und die Errichtung einer obersten Thierarzneischule.

Früher konnte Jeder, der im Stande war ein Patent (Gewerbeschein) zu lösen, in Belgien die thierärztliche Praxis betreiben. Es war ein Gewerbe, wie viele andere, das in nicht sonderlicher Achtung stand, und sich überdies auch unzureichend erwies. Die kostbaren Opfer, welche man jährlich auf die Vervollkommnung und Züchtung veredelter Racen und Thiergattungen verwandte, so wie die Rücksicht auf das sehr bedeutende, darin angelegte Kapital wiesen auf die Nothwendigkeit hin, das so theuer Erworbene zu pflegen und zu erhalten, es nicht der Behandlung von Leuten preiszugeben, die bis dahin kaum eine Bürgschaft ihrer Sachkunde oder Befähigung gewährten. Darum verlangten die neuen Gesetzentwürfe eine wissenschaftliche

Ausbildung für die Qualifikation eines Thierarztes, und verhießen dafür einen ehrenvollen Rang im bürgerlichen Leben, gesetzlichen Schutz überhaupt, und Sicherstellung ihrer Existenz.

War bisher zur Ausübung der thierärztlichen Praxis nur ein allgemeines und oberflächliches Examen verlangt worden, so wurden in den neuen Vorschlägen zwei Grade mit zwei gleichmäßig sowohl schriftlich als mündlich und praktisch anzustellenden Prüfungen erfordert, die eine für die Kandidatur, die andere für die Wissenschaft als solche. Die Zeugnisse der eigends dafür niedergesetzten Prüfungsbehörden sollten der Entscheidung des Ministers des Innern vorbehalten bleiben. Man rechnete, daß die Zahl der jährlich in die Thierarzneischule Aufzunehmenden 20 bis 25 Eleven nicht übersteigen würde.

Um die Bewerbung zu steigern, sollte ein Fonds von 2000 Fr. gestiftet und daraus Prämien an ausgezeichnete Schüler vergeben werden, mit dem Zweck, daß sie dadurch in den Stand gesetzt würden, durch Reisen ins Ausland ihre wissenschaftlichen Kenntnisse zu vermehren. Außerdem sollte den ausgezeichnetsten Examinanden der Titel eines Gouvernements-Thierarztes vorbehalten werden, in welcher Eigenschaft sie zugleich als Agenten der Regierung bei eintretenden Seuchen und in gesundheitspolizeilicher Hinsicht zu fungiren haben.

Um ferner einen innigeren Zusammenhang zwischen der thierärztlichen Praxis und der Landwirthschaft herzustellen, und zu verhindern, daß sich die geprüften Aerzte vorwiegend nur in bevölkerten und wohlhabenderen Gegenden niederließen, während minder volkreiche und minder fruchtreiche Landstriche von jeder Hülfe dieser Art entblößt blieben, um überhaupt auch den ärmeren Landwirthen die Benutzung wissenschaftlicher Hülfe zu erleichtern, sollten die Kurtaxen herabgesetzt, das Anstellungs- und Niederlassungsrecht der Thierärzte jedoch der Regierung vorbehalten bleiben.

Denjenigen Thierärzten aber, deren Einnahmen sowohl hierdurch als in Hinsicht auf die minder reichen Gegenden, in die sie versetzt wurden, für eine gesicherte Existenz nicht ausreichen, sollten Gehaltserhöhungen und Zuschüsse bewilligt werden. Die Regierung versprach überdies, das frühere Praktiziren von nicht wissenschaftlich ausgebildeten Thierärzten und Pfuschern ganz zu unterdrücken.

Sonst waren die hierhergehörigen Bestimmungen dieser Vorschläge den allgemein bestehenden Gesetzen über das Medizinalwesen angepaßt. Die Thierärzte sollten dann noch die Befugniß haben, diejenigen Gutsbesitzer, die es verlangten, mit Medikamenten im Voraus zu beliebigen größeren Quantitäten zu versehen, so daß sie den Letzteren weniger theuer zu stehen kamen, den Ersteren aber eine Gelegenheit zu Nebenverdiensten boten.

Anlage D.

Die Errichtung einer Thierarzneischule.

Die Gesetzvorschläge für Errichtung einer Thierarzneischule in der Umgegend von Brüssel vom Jahre 1846 bezweckten hauptsächlich eine Erweiterung des Planes von 1836 und 1845 überhaupt, und Ausdehnung des Lehrkursus auf vier Jahre. Man wünschte diese Wissenschaft als solche von der eigentlich für die Landwirthschaft berechneten Unterrichtsmethode zu trennen, und schlägt deshalb eine abgesonderte Errichtung der Thierarzneischule vor.

Die Lehrgegenstände auf derselben sollten begreifen: Französische Sprache und Literatur, Physik, Chemie, Zoologie, Botanik, Anatomie, Physiologie, Pharmacie, Pathologie, Operationslehre, Hufschmiedekunst, Entbindungslehre, Klinik, Hygienik, und außerdem sich auf Kenntnisse über den Anbau von Futterkräutern, Zucht der Hausthiere, ansteckende Krankheiten und öffentliche Medizin erstrecken. Die Entscheidung über Eintheilung und Anordnung des Unterrichts ist Sache der Regierung. Mit der Schule soll ebenfalls ein Pensionat verbunden sein, worin für etwa 500 Fr. jährlich, die Aufnahme freisteht. Die Zahl der Professoren soll etwa 6 bis 7, die der Repetitoren 5 sein; sie dürfen ohne besondere Genehmigung der Regierung kein anderes Geschäft noch Amt bekleiden. Ihr jährliches Gehalt wird zwischen 2—5000 Fr. angeschlagen.

Die Aufnahme in die Anstalt ist durch ein Examen bedingt, zu dem sich nur Leute von 17 bis 25 Jahren melden dürfen, und über das eine eigene Prüfungsbehörde bestellt werden soll. Eben so sind jährliche Versetzungsprüfungen angeordnet und Preise für ausgezeichnete Schüler ausgesetzt. Das Strafreglement begreift besondere und öffentliche Censur, Arrest und Ausweisung.

Anlage E.

Das landwirthschaftliche Vereins- und Gesellschaftswesen. Seine Verbindung mit den öffentlichen Ausstellungen.

Die Regierung beabsichtigte eine Entwickelung des landwirthschaftlichen Associationswesens durch das ganze Land, ohne Ausnahme. Zu diesem Zwecke wurden Vereine, sogenannte Comices, gegründet, je einer auf die

109 vorhandenen Ackerbau-Distrikte. Die Mitgliederzahl dieser Vereine richtet sich nach der Anzahl der Gemeinden des Bezirks, und mit dieser übereinstimmend soll dann aus der Zahl der Distrikte die Anzahl der Mitglieder für jeden einzelnen Provinzialverein hervorgehen.

Was das Vertretungsrecht betrifft, das diesen Vereinen zugestanden worden, so bezieht es sich hauptsächlich auf die Fragen der Hebung und Förderung der Bodenindustrie und Landeskultur und findet seinen intensivsten Centralpunkt in den mittelst Gesetz vom 20. Januar 1848 von 5 zu 5 Jahren angeordneten öffentlichen Ausstellungen von Erzeugnissen der Landwirthschaft, des Gartenbaus, der Viehzucht und damit zusammenhängenden Gewerben, wovon die erste bereits im September 1848 stattgefunden hat.

Diese Ausstellungen werden als geeignetes Mittel bezeichnet, den Wetteifer in Vervollkommnung industrieller und landwirthschaftlicher Unternehmungen anzuregen, und sind deshalb mittelst Gesetz vom 20. Januar 1848 auf breiteren Grundlagen geregelt worden, dergestalt, daß sie mit den oben bezeichneten Vereinen in einige Beziehung treten, die wiederum bestimmt sind, die segensreichen Folgen einer Verbesserung der Kultur auf alle Landestheile ohne Ausnahme zu verbreiten. Man hofft durch diese Wechselbeziehungen zu fortwährend fruchtreicheren Ergebnissen zu gelangen und einen sehr hohen Grad der Gewerbthätigkeit auf die Landwirthschaft zu konzentriren.

Die Leitung der öffentlichen Ausstellungen besorgt *unter den Auspicien* des Ministers des Innern der oberste Agrikultur-Senat, von dem aus alle Fäden in das über das ganze Land ausgebreitete Netz der zu diesem Zweck eigends geschaffenen Vereine gehen, deren in jedem Distrikt einer vorhanden, dem die besondere Aufgabe gestellt ist, die Anordnungen für die Ausstellung zu überwachen, die nöthigen Nachrichten für den Prämienausschuß einzuziehen, die Auswahl der auszustellenden Gegenstände zu treffen und überdies alle Maßregeln zu ergreifen, welche ihm geeignet scheinen, den ganzen Distrikt gleichmäßig an den Resultaten der bereits gewonnenen Verbesserungen zu betheiligen.

Die Mitgliederzahl der Vereine ist unbeschränkt. Sie sollen zwar aus der gleichen Zahl der vorhandenen Gemeinden bestehen, werden aber vorläufig noch vom Provinzial-Gouverneur aus der Zahl der vorhandenen angesehenen Landwirthe eigends ausgewählt. Zu den wichtigern Bestimmungen für die Wirksamkeit der Domaine gehört die Befugniß, die Pachthöfe, Landgüter und sonstigen Anlagen zu besuchen, um den Ursprung der auszustellenden Gegenstände an Ort und Stelle festzustellen, über deren Erzeugungsweise an den obersten Kulturhof gutachtlich zu berichten, in der That aber um eine Art kontrollirenden Einflusses zu üben. Außerdem haben die Vereine als begutachtende Instanzen auch in Dingen, die nicht gerade die Ausstellung angehen, keinen geringen Einfluß für Bewahrung und Befürwortung aller landwirthschaftlichen Interessen.

Der Fonds für Beschaffung der ausgesetzten Preise wird aus der Mitte der Vereine aufgebracht. Sie versammeln sich jährlich zweimal im Mai und Oktober, und in außerordentlichen Sitzungen, sobald das Bedürfniß vorhanden — auch steht es ihnen frei, nach Umständen Oeffentlichkeit der Verhandlungen eintreten zu lassen. Sie theilen sich ferner in Sektionen je nach der Zahl der Unterbezirke ihres Distrikts, haben festbestimmte Geschäftsreglements sind aber dermalen noch in der Entwickelungsperiode begriffen.

Anlage F.

Der Ober-Landes-Kultursenat und die Provinzial-Kommissionen mittelst Gesetz vom 31. März 1845 eingesetzt.

Der oberste Agrikultur-Senat wird aus 18 Mitgliedern gebildet, von denen die Hälfte aus je einem Mitgliede der neun Provinzial-Kommissionen, die aus freier Wahl hervorgegangen, die andere Hälfte aber aus vom Könige ernannten Mitgliedern besteht; dieser Senat erhält weder Besoldungen noch Remunerationen, schließt übrigens alle Administrativbeamte aus und konstituirt sich unter Königl. Ernennung eines Präsidenten und eines Vicepräsidenten mit Hinzugabe eines zwar besoldeten, aber ohne mitberathenden Einfluß stehenden Sekretärs. Seine gewöhnlichen Generalversammlungen finden reglementsmäßig zweimal des Jahres in der Hauptstadt des Königsreichs, zu Brüssel, statt, das erstemal nach vollbrachter Erndte im Oktober, das anderemal zu Anbeginn der eigentlichen Feldarbeiten um Pfingsten, und außerdem in geeigneten Fällen auf besondere Einladung des Ministers des Innern, dessen Ermessen es vorbehalten ist, nicht nur außerordentliche Versammlungen zu berufen, sondern auch denselben zu präsidiren, so wie zu seiner Assistenz Regierungs-Kommissarien bei den Berathungen heranzuziehen.

Die durch dasselbe Gesetz vom 31. März 1845 angeordnete Bildung der neun Provinzial-Kommissionen ist eine analoge. Sie schreibt sich zwar aus älteren Einrichtungen her, findet jedoch ihre wahre Gestalt erst mit dem erwähnten Gesetz. Im Gegensatz zu dem obersten Agrikulturrath haben diese Kommissionen das Verhältniß von Special-Senaten, werden mit Ausnahme eines, jeder derselben beigegebenen Thierarztes, aus Personen zusammengesetzt, die sich überhaupt mit der Landwirthschaft beschäftigen, und sind nach dem Umfange der Provinzen in Zahl und Zusammensetzung verschieden.

Maßgebend für das Zahlenverhältniß ist die besondere Entscheidung des Königs, und die Zahl der vorhandenen Ackerbau-Distrikte, so daß sie zwischen 9 und 16 Mitgliedern abwechseln.

Wie in dem obersten Senat, so finden auch hier jährlich zwei reglementsmäßige Generalversammlungen in den verschiedenen Provinzial-Hauptstädten statt, sind jedoch nicht an bestimmte Tage geknüpft und nach besonderen Bedürfnissen eingerichtet. Wie der Minister des Innern beim obersten Senat, so ist hier der Provinzial-Gouverneur befugt, außerordentliche Versammlungen zu berufen und deren Sitzungen zu präsidiren.

Nächste Aufgabe dieser Provinzial-Rathskollegien ist im Allgemeinen die Prüfung und Begutachtung aller die Landwirthschaft betreffenden Fragen und Maßnahmen, mit specieller Rücksicht auf die ihrer Obhut anvertrauten Lokalinteressen, die Erstattung von Generalberichten über die landwirthschaftlichen Zustände und die Ueberwachung der ihnen untergeordneten Instanzen und Provinzen. In ihrer Geschäftsthätigkeit fallen die mannigfachen Experimente und Untersuchungen zur Ergründung des zweckmäßigsten Verfahrens im Ackerbauwesen, in Hinsicht auf Mastung und Düngung, Ackerbaugeräthschaften, Zucht und Einführung möglicher Thiergattungen, ferner die Betheiligung bei Ausführung aller Maßregeln zur Ermunterung oder Beschützung der landwirthschaftlichen Gewerbe. Der jährlich von ihnen zu erstattende Bericht enthält die Nachweise über die Erträgnisse der Erndten und die Ergebnisse der Ausführung aller zur Zeit auf den Ackerbau in Anwendung gekommener Gesetze und Maßnahmen. Sie überwachen außerdem nicht nur die richtige Handhabung aller gesetzlichen Bestimmungen in gesundheitspolizeilicher Hinsicht, sondern treffen auch in Vereinigung mit einer thierärztlichen Kommission alle nöthigen Vorkehrungen gegen die Verbreitung von Viehseuchen.

Die bisherige Einrichtung des obersten Agrikulturraths entbehrt jeden repräsentativen Charakter, zeigt vielmehr die bestimmte überwachende Absicht der Regierung, und ist dem Preußischen Landes-Oekonomie-Kollegium ziemlich getreu nachgebildet. Die Kollegien beziehen ihr sämmtliches Berathungsmaterial, alle Nachrichten und sonstigen Mittheilungen keineswegs selbstständig, sondern nur auf Vermittelung des Ministers, mit dem sie auch allein zu korrespondiren haben. In der Regel werden ihnen die hauptsächlichsten Berathungsgegenstände näher bezeichnet und aufgezählt, in besonderen Berufungsschreiben wenige Tage vor ihrem Zusammentritt von der Regierung überreicht, bestehen also vornehmlich in Regierungspropositionen.

Die Beziehungen zur Oeffentlichkeit sind für diese Behörden auf gewisse maßgebende Formen beschränkt. Außer dem General-Jahresbericht, dessen Redaktion Sache der Sekretäre ist, und der seinen Weg zuerst in die

Hände der Regierung findet, werden auf besondere Autorisation des Ministers nur Bülletins ausgegeben, welche die Protokolle der Sitzungen, die offiziellen und sonstigen auf die Landeskultur bezüglichen Aktenstücke, soweit davon Veröffentlichung geeignet erscheint, dann verschiedene Notizen und Denkschriften über Ackerbausachen nebst einer Bibliographie aller den Landbau berührenden Schriften und Bücher enthält, d. h. eine Zeitschrift ausmacht, deren Zweck hauptsächlich Belehrung, Anregung, Beförderung des Kulturfleißes ist, die jedoch jede Diskussion über Regierungsmaßnahmen ausschließt.

Im Allgemeinen kam es darauf an, der Verwaltung zur Seite berathende Instanzen zu schaffen, also nicht sowohl nach unten, als vielmehr nach oben hin eine größere Sicherheit in Behandlung dieses Verwaltungszweiges hervorzubringen.

Anlage G.

Eintheilung des Landes nach Ackerbau-Distrikten.

(Gesetz vom 22. September 1845)

Die Eintheilung des Landes nach Ackerbau-Distrikten kam mittelst Gesetz vom 22. September 1845 zu Stande, sie legt die neun Provinzial-Abtheilungen mit ihren 41 Arrondissements zum Grunde, und gewährt auf solche Weise 109 Distrikte, wovon etwa drei auf jedes Arrondissement zu rechnen sind, nämlich

für	die	Provinz	Antwerpen	3	Arrondissements	9	Distrikte
„	„	„	Brabant	3	„	16	„
„	„	„	Westflandern	8	„	12	„
„	„	„	Ostflandern	6		11	
„	„	„	Hennegau	6		12	
„	„	„	Lüttich	4		14	
„	„	„	Limburg	3		10	
„	„	„	Luxemburg	5	„	15	„
„	„	„	Namür	3	„	10	„
			Zusammen	41	Arrondissements	109	Distrikte.

Anlage H.

Einrichtung der Beschälereien und Stutereien.

Gesetze vom 21. Januar 1846 und 1. März 1848, mit dazu gehörigem Reglement vom 23. März 1848.

Die neueste Einrichtung für Organisation der Stutereien datirt in Belgien aus dem Gesetz vom 1. März 1848 und nimmt Bezug auf eine ältere Bestimmung vom 21. Januar 1846.

Sie hat zum Zweck eine einfachere Oekonomie, eine bessere Organisation überhaupt und Beschaffung von Geldmitteln für das gegenwärtige steigende Bedürfniß.

Das Personal der belgischen Staatsanstalt für das Beschälerwesen besteht aus einem General-Inspector, 9 Provinzial-Inspectoren, 1 Director, 1 Thierarzt, 1 Sekretair, 2 Aufsehern, 1 Hufschmidt, 1 Magazin-Verwalter, nebst der entsprechenden Zahl Stallknechten und deren Gehülfen. Die drei ersten Stellen werden vom Könige besetzt, die übrigen vom Minister des Innern, die Posten der Provinzialinspectoren sind unbesoldet. Director und Thierarzt müssen auf der Anstalt wohnen. Das Beamtenpersonal hat ferner auf Vergütigung von Reisekosten Anspruch, die für die Meile mit 12 Fr. in den oberen, mit 2 Fr. in den unteren Chargen bezahlt werden.

Die Zahl der Hengste wird nach besonderem Ermessen des Ministers des Innern festgestellt, und soll 55 nicht übersteigen. Dieselben werden jährlich an die verschiedenen Provinzialstationen abgegeben, über deren Zahl ebenfalls die Regierung entscheidet.

Das Belegen geschieht ohne Entgeld; die Stuten werden nur nach vorhergegangener besonderer Besichtigung des Thierarztes zugelassen, der auch deshalb ein Zeugniß über ihren Gesundheitszustand ausstellen muß.

Die Gestütsbeamten dienen ferner als konsultative Behörde der Regierung in geeigneten Fällen, wo sie dann kollegialisch zusammen treten. Ihre Attributionen werden vom Minister geregelt. Die Berathungsgegenstände umfassen alle, die Veredelung der Pferdezucht betreffenden Maßnahmen und werden in der Regel im Ministerium selbst verhandelt.

Der General-Inspector hat die Rechnungsbücher, das Kostenwesen und die Inventariensachen zu überwachen, er stellt die Dienstordnung fest, berichtet über den Gesundheitszustand der Hengste und der Anstalt überhaupt, ist berechtigt, die untergeordneten Beamten bei vorkommenden Verstößen provisorisch zu suspendiren, stellt vierteljährliche Haupt-Inspectionen an, revidirt die vorhandenen Stationen in den Provinzen, und erstattet nach jeder

Sprungzeit über deren Ausfall Generalbericht. Auch der Ankauf neuer Hengste ist ihm anvertraut.

Die Provinzial-Inspectoren führen die Aufsicht über die ihnen zugeführten Pferde auf den Stationen, und stehen ganz unter Leitung des General-Inspectors, berichten wie dieser in ähnlicher Form aus ihren Ressorts, und haben eigentlich dieselben Funktionen, nur in untergeordneter Weise.

Der Director hat die allgemeine Direction der Anstalt und aller Zweige, die von ihr ausgehen. Er korrespondirt mit dem Minister des Innern und dem General-Inspector, so wie mit den Provinzial-Inspectoren, und führt vornehmlich die Uebersicht über das vorhandene Beamtenpersonal, und überwacht die strenge Ausführung der gemachten Anordnungen; er ordnet ferner alle Ankäufe und laufende Ausgaben an, besorgt die Reglements für den inneren Dienst der Anstalt, für die Thätigkeit der Stallknechte, und die Haltung der Hengste auf den Stationen; überhaupt repräsentirt er in gewisser Weise die eigentliche ausführende Behörde. Er wohnt auf der Anstalt, hat Equipage auf deren Kosten, darf sich aber von hier ohne besondere Genehmigung des Ministers nicht entfernen. Zu seiner Stelle zu gelangen, ist ein Examen erforderlich, welches alle Gegenstände der Pferdezucht begreift, die dort einschlagenden verschiedenen Theorieen über das Blut der Raçen, das Sprungwesen, und außerdem alle Zweige der Verwaltung von Stutereien umfaßt.

Die Functionen des Thierarztes sind gleichfalls vorgeschrieben. Er führt die Register über die Krankheitspflege und ist verpflichtet, den Stallknechten Unterricht zu ertheilen über Pferdezucht, das Futterungswesen, über das Exterieur, den Beschlag und die Krankheiten des Pferdes. In derselben Weise überwacht er die Fouragierung und die Schmieden, worüber er vierteljährig zu berichten hat, so wie die Krankenfälle und die pharmaceutischen Einrichtungen, für welche er verantwortlich ist. Außerdem muß er sich der Ueberwachung der ackerbaulichen Arbeiten unterziehen, sobald der Director es verlangt, dessen Anordnungen er in jeder Weise zu folgen hat.

Das Rechnungswesen wird von einem Buchhalter geführt, und ist so eingerichtet, daß täglich die gemachten Ausgaben übersehen werden können. Zugleich ist der Buchhalter auch Kassirer; er leistet Zahlung auf Anweisung des Directors, besorgt die Listen über das Inventarium, die Kosten für Einkleidung der Stallknechte und ist für alles dies persönlich verantwortlich, haftet im Allgemeinen aber mit einer Caution von zehntausend Franken.

Für den Hufbeschlag ist ein besonders geprüfter Hufschmidt bestellt, der zugleich dem Thierarzt zur Seite geht in Behandlung und Pflege der erkrankten Pferde. Als Gesellen dienen ihm mehrere Arbeiter. Im Uebrigen wird das Beschlagsmaterial von der Anstalt besorgt, so wie ihr denn auch alle hierzu erforderlichen Utensilien gehören.

Minder wichtig erscheinen die reglementarischen Bestimmungen für die Futtermeister und Aufseher. Dagegen wird ein hoher Werth auf die Ausbildung der Stallknechte gelegt, welche in zwei Klassen zerfallen. Um Stallknecht der Anstalt zu werden, wird ein Alter von 24 Jahren, Rechnen, Schreiben und Lesen, gewisse Kenntnisse an Wartung der Pferde, gesunde und starke Körperkonstitution und ein vorangehender Probedienst von sechs Monaten erfordert, für den Eintritt in die erste Klasse muß wenigstens ein zweijähriger Dienst in der zweiten Klasse vorangegangen sein. Die Stalljungen werden nicht unter 15 Jahren aufgenommen und müssen ebenfalls lesen und schreiben können. Auf jeden Stallknecht kommt die Wartung von mindestens zwei Pferden; sie müssen nebenher aber noch alle Dienste verrichten, die ihnen von ihren Vorgesetzten aufgetragen werden. In den Nachtwachen wechseln sie ab. Es werden besondere Register und Conduiten-Listen über die Stallknechte geführt, wie auch ein Strafregister, das der Director der Anstalt besorgt. Die Strafen bestehen in Verweisen, außerordentlichen Wachen, Arrest, Einhalten des Lohns, zeitweise Suspension und Ausweisung. Das Letztere geschieht definitiv, jedoch nicht ohne eine Recursinstanz an den Minister und General-Inspector.

Die Soldverhältnisse der Stutereibeamten werden gleich beim Eintritt in die Anstalt festgestellt. Sie sollen für die Aufseher und Magazinbeamten nicht über 900, für die Stallknechte der ersten Klasse nicht über 800, für die der zweiten Klasse nicht über 750 Fr. jährlich, und für die Stalljungen nicht über 1 Fr. 50 Cent. täglich betragen.

Die Zulassung der Stuten erfolgt nur auf Zeugniß des Thierarztes über ihre körperliche Beschaffenheit. Zu diesem Zweck werden Certificate ausgefertigt. Dagegen kann die Zulassung zu verschiedenen Hengsten verlangt werden. Die Certificate fertigt der Provinzial-Inspector für die ganze Provinz aus; sie enthalten den Namen und Wohnort des Stutenbesitzers, so wie Namen, Raçe und Bezeichnung der Stute, werden von dem General-Inspector geprüft, und gehen dann an den Director der Anstalt, der sie auf Verlangen wieder an die Eigenthümer der Stuten zu ihrer Legitimation austheilen läßt.

Der Ankauf der Hengste geschieht nicht ohne Autorisation des Ministers, dem zu diesem Zweck alljährlich Vorschläge eingereicht werden müssen, die sich über die Zahl der für das Bedürfniß der Anstalt erforderlichen Beschäler, und der Bestände verbreiten. In gleicher Weise sind die motivirten Berichte über die Ausrangirung zu erstatten. Die ausrangirten Pferde werden meist in öffentlichen Auktionen verkauft, dürfen aber niemals von Beamten der

Anstalt erstanden werden. Bei Sterbefällen erfolgt die amtliche Besichtigung durch den Thierarzt, der zugleich ein Protokoll über den Fall niederzuschreiben und an den Minister zu berichten hat.

Der Minister bestimmt auf Vorschlag des General-Inspectors die Eröffnung der jährlichen Sprungzeit so wie deren Schluß. Die Provinzialstationen wählt man am liebsten am Sitze des Provinzial-Thierarztes, oder auch bei Personen, die sich mit Pferdezucht beschäftigen. Die Letzteren erhalten den Titel eines Stationschefs, werden aber dazu vom General-Inspector besonders designirt. Sie sind verpflichtet eine geräumige gesunde Stallung zur Aufnahme der Hengste zu beschaffen, führen Register über die Beschälung, fertigen darüber Certificate aus, welche die Besitzer von Stuten außerdem von der Ortsobrigkeit konstatiren lassen müssen. Die Unterlassung dieser Formalität führt Ausschluß von den durch die Regierung angestellten Wettrennen nach sich. Als Entschädigung für die Stationschefs werden pr. Pferd täglich 1 Fr., für 2 bis 3 Pferde 2 Fr. berechnet. Die Fourage muß ausgewählt und untadelhaft geliefert werden, und wird nach den durchschnittlichen Getreidepreisen berechnet.

Am Schlusse der Saison und nach Rückkehr der Hengste in die Anstalt werden die Listen über die Beschälakte aufgenommen, zugleich wird die Zahl der von jedem Hengste belegten Stuten festgestellt, und das Namensverzeichniß der Stationschefs und der Stallleute angefertigt. Auf Grund dieses Materials entwirft der Director eine Art von Tabelle, in welcher die belegten Stuten aufgeführt werden; eine Abschrift davon geht an den Minister.

Das Fouragewesen, welches der Thierarzt zu überwachen hat, ist Gegenstand besonderer Sorgfalt. Jener entwirft den Etat der Rationen für jedes Pferd alltäglich, der Director prüft denselben, und läßt ihn bei jedem vorkommenden Wechsel erneuern. Die mittleren Durchschnittsrationen sind für die Hengste, außer der Sprungzeit:

7 — 9 Pf. Hafer,
6 — 8 „ Heu,
12 — 16 „ Stroh mit Einschluß des Häcksels
1 „ Mehl oder Kleien.

Während der Sprungzeit wird die Heuration um 1 Kilogramm, circa 2 Pfund, vermehrt. Außerdem sind Abänderungen nach Umständen zuläßig.

Auf der Anstalt wird ein Matrikular-Register über die Hengste geführt, es enthält die Stammnummer des Pferdes, seinen Namen, Alter, Wuchs, Farbe, Race, Ursprung und sonstige Kennzeichen, ferner den Ort, woher es angekauft wurde, so wie alles, was irgend ein individuelles Interesse des Thieres angeht, seine Krankheitszufälle, und seine übrige Lebensskizze mit

Angabe der Oerter, wo es gesprungen hat, sammt der Zahl seiner Leistungen.

Das Rechnungswesen der Anstalt unterliegt sehr ausführlichen reglementarischen Bestimmungen. Die Ausgaben ordnet der Director der Anstalt an; die Einnahmen und Geldbedürfnisse werden vierteljährig beim Ministerium beantragt und von diesem bewilligt. Außerdem hat der Director jährlich einen ungefähren Voranschlag des Büdgets für das nächste Jahr einzureichen, so wie im Monat Januar den Rechenschaftbericht über die wirklich gemachten Ausgaben des verflossenen Jahres.

Die Aufseher, Hufschmiede, Futtermeister, Stallknechte und Stalljungen tragen Uniform, zu deren Beschaffung sie sich einen Gehaltsabzug von 10 pro Cent gefallen lassen müssen, und deren Einrichtung ausführlich bezeichnet und vorgeschrieben ist.

Anlage I.

Reglement für Verbesserung der Pferdezucht vom 2. August 1843.

Dazu ein besonderes Reglement für Luxemburg d. d. 13. Juli 1841, das übrigens aber im Wesentlichen mit den hier ausgeführten Bestimmungen übereinkommt.

Für die Verbesserung der Pferdezucht besteht in Belgien ein Reglement vom 2. August 1843, dessen Entwurf vom westflandrischen Provinzialsenat vorberathen wurde, und das Bezug nimmt auf die früheren Bestimmungen vom 19. August und 17. Oktober 1842.

Darnach darf kein Besitzer oder Inhaber von Hengsten, gleichviel ob sie heimischer oder fremder Race angehören, dieselben zum Beschälen, nicht einmal seiner eigenen Stuten, benutzen oder hergeben, wenn er sie nicht vorher auf den jährlichen Besichtigungsterminen vorgeführt und hier die Erlaubniß dazu, so wie eine Bescheinigung dahin erhalten hat, daß sein Pferd sich zur Veredlung wohl eigne. Strafen von 50 und 100 Fr. drohen dem Uebertreter dieser Vorschrift. Die öffentlichen Besichtigungen finden alle Tage im Februar an bestimmten Oertern vor der Prüfungsbehörde eines jeden Arrondissements statt, werden durch die öffentlichen Blätter verkündet, und von den Communalbehörden näher eingeleitet.

Die Prüfungsbehörden bestehen aus fünf Mitgliedern, worunter ein vom Minister des Innern ernannter Präsident, während die übrigen von der stehenden Deputation des Provinzialsenats gewählt werden, der ihnen einen Gouvernementsthierarzt beiordnet. Der Sekretär der landwirthschaftlichen Provinzialkommission versieht dabei die Geschäfte des Protokollführers, führt die Register und stellt die nöthigen Zeugnisse aus.

Zur Besichtigung werden nur mehr als dreijährige und zur Benutzung als Beschäler nur solche Hengste zugelassen, die alle Eigenschaften besitzen, welche zur Veredelung der Racen erfordert werden. In den darüber geführten Protokollen werden die zulässigen oder zurückgewiesenen Pferde näher bezeichnet. Die Zurückweisung muß begründet sein, und wird das desfalsige Protokoll auf Verlangen des Pferde-Inhabers gegen Erstattung der Kosten und Abschrift mitgetheilt. Für brauchbar erachtete Pferde werden Erlaubnißscheine ertheilt, die den Besitzer berechtigen, seine Hengste vom Tage der Besichtigung an bis zum Besichtigungstermin des künftigen Jahres zum Beschälen zu benutzen. Diese Erlaubnißscheine sind mit Ausnahme der Stempelgebühren unentgeldlich, müssen aber vom Inhaber stets bereit gehalten werden, um auf Verlangen der Polizeibehörden eingesehen werden zu können. Die Verwaltungsbehörden führen dann nebenher über die brauchbar erkannten Pferde noch besondere Memorialia.

Stuten unter drei Jahren, oder die von nicht geeignetem Körperbau oder mit Fehlern behaftet sind, dürfen gar nicht belegt werden. In streitigen Fällen entscheidet darüber der Gouvernements-Thierarzt. Wer dennoch eine fehlerhafte Stute belegen läßt, verfällt in eine Strafe von 50 F., die sich steigert, im Fall das Pferd eine ansteckende Krankheit gehabt hat.

Die Hengste dürfen täglich nur dreimal in Zwischenzeiten von wenigstens 3 Stunden zum Sprung benutzt werden. Das Sprunggeld wird zwar erst nach festgestellter Empfängniß der Stute entrichtet, muß aber jedenfalls bezahlt werden, auch wenn dieselbe die Frucht nicht austrägt oder ein todtes Füllen zur Welt bringt. Jeder Hengstbesitzer hat über die Beschälung seiner Hengste genaue Register und Nachweise zu führen und diese jährlich bei der Ortsobrigkeit einzureichen, von welcher aus sie dann weiter an die Provinzialbehörden abgegeben werden. Besondere Bestimmungen regeln das Strafverfahren und die Straffätze bei Uebertretungsfällen.

Nach den einzelnen Besichtigungen finden ferner Gesammtprüfungen in jedem Arrondissement über die im Einzelnen als brauchbar erkannten Hengste statt. Hier erhalten die Besitzer der ausgezeichnetsten Pferde Preise von 200 Fr., und der nächstfolgende von 150 Fr. Wer das beste Pferd der Provinz vorführt, erhält einen Preis von 400 Fr. Bei den Provinzialbewerbungen konkurriren jedoch nur diejenigen Pferde, welche in ihrem Arrondissement den Preis erworben haben. Wer den Preis der Provinz erlangt und denselben auch noch im folgenden Jahre behauptet, erhält außerdem noch eine besondere Belohnung von 100 Fr., die in der Regel auf die drei folgenden Jahre vergeben werden. Indessen kann für ein und dasselbe Pferd nur einmal der Preis erlangt werden.

Für die besten Mutterstuten mit Füllen, wenn deren Ursprung aus dem Staatsgestüt nachgewiesen wird, bestehen Preise von 50 Fr.

Die Namen der Pferdezüchter, die so ausgezeichnete Pferde gestellen, werden öffentlich belobend genannt; doch erhalten sie die Preise nur, nachdem sie nachgewiesen, daß ihre Hengste während 6 Monate in der Provinz geblieben und hier als Beschäler gedient haben. Die Preise werden zur Hälfte aus Provinzial-, zur Hälfte aus Staatsfonds bestritten; die übrigen Kosten trägt der Staat.

Anlage K.

Die Verbesserung der Rindviehzucht.

Das die Verbesserung der Rindviehzucht in Belgien betreffende Reglement datirt vom 16. Februar 1848. Es nimmt Bezug auf eine Bestimmung vom 17. Juli 1847 über die Beschlußnahme eines solchen *Reglements* für Hennegau, so wie auf ein anderes für die Provinz Ostflandern vom 23. Juli 1846, und endlich auf die frühere Gesetzgebung vom 30. April 1836.

Danach soll ganz in ähnlicher Weise, wie bei der Pferdezucht, kein Besitzer von Zuchtstieren dieselben anders zum Sprung zulassen, als nach vorangegangener Prüfung der Besichtigungsbehörden. Solche Besitzer von Zuchtstieren sind gehalten, im Januar jeden Jahres die Liste ihrer Zuchtstiere mit Angabe ihrer Bezeichnung bei den Ortsbehörden einzureichen. Noch vor dem ersten März gehen diese Listen an die Provinzialbehörden, und diese ordnen im Laufe des Monats April oder Mai die Besichtigungstermine für jeden Kanton an, und zwar so, daß nur die Thiere, welche dem Bezirke angehören, vorgeführt werden. Die Prüfungsbehörde besteht aus einem Mitgliede des Provinzialraths oder der Provinzial-Kommissionen und drei anderen erfahrenen Landwirthen, nebst Thierarzt und Sekretär.

Die brauchbar gefundenen Stiere erhalten sofort, in der Regel am rechten Horn, ein a, die unbrauchbaren am linken ein R. eingebrannt. — Von der Entscheidung der Prüfungsbehörde findet keine Appellation statt. Die aufgenommenen Verzeichnisse enthalten das Alter, den Ursprung, Farbe und Kennzeichen des Thieres, werden den Provinzialbehörden überwiesen, und gehen von diesen an den Minister des Innern und die Provinzial-Kommissionen. Die Eigenthümer erhalten Certificate. Zugelassen werden nur anderthalbjährige Stiere von untadelhafter Gesundheit und Fehlerlosigkeit. Es ist verboten, dieselben frei umhergehen zu lassen. Man führt sie an eisernen Ringen, die durch die Nase gezogen werden. Ältere Stiere dürfen gar nicht zur Weide oder in Gemeinschaft mit Kühen gebracht werden. Unmittelbar nach der Besichtigung findet in jedem Kanton eine Preisvertheilung statt, die sich für die besten Stiere auf 40, für die nächstfolgenden auf 25 Fr. beläuft, die aber nur ausgezahlt wird, wenn der Besitzer seinen Stier binnen Jahresfrist zur öffentlichen Benutzung der Montirung hergegeben hat. Ein und derselbe Stier endlich kann nur einmal den Preis davontragen.

Anlage L.

Der thierärztliche Dienst in Belgien.

(Gesetz vom 27. April 1847.)

Nach dem Gesetz vom 27. April 1847 werden den Thierärzten Reisekosten und Diäten gewährt, die pro Meile 2 Fr. und pro Tag 4 Fr. betragen, die sich aber um die Hälfte vermindern, wenn die Tour auf Eisenbahnen gemacht werden kann. Außerdem enthalten sie eine Art Entschädigung von 6 Fr., wenn sie zu den Besichtigungen oder sonstigen amtlichen Aufträgen gefordert worden, wozu namentlich ihre Hülfe beim Ausbrechen ansteckender Krankheiten gehört. In solchen Fällen übernimmt der Staat auch die Kosten für den ersten Besuch bei Privatleuten angehörigen kranken Thiere. Die Besuche selbst sind durch ältere Reglements näher festgestellt.

Der Agrikultur-Fonds.

Im Jahre 1847 wurde mittelst Gesetz vom 27. April ein landwirthschaftlicher Fonds gestiftet, der dazu dienen sollte, diejenigen Viehbesitzer zu entschädigen, welche durch Seuchen oder durch Krankheiten herbeigeführte Verluste ihrer Heerden betroffen worden waren. Dieser Fonds reichte indessen nicht aus, erwies sich übrigens auch nicht ganz zweckmäßig und sollte aufgehoben werden, als die Regierung den Versuch zu seiner Umgestaltung machte. Es besteht darüber ein sehr ausführlicher Ministerialerlaß an die Provinzial-Gouverneure, worin die Regierung zu zeigen sucht, daß in der Weise, wie dieser Fonds damals bestand, er nicht eine Versicherungskasse, sondern ein polizeiliches Mittel sein müsse, contagiöse und seuchenhafte Krankheiten überhaupt zu verhindern, und zwar auf dem mindest kostspieligen Wege. Demnach sollte in Zukunft nicht mehr geduldet werden, daß unter dem Namen der Lungenseuche eine Menge anderer nicht contagiöser Krankheiten den Vorwand zu Schadloshaltungsansprüchen abgäben. Nur in den seltenen Fällen, wo dergleichen Krankheiten wirklich ansteckend wären, wurden die Thierärzte angewiesen, das Abschlachten derselben vornehmen zu lassen. Wo dies nicht der Fall war, hob man die Entschädigungsberechtigung auf, entzog übrigens auch drn Gemeindebehörden die Befugniß, das Abschlachten eigenmächtig anzuordnen, und bestimmte die Zuziehung der Thierärzte, die darüber zunächst die strengste Untersuchung anzustellen hatten.

Anlage M.

Verzeichniß der neuerrichteten Ackerbauschulen.

Ich gebe nachstehend eine Uebersicht der bereits eröffneten landwirthschaftlichen Lehranstalten nebst der jetzigen Schülerzahl.

1)	Ackerbauschule	in	Attert	mit	17	Zöglingen.
2)	„	„	Bastogne	„	16	„
3)	„	„	Chimay	„	19	„
4)	„	„	Leuze	„	25	„
5)	„	„	Ostaker	„	9	„
6)	„	„	Ostin	„	17	„
7)	„	„	Oudembourg		19	„
8)	„	„	Tirlemont	„	16	„
9)	„	„	Thourout	„	18	„
10)	Gartenbauschule	„	Gent	„	23	„
11)	„	„	Vilvorde	„	21	„
12)	Ackerbauschule	„	Verviers	„	12	„

Außerdem ist noch eine Ackerbauschule in Lierre vollständig eingerichtet, aber bis zur Stunde nech nicht eröffnet.

Anlage N.

Verzeichniß der in der „Bibliothèque rurale" erschienenen Schriften.

Von der unter dem Titel „Bibliothèque rurale" im Auftrag des Ministeriums erscheinenden Sammlung landwirthschaftlicher populärer Schriften sind bereits folgende der Oeffentlichkeit übergeben. Ich führe zugleich deren Verkaufspreis an.

1) Handbuch des Ackerbaus, 1. Bd. . . .	— Fr.	80 Cent.,	ca. 6¼ Sgr.
2) Ueber die Anwendung des Kalks in der Landwirthschaft, 1. Bdch.	— „	20 „	„ 1½ „
3) Handbuch über das landwirthschaftliche Rechnungswesen, 1. Bdch.	— „	40 „	„ 3 „
4) Theoretische und praktische Anleitung zur Baumzucht, 2 Bdch.	1 „	55 „	„ 12 „
5) Handbuch über das Drainiren, 1. Bd.	1 „	10 „	„ 9 „
6) Handbuch der Agrikultur-Chemie und Geologie, 1. Bd.	1 „	25 „	„ 10 „
7) Handbuch über die Berieselung, 1. Bdch.	— „	60 „	„ 5 „

Unter der Presse:

8) Handbuch über die Pflege der Gesundheit, zum Gebrauch für die Landschullehrer und Dorfgemeinden, 1. Bd.

9) System des landwirthschaftlichen Betriebs, 1. Bd.

Ich muß noch bemerken, daß, ungeachtet des niedrigen Preises, diese Büchelchen auf hübsch weißes Papier deutlich gedruckt, und überall wo es Noth thut mit Holzschnitten und anderen bildlichen Darstellungen ausgestattet sind.

Anlage O.

Das belgische Gesetz vom 25. März 1847 über die Urbarmachung unkultivirter Landstriche.

Das Geschäft der Urbarmachungen wüster Ländereien ist in Belgien Sache der Gemeinden, die sich bereits längere Zeit darüber beriethen, ohne zu wesentlichen Resultaten zu kommen, bis die belgische Regierung mittelst Cirkular vom 30. Juni 1843 eine besondere Untersuchung darüber anstellen ließ, als deren Ergebnisse aber alle hierauf bezüglichen Papiere und namentlich einen Bericht des obersten Agrikultur-Senats in Anschluß eines eigenen Gesetzentwurfs über den Gegenstand unterm 11. November 1846 den Kammern zur Berathung vorlegte. Das Resultat dieser Berathung ist das hier in Rede stehende Gesetz vom 25. März 1847.

In Gemäßheit desselben kann die Expropriation unangebauter Ländereien, als Haiden, Wüsten, öde Weiden oder anderer Landstriche dieser Art, sofern sie die Regierung als solche anerkennt, deren Nutzen oder Eigenthum entweder einzelnen Gemeinden oder einer Gemeinschaft von Einwohnern, die davon einen ungetheilten Gebrauch machen, angehört, mittelst Königlichen Erlasses auf Begutachtung der Provinzial-Kommissionen und nach Anhörung der Gemeinderäthe überall da, wo es für den Zweck des öffentlichen Nutzens nöthig erachtet wird, angeordnet werden. Bei solchen Verkäufen läßt zunächst die Regierung auf Antrag der Kommunalbehörden den Plan der zu veräußernden Grundstücke aufnehmen und mit der Besichtigung derselben gerade so verfahren, als wenn es sich um eine Untersuchung de commodo et incommodo handelte. Die Bedingung der Inkultursetzung solcher Liegenschaften und zwar bis zu einem näher festzusetzenden Termin wird hierbei ausdrücklich dem Käufer zur Pflicht gemacht, und unter Androhung des Wiederheimfalls und der Schadloshaltung der etwa hierdurch verletzten Interessen noch besonders ausgesprochen. Der Kaufvertrag, worin dies geschieht, legt außerdem dem Käufer vor der Besitznahme die Zahlung oder Niederlegung des gleichen Werthes des Erwerbes auf, es sei denn, daß die Gemeinden die Bewilligung von Terminalzahlungen vorziehen. Die Verkäufe finden öffentlich und unter freier Mitbewerbung statt, wobei wiederum die Regierung es ist, von der die Verkaufsbedingungen gestellt werden, wenn schon nicht ohne vorhergehenden Antrag der Gemeinderäthe und des Provinzial-Ackerbauraths. Der Zuschlag erfolgt definitiv nur mit Einwilligung der Kommunalräthe oder irgend einer gleichmäßig entsprechenden Instanz des Arrondissements. Binnen vierzehn Tagen geschieht die Eintragung des Kaufvertrags vor einem Notar. Dieser macht sofort binnen vierundzwanzig Stunden das Kollegium der Bürgermeister und Schöppen mit den Namen der Erwerber und den Kaufpreisen bekannt, worauf diese den Gemeinderath berufen, um sich binnen acht Tagen zu erklären, ob sie mit dem Verkauf einverstanden sind oder nicht. Eine Weigerung kann jedoch nur dann eintreten, wenn bei dem Verkauf Formfehler vorgekommen sind, oder der Preis für zu gering gehalten wird. Binnen Monatsfrist endlich überschickt der Provinzial-Gouverneur die Kaufverhandlungen an das Ministerium, welches dann die gerichtliche Bestätigung derselben unter sehr ausführlich vorgeschriebenen Formen betreibt. Auf Requisition des Königlichen Prokurators wird ein Richter mit Abfassung des Berichts am Tage des Termins beauftragt, zu welchem alle Partei-Interessenten eingeladen werden. Wird die gerichtliche Bestätigung versagt, so kann von Neuem reklamirt werden. Ueber die Art, wie dies zu geschehen hat, enthält das Gesetz sehr ausführliche Bestimmungen. Ist der Erwerber außer Stande seiner Verpflichtung in Hinsicht der Urbarmachung und der übrigen Kaufbedingungen nachzukommen, so kann die Gemeinde den Wiederheimfall des Grundstücks aussprechen; indessen steht ihm die Regierung zur Seite in gewissen Fällen, wo sie jedoch nur in Uebereinstimmung mit dem Kaufvertrag und unter Berufung auf die betreffenden Instanzen jene Maßregel abzuwenden vermag. Wird der Wiederheimfall oder die Außerbesitzsetzung auf Erfordern des Provinzial-Gouverneurs ausgesprochen, so wird zu einem neuen Verkaufe geschritten, wobei der erste Erwerber gehalten ist, den etwa entstehenden Preisverlust zu ersetzen, so wie alle hieraus erwachsenden Kosten zu tragen.

Anders ist das Verfahren der Expropriation, wenn es innerhalb der Grenzen des der Regierung offengestellten Kredits geschieht, sei es zum Zweck der Bewässerung oder zur Urbarmachung überhaupt. Hier geht ein Expropriationserlaß dem Gutachten der betheiligten Kommunalräthe und des Provinzialraths voran. Die Regierung kann die von ihr in öffentlicher Auktion erstandenen Grundstücke nach Maßgabe der obigen Bestimmungen wieder veräußern, auch die Theilung solcher Grundstücke fordern, welche ungetheilt von mehreren Inhabern besessen werden, namentlich was die Weiler betrifft, die sich oft im Besitz mehrerer Gemeinden befinden.

Wird eine Verpachtung der hier in Rede stehenden wüsten Ländereien beliebt, so kann sie jedoch ebenfalls nur auf Grund Königlichen Erlasses eintreten, und zwar in Uebereinstimmung mit dem Provinzialrath, nachdem zuvor der Rath der betheiligten Gemeinden gehört worden ist. Die Bedingung der Inkulturnahme bis zu einem bestimmten Termin ist auch hierbei die Hauptsache. Die Pachtungen sollen jedoch nicht den Zeitraum von dreißig Jahren überschreiten. Nach Ablauf dieser Zeit steht es den Pächtern frei, dieselben zu erneuern, jedoch zu Pachtpreisen, welche dann festzusetzen einem anderweitigen Königlichen Erlaß vorbehalten ist.

Erst nach den ersten funfzehn Jahren tritt eine Steuereinschätzung solcher neu zu bebauender Ländereien ein, während für eine andere Art derselben, welche zum Theil schon kultivirt sind, eine Erhöhung dieser Einschätzung erst nach dem zwanzigsten Jahre erfolgt. Ebenso sind alle Baulichkeiten und Wohnlichkeiten, die auf solchen Gründen errichtet werden, während der ersten funfzehn Jahre von jeder Steuer befreit.

Ganz abweichend von einer Bestimmung des Code civil gestattet das in Rede stehende Gesetz den Bürgermeistern und Schöffen betheiligter Komnunen die Mitbewerbung bei den öffentlichen Verkäufen. Art. 15 eröffnet dem Departement des Innern einen Kredit von 350,000 Fr., welche mit Zuziehung der bereits früher laut Gesetz vom 20. December 1846 votirten 150,000 Fr., eine Summe von 500,000 Fr. zu dem Zwecke der Urbarmachungen, der Bewässerungen und der Kolonisation der Campine so wie anderer Gegenden zu bilden bestimmt sind. Dieser Kredit wird nach Maßgabe der vorhandenen Bedürfnisse mittelst Emission von Schatzscheinen gedeckt.

Die aus den obgedachten Verkäufen gelösten Gelder sollen, sofern sie nicht zur Zahlung von Schulden, von Arbeiten für die öffentliche Wohlfahrt oder zur Erwerbung von unbeweglichem Eigenthum bestimmt sind, hypothekarisch oder auch auf andere Weise, sei es durch Einzeichnung von Staatsrenten, oder durch Ankauf von Schatzobligationen, sicher untergebracht werden.

Anhang.

Innere Einrichtung des Ackerbau-Ministeriums in Frankreich.

In Frankreich ist die Verwaltung der landwirthschaftlichen Angelegenheiten mit denen des Handels unter einem und demselben Ministerium vereinigt.

Das Ministerium des Ackerbaues und des Handels ist in vier Sektionen abgetheilt:

1) Direktion der Landwirthschaft und der Gestüte,
2) Direktion des innern Handels,
3) Direktion des auswärtigen Handels,
4) Abtheilung für das allgemeine Rechnungswesen.

Ich werde mich hier nur mit der Direktion der Landwirthschaft und der Gestüte beschäftigen. Dieselbe umfaßt:

a) die Vorbereitung der Gesetze und Reglements, welche die Landwirthschaft betreffen,
b) den obersten Agrikulturrath, die agronomischen Gesellschaften und Ackerbauschulen,
c) die Ackerbau-Vereine und Musterwirthschaften,
d) das Verbesserungswesen der Landwirthschaftsmethoden, so wie die Einführung fremder Kulturweisen,
e) die thierärztlichen Schulen,
f) die Versuchsmelkereien, die Schäfereien,
g) die Prüfung der Ausgaben und der Rechnungen dieser Anlagen,
h) die Reglements für die Kosten der Behandlung der Seuchen, — die bewilligten Prämien für die Vertilgung schädlicher Thiere,
i) die Beförderungsmittel für den landwirthschaftlichen Gewerbfleiß,
j) die landwirthschaftliche Statistik,

k) die Verwaltung der Gestüte und Remonte-Depots,
l) die Prüfung der Kosten und des Rechnungswesens dieser Anstalten,
m) den Verwaltungsrath der Beschälereien,
n) die Gestüteschule,
o) die Kommission für das Stud-book,
p) die General-Reglements,
q) den Ankauf und die Vertheilung der Hengste,
r) die Organisation für den Dienst der Remonte,
s) die Prüfung besonderer Hengste,
t) die Prämien,
u) die Wettrennen,
v) die Aufmunterung des Industriefleißes,
w) die Vermehrung der Pferde,
x) Statistik in Bezug auf die Pferdezucht.

Für diese verschiedenen Zweige der Administration wird die Summe von 3,800,000 Fr. erfordert. Davon nehmen die Gestüte, die Depots, die Ankäufe von Beschälern, und die auf die Verbesserung der Pferdezucht verwendeten Preise nahe zu zwei Drittheile in Anspruch. Der Rest vertheilt sich auf die Thierarzneischulen, die Schäfereien und die Kosten für die Aufmunterung der landwirthschaftlichen Industrie, woraus hervorgeht, daß die letztere in der That weit entfernt ist, als privilegirt und bevorzugt zu erscheinen.

Das Personal der Direktion für die landwirthschaftlichen Angelegenheiten besteht aus:

1 Direktor,
1 Unter-Direktor,
3 Büreauchefs,
9 Unterchefs,
32 andern Beamten, Expedienten, Kopisten, Supernumerarien ꝛc.

Die Kosten für dies Personal belaufen sich auf ungefähr 240,000 Fr. jährlich.

Die übrigens ausgezeichnete Organisation der landwirthschaftlichen Abtheilung in Hinsicht auf ihre Einfachheit, kränkelt in der Nutzanwendung nur an der Untauglichkeit und den schlechten Maßnahmen der amtlichen Chefs, welche zum größten Theil unfähige Leute sind, die vom Zufall durch politische Ereignisse oder Begünstigungen in ihre Stellen geschoben sind, und die oft kaum eine Idee von der Wichtigkeit ihrer Aufgabe besitzen. Ihnen hat es der französische Ackerbau zu danken, wenn er, statt sich der ihm vom Staate gebotenen Garantie und Schutzmaßregeln zu erfreuen, vielmehr ganz auffälliger Weise auf dem Wege des Fortschritts zurückgeblieben ist. Aber auch dieser geringe Fortschritt, so fern er wirklich angenommen werden darf, ist keinesweges ein sehr verbreiteter gewesen. Der verderbliche Einfluß jener improvisirten oft aller Vernunft zuwiderlaufenden Stellenbesetzung reicht hin, um an sich gute und zweckmäßige Institutionen, als da sind: die Ackerbaugesellschaften und Ackerbauschulen, die Musterwirthschaften und besonders die landwirthschaftlichen Vereine in ihrer Wirksamkeit zu lähmen.

Nicht genug, daß der Staat als Prinzip aufgestellt hat, er müsse dem Landbauer in Fällen der Noth zu Hülfe kommen, hat er sich auch dahin erklärt, daß zu dessen Verfügung die Mittel zur Verbesserung der Bewirthschaftungsmethoden hergegeben, namentlich aber auch Musterwirthschaften zur Nachahmung ihm vor Augen geführt werden sollten. Dies war gleichsam das Ziel, zu dessen Erreichung die Ackerbaugesellschaften und Vereine Hand in Hand gehen sollten. Vorzugsweise dazu bestimmt, die verschiedenen Klassen der ländlichen Bevölkerung in engere Verbindung zu setzen, versprachen diese Vereine anfangs außerordentliche Erfolge. Sie sollten durch praktisch belehrendes Beispiel das Mißtrauen der kleinen Wirthschaftsleute beseitigen, die Ansichten und Ideen der Bauern verallgemeinern, läutern, ihren Wetteifer rege machen, ihren Fleiß und ihre Thätigkeit für Verbesserung ihrer Wirthschaften aufmunternd belohnen helfen. Dazu wurden bei Gelegenheit der jährlichen Erndtefeste öffentliche Preisbewerbungen eingerichtet. Sie fanden Anklang und verbreiteten seitdem ein regeres Leben unter der ländlichen Bevölkerung. In ihrer rückwirkenden Beziehung auf die wissenschaftlichen Korporationen und die Ackerbaugesellschaften, welche aus Einwohnern großer Städte bestehend, häufig den praktischen Gesichtspunkt aus den Augen verlieren, verhießen die ländlichen Vereine einen unbestreitbaren Nutzen zu stiften, indem sie dieselben wieder auf den richtigen Weg zurückzubringen vermochten. Allein wenn gleich ihre Zahl in der letzten Zeit sich ansehnlich **vermehrte**, so haben sie doch nicht das erreicht, was man von ihnen **erwartete**, da die Machthaber in dem Büreaux und die Directoren **des Ministeriums** sie in Geldverlegenheiten ließen. Mit ritterlich**er Vor**nehmthuerei zogen diese Herren es nämlich vor die Staat**sfonds** auf die Gestüte und vor Allem auf die Wettrennen zu verge**uden**.

Die officiellen Organe, durch welche die französische **Landwirth**schaft ihre Wünsche laut werden läßt, sind:

a) die Präfecturen,

b) die Unterpräfecten,

c) die Arrondissementsräthe,

d) die Generalräthe der Departements, und

e) der Generalrath der Landwirthschaft.

Die Organe a und b befinden sich in einer unmittelbaren Abhängigkeit von der Regierung. Die unter c und d gehören nicht eigentlich zum Ressort der Landwirthschaft. Es bleibt noch e, der General-Senat der Landwirthschaft zu erwähnen, der 1819 *eingesetzt*, und 1841 umgestaltet wurde, und aus 54 Mitgliedern gebildet wird, die unglücklicher Weise sämmtlich vom Minister *ernannt werden*.

Bei diesem Mangel an wirklicher Vertretung *der landwirthschaftlichen* Interessen hatte sich schon unter Louis Philipp's Regiment im Schooße der Deputirtenkammer ein Ackerbau-Ausschuß gebildet, der, wären die Februar-Ereignisse nicht dazwischen gekommen, für die Interessen des Landwirths eine nützliche Instanz hätte abgeben können.

Ich habe übrigens in Paris gehört, daß das neue Gouvernement damit umgehe, auf sein Vorrecht zur Besetzung der Stellen im obersten Agrikultursenat Verzicht zu leisten. In Zukunft sollen nämlich die Mitglieder desselben in den Gemeinden selbst von den Gemeindebehörden gewählt werden.

Nachtrag.

Im Augenblick, da der Druck der vorliegenden „Studien" beendigt werden soll, kommen mir noch zwei neue, von der belgischen Regierung jüngst veröffentlichte Dokumente zu, die ich in der Kürze besprechen will.

Das erste ist ein 280 Seiten starker Folioband, enthaltend den offiziellen Bericht des Ministeriums des Innern an die Volksvertreter Belgiens, worin nach dem Wortlaut des Gesetzes vom 25. März 1847 von ersterem über die Verwendung der zur Urbarmachung der Haideflächen bestimmten Fonds Rechenschaft abgelegt wird. Ich entnehme daraus folgende Notizen:

„Die auf Geheiß der Regierung von königlichen Ingenieuren und anderen Sachverständigen angestellten Ermittelungen haben erwiesen, daß von 160,000 Hectaren bereits untersuchten Haidelands in Belgien ungefähr 130,000 Hectares angebaut werden können.

Vom 4. Januar 1847 bis 31. Dezember 1849 waren 4400 Hectares allein im Luxemburgischen zur Wiederbeholzung in Angriff genommen worden. Die Regierung hat an viele Gemeinden, namentlich in den Ardennen, Waldsaamen austheilen lassen, und dabei besonders auf Kienhölzer Bedacht genommen, und zugleich in der Provinz Luxemburg die Anlage von sechs Baumschulen unter der Oberleitung von königl. Beamten angeregt, wo sich nun die Gemeinden mit geringen Kosten die nöthigen Stecklinge zur Anpflanzung von Büschen und Schonungen verschaffen können.

In der Campine sind bereits 1876 Hectares in Rieselwiesen umgewandelt, deren Zahl man binnen Jahresfrist zu verdoppeln hofft. Da wo noch im Jahre 1846 kahle sandige **Steppen** zu schauen waren, weilt nun das Auge auf frischen üppigen **Weiden.** Außerdem ist die Urbarmachung von 4000 Hectaren **Haideflächen** in's Werk genommen.

Aeußerst interessant sind die Vorarbeiten, welche die **Regierung** unternehmen ließ, um die Wirkung des S c h e l d e s c h l a m m s auf die Befruchtung der östlich von dem genannten Flusse gelegenen Steppen kennen zu lernen; die mit diesem Schlamm als Düngungsmittel erreichten Resultate streifen wirklich an das Wunderbare *), und erinnern an die wohlbekannte Zauberkraft des Nils.

Man schwankte vorerst in der Wahl, ob man einen Kanal graben, und durch diesen den Schlamm der Schelde vermittelst partieller Ueberschwemmungen auf das zu befruchtende Terrain überführen solle, oder ob man lieber auf das Anerbieten einer Privatgesellschaft eingehen solle, die den Schlamm im f e s t e n Zustande auf einer neu anzulegenden Eisenbahn aus der Schelde direkt auf die zu bessernden Gründe transportiren will. Die Regierung scheint sich bei der Schwierigkeit die zum Bau des Kanals nöthigen sehr bedeutenden Kapitalien jetzt herbeizuschaffen, für das letztere Projekt entscheiden zu wollen.

Die Urbarmachung der den Gemeinden zugehörigen Ländereien erstreckte sich bereits auf 17,066 Hectares.

Im Ganzen sind für die gedachten Zwecke schon 373,998 Fr. 94 Cent. verausgabt worden, und für das J. 1850 noch 150,013 Fr. 37 Cent. in Ausgabe gestellt; in Summa sind also 524,012 Fr. 31 Cent. als seit 1847 von der belgischen Regierung für Urbarmachung und Meliorationen bereits verausgabt zu betrachten.

Das zweite obenerwähnte Document ist eine Königliche Ver-

---

*) Versuche, die schon im Jahre 1848 begonnen wurden, haben unwiderlegbar bewiesen, daß eine kaum 1½ Linien dicke Schicht dieses Schlammes sogar den sandigsten unfruchtbarsten Boden dergestalt veränderte, daß er schon im zweiten Jahre einen Klee hervorbrachte, der dreimal geschnitten werden konnte, und durch seine Höhe und Dichtigkeit die Bewunderung aller Leute vom Fach hervorrief. Im letzten Jahre gab er noch eine reichliche Aerndte von Sommerraps, der auf den landwirthschaftlichen Ausstellungen in Namur und Mecheln den ersten Preis davontrug.

ordnung, welche sich auf eine neue Umgestaltung des obersten Agriculturraths bezieht und im Moniteur vom 1. September 1850 veröffentlicht wurde, — sie lautet folgendermaßen:

Leopold, König der Belgier 2c.

Mit wiederholter Bezugnahme auf die Königl. Verordnungen vom 31. März und 10. April 1845, v. 5. März und 9. Dezember 1846 und vom 27. April 1847, alle den obersten Agrikulturrath betreffend;

Mit Rücksicht auf die Königl. Verordnung v. 26. und den ministeriellen Erlaß vom 29. November 1849, welche die Provinzialackerbau-Commissionen, und die Ackerbauvereine auf neuen Grundlagen ordnen;

In Anbetracht der Nothwendigkeit die Einrichtung des obersten Agriculturraths mit derjenigen der Provinzialkommissionen und Ackerbauvereine in Einklang zu bringen;

beschließt und verordnet hierdurch:

Art. 1. Der oberste Agriculturrath, welcher durch die Königl. Verordnung v. 31. März 1845 eingesetzt worden, wird künftig aus 18 Mitgliedern bestehen. Zu diesem Zwecke werden zwei Mitglieder von jeder Provinzialackerbau-Commission abgeordnet werden.

Art. 2. Diese abgeordneten Mitglieder werden von den Provinzial-Commissionen für jede Sitzungsperiode des obersten Agriculturraths und mit besonderer Rücksicht auf die darin zu behandelnden Fragen gewählt.

Art. 3. Der oberste Agricultur-Rath versammelt sich auf Einladung unsers Ministers des Innern, der, wenn es ihm nöthig scheint, den Vorsitz führen wird.

Art. 4. Unser Minister des Innern bezeichnet für die Dauer jeder Sitzungsperiode einen Präsidenten, einen Vicepräsidenten und einen Secretär, und stellt außerdem die Geschäftsordnung fest, nach welcher der Rath bei seinen Arbeiten sich zu richten hat.

Art. 5. Unser Minister des Innern kann, sobald er es für dienlich erachtet, auch andre Mitglieder als aus den Provinzial-Commissionen zur Theilnahme an den Sitzungen einladen.

Art. 6. Die Mitglieder des obersten Agricultur-Raths erhalten für Reisekosten und Diäten dieselbe Entschädigungssumme, welche den Mitgliedern der Provinzial-Commissionen gesetzlich zu kommen.

Art. 5. Eine von unserm Minister des Innern zu bestimmende Summe kann alljährlich zur Verfügung einer jeden der Provinzialackerbau-Commissionen gestellt werden um, auf den Vorschlag und durch Vermittlung der gedachten Commissionen, theils an die Verfasser der besten Abhandlungen über irgend einen Zweig der Agriculturindustrie, oder auch an Personen, welche irgend eine dahin einschlagende Verbesserung praktisch ausgeführt haben, vertheilt zu werden. Zu diesem Zweck wird jede der Provinzial-Commissionen am Schlusse des Jahres und mit besonderer Berücksichtigung der Bedürfnisse ihres Wirkungskreises ein Programm aufstellen, das von unserm Minister des Innern genehmigt werden muß.

Art. 8. Alle die früheren auf den obersten Agriculturrath bezüglichen Verordnungen sind hiermit aufgehoben.

Druck von J. Petsch in Berlin.

Anleitung

zu einer

einfachen Methode der Erduntersuchung

für den

praktischen Landwirth.

Es gab eine Zeit, in welcher man alles landwirthschaftliche Heil in der chemischen Untersuchung der Bodenarten zu finden glaubte. Man fertigte sehr genaue Anleitungen dazu und eine Menge von verschiedenartigen Erden wurden untersucht.

Der große Nutzen dieses Strebens für die Vervollkommnung der landwirthsch. Wissenschaft ist bekannt. Mit jeder neuen Bodenuntersuchung vervollständigte sich die Uebersicht, neue Ideen wurden geweckt und gar manche Fragen über den Ernährungsprozeß der Gewächse wurden ihrer Lösung näher gerückt. Ohne die genaueste chemische Untersuchung ist es nicht möglich, das wahre Bedürfniß der Pflanzen an flüchtigen und Aschenbestandtheilen auszumitteln. Diese mögen nun dahin gerichtet sein, das Entziehen der Stoffe durch Untersuchung des Bodens vor und nach der Vegetation zu erforschen, oder dahin, dem Boden vor der Vegetation diese oder jene Stoffe beizusetzen, und nachher das Verhalten der Gewächse zu beobachten.

Durch mehr oder minder genaue Bodenuntersuchungen erhielt man allmählig ein gewisses Bild von der gegenseitigen Einwirkung der verschiedenen Bodenstoffe, ferner ein Bild des Verhaltens des Erdbodens nach seinen verschiedenen Auflösungsgraden und der Veränderung desselben durch die mannichfaltigen atmosphärischen Einflüsse.

Wenn auch jetzt noch manches zweifelhaft ist, so sieht man doch hier und da schon die Wahrheit durchschimmern, und es ist zu hoffen, daß ihre Lichtstrahlen in den meisten Fällen nicht mehr lange auf sich warten lassen werden. Dies ist der Erfolg der streng wissenschaftlichen Forschung, welche wir tüchtigen Chemikern verdanken, deren Arbeiten nach und nach und bei größerer Genauigkeit immer schwieriger werden mußten.

Früher glaubten viele Landwirthe, diese chemischen Arbeiten mit machen und an den in das kleinste Detail gehenden Bodenuntersuchungen Antheil nehmen zu müssen. Aber es zeigt sich immer mehr, daß von ihrem Standpunkt aus die Wissenschaft durch chemische Arbeiten nur wenig, vielleicht gar nicht befördert werden konnte, weil solche, bei allem Fleiß, aus Mangel an gehörig genauen Wagen und dem übrigen dergleichen Apparat, gegen die wissenschaftliche Umsicht eines Chemikers vom Fache, die erforderliche Genauigkeit nicht erlangten. Für die eigentlichen landwirthschaftlichen Zwecke boten sie selbst aber deßhalb wieder zu wenig, weil bei den früheren Bodenuntersuchungen es sich nicht einmal herausstellte, in wie weit die gefundenen Stoffe sich in einem Zustande befinden, in welchem sie den Gewächsen wirklich zur Nahrung dienen können. Dadurch, daß man erfuhr, welche Elementarstoffe ein Boden enthielt, kannte man deren Verbindungen nicht, wußte nicht, inwieferne solche löslich sind oder nicht. Das von einem Boden enthaltene Bild verlor hierdurch seinen praktischen Werth.

So kam es, daß die Gegner der chemischen Arbeit über die Zwecklosigkeit derselben spotteten, daß auch viele Landwirthe einen Weg verließen, den zu betreten ihnen zu viele Mühe machte, ohne sich wirklich belohnt zu sehen.

Die chemische Bodenuntersuchung kam in Mißkredit, weil man nicht recht wußte, was in der Praxis damit anzufangen ist. Man schüttete das Kind mit dem Bade aus. Denn dennoch ist die Sache selbst für den gebildeten Landwirth von großem Interesse und die chemische Bodenuntersuchung sollte von dem Praktiker nie ganz verlassen werden. Um aber den Standpunkt festzustellen, von welchem aus er dieselbe zu behandeln hat, ist es nothwendig, die verschiedenen Zwecke zu beleuchten, welche er durch eine Bodenuntersuchung erreichen will.

Sie sind folgende:

1) Er will sehen, in wie fern ein Boden in seinen Bestandtheilen einem fruchtbaren Normalboden gleich sei, den man in einer jeden Gegend nach deren Fruchtbarkeit feststellen muß. (Wir werden später versuchen, die Kennzeichen eines solchen aus eigenen Untersuchungen anzugeben.)

2) Er kann aus der Untersuchung herausfinden, in wie weit der Boden auflösliche Bestandtheile, und welche, für die nächste Erndte enthalte.

3) Er verschafft sich einen klaren Ueberblick über etwaige physikalische oder chemische Mängel des Bodens seines Besitzes und findet dadurch oft ganz wohlfeile, leicht ausführbare und sichere Verbesserungsmittel, während er, ohne die Untersuchung, oft im Finstern herumtappt und kostspielige Verbesserungen versucht, die keinen Nutzen gewähren.

4) Da es Gewächse gibt, die mit einer gewissen Art von Eigensinn diesen oder jenen Bodenbestandtheil verlangen, so kann er die Ursache ihres Nichtgedeihens durch die chemische Untersuchung leicht herausfinden. Ebenso ist er im Stande, dem Boden Stoffe zuzusetzen, welche ihm fehlen, wenn er einen solchen Mangel aus der Untersuchung erkannt hat. Ein einzelner Zusatz wirkt dann oft kräftiger, als der theuerste Dünger.

5) Aus der Bodenuntersuchung kann er auf den Düngerzustand eines Feldes schließen, wenn dessen Boden eine größere

1. Besonders gute Gartenerde.	tiefliegend.	Sand	0,34	0,60	0,06	Feldspath. Quarz	mittelf. (Flugsandkörner)	sehr dunkel.	0,040	[illegible]
2. Aehnliche Erde aus Cincinnati.	?	?	0,58	0,34	0,08	Feldspath. Quarz	mittelfein.	dunkelbraun.	0,045	[illegible]
3. Besonders fruchtbarer Boden in Pleikartsforst.	tiefliegend.	?	0,700	0,24	0,065	Feldspath. Quarz	mittelfein.	dunkelbraun.	0,065	viel
4. Weinheim. Feld Riegel.	nur theilweise tiefliegend.	gleiche Erde mit mehren Sandgallen.	0,59	0,37	0,05	Quarz Feldspath. Glimmer.	grob mittelfein.	schwach hellgelb.	0,04	viel
5. Weinheim. An der Landstraße.	tiefliegend.	Sand	0,336	0,60	0,03	Quarz wenig Feldsp.	mittelfein.	stark dunkelbraun.	0,020	wenig
6. Unterneudorf Pfadacker	?	?	0,87	0,085	0,045	Quarz wenig Feldsp.	sehr fein.	braun.	0,030	viel
6. Unterneudorf Weichack.	?	?	0,785	0,175	0,04	Quarz Feldsp. Schörl Glim.	mittelfein.	hell.	0,03	wenig
8. Weinheim. Farrenacker.	sehr hoch liegend	Letten	0,82	0,05	0,13	nicht zu erkennen.	sehr fein.	hell.	0,45	viel

Menge vegetabilischer Reste, bei den sonst nothwendigen Bodenstoffen, enthält. Doch ist diese Kenntniß weniger bedeutend, weil sie sich auch aus anderen Kennzeichen findet, namentlich aus der Fruchtfolge schließen läßt. Doch kann es einzelne Fälle geben, in welchen sie sehr gute Dienste leistet.

6) Hat er sich die Mühe gegeben und sich durch physikalische und chemische Kenntniß der auf einem Gute vorkommenden Bodenarten einen richtigen Ueberblick verschafft, so kann er sich in allen Zeiten hiernach richten, ein Vortheil, dessen Wichtigkeit Derjenige bald einsehen wird, welcher eine solche Untersuchung ausgeführt hat.

Zur Erreichung dieser Zwecke ist eine streng wissenschaftliche Behandlung keineswegs nothwendig. Da aus einer Haupteigenschaft sich auf manche andere, gleichsam als nothwendige Folge derselben mit Sicherheit schließen läßt, so ist es hinreichend, diese Haupteigenschaften gehörig festzustellen. Sie lassen sich in folgenden zusammenfassen: Der Landwirth hat zu erforschen

1) Die Menge und Beschaffenheit des Sandes.

Von dieser hängt ab: die Fähigkeit des Bodens, aus der Atmosphäre die zur Zersetzung nothwendigen Stoffe in sich aufzunehmen, überhaupt die Verbindung mit der atmosphärischen Luft zu unterhalten.

Ferner die Fähigkeit, den Regen aufzunehmen, die Feuchtigkeit aus der Luft anzuziehen, so wie auch die Nässe langsamer oder schneller zu verdünsten.

Ferner hängt damit zusammen die Erwärmungsfähigkeit, theils durch das Eindringen der erwärmten Luft, theils weil der Sand ein besserer Wärmeleiter als der Thon ist.

Man kann im Ganzen den Sand als einen Träger und Beförderer der Thätigkeit des Bodens ansehen. Die beste Erde ohne Sand ist todt und unfruchtbar.

Um dem Boden diese Eigenschaften mitzutheilen, muß außer einer gewissen Menge der Sand auch eine gewisse Größe seines Kornes besitzen. Je feiner er ist, um so mehr nähert er sich der Wirkung des Thones, legt sich fest zusammen, verschließt den Boden durch Verschlemmen und hindert den Zutritt der Atmosphäre.

Eine zu große Menge von Sand bringt gerade das Gegentheil der Nachtheile des Thones hervor. Die Thätigkeit des Bodens wird zu groß, die organischen Bestandtheile zersetzen sich zu schnell und eben so beschleuniget sich die Wasserverdünstung. Auch nehmen mit der übermäßigen Zunahme des Sandes alle andern Bodenbestandtheile verhältnißmäßig ab, bieten in dünnerer Schichtung der auflösenden Atmosphäre und dem Wasser mehr Fläche und zersetzen sich weit schneller, als die Verwitterung, auch des reichhaltigsten Sandes, den Abgang zu ersetzen vermag.

2) Die Menge der Beschaffenheit der organischen Reste läßt sich gleichfalls zu den physikalischen Eigenschaften eines Bodens

zählen. Auch sie befördern mechanisch die Thätigkeit desselben, so lange sie noch in größeren Parzellen mit der Erde gemengt sind. Je mehr sie aber in Verwesung übergegangen, je mehr verlassen sie die Eigenschaft des Sandes und nehmen jene des Thones an. Wenn in diesem Falle nicht genug Sand im Boden ist, so verschließt er sich den atmosphärischen Einflüssen und dies ist ein Grund, warum schwere Thonböden, wenn sie auch noch so reich an organischen Resten sind, dennoch unfruchtbar sein können. (Ein anderer kann darin liegen, daß der Thon gänzlich verwittert ist und keine nährenden Bestandtheile mehr enthält.)

Uebertwiegen die organischen Reste die andern Bestandtheile, so nimmt der Boden jedoch eine andere Beschaffenheit als der Sandboden an. Er wird zwar oft nur zu locker, dagegen hält er die Feuchtigkeit an sich, während sie der Sand zu schnell entweichen läßt.

Beide Bodenbestandtheile bewirken aber einerseits die aufgezählten physikalischen Eigenschaften, andererseits äußern sie einen wichtigen Einfluß auf die chemische Constitution. Denn der Sand bildet durch seine allmählige Verwitterung den Ersatz der durch die Gewächse consumirten Aschenbestandtheile. Aus ihm kann man ersehen, welche Stoffe, gewissermaßen als Fundament des Bodens, sich aus ihm demselben mittheilen können. Die organischen Reste wirken durch ihre Zersetzung, daß aus ihnen Kohlensäure, Amoniak und die humusartigen Säuren hervorgehen. Beide Bodenbestandtheile sind für den Landwirth beachtungswerth, indem er im Sande meistentheils eine Quelle künftigen Bodenreichthums, in den organischen Resten aber immer die Quelle der für ihn nothwendigen Auflösungsmittel erblickt.

3) Der Boden kann aus einer Menge von Bestandtheilen gebildet sein. Doch sind es nur einige, welche hauptsächlich zur Ernährung der Gewächse dienen. Man könnte diese die wesentlichen, jene die zufälligen nennen.

Der Natur der Sache nach müssen in einem Boden zur Erzeugung gewisser Pflanzen alle wesentlichen Bestandtheile vorhanden sein, indem sie diese zur Nahrung bedürfen. Die zufälligen werden nur dann von Wichtigkeit, wenn sie der Vegetation auf irgend eine Art schaden. Es wäre wohl gut, sie alle zu kennen, aber der praktische Landwirth kann sich damit nicht befassen und hier liegt die Grenze zwischen ihm und dem Chemiker. Seine Kenntniß braucht sich nur auf die eigentlichen Nahrungsstoffe der Gewächse zu erstrecken, reicht diese nicht aus, so muß er in vorkommenden Fällen den Chemiker zu Hilfe nehmen.

Von den wesentlichen Nahrungsbestandtheilen interessiren den praktischen Landwirth wieder nur die nicht flüchtigen oder fixen Aschenbestandtheile. Die sich verflüchtigenden, wie Kohlenstoff, Stickstoff, Wasser- und Sauerstoff, erhält er theils durch die Atmosphäre, theils durch die Verwesung der organischen Reste. Der her interessirt ihn eigentlich nur die Anwesenheit dieser letzten, und solche herbeizuschaffen, ist einer von den Hauptzwecken des Düngens.

So wie er nur das Dasein der nöthigen Aschenbestandtheile zu kennen nöthig hat, ist er auch der mühsamen, bei geringen Hülfsmitteln nie richtigen quantitativen Untersuchung überhoben. Doch wird er bei einiger Uebung auch bei der quantitativen Untersuchung finden, ob ein Stoff in größerer Menge vorhanden ist oder nicht. Dies zeigt ihm die Dichte und Schnelligkeit der Bildung des Niederschlags. Er wird, wenn er die Ausdrücke: viel, etwas (als mittel) und wenig, gleichmäßig gebraucht, ein ziemlich sicheres Bild des Bodenverhältnisses seiner Felder erhalten.

4) Zu der chemischen Untersuchung gehört auch die Bestimmung der Gesteine, aus welchen der im Boden befindliche Sand hervorgegangen ist. Da dieser Sand erst durch weitere Verwitterung, so wie durch langsame chemische Einwirkung nach und nach auflösbare Stoffe abgibt, so ist er derjenige Körper, von welchem das spätere Vorhandensein von Aschenbestandtheilen abhängt. Er ist daher die Vorrathskammer für künftige Zeiten. Sobald noch die Trümmer der Gesteine, aus welchen er hervorging, erkennbar sind, so sind auch dessen Bestandtheile aus der chemischen Untersuchung der Mineralien bekannt. Eine nähere Untersuchung als durch das Vergrößerungsglas, ist daher hier nicht nothwendig.

Es gibt Böden, bei welchen die Menge des Sandes bereits bis auf wenige Prozente gefallen ist oder derselbe nur noch aus unauflöslichen Körnchen besteht, wobei der Thon unverhältnißmäßig vorherrscht. Solche Böden sind die eigentlich todten. Ohne Ausbringung von außen oder eine besonders tiefe Bearbeitung lassen sich dieselben kaum mehr zu einer bessern Cultur bringen. An ihnen sieht man die Wirkung des Sandes. In besonders guten Böden fehlt darin nie der Feldspath oder Glimmer.

Außer den genannten Punkten hat man ferner noch zu berücksichtigen:

Die Tiefe der Ackerkrume und die physikalische Beschaffenheit des Untergrundes.

Wir haben nun noch die Grundzüge der Methode zu besprechen, wie, nach unserer Ansicht, die Bodenuntersuchung selbst alle jene angegebenen Zwecke erreiche.

Betreffend die Untersuchung der physikalischen Eigenschaften scheint an der bisherigen Art der Ausmittelung des Sandes, der Erde und der organischen Reste nichts auszusetzen. Eben so ergibt sich die Ausmittelung der anderen Eigenschaften von selbst. Dagegen ist bei der chemischen Untersuchung zu bedenken, daß die seitherigen Auflösungsmittel durch Säuren für den Landwirth, wie er sie nöthig hat, wohl die unpassendsten sind. Zur Ausmittelung des künftigen Bodenreichthums genügt die Kenntniß der Gesteine, zur Ausmittelung des jetzigen Standes der auflösbaren Stoffe hat die Natur selbst den Weg vorgezeigt, indem man nur denjenigen, welchen sie selbst geht, einzuhalten braucht.

Betrachtet man die im vorigen Jahre aufgestellte Tabelle über die wechselseitige Thätigkeit der verschiedenen Bodenbestandtheile, so finden sich dann zwei Hauptstoffe, welche alle Auflösung der andern theils direkt bewirken, theils indirekt durch ihre eigene Auflösungsthätigkeit veranlassen. Es sind dies

1) Die Kohlensäure, welche in Vereinigung mit dem Wasser, als kohlensaures Wasser, alle jene einfach kohlensauren Verbindungen auflöslich macht, die in reinem Wasser entweder gar nicht oder kaum auflöslich sind.

2) Das flüssige kohlensaure Amoniak (in äzendem Zustande kann dasselbe nicht vorkommen), welches als Auflösungsmittel für mehrere sonst unlösliche humus- und phosphorsaure Verbindungen dient. Das kohlensaure Amoniak ist überdies meistens noch mit humusartigen Säuren verbunden, welche durch ihre Verwandtschaft mit einzelnen Stoffen, wie mit der Kalk- und Talkerde und dem Eisen, mehrere sonst unlösliche kieselsaure und phosphorsaure Verbindungen zerlegen und deren Bestandtheile in lösliche Bodenstoffe umwandeln.

Wenn auch andere Säuren ähnliche Eigenschaften besitzen, so ist im Allgemeinen deren Wirkung weniger anzuschlagen, weil ihre Quantität zu gering ist und sie dann auch bereits an jene Stoffe gebunden sind, welche die engsten Verbindungen mit ihnen eingehen.

Eben so können andere Alkalien, gleich dem Amoniak, auflösend wirken, z. B. die Kalkerde. Aber dann müssen sie im äzenden Zustande sein, welches in der Natur nie der Fall ist und nur wenn dieser Zustand künstlich hervorgebracht ist, z. B. bei dem Ueberstreuen mit Aezkalk, findet man eine ähnliche auflösende Wirkung, wie bei dem Amoniak. Daher bilden die Kohlensäure, das Amoniak und die zwischen liegenden humusartigen Säuren die Hauptauflösungsmittel für den Boden im natürlichen Zustande, und daß dieses wirklich der Fall ist, sehen wir an der Wirkung des Mistes im Vergleich zur Wirkung der Düngung mit Mineralien ohne Auflösungsmittel. Die erstere ist überall sicher, die anderen versagen, sobald keine genügende Auflösung vorhanden ist.

Folgen wir diesen in der Natur überall vorkommenden Verhältnissen und Einwirkungen in Beziehung auf die chemische Erdenuntersuchung, so zeigt sich das kohlensaure Amoniak als derjenige Stoff, welcher für die Zwecke des Landwirthes um so passender ist, als dessen Wirkung im Glas, jenem in der Natur analog sein muß. Nach dieser Voraussetzung haben wir mehrere Bodenuntersuchungen probeweise angestellt und wir fanden die dadurch bezweckten Erfolge vollkommen erreicht.

Merkwürdig ist aber, wie die angegebenen Verhältnisse sich

auch noch ganz im Großen wiederholt bestätigen. In heißen Zonen, in welchen bei gehöriger Feuchte alle Zersetzungen rascher vor sich gehen, findet eine viel schneller fortschreitende Kohlensäure- und Amoniakbildung statt, als in nördlichen Climaten. Als Folge davon sehen wir, daß hier eine eigentliche Mistdüngung weit weniger nothwendig ist, als dort. In den meisten südlichen Gegenden gehen die Düngungen auf Ersatz von Aschenbestandtheilen. Einzelne Distrikte bedürfen selbst diese kaum. Im Norden dagegen ist eine Mistdüngung zum Behuf der Amoniakerzeugung durchaus nothwendig, und diese Nothwendigkeit bezeichnet der Bauer nicht unpassend mit dem Ausdruck: der Mist erwärmt den Boden.

Was die Amoniak- und Kohlensäurebildung bewirkt, sehen wir auch an dem bedeutend bessern Stand der Gewächse in der Nähe eines frisch gedüngten Feldes, wenn sie selbst auch auf dem magersten Boden stehen. Man glaubt wohl, daß diese Erscheinung von dem Aufsaugen der gasartigen Stoffe herrühre, welche in der Luft schweben und von den Blättern aufgenommen werden. Dies ist nicht zu widersprechen, würden sie aber davon allein besser wachsen, wenn ihnen nicht auch mehr aufgelöste Aschenbestandtheile zukämen, welche Auflösung durch das Einsaugen der gasartigen Stoffe von Seiten des Bodens bewirkt wird?

Man kennt ferner die Wirkung vom Düngen mit reinem kohlensaurem Amoniak. Es ist klar, daß dieser einseitig gegebene Stoff nicht alle andern zu ersetzen vermag, und dennoch ist hiervon die Vegetation bedeutend kräftiger. Der Grund dieser Erscheinung liegt nur in der beschleunigten Auflöslichwerdung der übrigen Bodenstoffe. Die vorzügliche Wirkung der Jauchedüngung beruht wenigstens zum Theil auf ähnlichen Verhältnissen. Wenn die Jauche auch durch Stoffzuführung düngt, so ist deren auflösende Wirkung dabei gewiß von eben so bedeutendem Einflusse.

Je mehr Böden, namentlich aus einer und derselben Gegend untersucht werden, je mehr findet man, daß sie fast alle die gleichen Bestandtheile, vielleicht nur in verschiedenen Mengen enthalten, welche die Gewächse bedürfen, aber die Auflösbarkeit derselben ist verschieden und hieraus erklärt sich die Erscheinung, daß auch fast alle Böden durch Mistdüngung fruchtbar gemacht werden können und zwar nicht auf eine einzige, sondern auf mehrere Erndten hinaus.

Es soll übrigens durchaus nicht jene Wirkung des Düngers geläugnet werden, welchen derselbe durch das Aufbringen von Aschenbestandtheilen selbst zeigt. Aber daß dies nicht die einzige Ursache ist, bezeugt die von vielen Seiten bemerkte Unsicherheit der Wirkung von mineralischen Düngerarten (namentlich auch des Liebig'schen Düngers). Auch hat man von ihnen gewöhnlich keine Wirkung, wenn die Felder zu sehr ausgemagert sind. Da hier das Auflösungsmittel fehlt, so verhalten sich die Stoffe theilnahmslos und sind für die Gewächse so gut wie gar nicht vorhanden.

Aus der qualitativen Untersuchung kann freilich nicht ausgerechnet werden, ob die gefundenen Stoffe in gehöriger Menge vorhanden sind, um für eine gegebene Erndte hinzureichen. Wenn sie aber durch eine derartige Untersuchung aufgefunden werden können, ist doch immer anzunehmen, daß sie in gehöriger Menge vorhanden sind. Manche Gewächse mit zarten Wurzeln, so wie solche, welche aus südlichen Gegenden zu uns verpflanzt sind, verlangen zwar selbst eine Art von Ueberfluß, und nach den Regeln des Fruchtwechsels stehen sie auch an den ersten Stellen, d. h. in den ersten Jahren nach der Düngung, in welchen die meisten aufgelösten Stoffe vorhanden sind.

Wenn man behauptet, daß für eine jede Erndte jene Menge, welche sie an Aschenbestandtheilen consumirt, im Voraus und mit Erfolg dem Acker gegeben werden kann, daß man also die Gewächse gleichsam wie chemische Präparate erziehen kann, so scheint man hierin viel zu weit zu gehen. Die Natur bindet sich nicht an gewisse gegebene Mengen; die Gewächse müssen einen merklichen Ueberschuß im Boden vorfinden, wenn sie gedeihen sollen. Diesen Ueberschuß aber jedesmal auf chemischem Wege zu finden, würde viel zu weit führen, und wäre am Ende doch eine vergebliche Arbeit.

Anders ist es mit der Ermittelung der Stoffmenge, welche durch eine Erndte aus dem Boden gezogen wird. Diese kann man genau wissen, würde aber doch sehr irren, wenn man glaubte, mit dem Ersatz dieser Menge sei das Nothwendige geschehen. Ein großer Theil der auflöslichen Stoffe versenkt sich in den Boden und entgeht der Berechnung. Daher ist auch hier nur eine annähernde Berechnung möglich.

Nachdem wir unsere Ansicht über die Bodenuntersuchungen vom jetzigen landwirthschaftlichen Standpunkte aus mitgetheilt haben, wollen wir die Methode, welche wir gegenwärtig, und zwar (was den chemischen Theil betrifft) nach der von dem Hrn. Privatdozenten Dr. v. Babo in Freiburg gegebenen Vorschrift befolgen, genauer mittheilen.

Von dem zu untersuchenden Boden kann der Ober- oder der Untergrund vorgenommen werden. Der erste zeigt denselben modificirt durch Cultur und Düngung, der zweite mehr nach seiner ursprünglichen Beschaffenheit, wobei freilich jene aufgelösten Stoffe, welche sich in Folge der Cultur des Obergrundes eingesenkt haben, noch hinzukommen.

Die Beschaffenheit des Untergrundes kann auch bei tiefwurzelnden Gewächsen zur Sprache kommen.

Interessirt mehr die Beschaffenheit des Obergrundes, so darf, um solche gehörig beurtheilen zu können, weder die Dicke seiner Schichte, noch die Art der Auflagerung außer Acht bleiben. Eine durchziehende Sandschichte verdirbt oft alle Vortheile der fruchtbarsten Erde, eben so auch undurchlassende Erdschichten, wenn solche zu hoch gegen die Oberfläche liegen.

Will man von einem Ackerboden und seinen Eigenschaften ein klares Bild haben, so müssen diese Verhältnisse vor allem andern bemerkt und notirt werden.

Nachher schreitet man zur Ermittelung des Sandgehaltes. Eine Parthie der Erde wird im Sandbad möglichst getrocknet, bis sie nichts mehr vom Gewicht verliert und davon ein Gramm abgewogen. Dieser kommt in eine Porzellanschale, wird mit Wasser übergossen und eine Viertelstunde auf der Weingeistlampe gekocht. Dann wird auf die bekannte Art die feine Erde durch Schlemmen weggebracht, so lange, bis das auf dem Sande befindliche Wasser ganz hell abläuft. Der gröbere Sand bleibt leicht zurück, von dem feinen kann mit der Erde etwas fortgeschwemmt werden, da derselbe doch nur in mechanischer Hinsicht dieselbe Wirkung äußert.

Nachdem das Wasser abgelaufen, wird der Sand in der Schale über der Weingeistflamme getrocknet, in einem Uhrglase gewogen und das Gewicht notirt.

Um die organischen Reste zu finden, wird eine kleine Platinschale vorher genau abtarirt, in diese kommt ein Gramm der zu untersuchenden Erde und wird der Glühhitze unterworfen, so lang bis alle organischen Reste verbrannt sind.

Durch Wägen nach dem Erkalten gibt das Fehlende die Menge der organischen Reste an, welche aus der Erde ausgetrieben wurden.

Auch diese Menge wird notirt und zu der Sandmenge gezählt. Das von dem Gramm Erde noch fehlende Gewicht ist die pulverförmige Erde, der Thon, im Gegensatz zum Sand und den organischen Resten.

Da die Untersuchung des Sandes durch die Loupe die Gattung der Gesteintrümmer erkennen läßt, woraus er besteht, so muß derselbe untersucht und die Steinarten notirt werden. Eben so ist die Größe der Körner zu bestimmen, und als grob, mittel und fein anzumerken.

Will man die Fähigkeit der Erde, das Wasser anzuziehen, genauer ermitteln, so legt man eine kleine Parthie derselben mehrere Tage lang in einen feuchten Keller, wiegt nachher 1 Gramm ab und trocknet ihn im Wasserbad. Der sich ergebende mehr oder mindere Abgang läßt auf die wasseranziehende und wasserhaltende Kraft der zu untersuchenden Erde schließen.

Dann werden 20 Gramme Erde mit einem Gramm kohlensaurem Amoniak in einem Kolben mit ohngefähr einem halben Schoppen destillirtem Wasser übergossen und diese Mengung einige Tage stehen gelassen, während welcher Zeit man sie öfters umschüttelt. Nach 3 Tagen kann der Auszug von der Erde abfilterirt und diese mit destillirtem Wasser so lange ausgewaschen werden, bis, bei Verdünstung des Wassers auf einem Platinblech nur noch ein sehr schwacher Rückstand erscheint.

Der filtrirte Auszug muß klar und durchsichtig sein, und darf durchaus keine mechanische Beimischung von Erde enthalten. Ist man hierüber nicht ganz sicher, so filtrirt man denselben lieber noch einmal durch doppeltes Filtrirpapier. Seine Farbe ist von ganz dunkel bis zu ganz hellbraun, je nach der Menge der auflösbaren organischen Substanz, welche sich mit dem Amoniak verbindet. Die Farbe wird genau bemerkt, etwa durch dunkelbraun, braun und hellbraun.

Zuletzt wird der Auszug abgedampft, und zwar, je nachdem er weniger wird, in immer kleineren Gefäßen, bis er am Ende in eine Platinschale kömmt, deren Gewicht vorher genau bestimmt wird. In dieser dampft man den fast zur Syrupdicke eingegangenen Auszug vollends ab, glüht ihn auf einer Weingeistlampe, wie solche zum Glasblasen angewandt werden, und wiegt die Schale. Das Mehr wird für die im Auszuge befindliche Menge auflösbarer Aschenbestandtheile notirt.

Jetzt erst beginnt die eigentliche qualitative Untersuchung.

1) Nach dem Glühen und Abwägen des Rückstandes gießt man auf denselben etwas rektificirten Weingeist.

Eine helle gelbe Flamme zeigt Natron an.

2) Der Rückstand wird noch in der Platinschale mit destillirtem Wasser übergossen, dieses kochend gemacht und in ein kleines Filter abgegossen.

Ein Tropfen dieses Filtrats auf ein Uhrglas gebracht und ein Tropfen flüssiges salpetersaures Silber zugesetzt, zeigt, wenn dasselbe einen bläulich weißen Niederschlag gibt, Salzsäure.

Ein anderer Tropfen auf einem Uhrglase, mit salzsaurem Baryt und einem Tropfen Salpetersäure vermischt, zeigt, wenn ein weißer Niederschlag erfolgt, Schwefelsäure.

Der Rest des wässrigen Auszugs wird in einem Reagenzröhrchen mit etwas Chlorplatin und einem Tropfen Salpetersäure vermischt und bis auf wenige Tropfen auf der Weingeistlampe eingedampft, und zu diesen das doppelte Volum reinen amoniakfreien Weingeists gesetzt und einige Stunden stehen gelassen. Ein gelber körniger Niederschlag zeigt Kali an.

(Da übrigens dieser Stoff nur in den vorzüglichsten Böden in großer Menge zu finden ist, so zeigt sich diese Reaktion weit häufiger undeutlich als andere.)

3) Aus dem in der Platinschale befindlichen Rückstand wird etwas weniges auf eine Perle von kohlensaurem Kali und Salpeter gebracht und vor dem Löthrohr geschmolzen. Grüne Farbe zeigt die Anwesenheit von Mangan. (Ebenfalls selten.) Die Perle selbst fertiget man am leichtesten, wenn man kohlensaures

20 Grammen Erde und 1 Gramm kohlensaurem Amoniak								Bemerkungen.
…er geglühte Rückstand enthält:								
…os-…r-…re	Kieselsäure	Kalkerde	Talkerde	Eisen	Mangan	Kali	Natron	
…was	etwas	etwas	Spur	wenig	—	etwas	Spur	Hat außer Mangan alle Stoffe und in gehöriger Menge.
…was	Spur	viel	Spur	etwas	Spur	viel	da	Eben so.
…iel	etwas	viel	Spur	etwas	etwas	viel	Spur	Dieser Acker wurde seit Jahren nicht gedüngt und bleibt immer fruchtbar.
…was	viel	etwas	—	etwas	—	Spur	Spur	Der Acker ist nicht fruchtbar wegen der Kiesunterlage, die an vielen Stellen zu Tage kommt.
—	wenig	etwas	—	wenig	—	wenig	Spur	Nur bei öfterer Düngung fruchtbar.
…twas	wenig	viel	wenig	etwas	—	—	Spur	Fruchtbar nur mit Düngung.
—	Spur	etwas	sehr viel	etwas	—	Spur	Spur	Fruchtbar nur mit Düngung.
—	wenig	wenig	Spur	etwas	—	—	Spur	Unfruchtbar durch den hochliegenden lettigen Untergrund u. den mangelnden Sand.

Kali auf eine kleine Rinne von Platinblech bringt, und diese der oberen Flamme einer mit Gebläse versehenen Weingeistlampe aussetzt. Diese Art ersetzt vollkommen das Löthrohr und ist bequemer.

4) Der in der Platinschale befindliche trockene Rückstand wird mit Salzsäure aufgenommen und in einer kleinen Porzellainschale vorsichtig unter Umrühren mit einem Glasstabe zum Trocknen eingedampft. Was die Salzsäure in der Platinschale nicht aufgelöst hat, ist als Kieselsäure zu notiren. Gelbe Farbe in der Porzellainschale zeigt den Eisengehalt, welcher sich übrigens in allen Erden findet.

5) Man nimmt den Rückstand in der Porzellainschale mit Wasser auf, setzt einige Tropfen Salzsäure zu, filtrirt von der noch etwa ungelöst gebliebenen Kieselerde ab und kocht das Filtrat einige Minuten mit einem blanken Eisendraht.

Dann füllt man in ein Reagenzrohr etwas Braunstein, schüttet einige Tropfen Salzsäure darauf und verschließt das Ganze mit einem Kork, durch welchen eine dünne, hakenförmig gebogene Röhre geht. Dem mit Eisendraht gekochten Filtrat setzt man Amoniak zu, bis Niederschlag erfolgt, nachher Essigsäure bis sich der Niederschlag wieder auflöst und die Masse klar wird. Nach starkem Erwärmen steckt man das Röhrchen des Braunsteinglases in die Masse und erwärmt auch dieses, jedoch mit Vorsicht. Ein Aufsprudeln und starker Chlorgeruch zeigen die Wirkung, die Masse färbt sich braun und ein Niederschlag zeigt, wenn er erscheint, Phosphorsäure mit Eisen verbunden an. Man kann auch, anstatt Chlorgas, einige Tropfen Chlorwasser, welches sich in den Apotheken findet, zusetzen. Jedoch muß es gut sein, was öfters nicht der Fall ist. Bei einiger Uebung ist die Einleitung von Chlorgas vorzuziehen.

6) Die Masse wird wieder zum Kochen gebracht, um das Chlorgas zu entfernen und vom etwaigen Niederschlag abfiltrirt. Man setzt Amoniak bis zur alkalischen Reaktion zu, wodurch sich das noch vorhandene Eisen niederschlägt. Nach dem Abfiltriren desselben setzt man oxalsaures Amoniak zu.

Ein weißer Niederschlag zeigt Kalkerde.

7) Man filtrirt diese ab, setzt phosphorsaures Natron zu, nebst etwas Amoniak, und dampft die Masse etwas ein. Ein weißer Niederschlag zeigt die Talkerde, welche jedoch öfters nur in ganz geringer Menge erscheint.

Zur Erläuterung geben wir die beiliegende Tabelle mit der Untersuchung einiger interessanten Bodenarten.

Die Prüfung auf Thonerde ward als unnöthig, ganz übergangen, da ihr Vorkommen in auflöslicher Form theils ohne Interesse, andererseits in der kohlensauren Amoniaklösung kaum möglich ist. Ueberdies wird das Vorkommen des Thons bereits in der physikalischen Untersuchung soweit nothwendig erkannt.

Bei Betrachtung der Tabelle bieten sich noch folgende Bemerkungen:

Die Erden unter Nummer 1, 2 und 3 sind unter allen die fruchtbarsten. Sie haben über 20% Sand, eine gehörige Menge organischer Reste, in dem Sande befindet sich die nöthige Quantität von Feldspath, er ist auch nicht zu feinkörnig, die Farbe des Auszugs ist dunkelbraun, die aufgelösten Rückstände sind bedeutend genug und die Analyse dieses Rückstandes zeigt, daß alle Aschenbestandtheile vorhanden und zwei derselben, welche sonst öfters fehlen, wie die Phosphorsäure und das Kali, in nicht unbedeutender Quantität vorhanden sind. Nur bei der einen fehlt etwas Mangan, was bei der Untersuchung sehr leicht übersehen werden konnte.

Diese drei Erdarten können als Norm für die fruchtbarsten unserer Gegend und zur Vergleichung mit den andern dienen.

Nummer 4 zeigt einen schlechten Untergrund, eine gelbe Farbe des Auszugs, weniger Kalkerde, namentlich aber fast kein Kali. Die geringere Qualität des Bodens zeigt sich auch bei jeder Erndte, wozu noch kommt, daß bei der meist dünnen, auf Sandgallen ruhenden Ackerkrumme, die auflöslichen Bodenbestandtheile sich schnell in die Tiefe versenken, was die schwache Färbung des Auszugs hinreichend anzeigt.

Nummer 5 ist Sandboden und sowohl an organischen Resten als an auflöslichen Aschenbestandtheilen ziemlich leer. Phosphorsäure fehlt ganz und von Kali findet sich nur die Spur. Ein solcher Boden ist ohne öftere Düngung ganz unfruchtbar. Die Düngung selbst aber muß mehr Aschenbestandtheile enthalten und hier zeigt sich der Nutzen von älterem verrottetem Dünger, welcher für Sandfelder anerkannt ist.

Von 6 und 7 ist uns die Lage weniger bekannt, nur ist auffallend, wie bei Nummer 7 die große Menge von Talkerde erscheint.

Bei Nummer 8 ist die große Menge organischer Reste merkwürdig, sowie die geringe Menge und staubartige Beschaffenheit des Sandes. Da der Auszug hellfarbig ist, so leuchtet ein, wie die Abwesenheit des Sandes der Auflösung der organischen Reste hindernd entgegentritt, und daß hier ein Hinderniß gegen die Zersetzung der organischen Reste obwaltet. Rechnet man hierzu die geringe Tiefe der Krume mit unterliegendem Lettenboden, und die Abwesenheit von Phosphorsäure und Kali, so erhält man von dem Boden kein günstiges Bild, und so ist es auch in der Wirklichkeit. Er ist kalt und todt und trägt nur bei besonders günstiger Witterung reichlich. Aber durch Ueberführen mit

Sand oder Chausseekoth dürfte der Acker schnell in ein sehr erträgliches, seine Kosten reichlich lohnendes Land verwandelt werden können.

Auf die angegebene Art kann der Landwirth die zur praktischen Behandlung nothwendige Kenntniß seiner Felder sicher und leicht erwerben. Er kann sich ein Bild seines Gutes entwerfen, alle Vortheile und Fehler der Felder verschiedener Lagen notiren und zur gelegenen Zeit mit leichter Mühe viele ihm durch die Bodenuntersuchung klar gewordene Mängel verbessern. Mit einiger Uebung kann er aus der Farbe des Auszugs den jeweiligen Düngerzustand des Feldes beurtheilen und dann in Verbindung mit der Betrachtung der chemischen Bestandtheile eine annähernde Berechnung aufstellen, inwiefern zum Anbau gewisser Gewächse, bei etwaiger Düngung, auf einzelne Bestandtheile Rücksicht zu nehmen sein dürfte.

Hat er sich einen Normalboden aus seiner Gegend ausgewählt, so werden ihm Verbesserungen anderer Felder um so mehr gelingen, je mehr alsdann ihre Untersuchung jener des Normalbodens näher kommt.

Der gebildete Landwirth wird daher nie bereuen, eine solche Bodenuntersuchung näherer Aufmerksamkeit gewürdigt zu haben und die darauf gewandte Mühe wird er reichlich belohnt finden.

Sollte Jemand dergleichen Erduntersuchungen ohne Kenntniß von chemischen Arbeiten vornehmen wollen, so können wir ihm nur rathen, sich solche von dem nächsten Apotheker vorzeigen zu lassen. Er wird die wenigen Handgriffe bald inne haben, so wie auch die dazu nothwendigen Geräthe ganz einfach sind. Eben so werden nur die nothwendigsten Reagenzien gebraucht, und von dieser Seite her ist das Geschäft jetzt so sehr erleichtert, daß sich alle Landwirthe, welche es interessirt, damit befassen können.

Lightning Source UK Ltd.
Milton Keynes UK
UKHW020112220119
335965UK00008B/491/P